D1514918

Calcul différentiel

Deborah Hughes-Hallett, *Harvard University* – Andrew M. Gleason, *Harvard University*
Daniel E. Flath, *University of South Alabama* – Patti Frazer Lock, *St. Lawrence University*
Sheldon P. Gordon, *Suffolk County Community College* – David O. Lomen, *University of Arizona*
David Lovelock, *University of Arizona* – William G. McCallum, *University of Arizona*
Douglas Quinney, *University of Keele* – Brad G. Osgood, *Stanford University*
Andrew Pasquale, *Chelmsford High School* – Jeff Tecosky-Feldman, *Haverford College*
Joe B. Thrash, *University of Southern Mississippi* – Karen R. Thrash, *University of Southern Mississippi*
Thomas W. Tucker, *Colgate University*
Avec la collaboration de Otto K. Bretscher, *Harvard University*

Adaptateur
Michel Beaudin
École de technologie supérieure

Consultants
Paul Charlebois et Mario Labrie
Collège François-Xavier-Garneau

Préfacier
Bernard R. Hodgson
Université Laval

Traduit de l'américain par
Suzanne Geoffrion et Louise Durocher

Chenelière/McGraw-Hill
MONTRÉAL • TORONTO

Calcul différentiel

Deborah Hughes-Hallett, Andrew M. Gleason, *et al.*

Traduction partielle de : *Calculus : Single Variable*, Second edition,
de Hughes-Hallett, Gleason, *et al.*
(ISBN 0-471-16443-7)
© 1998 John Wiley & Sons, Inc.

© 2000 Les Éditions de la Chenelière inc.

Éditeur : Michel Poulin
Coordination : Denis Fallu
Révision linguistique : Ginette Laliberté
Correction d'épreuves : Lucie Lefebvre
Infographie : Claude Bergeron
Couverture : Norman Lavoie

Données de catalogage avant publication (Canada)

Vedette principale au titre :

Calcul différentiel

Traduction partielle de la 2e éd. de : Calculus : single variable.

Comprend un index.

Pour les étudiants de niveau collégial.

ISBN 2-89461-383-0

1. Calcul différentiel.   2. Fonctions (Mathématiques).   3. Calcul différentiel – Problèmes et exercices.   I. Hughes-Hallett, Deborah.

QA 303.C27514 2000   515'.3   C00-940343-4

Chenelière/McGraw-Hill
7001, boul. Saint-Laurent
Montréal (Québec)
Canada H2S 3E3
Téléphone : (514) 273-1066
Télécopieur : (514) 276-0324
chene@dlcmcgrawhill.ca

ISBN 2-89461-383-0

Dépôt légal : 2e trimestre 2000
Bibliothèque nationale du Québec
Bibliothèque nationale du Canada

Imprimé au Canada
1 2 3 4 5   IS   04 03 02 01 00

Nous reconnaissons l'aide financière du gouvernement du Canada par l'entremise du Programme d'Aide au Développement de l'Industrie de l'Édition pour nos activités d'édition.

DANGER
LE PHOTOCOPILLAGE TUE LE LIVRE

PRÉFACE

Le calcul différentiel et intégral, sans contredit l'une des réalisations les plus remarquables de l'esprit humain, a vu le jour il y a plus de 300 ans. Rapidement perçu comme un outil exceptionnel susceptible de maintes applications, ce « nouveau » calcul s'est imposé au fil des ans à titre de composante essentielle d'une formation fondamentale non seulement en mathématiques elles-mêmes, mais aussi dans tous les domaines scientifiques. Physiciens et ingénieurs d'abord, et plus récemment biologistes et experts en sciences sociales quantitatives, ont en effet trouvé dans le calcul différentiel et intégral la clé leur permettant d'appréhender et de comprendre l'idée de changement présente dans tant de phénomènes. Très souvent, l'analyse et la description de tels systèmes évolutifs mènent spontanément à des équations différentielles pour lesquelles il faut trouver des solutions, exactes ou approchées.

L'enseignement du calcul : une longue tradition

Depuis plusieurs générations, le calcul différentiel et intégral a constitué un passage obligé pour nombre d'étudiants se destinant aux études supérieures. Sa position stratégique, à la jonction des études secondaires et postsecondaires, en a fait *de facto* le révélateur redouté tant des connaissances mathématiques acquises au secondaire que de la capacité à réussir un programme d'études scientifiques. On a d'ailleurs souvent confiné ce soi-disant pouvoir révélateur à la maîtrise de manipulations purement algorithmiques, au détriment d'une véritable compréhension des concepts mathématiques, comme le suggère l'adage passablement éculé que l'on citait volontiers il y a tout juste quelques décennies : « Dérive qui veut, mais intègre qui peut ! »

Au cours du dernier siècle, l'enseignement du calcul différentiel et intégral a été remarquablement stable à maints égards — certains parleront même d'enseignement sclérosé. Bien sûr, on pouvait constater quelques différences d'un programme d'enseignement ou d'un manuel à un autre, mais il s'agissait de variantes somme toute assez mineures. L'un des manuels utilisés sur une grande échelle alors que je faisais moi-même mon premier cours de calcul — et cela ne remonte pourtant pas à si loin ! — datait essentiellement du début du siècle, une réédition ayant été effectuée au cours des années 30. D'autres manuels faisaient preuve d'une certaine évolution ; toutefois, à des fins de mise en marché, ces ouvrages cherchaient à couvrir tous les thèmes et toutes les applications susceptibles d'intéresser tel ou tel utilisateur du calcul différentiel et intégral. On ajoutait alors de nouveaux éléments, mais on retranchait rarement quoi que ce soit. Cette tendance a mené à la publication de « briques » de plus de 1000 pages pesant plusieurs kilos…

Informatique et enseignement

Outre le fait que le calcul différentiel et intégral était enseigné à un public de plus en plus vaste formé d'étudiants aux origines et aux intérêts divers, ce qui représentait des défis pédagogiques majeurs pour les enseignants, un phénomène important est venu récemment remettre en cause les méthodes d'enseignement du calcul : le développement de logiciels capables d'effectuer les manipulations algorithmiques traditionnellement au cœur de ce cours. Ces systèmes de manipulation symbolique touchaient directement l'image qu'on pouvait se faire d'un calcul mathématique propre à l'humain, par opposition à la machine. Les enseignants des niveaux supérieurs se devaient dès lors de s'interroger sur le rôle de la technologie (ordinateurs, calculatrices symboliques et graphiques) dans l'enseignement du calcul, afin d'identifier les contextes où celle-ci facilite l'apprentissage et d'autres où au contraire elle vient l'entraver. Non pas qu'un logiciel symbolique puisse transformer n'importe quel utilisateur en mathématicien — pas plus qu'un correcteur automatisé d'orthographe ne crée l'écrivain. Mais les possibilités offertes par de tels environnements, en particulier en rapport avec les aspects visuels et numériques des phénomènes mathématiques, jusque-là quasi inaccessibles, obligeaient les enseignants à réexaminer leurs pratiques pédagogiques.

Le *Calculus Reform*

C'est dans un tel contexte qu'a surgi, vers le milieu des années 80, le besoin de repenser en profondeur l'enseignement du calcul différentiel et intégral. Si cette volonté s'est manifestée à divers degrés dans différents pays, c'est sans aucun doute chez nos voisins du Sud qu'elle s'est imposée avec le plus de force. Le mouvement désigné sous le nom de « Calculus Reform » a en effet connu aux États-Unis une ampleur exceptionnelle, ayant mobilisé depuis une quinzaine d'années une quantité impressionnante de mathématiciens, d'utilisateurs des mathématiques et de didacticiens dans une vaste réflexion sur l'enseignement et l'apprentissage du calcul différentiel et intégral, ses applications et l'influence de la technologie. J'ai moi-même été appelé à participer à titre d'expert à la rencontre, organisée en 1987 à Washington par l'Académie nationale des sciences et regroupant plus de 600 participants, qui a en quelque sorte servi de catalyseur à ce mouvement de réflexion. Dans les années subséquentes, plusieurs projets ont vu le jour aux États-Unis, visant à expérimenter de nouvelles approches à l'enseignement du calcul. L'un de ces projets est le Projet Harvard, sans doute parmi les plus importants.

Le Projet Harvard

Comme plusieurs des projets visant à renouveler l'enseignement du calcul différentiel et intégral, le Projet Harvard cherche à amener l'étudiant à mieux percevoir les mathématiques en favorisant une connaissance approfondie des concepts mathématiques, bien au-delà des simples aspects calculatoires. Les interactions symboliques, graphiques et numériques y jouent un rôle majeur, tout comme les applications ou la capacité à verbaliser la compréhension d'un phénomène, par exemple par le biais de la description qualitative de son comportement. L'ordinateur occupe souvent une place importante dans les démarches proposées, non seulement en tant que calculateur pouvant fournir une réponse (symbolique, graphique ou numérique), mais davantage comme support à l'apprentissage dans des phases d'expérimentation, de découverte ou d'illustration.

Sans vouloir suggérer que les documents produits dans le cadre du Projet Harvard (ou de quelque autre projet du même type) représentent la solution finale et universelle à tous les problèmes pédagogiques reliés au calcul — il s'agirait là d'un point de vue bien naïf et illusoire —, je crois fermement qu'ils constituent un corpus de qualité exceptionnelle pour soutenir l'enseignement et l'apprentissage du calcul différentiel et intégral. Nul doute que l'utilisation de ces documents viendra alimenter la réflexion qui doit se poursuivre, tant chez les enseignants que chez les étudiants, sur la place du calcul dans le curriculum mathématique. Pour certains étudiants, le cours de calcul débouche sur un cours d'analyse mathématique, où les concepts sont repris dans des contextes plus abstraits et formels. Pour une majorité cependant, ce cours mène soit directement à des applications dans leur domaine scientifique propre, soit à d'autres cours mathématiques plus avancés. Dans tous les cas, il est essentiel que les étudiants retirent de leur formation de base en calcul une vision solide et approfondie des mathématiques en jeu. C'est cette vision que veut favoriser le programme d'enseignement qui vous est présenté ici.

Bernard R. Hodgson
Professeur titulaire
Département de mathématiques et de statistique
Université Laval, Québec

AVANT-PROPOS

Le calcul différentiel et intégral est l'une des plus grandes réalisations de l'intellect humain. S'inspirant des problèmes d'astronomie, Newton et Leibniz jetèrent les bases du calcul différentiel et intégral il y a 300 ans. Depuis ce temps, le calcul différentiel et intégral ne cesse de répondre à quantité de questions en mathématiques, en sciences physiques, en ingénierie, en sciences humaines et en biologie.

Le grand succès du calcul différentiel et intégral est attribuable à sa capacité exceptionnelle de ramener les problèmes complexes à des applications de règles et de procédures simples. C'est d'ailleurs là que réside le danger de son enseignement : si on se limite à appliquer des règles et des procédures, on perd de vue les mathématiques mêmes et leur valeur pratique. Ce manuel vient mettre l'accent sur l'enseignement des concepts autant que sur les procédures.

En écrivant ce livre, notre objectif était d'aider les étudiants à bien comprendre les notions de calcul différentiel et intégral dans le but d'acquérir une base solide pour leurs cours subséquents en mathématiques et dans d'autres disciplines. Nous nous sommes concentrés sur un petit nombre de notions clés, en mettant l'accent sur la qualité de la compréhension plutôt que sur l'ampleur des sujets couverts.

Les principes directeurs

En général, comme les étudiants apprennent davantage lorsqu'ils sont actifs, nous estimons que les exercices intégrés dans les textes revêtent une importance primordiale. Nous avons aussi compris que le fait de présenter la même chose de différentes manières encourageait les étudiants à réfléchir sur la signification de la matière. Par conséquent, nous nous sommes laissé guider par les principes suivants :

- Les problèmes sont variés et plusieurs demandent aux étudiants d'être réellement créatifs. La plupart ne peuvent être effectués en suivant un modèle présenté dans le texte.
- La règle des quatre représentations est respectée : les notions doivent être présentées sous forme graphique, numérique, algébrique et en langage courant, chaque fois que c'est possible.

L'élaboration de la pensée mathématique

La première étape de l'élaboration de la pensée mathématique consiste à acquérir une image mentale claire et intuitive des notions de base. Ensuite, l'étudiant apprend à raisonner à partir des notions intuitives et à expliquer clairement son raisonnement en langage courant. Lorsque ces bases sont bien établies, on peut choisir l'orientation : les étudiants qui se spécialisent en mathématiques préféreront une approche plus théorique, tandis que ceux qui se spécialisent en sciences et en ingénierie, par exemple, opteront pour la modélisation.

Le développement des habiletés en mathématiques

Pour utiliser le calcul différentiel et intégral avec efficacité, les étudiants doivent posséder des habiletés à la fois dans la manipulation des symboles et dans l'usage de la technologie. Les proportions exactes du recours à chacune d'elles peuvent varier considérablement selon la préparation de l'étudiant et les souhaits des professeurs. Le manuel peut s'adapter à un grand nombre de combinaisons.

La technologie

Le manuel n'exige pas l'usage de logiciels précis ni de technologies particulières. Il a été utilisé avec des calculatrices à affichage graphique, des logiciels graphiques et des logiciels de calcul symbolique. Toute technologie permettant de tracer des fonctions et d'effectuer une intégration numérique suffira. Les étudiants devront user de discernement pour déterminer à quel moment le recours à de tels outils leur sera utile.

Nos expériences

En élaborant les notions présentées dans ce manuel, nous savions que nous devions mettre ce matériel à l'essai dans une grande variété d'établissements servant divers types de populations. Avant de produire la première édition, les membres du consortium et des collègues de plus d'une centaine d'écoles américaines ont fait l'essai en classe des versions préliminaires du manuel. Nous avons sollicité les commentaires d'un grand nombre de mathématiciens. Nous avons continué à encourager nos collègues des disciplines connexes à nous aider à cerner les besoins de leurs étudiants en termes de mathématiques. Cette démarche a notamment compris une étude attentive, effectuée par un groupe de professeurs d'ingénierie issus de programmes d'ingénierie très respectés en Amérique du Nord. Nous avons pu recueillir de précieuses recommandations que nous avons incorporées dans ce manuel, tout en respectant notre engagement initial : nous concentrer sur un nombre limité de sujets.

À l'intention des étudiants : comment apprendre avec ce manuel

- Voici de quelle manière ce manuel se différencie de bon nombre d'ouvrages de mathématiques que vous connaissez. À chaque étape, ce manuel met l'accent sur la *signification* (sous une forme pratique, graphique et numérique) des symboles employés. Contrairement à la pratique habituelle, nous mettons beaucoup moins l'accent sur l'application laborieuse de recettes et de formules ; nous nous concentrons davantage sur la compréhension de ces formules. On vous demandera souvent d'expliquer vos idées avec des mots ou d'expliquer une réponse à l'aide d'un graphe.
- Ce manuel contient les principales notions du calcul différentiel et intégral qui sont expliquées en langage courant. Pour bien utiliser le présent manuel, vous devrez lire attentivement les notions présentées, vous interroger à leur sujet et y réfléchir. Il vous sera utile de lire le texte en détail et pas seulement de vous concentrer sur les exemples.
- Peu d'exemples dans le texte sont identiques aux exercices ; il est donc inutile d'effectuer les exercices en recherchant des exemples similaires. Pour réussir les exercices, vous devrez saisir les notions du calcul différentiel et intégral.
- Bon nombre des problèmes dans ce manuel sont des questions ouvertes. Cela signifie qu'il existe plus d'une approche et plus d'une solution exacte. Parfois, la résolution d'un problème est une question de bon sens, lequel n'est pas explicitement énoncé dans le problème.
- Dans le présent manuel, nous supposons que vous avez accès à une calculatrice graphique ou à un ordinateur. Dans bon nombre de situations, vous ne pourrez trouver la solution exacte à un problème, mais vous pourrez utiliser une calculatrice ou un ordinateur pour avoir une approximation raisonnable. La réponse ainsi obtenue est généralement aussi utile qu'une réponse exacte. Cependant, dans l'énoncé d'un problème, nous ne mentionnons pas toujours la nécessité d'utiliser une calculatrice ; vous devez donc user de discernement.
- Vous vous demandez sans doute ce que ce manuel vous apprendra. En fait, si vous investissez suffisamment d'efforts, vous acquerrez une compréhension réelle de l'une des plus importantes réalisations du millénaire — le calcul différentiel et intégral — et vous aurez une idée précise du rôle des mathématiques à l'ère de la technologie.

Deborah Hughes-Hallett	David O. Lomen	Douglas Quinney
Andrew M. Gleason	David Lovelock	Jeff Tecosky-Feldman
Daniel E. Flath	William G. McCallum	Joe B. Thrash
Patti Frazer Lock	Brad G. Osgood	Karen R. Thrash
Sheldon P. Gordon	Andrew Pasquale	Thomas W. Tucker

TABLE DES MATIÈRES

4   L'UTILISATION DE LA DÉRIVÉE   219

ANNEXES   276

RÉPONSES AUX PROBLÈMES   313

INDEX   327

AIDE-MÉMOIRE   331

CHAPITRE UN

LES FONCTIONS

Les fonctions sont fondamentales en mathématiques. Dans le langage courant, on dit que « le prix d'un billet est fonction de la place où on est assis » ou que « le carburant nécessaire pour lancer une fusée est fonction de sa charge utile ». Dans chaque cas, le mot *fonction* exprime la notion selon laquelle la connaissance d'un fait indique un autre fait. En mathématiques, les principales fonctions sont celles où un nombre permet d'en connaître un autre. Si on connaît la longueur du côté d'un carré, cela signifie que l'on connaît son aire. Si on sait quelle est la circonférence d'un cercle, cela signifie qu'on sait quel est son rayon.

Le calcul différentiel et intégral débute par l'étude des fonctions. Dans le présent chapitre, on jette les bases du calcul différentiel et intégral en examinant le comportement de la plupart des fonctions courantes, notamment les puissances, les exposants, les logarithmes et les fonctions trigonométriques. On explore également des méthodes qui permettent de manipuler des graphes, des tables et des formules qui représentent ces fonctions.

1.1 QU'EST-CE QU'UNE FONCTION ?

En mathématiques, une *fonction* sert à exprimer un lien de dépendance entre une quantité et une autre quantité.

Par exemple, durant l'été de 1990, les températures dans l'État de l'Arizona ont atteint des niveaux records (elles étaient si élevées que certaines compagnies aériennes ont décidé de ne pas y faire atterrir leurs avions par mesure de sécurité). Le tableau 1.1 présente les températures quotidiennes maximales à Phoenix du 19 au 29 juin.

TABLEAU 1.1 *Températures quotidiennes maximales à Phoenix, en Arizona, du 19 au 29 juin 1990*

Date t (juin 1990)	19	20	21	22	23	24	25	26	27	28	29
Température T (°C)	43	45	46	45	45	45	49	50	48	48	42

Bien qu'on ne pense sans doute pas qu'une chose aussi imprévisible que la température puisse constituer une fonction, la température *est effectivement* fonction de la date, puisque chaque jour donne lieu à une et à une seule température maximale. Il n'existe pas de formule pour la température (sinon la météo ne serait pas nécessaire) ; néanmoins, la température satisfait à la définition d'une fonction : chaque date d'entrée t a une température de sortie unique T qui y est associée.

On définit une fonction comme suit :

> Une **fonction** est une règle de correspondance qui relie à chaque nombre d'entrée exactement un nombre de sortie. L'ensemble de tous les nombres d'entrée s'appelle le **domaine** de la fonction, et l'ensemble des nombres de sortie résultant s'appelle l'**image** de la fonction.

L'entrée s'appelle la *variable indépendante* et la sortie, la *variable dépendante*. Dans l'exemple concernant la température, le domaine est l'ensemble des dates $t = \{19, 20, 21, 22, 23, 24, 25, 26, 27, 28, 29\}$, et l'image est l'ensemble des températures $T = \{43, 45, 46, 49, 50, 48, 42\}$. On remarque qu'une fonction peut avoir des sorties identiques pour différentes entrées (les 22, 23 et 24 juin, par exemple).

Certaines quantités comme la date sont *discrètes,* ce qui signifie qu'elles ne prennent que certaines valeurs isolées (les dates doivent être des entiers). D'autres quantités, comme les longueurs, sont *continues* puisqu'elles peuvent être exprimées par n'importe quel nombre. Pour une variable continue, les domaines et les images se notent souvent sous forme d'intervalle :

$$a \le t \le b \text{ s'écrit } [a, b],$$
$$a < t < b \text{ s'écrit }]a, b[.$$

La représentation des fonctions : les tables, les graphes, les formules et les mots

On peut représenter les fonctions à l'aide de tables, de graphes, de formules et de mots. Par exemple, la fonction qui donne les températures quotidiennes maximales à Phoenix en Arizona en fonction du temps peut être représentée par chacun des graphes de la figure 1.1 ainsi que par le tableau 1.1.

D'autres fonctions se présentent naturellement sous forme de graphes. La figure 1.2 présente les électrocardiogrammes (ECG) de deux patients, l'un normal et l'autre anormal. Bien qu'il soit possible de créer une formule pour représenter approximativement une fonction d'électrocardiogramme, cela se fait rarement. Le spécialiste doit connaître les ECG, et il peut les lire beaucoup plus facilement à l'aide d'un graphique que d'une formule.

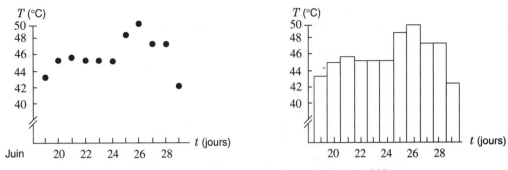

Figure 1.1 : Températures à Phoenix en juin 1990

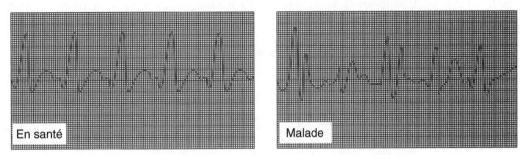

Figure 1.2 : Électrocardiogrammes de deux patients

Cependant, chaque électrocardiogramme correspond à une fonction qui présente l'activité électrique en fonction du temps.

Voici un autre exemple de fonction qui s'applique aux criquets. Chose surprenante, tous les criquets qui se trouvent à une température donnée ont le même taux de stridulation. Cela signifie que le taux de stridulation est fonction de la température. En d'autres mots, si on connaît la température, on peut déterminer le taux de stridulation. Chose encore plus surprenante, le taux de stridulation C (en stridulations par minute) augmente de manière stable avec la température T (en degrés Celcius) et peut être calculé à l'aide de la formule

$$C = 7T - 28$$

avec un degré de précision relativement élevé. On écrit $C = f(T)$ pour exprimer le fait que l'on considère que C est fonction de T. La figure 1.3 présente le graphe de cette fonction.

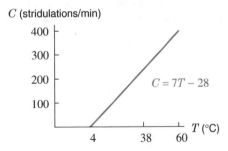

Figure 1.3 : Taux de stridulation du criquet par rapport à la température

Le domaine et l'image : exemples

Si le domaine d'une fonction n'est pas donné, on considère généralement qu'il est le plus grand ensemble de nombres réels pour lequel cette fonction est bien définie. Par exemple, on considère communément que le domaine de la fonction $f(x) = x^2$ est l'ensemble des nombres réels. Cependant, le domaine de la fonction $g(x) = 1/x$ est l'ensemble des nombres réels sauf zéro, puisqu'on ne peut diviser par zéro.

Exemple 1   Trouvez le domaine et l'image de la fonction $y = f(x) = 1/(x-3)^2$.

Solution   Puisque la formule est bien définie pour toutes les valeurs de x sauf 3, le domaine correspond à toutes les valeurs de x où $x \neq 3$. L'image de f est l'ensemble des valeurs de y positives.

On définit parfois le domaine d'une fonction par un sous-ensemble du plus grand ensemble possible de nombres réels. On dit alors qu'on restreint le domaine. Par exemple, si on utilise la fonction $f(x) = x^2$ pour représenter l'aire d'un carré de côté x, on ne considère que les valeurs non négatives de x et on restreint le domaine aux nombres non négatifs.

Exemple 2   Considérez la fonction $C = f(T)$ donnant le taux de stridulation en fonction de la température. On restreint cette fonction à des températures auxquelles le taux de stridulation prévu est positif et à la température la plus élevée jamais enregistrée dans une station météorologique, soit 58 °C. Quel est le domaine de cette fonction f ?

Solution   En considérant l'équation

$$C = 7T - 28$$

en tant que simple relation mathématique entre deux variables C et T, toute valeur de T est possible. Cependant, si on la considère comme une relation entre les stridulations d'un criquet et la température, alors C ne peut être inférieur à zéro. Puisque $C = 0$, on a $0 = 7T - 28$ et, par conséquent, $T = 4$ °C. On constate que T ne peut être inférieur à 4 °C (voir la figure 1.3, page précédente). De plus, on sait que la fonction n'est pas définie pour les températures supérieures à 58 °C. Ainsi, pour la fonction $C = f(T)$, on obtient

Domaine = Toutes les valeurs de T comprises entre 4 °C et 58 °C

= Toutes les valeurs de T où $4 \leq T \leq 58$

= [4, 58].

Ainsi, on dit que la fonction $C = f(T)$ est représentée par la formule

$$C = f(T) = 4T - 28 \text{ dans le domaine } 4 \leq T \leq 58.$$

Exemple 3   Trouvez l'image d'une fonction f, étant donné le domaine de l'exemple 2. En d'autres mots, trouvez toutes les valeurs possibles du taux de stridulation C dans l'équation $C = f(T)$.

Solution   Encore une fois, si on considère $C = 7T - 28$ comme une simple relation mathématique, son image est l'ensemble des valeurs réelles de C. Cependant, lorsqu'on réfléchit à la signification de $C = f(T)$ pour les criquets, on constate que la fonction permettra de prédire que les stridulations de criquets par minute se situent entre 0 (lorsque $T = 4$ °C) et 378 (lorsque $T = 58$ °C). Ainsi,

Image = Toutes les valeurs de C comprises entre 0 et 378

= Toutes les valeurs de C où $0 \leq C \leq 378$

= [0, 378].

Jusqu'à maintenant, on a utilisé la température pour prédire le taux de stridulation et on a considéré la température comme une *variable indépendante* et le taux de stridulation comme une *variable dépendante*. Cependant, on pourrait effectuer ce calcul à l'envers et ainsi déterminer la température à partir du taux de stridulation. De ce point de vue, la température est dépendante du taux de stridulation. Ainsi, pour déterminer la variable dépendante et la variable indépendante, on devrait procéder selon son propre point de vue.

En considérant la température en fonction du taux de stridulation, on peut (en théorie du moins) utiliser le taux de stridulation pour mesurer la température. Cependant, une autre fonction sert à mesurer véritablement la température : il s'agit de la relation entre la hauteur de la colonne de mercure dans un thermomètre et la température. Bien que la hauteur de la colonne de mercure soit sans doute fonction de la température, on utilise toujours cette relation mais de manière inverse, et on détermine la température en fonction de la hauteur de la colonne de mercure.

La proportionnalité

On obtient une relation fonctionnelle courante lorsqu'une quantité est *proportionnelle* à une autre. Par exemple, si les pommes se vendent 1,20 \$ par kg, on dit que le prix payé, soit p dollars, est proportionnel au poids du produit acheté, soit w kg, car

$$p = f(w) = 1{,}2w.$$

Maintenant, on considère l'exemple où l'aire A d'un cercle est proportionnelle au carré du rayon r :

$$A = f(r) = \pi r^2.$$

> On dit que y est (directement) **proportionnel** à x s'il existe une constante k telle que
>
> $$y = kx.$$
>
> Ce k s'appelle la constante de proportionnalité.

On dit également qu'une quantité est *inversement proportionnelle* à une autre si une quantité est proportionnelle à la réciproque de l'autre. Par exemple, la vitesse v à laquelle on effectue un trajet de 50 km est inversement proportionnelle au temps t qu'on met à le faire, car v est proportionnel à $1/t$:

$$v = 50 \left(\frac{1}{t} \right) = \frac{50}{t}.$$

On remarque que, si y est directement proportionnel à x, alors l'ampleur d'une variable augmente lorsque l'ampleur de l'autre augmente et diminue lorsque l'ampleur de l'autre diminue. Cependant, si y est inversement proportionnel à x, alors l'ampleur d'une variable augmente lorsque la valeur de l'autre diminue.

Problèmes de la section 1.1

1. Parmi les graphes de la figure 1.4 (page suivante), lequel correspond le mieux à chacun des trois énoncés suivants[1] ? Rédigez un énoncé qui pourrait correspondre au graphe restant.

   a) Je venais de quitter la maison lorsque je me suis rendu compte que j'avais oublié mes livres, alors j'y suis retourné pour les prendre.

   b) Tout allait bien jusqu'à ce qu'un pneu de ma voiture crève.

   c) J'ai commencé à marcher lentement, mais j'ai accéléré lorsque je me suis aperçu que j'allais être en retard.

---

1. Adapté de TERWEL, Jan, « Real Math in Cooperative Groups in Secondary Education », *Cooperative Learning in Mathematics*, éd. Neal Davidson (Reading : Addison Wesley), 1990.

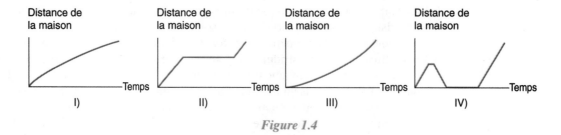

Figure 1.4

2. Parmi les graphes de la figure 1.5, lequel correspond le mieux à chacun des énoncés suivants ? Rédigez un énoncé qui pourrait correspondre au graphe restant.

   a) Pendant le trajet, un pneu de ma voiture a crevé. Après avoir réparé la crevaison, j'ai dû rouler plus vite pour ne pas être en retard.

   b) Ma voiture est tombée en panne, et je l'ai laissée au bord de la route.

   c) Aussitôt après avoir déposé le colis, j'ai fait demi-tour et je suis revenu à la maison en voiture.

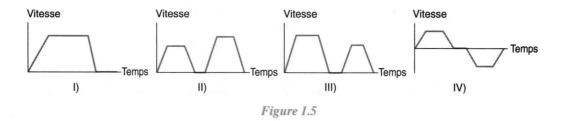

Figure 1.5

3. La population P d'une ville (en millions) est fonction de t, le nombre d'années écoulées depuis 1950. On a $P = f(t)$. Expliquez la signification de l'énoncé $P(35) = 12$ en fonction de la population de cette ville.

Pour les problèmes 4 à 7, écrivez une formule représentant la fonction décrite.

4. L'énergie cinétique K est proportionnelle au carré de la vitesse v.

5. La force de gravitation F entre deux corps est inversement proportionnelle au carré de la distance d qui les sépare.

6. La vitesse moyenne v lors d'un trajet d'une longueur donnée est inversement proportionnelle à la durée de ce trajet.

7. Le volume d'une sphère est proportionnel au cube de son rayon r.

8. La température s'est réchauffée durant la matinée et elle s'est soudain refroidie vers midi, lorsqu'une tempête a éclaté. Après la tempête, la température s'est réchauffée avant de se refroidir au coucher du soleil. Tracez un graphe de la température de cette journée en fonction du temps.

9. Un médecin voyage à bicyclette de la maison à la clinique : un parcours d'une dizaine de kilomètres. Il pédale à une vitesse constante sur 4 km, jusqu'à ce qu'il arrive à la grande côte. En montant la côte de 1 km, il ralentit jusqu'à ce qu'il arrive au sommet. Il se déplace très lentement jusqu'à ce qu'il atteigne le sommet, puis il s'arrête quelques instants pour reprendre son souffle. Il descend ensuite la côte (relativement vite puisque la pente est abrupte) sur une distance de 2 km. Les trois derniers kilomètres à parcourir sont sur un terrain plat. Tracez le graphique qui montre la *vitesse* en fonction de la *distance* depuis la maison.

10. Lorsque l'influx nerveux atteint l'extrémité d'un neurone, un neurotransmetteur est libéré, ce qui déclenche un influx nerveux dans le prochain neurone. Le neurotransmetteur est ensuite dégradé par des enzymes. Tracez un graphe présentant la concentration de neurotransmetteur entre les neurones en fonction du temps.

11. Un avion partant de l'aéroport de Dulles (à Washington, DC) à destination de LaGuardia (à New York) doit tourner autour de LaGuardia plusieurs fois avant d'obtenir la permission d'atterrir. Tracez un graphe de la distance qui sépare l'avion de Washington par rapport au temps, du décollage à l'atterrissage.

12. En vous référant au problème 11, tracez un graphe de la distance qui sépare l'avion de LaGuardia en fonction du temps, du décollage à l'atterrissage.

13. Par une froide journée, on met un objet à l'extérieur et sa température T (en degrés Celsius) est fonction du temps t (en minutes). La figure 1.6 présente un graphe de la fonction $T = f(t)$.

    a) Qu'est-ce que l'énoncé $f(30) = 10$ signifie en fonction de la température ? Incluez des unités de mesure pour 30 et pour 10 dans votre réponse.

    b) Expliquez ce que l'intersection verticale a et l'intersection horizontale b représentent en fonction de la température de l'objet et de la température à l'extérieur.

Les problèmes 14 et 15 concernent les courbes de l'offre et de la demande. Les économistes s'intéressent à la manière dont la quantité q d'un article fabriqué et vendu est fonction de son prix p par unité. Ils considèrent que la quantité est fonction du prix. Cependant, pour des raisons historiques[2], les économistes mettent le prix (la variable indépendante) sur l'axe vertical et la quantité (la variable dépendante) sur l'axe horizontal. Puisque les fabricants et les clients réagissent différemment aux variations de prix, deux fonctions relient p et q. La *courbe de l'offre* représente comment la quantité d'un article que les fabricants sont prêts à offrir est fonction du prix auquel cet article peut se vendre. La *courbe de la demande* indique comment la quantité d'un article demandé par les consommateurs varie en fonction de son prix.

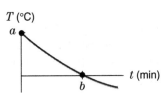

Figure 1.6

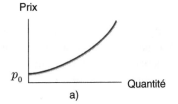

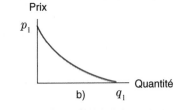

Figure 1.7 : Courbes de l'offre et de la demande

14. L'un des graphes de la figure 1.7 est une courbe de l'offre et l'autre, une courbe de la demande. Lequel représente la demande et lequel représente l'offre ? Pourquoi ?

15. Le prix p_0, à la figure 1.7 a), représente le prix au-dessous duquel les fabricants ne souhaitent produire aucun article. Que représentent le prix p_1 et la quantité q_1 dans la figure 1.7 b) du point de vue économique ?

Pour les problèmes 16 à 18, donnez le domaine et l'image approximatifs de chaque fonction. Supposez que le graphe est présenté en entier.

16.
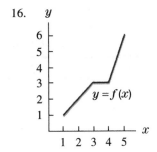

17.
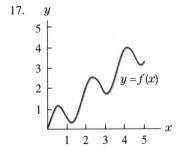

18.
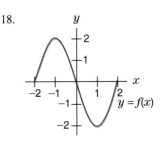

---

2. Au départ, les économistes considéraient le prix comme une variable dépendante et le mettaient sur l'axe vertical. Malheureusement, lorsque leur point de vue a changé, ils n'ont pas interverti les axes.

Trouvez le domaine et l'image des fonctions pour les problèmes 19 à 21.

19. $y = x^2 + 2$ 20. $y = \dfrac{1}{x - 2}$ 21. $y = \dfrac{1}{x^2 + 2}$

22. Si $f(t) = \sqrt{t^2 - 16}$, trouvez toutes les valeurs de t pour lesquelles $f(t)$ est un nombre réel. Résolvez $f(t) = 3$.

23. Si $g(x) = (4 - x^2)/(x^2 + x)$, trouvez le domaine de $g(x)$. Résolvez $g(x) = 0$.

24. Lorsque Galilée a formulé les lois du mouvement, il a analysé le mouvement d'un corps initialement au repos qui chute sous l'effet de la gravité. Il croyait au départ que la vitesse d'un corps en chute était proportionnelle à la hauteur de sa chute. Que vous révèlent les données expérimentales du tableau 1.2 au sujet de l'hypothèse de Galilée ? Quelle autre hypothèse vous suggèrent les deux ensembles de données des tableaux 1.2 et 1.3 ?

TABLEAU 1.2

Distance (m)	0	1	2	3	4
Vitesse (m/s)	0	2,4	3,4	4,3	5

TABLEAU 1.3

Temps (s)	0	1	2	3	4
Vitesse (m/s)	0	9,8	19,6	29,4	39,2

1.2 LES FONCTIONS LINÉAIRES

Les fonctions les plus couramment utilisées sont sans doute les *fonctions linéaires*. Ces fonctions ont un taux d'augmentation ou de diminution constant. Une fonction est linéaire si sa pente ou son taux de variation est identique partout. Pour une fonction qui n'est pas linéaire, le taux de variation fluctue d'un point à l'autre.

Le saut à la perche olympique

Au cours des premières années des Jeux olympiques modernes, la hauteur record de saut à la perche augmentait d'environ 20 cm tous les quatre ans. Dans le tableau 1.4, on peut constater que le premier record de hauteur était de 330 cm en 1900 et qu'il a augmenté par la suite de 5 cm par année. Donc, de 1900 à 1912, la hauteur a été fonction du temps de manière linéaire. Si y est la valeur du record (en cm) et t le nombre d'années écoulées depuis 1900, on peut écrire

$$y = f(t) = 330 + 5t.$$

Puisque $y = f(t)$ augmente avec t, on dit que f est une *fonction croissante*. Le coefficient 5 indique le taux (en cm par année) auquel la hauteur augmente. Ce taux est la *pente* de la droite $f(t) = 330 + 5t$.

TABLEAU 1.4   *Records de saut à la perche olympique (approximatifs)*

Année	1900	1904	1908	1912
Hauteur (cm)	330	350	370	390

On peut visualiser la pente, à la figure 1.8, comme le rapport

$$\text{Pente} = \frac{\text{Variation de la hauteur}}{\text{Variation du temps}} = \frac{350 - 330}{1904 - 1900} = \frac{20}{4} = 5 \text{ cm/année}.$$

Le calcul de la pente (variation de la hauteur/variation du temps) à l'aide de n'importe lequel des deux autres points sur la droite donne la même valeur.

Qu'en est-il de la constante 330 ? Celle-ci représente la hauteur du premier record de saut, en 1900, lorsque $t = 0$. Géométriquement, 330 est l'*intersection* avec l'axe vertical.

On peut se demander si cette tendance linéaire se poursuit après 1912. Évidemment, ce n'est pas tout à fait le cas. La formule $y = 330 + 5t$ prédit que la hauteur record lors des Jeux olympiques de 1996 serait de 810 cm (ou 8,1 m), laquelle est considérablement plus élevée que la valeur effective de 5,9 m. En effet, l'*extrapolation* sur une trop longue période à partir des données fournies est hasardeuse. On doit également noter que les données du tableau 1.4 sont *discrètes,* car elles ne concernent que des périodes précises (tous les quatre ans). Cependant, on a traité la variable t comme si elle était *continue,* car la fonction $y = 330 + 5t$ est définie pour toutes les valeurs de t. Le graphe de la figure 1.8 est celui de la fonction continue puisqu'il représente une droite pleine plutôt que quatre points distincts représentant les années durant lesquelles les Jeux olympiques se sont déroulés.

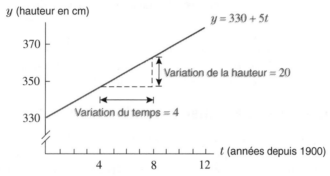

Figure 1.8 : Records de saut à la perche olympique

Les fonctions linéaires en général

> Une **fonction linéaire** a la forme
>
> $$y = f(x) = b + mx.$$
>
> Son graphe est une droite telle que
> - m est la **pente** ou le taux de variation de y par rapport à x ;
> - b est l'**intersection verticale** ou la valeur de y lorsque x est zéro ou l'ordonnée à l'origine.

On remarque que si la pente m est zéro, on obtient $y = b$, une droite horizontale.

> Pour savoir si une table des valeurs de x et de y provient d'une fonction linéaire $y = b + mx$, on recherche des différences dans les valeurs de y qui sont constantes pour des différences équivalentes de x.

Le taux moyen de variation et la représentation delta

On utilise le symbole Δ (la lettre grecque delta majuscule) pour signifier *variation en*. Donc, Δx signifie *variation en x* et Δy, *variation en y*.

On peut calculer la pente d'une fonction linéaire $y = f(x)$ à partir des valeurs de la fonction en deux points, qui sont donnés par x_1 et x_2, en utilisant la formule

$$m = \frac{\text{Variation en } y}{\text{Variation en } x} = \frac{\Delta y}{\Delta x} = \frac{f(x_2) - f(x_1)}{x_2 - x_1}.$$

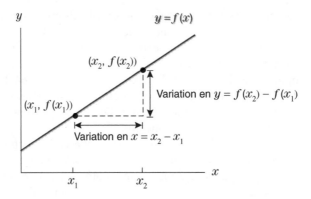

Figure 1.9 : Taux moyen de variation $= \dfrac{f(x_2) - f(x_1)}{x_2 - x_1}$

La quantité $(f(x_2) - f(x_1))/(x_2 - x_1)$ s'appelle un *taux moyen de variation*, puisqu'il s'agit du quotient de deux différences (voir la figure 1.9). Dans le chapitre 2, on verra que les taux moyens de variation jouent un rôle important dans le calcul différentiel et intégral.

Le succès des équipes de recherche et de sauvetage

On considère maintenant le problème des équipes de recherche et de sauvetage qui s'efforcent de trouver des excursionnistes perdus dans des régions éloignées. Pour rechercher une personne, les membres de l'équipe se séparent et se déplacent en parallèle dans la région déterminée. L'expérience démontre que les chances de trouver une personne perdue sont fonction de la distance d qui sépare les membres de l'équipe. Pour un type particulier de terrain, le tableau 1.5 présente le pourcentage de personnes trouvées[3] pour différentes distances entre les membres de l'équipe.

TABLEAU 1.5 *Taux de réussite par rapport à la distance entre les membres de l'équipe de recherche et de sauvetage*

Distance d (m)	Pourcentage approximatif de personnes trouvées P
6	90
12	80
18	70
24	60
30	50

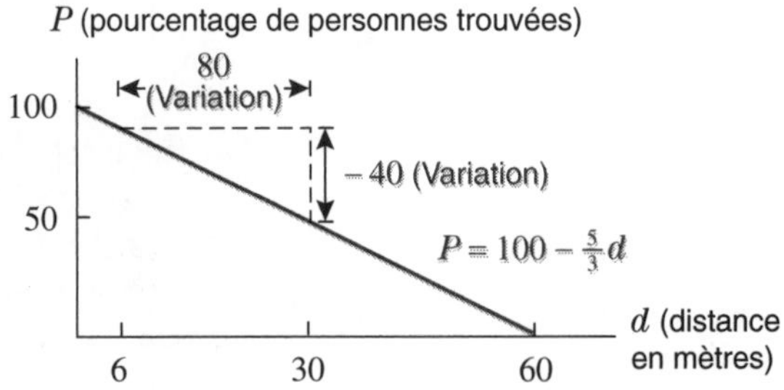

P (pourcentage de personnes trouvées)

$P = 100 - \frac{5}{3} d$

Figure 1.10 : Taux de réussite par rapport à la distance entre les membres de l'équipe de recherche et de sauvetage

Tel qu'il a été prévu, les données du tableau révèlent que plus la distance entre les membres de l'équipe diminue, plus le pourcentage d'excursionnistes trouvés augmente. Puisque $P = f(d)$ diminue à mesure que d augmente, on dit que P est une *fonction décroissante* de d. De plus, les données montrent que chaque fois que la distance entre les membres de l'équipe augmente de 6 m, le pourcentage de personnes trouvées diminue de 10. Cela indique que le graphe de P par rapport à d est une droite (voir la figure 1.10). On remarque que la pente correspond à $-40/24 = -5/3$. Le signe négatif montre que P diminue au fur et à

---

3. Tiré de WARTES, J., *An Experimental Analysis of Grid Sweep Searching*, Explorer Search and Rescue, Western Region, 1974.

mesure que d augmente. L'ampleur de la pente correspond au taux auquel P diminue et d augmente.

Qu'en est-il de l'intersection avec l'axe vertical ? Si $d = 0$, les membres de l'équipe marchent côte à côte et on s'attend à ce que toutes les personnes perdues soient trouvées. Donc, $P = 100$. C'est exactement ce qui se produit si la droite se poursuit jusqu'à l'axe vertical (une diminution de 6 en d provoque une augmentation de 10 en P). Par conséquent, l'équation de la droite est

$$P = f(d) = 100 - \frac{5}{3}\,d.$$

Qu'en est-il de l'intersection avec l'axe horizontal ? Lorsque $P = 0$ ou $0 = 100 - \frac{5}{3}d$, alors $d = 60$. La valeur $d = 60$ représente la distance entre les membres de l'équipe à laquelle, selon le modèle, personne n'est trouvé. C'est illogique, car même si les membres de l'équipe sont très éloignés les uns des autres, la recherche peut tout de même être fructueuse. Cela laisse supposer que, à un point quelconque, la relation linéaire cesse de s'appliquer. Tout comme pour l'exemple du saut à la perche, l'extrapolation effectuée trop au-delà des données fournies peut fausser les résultats.

Les fonctions croissantes et les fonctions décroissantes

Les termes *croissant* et *décroissant* peuvent s'appliquer à des fonctions autres que les fonctions linéaires (voir la figure 1.11). En général,

> Une fonction f est **croissante** si les valeurs de $f(x)$ augmentent à mesure que x augmente.
> Une fonction f est **décroissante** si les valeurs de $f(x)$ diminuent à mesure que x augmente.
>
> Le graphe d'une fonction *croissante monte* au fur et à mesure qu'on se déplace de la gauche vers la droite.
> Le graphe d'une fonction *décroissante descend* au fur et à mesure qu'on se déplace de la gauche vers la droite.

Croissante   Décroissante

Figure 1.11 : Fonction croissante et fonction décroissante

Les familles de fonctions linéaires

On dit que des formules telles que $f(x) = b + mx$, où les constantes m et b peuvent avoir différentes valeurs, définissent une *famille de fonctions*. Toutes les fonctions d'une famille partagent certaines propriétés — dans le cas présent, tous les graphes sont des droites. Chacune des fonctions de la présente section appartient à la famille linéaire $f(x) = b + mx$. Les constantes m et b sont appelées des *paramètres* ; leur signification est présentée aux figures 1.12 et 1.13 (page suivante). On remarque que plus l'ampleur de m est importante, plus la droite est abrupte.

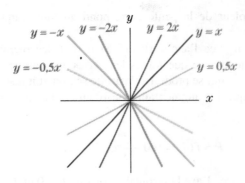

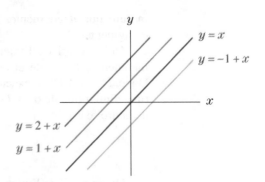

Figure 1.12 : Famille $y = mx$ (où $b = 0$)   *Figure 1.13 :* Famille $y = b + x$ (où $m = 1$)

Problèmes de la section 1.2

Pour les problèmes 1 à 3, déterminez la pente et l'ordonnée à l'origine de la droite pour laquelle l'équation est donnée.

1. $7y + 12x - 2 = 0$ 2. $-4y + 2x + 8 = 0$ 3. $12x = 6y + 4$

Pour les problèmes 4 à 6, trouvez l'équation de la droite qui passe par les points donnés.

4. $(0, 0)$ et $(1, 1)$ 5. $(0, 2)$ et $(2, 3)$ 6. $(-2, 1)$ et $(2, 3)$

Pour les problèmes 7 à 9, considérez le fait que les droites parallèles ont des pentes égales et que les pentes des droites perpendiculaires sont des réciproques négatives l'une de l'autre.

7. Trouvez l'équation de la droite passant par le point $(2, 1)$ qui est perpendiculaire à la droite $y = 5x - 3$.

8. Trouvez les équations des droites passant par le point $(1, 5)$ qui sont parallèles et perpendiculaires à la droite dont l'équation est $y + 4x = 7$.

9. Trouvez les équations des droites passant par le point (a, b) qui sont parallèles et perpendiculaires à la droite $y = mx + c$, en supposant que $m \neq 0$.

10. Faites correspondre les graphes de la figure 1.14 aux équations ci-dessous. (Notez que les échelles des axes des x et des y peuvent être différentes.)

    a) $y = x - 5$ c) $5 = y$ e) $y = x + 6$

    b) $-3x + 4 = y$ d) $y = -4x - 5$ f) $y = x/2$

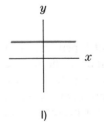 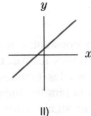 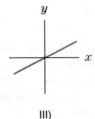 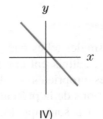 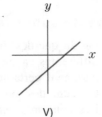 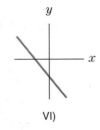

I)   II)   III)   IV)   V)   VI)

Figure 1.14

11. Faites correspondre les graphes de la figure 1.15 aux équations ci-dessous. (Notez que les échelles des axes des x et des y peuvent être différentes.)

   a) $y = -2{,}72x$

   b) $y = 0{,}01 + 0{,}001x$

   c) $y = 27{,}9 - 0{,}1x$

   d) $y = 0{,}1x - 27{,}9$

   e) $y = -5{,}7 - 200x$

   f) $y = x/3{,}14$

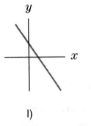
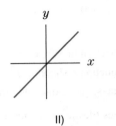
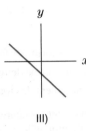
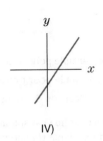
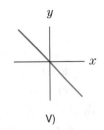
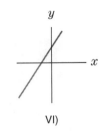

I)   II)   III)   IV)   V)   VI)

Figure 1.15

12. L'équation d'une droite est $3x + 4y = -12$. Trouvez la longueur de la portion de cette droite située entre les deux points d'intersection avec les axes.

13. Le tableau ci-dessous donne les valeurs d'une fonction linéaire. Trouvez une formule pour déterminer W en fonction de R.

R	6	9	12	15	18
W	20	25	30	35	40

14. Supposez que vous conduisez votre voiture de Toronto à Windsor à une vitesse constante et que vous couvrez une distance de 390 km. À environ 185 km de Toronto, vous passez par London, Ontario. Tracez un graphe de votre distance depuis London en fonction du temps.

15. Les habitants de la ville de Maple Grove qui sont approvisionnés en eau se voient facturés annuellement pour un montant fixe en plus des frais pour chaque pied cube d'eau utilisé. Un ménage qui utilise 40 m³ d'eau a été facturé 90 \$, alors qu'un ménage qui utilise 65 m³ d'eau a été facturé 105 \$.

   a) Quel est le coût par mètre cube d'eau ?

   b) Écrivez une équation pour le coût qu'un résidant doit payer en fonction du nombre de mètres cubes d'eau utilisés.

   c) Combien de mètres cubes d'eau utilisés une facture de 130 \$ représente-t-elle ?

16. Vous tricotez un foulard de largeur constante. Soit $s(y) = b + ay$ une fonction qui donne la longueur du foulard $s(y)$ [en cm], après que vous avez utilisé y balles de laine. Ici a et b sont des constantes.

   a) Quelle est la valeur de b ? Pourquoi ?

   b) La constante a est-elle positive, négative ou nulle ?

   c) Votre amie tricote également un foulard en alternant des mailles et des jours. Votre foulard n'a pas de jours. La formule de la longueur du foulard de votre amie est $p(y) = cy$, où c est une constante. Quelle constante est la plus grande, a ou c ?

17. Le graphe de la température en degrés Fahrenheit en fonction de la température en degrés Celsius est une droite. Vous savez que 212 °F et 100 °C représentent tous les deux le point d'ébullition de l'eau. De même, 32 °F et 0 °C représentent tous les deux le point de congélation de l'eau.

   a) Quelle est la pente du graphe ?

   b) Quelle est l'équation de la droite ?

   c) Utilisez l'équation pour trouver quelle température (en degrés Fahrenheit) correspond à 20 °C.

   d) Quelle température a le même nombre de degrés en degrés Celsius et en degrés Fahrenheit ?

18. Soit p le prix de vente (en dollars) d'un jouet et q le nombre de jouets (en milliers) qui se vendent à ce prix. Des recherches en marketing révèlent la relation suivante entre p et q :

p	1	2	3	4
q	950	900	850	800

a) Donnez une formule pour trouver q sous forme de fonction linéaire de p.

b) Donnez une formule pour trouver p sous forme de fonction linéaire de q.

c) Selon ce modèle, si on distribue gratuitement des jouets, quelle quantité sera vendue ?

19. Lorsqu'une matière solide est soumise à de petites charges (des forces de tension ou de compression), la tension résultante (la variation fractionnelle en longueur) est proportionnelle à la charge. L'élasticité du matériel est représentée par la constante E, appelée le module de Young, où

$$E = \frac{\text{Charge}}{\text{Tension}}.$$

La figure 1.16 montre la courbe de charge (en newtons par mètre carré) et de tension pour un os. Estimez le module de Young pour l'os.

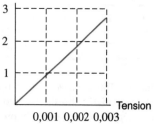

Figure 1.16

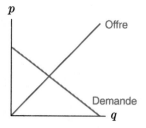

Figure 1.17

20. Les courbes d'offre et de demande linéaires[4] sont présentées à la figure 1.17 ; le prix est échelonné sur l'axe vertical. Le point d'équilibre se trouve au point d'intersection des courbes d'offre et de demande.

a) Situez le prix d'équilibre $p*$ et la quantité d'équilibre $q*$ sur les axes.

b) Expliquez l'effet sur le prix et sur la quantité d'équilibre si la pente de la courbe d'offre augmente. Illustrez votre réponse à l'aide d'un graphe.

c) Expliquez quel sera l'effet sur le prix et sur la quantité d'équilibre si la pente de la courbe de demande augmente négativement, l'ordonnée à l'origine étant maintenue constante. Illustrez votre réponse à l'aide d'un graphe.

21. Depuis la colonisation de l'Ouest, la population américaine se déplace de plus en plus dans cette direction. Pour observer ce phénomène, on analyse le « centre de la population » des États-Unis, qui représente le point où le pays serait en équilibre s'il était un plateau plat (sans poids) et si tous les habitants pesaient le même poids. En 1790, le centre de la population se situait à l'est de Baltimore, au Maryland. Depuis, il se déplace vers l'ouest, et en 1990 il a traversé le Mississippi jusqu'à Steelville, au Missouri (au sud-ouest de St-Louis). Au cours de la deuxième moitié du xxe siècle, le centre de la population s'est déplacé d'environ 80 km vers l'ouest tous les 10 ans.

a) Mesurez sa position à l'ouest depuis Steelville le long de la droite qui passe par Baltimore. Exprimez la position approximative du centre de la population en fonction du temps, mesuré en années à partir de 1990.

---

4. Pour une discussion sur les courbes d'offre et de demande, voir les problèmes 14 et 15 de la section 1.1.

b) La distance entre Baltimore et Steelville est d'un peu plus de 1100 km. Pouvez-vous affirmer que le centre de la population se déplace environ au même taux depuis les deux derniers siècles ?

c) La fonction de la partie a) pourrait-elle s'appliquer aux trois prochains siècles ? Pourquoi ? [Conseil : on vous suggère d'étudier une carte. Notez que les distances sont données en kilomètres aériens et non pas en kilomètres terrestres.]

22. Pour de faibles variations de température, la formule pour calculer la dilatation d'une barre de métal sous l'effet d'une variation de température est

$$l - l_0 = al_0(t - t_0),$$

où l est la longueur de l'objet à la température t, l_0 la longueur initiale de l'objet à la température t_0 et a une constante qui dépend du type de métal.

a) Exprimez l sous forme de fonction linéaire de t. Trouvez la pente et l'ordonnée à l'origine. [Conseil : traitez les autres quantités comme des constantes.]

b) Supposez que la barre mesure au départ 100 cm de longueur à 10 °C et qu'elle est faite d'un métal où a est égal à 10^{-5}. Trouvez une équation donnant la longueur de cette barre à la température t.

c) Que vous indique le signe de la pente du graphe sur la dilatation d'un métal sous l'effet d'une variation de température ?

23. Lorsqu'on met une pomme de terre au four, sa température augmente. Le taux R (en degrés par minute) auquel la température de la pomme de terre augmente est régi par la loi du réchauffement de Newton, selon laquelle ce taux est proportionnel à la différence de température entre la pomme de terre et le four. Supposez que la température du four est de 180 °C et que la température de la pomme de terre est de T °C.

a) Écrivez une formule donnant R en fonction de T.

b) Tracez le graphe de R par rapport à T.

24. Un corps de masse m chute à une vitesse v. La deuxième loi du mouvement de Newton, soit $F = ma$, énonce que la force nette vers le bas F exercée sur le corps est proportionnelle à son accélération vers le bas a. La force nette F est constituée de la force causée par la gravité F_g, qui agit vers le bas, moins la résistance de l'air F_r, qui agit vers le haut. La force causée par la gravité est mg, où g est une constante. Supposez que la résistance de l'air est proportionnelle à la vitesse du corps.

a) Écrivez une expression décrivant la force nette F en fonction de la vitesse v.

b) Écrivez une formule donnant a en fonction de v.

c) Tracez le graphe de a par rapport à v.

1.3 LES FONCTIONS EXPONENTIELLES

La croissance de la population

On considère les données présentées au tableau 1.6 (page suivante) sur la population du Mexique au début des années 1980. Pour comprendre comment la population augmente, on pourrait observer la croissance démographique d'une année à l'autre, comme le montre la troisième colonne du tableau. Si la population augmentait de manière linéaire, tous les nombres de la troisième colonne seraient les mêmes. Cependant, les populations augmentent généralement plus vite au fur et à mesure qu'elles deviennent plus importantes, parce qu'un plus grand nombre d'habitants ont des enfants. Il ne faut donc pas s'étonner si les nombres de la troisième colonne augmentent.

TABLEAU 1.6 *Population (approximative) du Mexique, 1980 –1986*

Année	Population (en millions)	Variation démographique (en millions)
1980	67,38	1,75
1981	69,13	1,80
1982	70,93	1,84
1983	72,77	1,89
1984	74,66	1,94
1985	76,60	1,99
1986	78,59	

Si on divise la population annuelle par la population de l'année précédente, on obtient approximativement

$$\frac{\text{Population en 1981}}{\text{Population en 1980}} = \frac{69,13 \text{ millions}}{67,38 \text{ millions}} = 1,026 \, ,$$

$$\frac{\text{Population en 1982}}{\text{Population en 1981}} = \frac{70,93 \text{ millions}}{69,13 \text{ millions}} = 1,026 \, .$$

Le fait que les deux calculs donnent 1,026 montre que la population s'est accrue d'environ 2,6 % de 1980 à 1981 et de 1981 à 1982. En effectuant des calculs semblables pour d'autres années, on découvre que la population a augmenté d'un facteur d'environ 1,026 (ou 2,6 %) par année. Chaque fois que le facteur de croissance est constant (ici 1,026), on a une *croissance exponentielle*. Si t est le nombre d'années écoulées depuis 1980,

- lorsque $t = 0$, la population $= 67,38 = 67,38(1,026)^0$;
- lorsque $t = 1$, la population $= 69,13 = 67,38(1,026)^1$;
- lorsque $t = 2$, la population $= 70,93 = 69,13(1,026) = 67,38(1,026)^2$;
- lorsque $t = 3$, la population $= 72,77 = 70,93(1,026) = 67,38(1,026)^3$.

Donc, la population, t années après 1980, est donnée de façon générale par

$$P = 67,38(1,026)^t.$$

Il s'agit d'une *fonction exponentielle* de base 1,026. On dit qu'elle est exponentielle parce que la variable indépendante t se trouve dans l'exposant. La base représente le facteur par lequel la population augmente chaque année. Si on suppose que la même formule s'appliquera aux 50 prochaines années, le graphe de la population aura la forme présentée à la figure 1.18. Puisque la population s'accroît, la fonction est croissante. On remarque aussi que la population augmente de plus en plus rapidement avec le temps. Ce comportement est typique d'une fonction exponentielle. Comparez ce comportement à celui d'une fonction linéaire, qui monte au même taux partout et dont le graphe est une droite. Puisque le graphe d'une fonction exponentielle est recourbé vers le haut, on dit qu'il est *concave vers le haut*. Même les fonctions exponentielles qui montent lentement au départ, comme celle-ci, finissent par augmenter très rapidement. C'est pourquoi la croissance démographique exponentielle est considérée par certains comme une menace mondiale.

Même s'il représente des données fiables, le graphe régulier de la figure 1.18 ne constitue qu'une approximation du graphe véritable de la population du Mexique. Puisqu'il ne peut y avoir de fractions d'individus, le graphe devrait en réalité être irrégulier, se déplaçant vers le haut ou vers le bas chaque fois qu'une personne naît ou meurt. Cependant, avec une population qui compte plusieurs millions d'habitants, les hausses et les baisses sont trop petites pour qu'elles soient perceptibles à l'échelle utilisée. Ainsi, le graphe régulier constitue une très bonne approximation.

Exemple 1   Faites une prédiction quant à la population du Mexique en l'an

a) 2007 (lorsque $t = 27$).   b) 2034 (lorsque $t = 54$).   c) 2061 (lorsque $t = 81$).

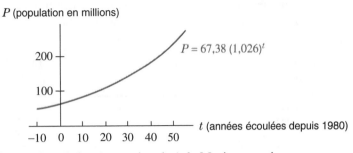

Figure 1.18 : Population (approximative) du Mexique : croissance exponentielle

Solution   Le fait d'extrapoler trop loin dans le futur comporte des risques, car on suppose que la population continue d'augmenter de manière exponentielle avec le même facteur de croissance. (Il pourrait y avoir, par exemple, une découverte médicale qui ferait augmenter le facteur de croissance, ou une épidémie qui le ferait diminuer.) En écrivant le symbole $\approx$ pour signifier *environ égal à,* le modèle utilisé permet de prédire les populations ci-après.

a) $P = 67{,}38(1{,}026)^{27} \approx 67{,}38(2) = 134{,}76$ millions.

b) $P = 67{,}38(1{,}026)^{54} \approx 67{,}38(4) = 269{,}52$ millions.

c) $P = 67{,}38(1{,}026)^{81} \approx 67{,}38(8) = 539{,}04$ millions.

Si on examine les réponses de l'exemple 1, on découvre que, 27 années plus tard, la population a doublé ; 27 années plus tard (pour $t = 54$), elle a doublé de nouveau ; encore 27 années plus tard (lorsque $t = 81$), la population a doublé de nouveau. Par conséquent, on peut dire que le *temps de doublement* de la population du Mexique est de 27 années. Chaque population qui augmente de manière exponentielle a un temps de doublement fixe.

La concavité

On a utilisé l'expression « concave vers le haut » pour décrire le graphe de la figure 1.18. La figure 1.22 présente un graphe concave vers le bas[5]. En termes concrets,

> Le graphe d'une fonction est **concave vers le haut** s'il est recourbé vers le haut lorsqu'on se déplace de la gauche vers la droite ; il est **concave vers le bas** s'il est recourbé vers le bas (voir la figure 1.19). Une droite n'est ni concave vers le haut ni concave vers le bas.

Figure 1.19 : Concavité d'un graphe

---

5. Dans le chapitre 3, la concavité sera examinée plus en profondeur.

Le ton musical

Le ton d'une note de musique est déterminé par la fréquence de la vibration qui la cause. Le do du milieu du piano (do central), par exemple, correspond à une vibration de 263 Hz (oscillations par seconde). Une note d'une octave supérieure au do central vibre à 526 Hz, et une note de deux octaves supérieures au do central vibre à 1052 Hz (voir le tableau 1.7).

TABLEAU 1.7   *Ton de notes supérieures au do central*

Nombre n d'octaves supérieures au do central	Nombre de hertz $V = f(n)$
0	263
1	526
2	1052
3	2104
4	4208

TABLEAU 1.8   *Ton de notes inférieures au do central*

n	$V = 263 \cdot 2^n$
-3	$263 \cdot 2^{-3} = 263(1/2^3) = 32{,}875$
-2	$263 \cdot 2^{-2} = 263(1/2^2) = 65{,}75$
-1	$263 \cdot 2^{-1} = 263(1/2) = 131{,}5$
0	$263 \cdot 2^0 = 263$

On note que les rapports des valeurs successives de V sont

$$\frac{526}{263} = 2 \quad \text{et} \quad \frac{1052}{526} = 2 \quad \text{et} \quad \frac{2104}{1052} = 2,$$

et ainsi de suite. En d'autres mots, chaque valeur de V correspond au double de la valeur précédente. Donc,

$$f(1) = 526 = 263 \cdot 2 = 263 \cdot 2^1$$
$$f(2) = 1052 = 526 \cdot 2 = 263 \cdot 2^2$$
$$f(3) = 2104 = 1052 \cdot 2 = 263 \cdot 2^3.$$

En général,

$$V = f(n) = 263 \cdot 2^n,$$

où n est le nombre d'octaves supérieures au do central. La base 2 représente le fait que lorsqu'on monte d'une octave, la fréquence des vibrations double. En effet, nos oreilles entendent une note d'une octave supérieure à une autre, précisément parce qu'elle vibre deux fois plus rapidement. Pour les valeurs négatives de n dans le tableau 1.8, cette fonction représente les octaves inférieures au do central. Les notes sur un piano sont représentées par les valeurs de n comprises entre -3 et 4, et l'oreille de l'homme entend les valeurs de n comprises entre -4 et 7.

Bien que $V = f(n) = 263 \cdot 2^n$ ait un sens, pour ce qui est de la musique, uniquement pour certaines valeurs de n, on peut calculer les valeurs de la fonction $f(x) = 263 \cdot 2^x$ pour tout x réel. Le graphe de $f(x)$ a une forme exponentielle typique, comme on peut le voir à la figure 1.20. Il est croissant et concave vers le haut, montant de plus en plus rapidement à mesure que x augmente.

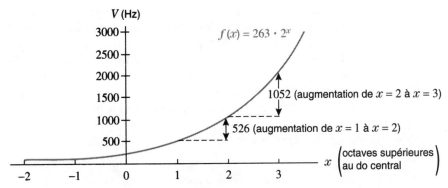

Figure 1.20 : Ton en fonction du nombre d'octaves supérieures au do central

L'élimination des polluants du kérosène

On considère maintenant un exemple dans lequel une quantité est décroissante plutôt que croissante. Avant de pouvoir utiliser le kérosène comme carburant pour les avions à réaction, la réglementation canadienne exige qu'on élimine les polluants en faisant passer le kérosène dans de l'argile. On suppose que l'argile se trouve dans un tuyau et que, à chaque mètre du tuyau, 20 % des polluants qui y pénètrent sont éliminés. Ainsi, après avoir franchi 1 m, le kérosène contient encore 80 % des polluants. Si P_0 est la quantité initiale de polluants et $P = f(n)$ la quantité de polluants qui reste après avoir franchi n m de tuyau, alors

$$f(0) = P_0$$
$$f(1) = (0{,}8)P_0 \quad \longleftarrow \quad (1 - 0{,}2)P_0$$
$$f(2) = (0{,}8)(0{,}8)P_0 = (0{,}8)^2 P_0$$
$$f(3) = (0{,}8)(0{,}8)^2 P_0 = (0{,}8)^3 P_0.$$

Ainsi, après n m,

$$P = f(n) = P_0(0{,}8)^n.$$

Dans cet exemple, n doit être non négatif. Cependant, la *fonction de décroissance exponentielle*

$$P = f(x) = P_0(0{,}8)^x$$

est définie pour tout x réel. On en trace le graphe avec $P_0 = 1$ dans la figure 1.21 ; certaines valeurs de la fonction sont présentées au tableau 1.9.

TABLEAU 1.9
Valeurs de la fonction de décroissance

x	$P = (0{,}8)^x$
-2	1,56
-1	1,25
0	1
1	0,8
2	0,64
3	0,51
4	0,41

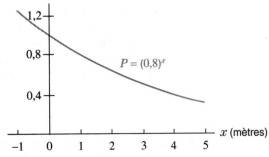

Figure 1.21 : Élimination des polluants : décroissance exponentielle

On remarque la manière dont la fonction de la figure 1.21 est décroissante. Chaque mètre additionnel d'argile entraîne l'élimination d'une plus petite quantité de polluants que le mètre précédent. Cette situation s'explique par le fait que, au fur et à mesure que le kérosène se purifie, il y a moins de polluants à éliminer. Donc, chaque mètre d'argile retire moins de polluants que le précédent. On peut comparer cette situation à la croissance exponentielle des figures 1.18 et 1.20, où chaque pas vers le haut est plus grand que le précédent. Cependant, on remarque que les trois graphes sont concaves vers le haut.

La fonction exponentielle générale

On dit que P est une **fonction exponentielle** de t en base a si

$$P = P_0 a^t,$$

où P_0 est la quantité initiale (lorsque $t = 0$) et a est le facteur par lequel P varie lorsque t augmente de 1. Si $a > 1$, on a une croissance exponentielle ; si $0 < a < 1$, on a une décroissance exponentielle.

Le plus grand domaine possible pour la fonction exponentielle est l'ensemble de tous les nombres réels si $a > 0$. La raison pour laquelle $a > 0$ est que, par exemple, on ne peut définir $a^{1/2}$ si $a \leq 0$. De plus, normalement, a n'est pas égal à 1, puisque $P = P_0 a^t = P_0 1^t = P_0$ est une fonction constante.

Pour reconnaître qu'une table des valeurs de t et de P provient d'une fonction exponentielle $P = P_0 a^t$, on recherche des rapports de valeurs de P qui sont constants pour des valeurs équidistantes de t.

La décroissance radioactive

Les substances radioactives, tel l'uranium, perdent un certain pourcentage de leur masse durant une période donnée. La manière la plus commune d'exprimer ce taux de décroissance consiste à donner la période nécessaire pour que la moitié de la masse se désintègre. Cette période s'appelle la *demi-vie* de la substance.

L'une des substances radioactives les plus connues est le carbone radioactif ou carbone 14, qui sert à déterminer l'âge des objets organiques. Par exemple, un morceau de bois ou d'os qui fait partie d'un organisme vivant accumule de petites quantités de carbone 14 radioactif. Quand cet organisme meurt, il n'absorbe plus de carbone 14, car il n'interagit plus avec son environnement (par exemple, au moyen de la respiration). En mesurant la proportion de carbone 14 présente dans l'objet et en la comparant à la proportion présente dans un organisme vivant, on peut estimer la quantité décomposée du carbone 14 initial.

La demi-vie du carbone 14 est d'environ 5730 années. On peut écrire une fonction exponentielle pour la quantité de carbone 14 restante après une période de t années. Si $T = t/5730$ est le nombre de demi-vies qui se sont écoulées et que C_0 est la quantité initiale de carbone 14, alors la quantité C de carbone 14 restante est donnée par

$$C = C_0 \left(\frac{1}{2}\right)^T = C_0 \left(\frac{1}{2}\right)^{(t/5730)}.$$

On suppose qu'en général, une substance a une demi-vie de h années (ou minutes ou secondes). Alors, si Q_0 est la quantité initiale de substance, la quantité Q de substance restante après un temps t est donnée par

$$Q = Q_0 \left(\frac{1}{2}\right)^{(t/h)}.$$

En résumé, on utilise les définitions suivantes :

> Le **temps de doublement** d'une population qui croît de manière exponentielle est le temps requis pour que la population double.
> La **demi-vie** d'une quantité qui décroît de manière exponentielle est le temps requis pour que la quantité soit réduite par un facteur d'une demie.

L'accumulation de médicaments

On suppose qu'on veut modéliser la quantité d'un médicament présent dans le corps humain. On présume qu'au départ, il n'y en a aucune trace, mais que la quantité commence à augmenter lentement au moyen d'une injection intraveineuse continue. Au fur et à mesure qu'augmente la quantité de médicament dans le corps, le taux auquel le corps excrète ce médicament augmente aussi. La quantité finit donc par atteindre un niveau de saturation S. Le graphe de la quantité par rapport au temps ressemblera à celui de la figure 1.22.

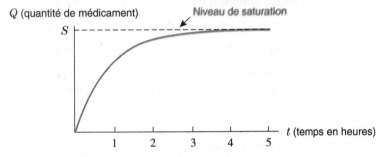

Figure 1.22 : Accumulation de médicament dans le corps

On suppose qu'on veut construire un modèle mathématique pour décrire ce phénomène. Autrement dit, on désire trouver une formule donnant la quantité Q par rapport au temps t. Pour construire un modèle mathématique, il faut observer le graphe et déterminer quel type de fonction présente cette forme. Le graphe de la figure 1.22 ressemble à une fonction de décroissance exponentielle mais renversée. La décroissance véritable correspond à la différence entre le niveau de saturation S et la quantité Q de médicament dans le sang. On suppose que la différence entre le niveau de saturation et la quantité présente dans le corps est donnée par la formule

$$\text{Différence} = (\text{Différence initiale}) \cdot (0{,}3)^t,$$

où t est en heures. Puisque la différence est $S - Q$ et que la valeur initiale de cette différence est $S - 0 = S$, on obtient

$$S - Q = S \cdot (0{,}3)^t.$$

En déterminant Q comme fonction de t, on obtient

$$Q = S - S \cdot (0{,}3)^t$$
$$Q = f(t) = S \cdot (1 - (0{,}3)^t).$$

Le graphe de cette fonction ressemble à une décroissance exponentielle mais renversée. On remarque que la quantité Q commence à zéro et augmente pour atteindre S. Puisque le taux d'augmentation de la quantité de médicament ralentit au fur et à mesure que cette quantité se rapproche de S, ce graphe est recourbé vers le bas. Ainsi, le graphe est croissant et *concave vers le bas*. Il s'agit d'un exemple d'une fonction de la forme

$$Q = S(1 - a^t), \quad \text{où} \quad 0 < a < 1.$$

Les asymptotes

On dit que la droite qui représente le niveau de saturation est une asymptote horizontale, car le graphe se rapproche de celle-ci au fur et à mesure que le temps passe. À mesure que t augmente, $(0,3)^t$ diminue, donc Q se rapproche de S. En utilisant le symbole $\rightarrow$ pour signifier *tend vers,* on peut écrire $(0,3)^t \rightarrow 0$ quand $t \rightarrow \infty$. Donc,

$$Q = S(1 - (0,3)^t) \rightarrow S(1 - 0) = S \quad \text{quand} \quad t \rightarrow \infty.$$

Ainsi, le graphe de $Q = S(1 - (0,3)^t)$ a une asymptote horizontale en $Q = S$.

Si le graphe de $y = f(x)$ s'approche d'une droite horizontale $y = L$ quand $x \rightarrow \infty$ ou quand $x \rightarrow -\infty$, alors la droite $y = L$ s'appelle une **asymptote horizontale**[6]. Cela se produit lorsque

$$f(x) \rightarrow L \quad \text{quand} \quad x \rightarrow \infty \quad \text{ou} \quad f(x) \rightarrow L \quad \text{quand} \quad x \rightarrow -\infty.$$

Si le graphe de $y = f(x)$ s'approche d'une droite verticale $x = K$ quand $x \rightarrow K$ d'un côté ou de l'autre, autrement dit si

$$y \rightarrow \infty \quad \text{ou} \quad y \rightarrow -\infty \quad \text{quand} \quad x \rightarrow K^+ \quad \text{ou} \quad x \rightarrow K^-,$$

alors la droite $x = K$ s'appelle une **asymptote verticale**.

($x \rightarrow K^+$ signifie que x tend vers K par les valeurs supérieures à K, $x \rightarrow K^-$ signifie que x tend vers K par les valeurs inférieures à K.)

On considère, par exemple, le graphe de $f(x) = 2 + 1/(x - 3)$, qui a une asymptote verticale en $x = 3$ (voir la figure 1.23).

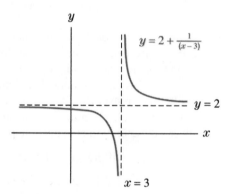

Figure 1.23 : Graphe ayant une asymptote verticale et une asymptote horizontale

La famille des fonctions exponentielles

La formule $P = P_0 a^t$ donne une famille de fonctions exponentielles ayant les paramètres P_0 (la quantité initiale) et a (la base ou le facteur de croissance/décroissance). La base indique si une fonction est croissante ($a > 1$) ou décroissante ($0 < a < 1$). Puisque a est le facteur par lequel P varie quand t augmente de 1, les valeurs plus grandes de a laissent supposer une croissance rapide ; les valeurs de a qui tendent vers zéro signifient qu'il y a décroissance rapide (voir les figures 1.24 et 1.25). Tous les membres de la famille $P = P_0 a^t$ ont des graphes concaves vers le haut.

Une autre formulation pour la fonction exponentielle

La croissance exponentielle est souvent décrite en fonction des taux de croissance en pourcentage. Par exemple, la population du Mexique augmente de 2,6 % par année ; en d'autres

---

6. On suppose que $f(x)$ se rapproche arbitrairement de L quand $x \rightarrow \infty$.

termes, le facteur de croissance est $a = 1 + 0,026 = 1,026$. De même, chaque mètre d'argile permet d'éliminer 20 % des polluants du kérosène ; donc, le facteur de décroissance est $a = 1 - 0,20 = 0,8$. En général, la formule suivante s'applique :

Si r est le taux de croissance, alors $a = 1 + r$ et

$$P = P_0 a^t = P_0 (1 + r)^t.$$

Si r est le taux de décroissance, alors $a = 1 - r$ et

$$P = P_0 a^t = P_0 (1 - r)^t.$$

On note, par exemple, que $r = 0,05$ lorsque le taux de croissance est de 5 %.

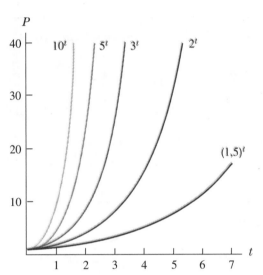

Figure 1.24 : Croissance exponentielle : $P = a^t$ pour $a > 1$

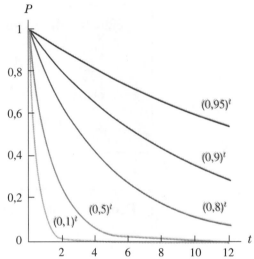

Figure 1.25 : Décroissance exponentielle : $P = a^t$ pour $0 < a < 1$

Exemple 2   Supposez que $Q = f(t)$ est une fonction exponentielle de t, que $f(20) = 88,2$ et que $f(23) = 91,4$.

a) Trouvez la base.   b) Trouvez le taux de croissance.   c) Évaluez $f(25)$.

Solution   a)   Soit

$$Q = Q_0 a^t.$$

En posant $t = 20$, $Q = 88,2$ et $t = 23$, $Q = 91,4$, on obtient deux équations pour Q_0 et a :

$$88,2 = Q_0 a^{20} \qquad \text{et} \qquad 91,4 = Q_0 a^{23}.$$

En divisant les deux équations, on élimine Q_0 :

$$\left(\frac{91,4}{88,2}\right) = \frac{Q_0 a^{23}}{Q_0 a^{20}} = a^3.$$

En résolvant le problème pour la base a, on obtient

$$a = \left(\frac{91,4}{88,2}\right)^{1/3} \approx 1,012.$$

b)   Puisque $a \approx 1,012$, le taux de croissance est $r \approx 0,012 = 1,2$ %.

c) On veut évaluer $f(25) = Q_0 a^{25} = Q_0(1,012)^{25}$. Tout d'abord, on trouve Q_0 à partir de l'équation

$$88,2 = Q_0(1,012)^{20}.$$

En résolvant le problème, on obtient $Q_0 \approx 69,48$. Ainsi,

$$f(25) = 69,48(1,012)^{25} = 93,62.$$

Révision : les définitions et les propriétés des exposants

Ci-dessous, on dresse la liste des définitions et des propriétés utilisées pour manipuler les exposants.

Définition des exposants nuls, négatifs et fractionnaires

$$\text{Si } a \neq 0, \text{ alors } a^0 = 1, \quad a^{-1} = \frac{1}{a}, \quad \text{et, en général, } a^{-x} = \frac{1}{a^x}.$$

$$\text{De plus, } a^{1/2} = \sqrt{a}, \quad a^{1/3} = \sqrt[3]{a}, \quad \text{et, en général, } a^{1/n} = \sqrt[n]{a} \; (a > 0 \text{ pour un } n \text{ pair}).$$

$$\text{De plus, } a^{m/n} = \sqrt[n]{a^m} = \left(\sqrt[n]{a}\right)^m \; (a > 0).$$

Propriétés des exposants

1. $a^x \cdot a^t = a^{x+t}$ \quad Par exemple, $2^4 \cdot 2^3 = (2 \cdot 2 \cdot 2 \cdot 2) \cdot (2 \cdot 2 \cdot 2) = 2^7$.

2. $\dfrac{a^x}{a^t} = a^{x-t}$ \quad Par exemple, $\dfrac{2^4}{2^3} = \dfrac{2 \cdot 2 \cdot 2 \cdot 2}{2 \cdot 2 \cdot 2} = 2^1$.

3. $(a^x)^t = a^{xt}$ \quad Par exemple, $(2^3)^2 = 2^3 \cdot 2^3 = 2^6$.

Problèmes de la section 1.3

Pour les problèmes 1 à 4, déterminez si chaque graphe est concave vers le haut, concave vers le bas ou ni l'un ni l'autre.

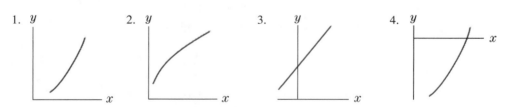

Pour les problèmes 5 et 6, expliquez si la fonction donnée représente une croissance exponentielle ou une décroissance exponentielle.

5. $p = 100(7)^t$ \hspace{4cm} 6. $p = 75(0,25)^t$

Pour les problèmes 7 à 9, précisez si l'ensemble de données semble présenter une croissance exponentielle, une décroissance exponentielle ou ni l'une ni l'autre. S'il a un comportement exponentiel, donnez une formule pour la fonction.

7. **TABLEAU 1.10**

t	$g(t)$
0	1
1	2
2	4
3	8
4	16

8. **TABLEAU 1.11**

t	$f(t)$
2	9
3	18
4	81
5	243
6	486

9. **TABLEAU 1.12**

t	$h(t)$
3	2096
4	1048
5	524
6	262
7	131

10. Si vous mettez une pomme de terre au four, la température de celle-ci augmente rapidement au départ, puis de plus en plus lentement. Tracez un graphe de la température de la pomme de terre par rapport au temps.

11. Chaque année, la consommation mondiale annuelle d'électricité augmente. De plus, chaque année, la hausse de la consommation annuelle augmente. Tracez un graphe de la consommation mondiale annuelle d'électricité par rapport au temps.

12. Un médicament est injecté dans le sang d'un patient pendant cinq minutes. Durant cette période, la quantité de médicament dans le sang augmente de manière linéaire. Après cinq minutes, on cesse d'injecter le médicament et sa quantité dans le sang décroît alors exponentiellement. Tracez un graphe de la quantité de médicament par rapport au temps.

13. Le nombre de cellules cancéreuses d'une tumeur s'accroît lentement au départ, puis il augmente de plus en plus vite. Dessinez un graphe du nombre de cellules cancéreuses par rapport au temps.

Déterminez si chacune des fonctions des problèmes 14 à 17 a une asymptote horizontale. Si c'est le cas, donnez son équation.

14. $y = 5(0,8)^x$ 15. $P = 5(1 - (0,8)^t)$ 16. $Q = 2^t + 2^{-t}$ 17. $Z = 3 + (0,1)^t$

Pour les problèmes 18 et 19, supposez que $f(t) = Q_0 a^t = Q_0(1 + r)^t$. Étant donné deux valeurs de f :
   a) Trouvez la base a.
   b) Trouvez le taux de croissance en pourcentage r.

18. $f(5) = 75,94$ et $f(7) = 170,86$.

19. $f(0,02) = 25,02$ et $f(0,05) = 25,06$.

Donnez une formule pour chacune des fonctions illustrées dans les problèmes 20 à 23.

20.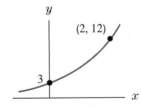

21.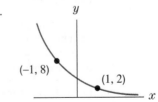

22.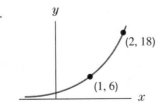

23.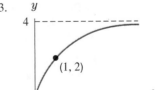

24. Chacune des fonctions du tableau 1.13 est croissante, mais augmente d'une manière différente. Lequel des graphes de la figure 1.26 ci-dessous concorde le mieux avec chaque fonction ?

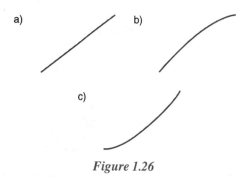

a)   b)

c)

Figure 1.26

TABLEAU 1.13

t	$g(t)$	$h(t)$	$k(t)$
1	23	10	2,2
2	24	20	2,5
3	26	29	2,8
4	29	37	3,1
5	33	44	3,4
6	38	50	3,7

25. Faites concorder les fonctions $h(s)$, $f(s)$ et $g(s)$ dont les valeurs se trouvent dans le tableau 1.14 avec les formules

$$y = a(1,1)^s, \qquad y = b(1,05)^s, \qquad y = c(1,03)^s,$$

en supposant que a, b et c sont des constantes. Notez que les valeurs de la fonction ont été arrondies à deux décimales.

TABLEAU 1.14

s	$h(s)$	s	$f(s)$	s	$g(s)$
2	1,06	1	2,20	3	3,47
3	1,09	2	2,42	4	3,65
4	1,13	3	2,66	5	3,83
5	1,16	4	2,93	6	4,02
6	1,19	5	3,22	7	4,22

26. Une région donnée a une population de 10 000 000 d'habitants et un taux de croissance annuelle de 2 %. Estimez le temps de doublement par tâtonnement et par vérification.

27. a) La demi-vie du radium 226 est de 1620 années. Trouvez une formule pour la quantité Q de radium qui reste après t années, si la quantité initiale est de Q_0.
    b) Quel pourcentage d'une quantité initiale de radium reste-t-il après 500 ans ?

28. Au début des années 1960, du strontium 90 radioactif a été libéré durant les essais atmosphériques d'armes nucléaires et a pénétré dans les os des habitants. Si la demi-vie du strontium 90 est de 29 ans, quelle fraction du strontium 90 absorbé dans les années 1960 restait-il dans les os des habitants en 1990 ?

29. Au cours des Jeux olympiques de Mexico, en 1968, on a longuement discuté des effets possibles de la haute altitude (2237 m) sur les athlètes. On suppose que la pression d'air décroît exponentiellement de 0,4 % tous les 30 m. De quel pourcentage la pression d'air diminue-t-elle si on se déplace du niveau de la mer vers Mexico ?

30. a) En 1996, la population américaine a augmenté de 0,9 % pour atteindre 266,5 millions. Si on suppose que la population continue de croître au même taux, quel était le nombre d'habitants au début de l'an 2000 ?
    b) Quel a été le taux de croissance annuel (en pourcentage) de la population américaine durant la période allant du début de 1990 — lorsque la population se chiffrait à 248,7 millions d'habitants — à la fin de 1996 ?

31. En 1988, le taux d'inflation au Nicaragua se chiffrait en moyenne à 1,3 % par jour. Cela signifie qu'en moyenne, les prix augmentaient de 1,3 % par jour.

a) De quel pourcentage les prix au Nicaragua ont-ils augmenté en juin 1988 ?

b) Quel était le taux d'inflation annuel du Nicaragua en 1988 ? (1988 était une année bissextile.)

32. Supposez que le prix moyen P d'une maison a augmenté et qu'il est passé de 50 000 $ en 1970 à 100 000 $ en 1990. Soit t le nombre d'années écoulées depuis 1970.

a) Supposez que l'augmentation du prix des maisons a été linéaire. Donnez une équation pour la droite représentant le prix P par rapport à t. Utilisez cette équation pour remplir la colonne a) du tableau 1.15. Calculez le prix en unités de 1000 $.

b) Au contraire, si le prix des maisons augmente exponentiellement, déterminez une équation de la forme $P = P_0 a^t$ qui représenterait la variation du prix des maisons de 1970 à 1990, et remplissez la colonne b) du tableau 1.15.

c) Sur le même ensemble d'axes, tracez les fonctions représentées dans la colonne a) et dans la colonne b) du tableau 1.15.

d) Lequel des modèles d'augmentation des prix considérez-vous comme étant le plus réaliste ?

TABLEAU 1.15

t	a) Augmentation linéaire des prix en unités de 1000 $	b) Augmentation exponentielle des prix en unités de 1000 $
0	50	50
10		
20	100	100
30		
40		

1.4   LES FONCTIONS PUISSANCE

Une *fonction puissance* est une fonction dans laquelle la variable dépendante est proportionnelle à une puissance de la variable indépendante. Par exemple, l'aire A d'un carré de côté s est donnée par

$$A = f(s) = s^2.$$

Le volume V d'une sphère de rayon r est donné par

$$V = g(r) = \frac{4}{3} \pi r^3.$$

Ces deux fonctions sont des *fonctions puissance*. La fonction qui décrit comment la force de gravitation de la Terre varie avec la distance est un autre exemple de cette fonction. Si F est la force de gravitation d'une masse à une distance r de la Terre, la loi de Newton sur la gravitation universelle détermine une force en inverse carré

$$F = \frac{k}{r^2} \qquad \text{ou} \qquad F = kr^{-2},$$

où k est une constante positive.

> Une **fonction puissance** a la forme
> $$f(x) = kx^p,$$
> où k et p sont des constantes.

Dans la présente section, on compare les différentes fonctions puissance entre elles et avec les fonctions exponentielles.

Les puissances entières positives : $y = x$, $y = x^2$, $y = x^3$, ...

Tout d'abord, on examine les fonctions de la forme $f(x) = x^n$, où n est un entier positif. Les figures 1.27 et 1.28 montrent que les graphes de ces fonctions se divisent en deux groupes : les puissances impaires et les puissances paires. Toutes les puissances impaires (x, x^3, x^5, et ainsi de suite) sont croissantes partout et leurs graphes sont symétriques par rapport à l'origine. Toutes les puissances impaires supérieures à $n = 1$ ont la base de leur « siège » à l'origine. Par ailleurs, les puissances paires sont d'abord décroissantes et ensuite croissantes, ce qui leur donne une forme en $\cup$ avec une symétrie par rapport à l'axe des y. Les puissances paires sont concaves vers le haut partout, alors que celles qui ont des puissances impaires supérieures à 1 sont concaves vers le bas pour les x négatifs et concaves vers le haut pour les x positifs. Pour les grands x, plus la puissance de x est élevée, plus la fonction monte rapidement (voir la figure 1.29). Pour les grandes valeurs de x (en fait pour tous les $x > 1$), $y = x^5$ est supérieur à $y = x^4$, qui est supérieur à $y = x^3$, et ainsi de suite. Les puissances plus élevées sont plus grandes et *beaucoup* plus grandes parce que si $x = 100$, par exemple, 100^5 est 100 fois plus élevé que 100^4, qui est 100 fois plus élevé que 100^3. Au fur et à mesure que x augmente (ce qui s'écrit $x \to \infty$), toute puissance positive de x *submerge* complètement toutes les puissances inférieures de x. Quand $x \to \infty$, on dit que les puissances plus élevées de x *dominent* les puissances inférieures.

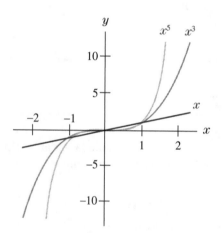

Figure 1.27 : Puissances impaires de x en forme de « siège » pour $n > 1$

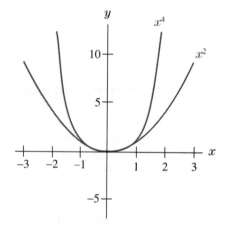

Figure 1.28 : Puissances paires de x en forme de $\cup$

Quand $x \to 0$, la situation change complètement (voir la figure 1.30, laquelle constitue un gros plan de l'origine). Pour x entre 0 et 1, x^3 est plus grand que x^4, qui est plus grand que x^5. (On peut essayer avec $x = 0,1$ pour confirmer ce fait.) En ce qui concerne les valeurs de x près de zéro, les puissances plus petites dominent.

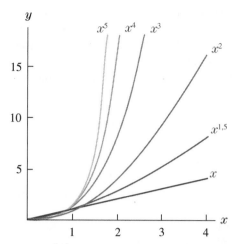

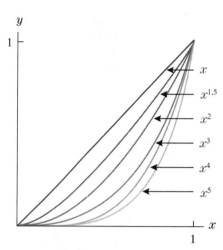

Figure 1.29 : Pour les grandes valeurs de x, les puissances plus élevées de x dominent.

Figure 1.30 : Pour $0 \le x \le 1$, les puissances plus petites de x dominent.

La puissance zéro et les puissances entières négatives : $y = x^0$, $y = x^{-1}$, $y = x^{-2}$...

La fonction $y = x^0 = 1$ a un graphe qui est une droite horizontale. Pour les puissances négatives, on peut réécrire

$$y = x^{-1} = \frac{1}{x} \qquad \text{et} \qquad y = x^{-2} = \frac{1}{x^2}$$

pour clarifier le fait qu'au fur et à mesure que $x > 0$ augmente, les dénominateurs augmentent et les fonctions diminuent. Les graphes de $y = x^{-1}$ et de $y = x^{-2}$ ont tous les deux les axes des x et des y comme asymptotes (voir la figure 1.31).

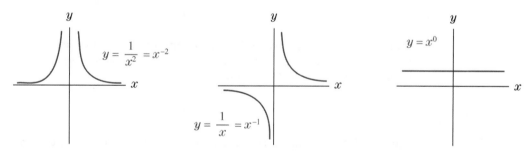

Figure 1.31 : Comparaison entre la puissance zéro et les puissances négatives de x

---

Exemple 1   Tracez le graphe de la pression par rapport au volume pour une quantité donnée de gaz à une température constante. Considérez le fait que la pression est inversement proportionnelle au volume.

Solution   On songe à une quantité fixe d'air — par exemple, à l'intérieur du cylindre du moteur d'une voiture. Si le volume V de l'air diminue (car on déplace les pistons), la pression P d'air augmente. Inversement, si le volume augmente, la pression diminue. Pour un gaz parfait, la loi de Boyle donne la relation exacte entre la pression et le volume, pourvu que la température soit constante. Elle énonce que P est inversement proportionnelle à V. Donc,

$$P = \frac{k}{V} = kV^{-1}, \text{ où } k \text{ est une constante positive.}$$

Les deux axes sont des asymptotes du graphe de la figure 1.32, car lorsque le volume tend vers l'infini, la pression tend vers zéro, et inversement. La forme est connue sous le nom d'*hyperbole*. La fonction puissance $P = k/V = kV^{-1}$ diffère de la décroissance exponentielle puisqu'elle n'est pas définie pour $V = 0$. Donc, ce graphe ne croise pas l'axe vertical. De plus, il s'approche de l'axe horizontal plus lentement que la fonction exponentielle.

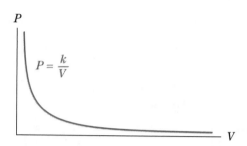

Figure 1.32 : Graphe de la pression P par rapport au volume V selon la loi de Boyle

Exemple 2

La mécanique quantique prédit que la force entre deux molécules de gaz a deux composantes : une force d'attraction qui est proportionnelle à r^{-7} (où r est la distance entre les molécules) et une force répulsive qui est proportionnelle à r^{-13}. Comment la force nette varie-t-elle avec r ?

Solution

On considère généralement la force répulsive comme positive et la force d'attraction comme négative. On obtient donc

$$F = -ar^{-7} + br^{-13} = -\frac{a}{r^7} + \frac{b}{r^{13}}, \quad \text{où } a \text{ et } b \text{ sont des constantes positives.}$$

Si r est très petit, $1/r^{13}$ est beaucoup plus grand que $1/r^7$. Donc,

$$F \approx \frac{b}{r^{13}}$$

et la force nette est répulsive. (Cela se produit lorsque les molécules sont si rapprochées les unes des autres que les protons dans le noyau se repoussent.) Pour un très grand r, $1/r^7$ est beaucoup plus grand que $1/r^{13}$. Donc,

$$F \approx -\frac{a}{r^7},$$

ce qui rend la force nette attractive. Quand $r \to \infty$, toutes les forces deviennent nulles.

Les puissances fractionnaires positives : $y = x^{1/2}, y = x^{1/3}, y = x^{3/2}$ …

La fonction donnant le côté d'un carré s en fonction de son aire A comporte une racine carrée ou une puissance fractionnaire :

$$s = \sqrt{A} = A^{1/2}.$$

De même, l'équation donnant le nombre moyen d'espèces sur une île par rapport à sa superficie A est d'environ

$$N = k\sqrt[3]{A} = kA^{1/3},$$

où k est une constante qui dépend de la région du monde où se trouve l'île[7].

---

7. *Scientific American*, septembre 1989, p. 112.

On examine maintenant les fonctions de la forme $y = x^{m/n} = \sqrt[n]{x^m}$. Puisque certaines puissances fractionnaires telles que $x^{1/2}$ font intervenir des racines d'indice pair et sont définies uniquement pour x positif et $x = 0$, on limite le domaine de ces fonctions à $x \geq 0$.

La figure 1.33 montre que, pour un grand x (en fait, tout $x > 1$), le graphe de $y = x^{1/2}$ est au-dessous du graphe de $y = x$ et $y = x^{1/3}$ est au-dessous de $y = x^{1/2}$. Cela est raisonnable puisque, pour $x > 1$, la mise au carré de x le rend plus grand et la mise au cube le rend toujours plus grand. Ainsi, en prenant la racine carrée de x, il sera plus petit et en prenant sa racine cubique, il sera également plus petit. Entre $x = 0$ et $x = 1$, la situation est inversée et $y = x^{1/3}$ se trouve au-dessus. (Pourquoi ?) De toute évidence, $y = x^{3/2}$ se situe entre $y = x$ et $y = x^2$ pour tout x.

L'autre caractéristique importante à remarquer à propos des graphes de $y = x^{1/2}$ et de $y = x^{1/3}$ est qu'ils se recourbent dans des directions opposées à celles des graphes de $y = x^2$ et de $y = x^3$. Par exemple, le graphe de $y = x^2$ est concave vers le haut. Par ailleurs, les graphes de $y = x^{1/2}$ et de $y = x^{1/3}$ sont concaves vers le bas. En dépit de cela, toutes ces fonctions deviennent infiniment plus grandes au fur et à mesure que x augmente. On remarque également que toutes ces fonctions passent par le point (1, 1).

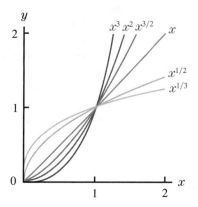

Figure 1.33 : Comparaison de certaines
puissances fractionnaires de x

Quel effet les coefficients ont-ils ?

On sait que $x^2 < x^3$ pour tout $x > 1$. Cependant, lequel est le plus grand, $50x^2$ ou x^3 ? Pour les valeurs moyennes de x, comme $x = 10$, on obtient $50x^2 > x^3$. Cependant, à un moment donné, $50x^2 < x^3$. En fait, $50x^2 < x^3$ pour tout $x > 50$. Les graphes de $y = x^2$ et de $y = x^3$ se croisent en $x = 1$, alors que les graphes de $y = 50x^2$ et de $y = x^3$ se croisent en $x = 50$ (voir la figure 1.34, page suivante). Ainsi, le facteur de 50 a pour effet de changer le point où les graphes se croisent. Cependant, x^3 se retrouve au-dessus dans les deux cas. Étant donné que les coefficients sont positifs, quand $x \to \infty$, la puissance la plus élevée finit toujours par être plus grande.

Exemple 3   Entre $y = 100x^2$ et $y = 0{,}1x^3$, laquelle est plus grande quand $x \to \infty$?

Solution   Puisque $x \to \infty$, on examine de grandes valeurs positives de x, où la puissance la plus élevée finira par être plus élevée ou par dominer. Cela permet de suggérer que $y = 0{,}1x^3$ sera plus grande. En fait, $0{,}1x^3 > 100x^2$ quand $x > 1000$ (voir la figure 1.35, page suivante).

Les fonctions exponentielles ou les fonctions puissance : lesquelles dominent ?

Dans le langage courant, le terme *exponentiel* sert souvent à indiquer une croissance très rapide. Mais les fonctions exponentielles augmentent-elles toujours plus rapidement que les

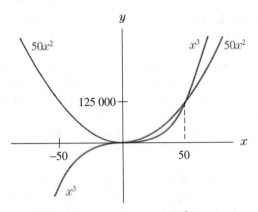

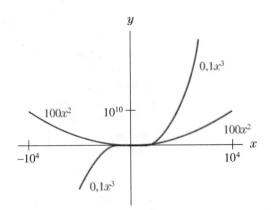

Figure 1.34 : Graphe de $y = x^3$ qui se trouve au-dessus du graphe de $y = 50x^2$ pour des x positifs suffisamment grands

Figure 1.35 : Pour des x positifs suffisamment grands, $y = 0,1x^3$ domine $y = 100x^2$.

fonctions puissance ? Pour déterminer ce qui se produit à « long terme », on doit généralement déterminer quelles fonctions dominent quand $x \to \infty$.

On considère $y = 2^x$ et $y = x^3$. Le gros plan de la figure 1.36 a) montre qu'entre $x = 2$ et $x = 4$, le graphe de $y = 2^x$ se trouve au-dessous du graphe de $y = x^3$. Cependant, la vue éloignée de la figure 1.36 b) montre que la fonction exponentielle $y = 2^x$ finit par surpasser $y = x^3$. Et la figure 1.36 c), laquelle présente une vue très éloignée, montre que, pour un grand x, x^3 est négligeable si on le compare à 2^x. En effet, 2^x augmente tellement plus vite que x^3 que le graphe de 2^x semble presque vertical par rapport à la croissance plus lente de x^3.

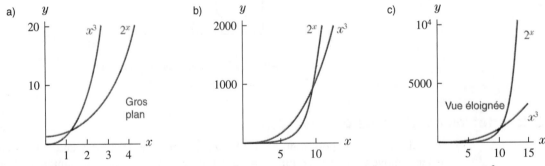

Figure 1.36 : Comparaison entre $y = 2^x$ et $y = x^3$: on remarque que $y = 2^x$ finit par dominer $y = x^3$

En fait, *toute* fonction de croissance exponentielle domine *toute* fonction puissance. Même si une fonction exponentielle peut se trouver au-dessous d'une fonction puissance pour certaines valeurs de x, si on observe des valeurs de x suffisamment grandes, a^x (avec $a > 1$) finira par dominer x^n, peu importe la valeur de n. La figure 1.37 et le tableau 1.16 présentent deux exemples supplémentaires.

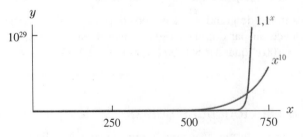

Figure 1.37 : La fonction exponentielle finit par dominer la fonction puissance.

TABLEAU 1.16   *Comparaison entre x^{100} et $1,01^x$*

x	x^{100}	$1,01^x$
10^4	10^{400}	$1,6 \cdot 10^{43}$
10^5	10^{500}	$1,4 \cdot 10^{432}$
10^6	10^{600}	$2,4 \cdot 10^{4321}$

Peut-on deviner ce qui se produit dans le cas des puissances négatives et des exposants négatifs ? Par exemple, on considère $y = 2^{-x}$ et $y = x^{-2}$. Puisque $y = 2^{-x} = 1/2^x$ et que $y = x^{-2} = 1/x^2$, le fait de savoir que 2^x finira par être plus grand que x^2 indique que $y = 2^{-x}$ finira par être plus petit que $y = x^{-2}$. Ainsi, $y = 2^{-x}$ finit par être plus petit que $y = x^{-2}$ (voir la figure 1.38). Ce comportement est également typique : chaque fonction de décroissance exponentielle finira par se rapprocher de zéro plus rapidement que toute fonction puissance ayant un exposant négatif.

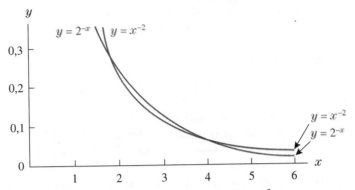

Figure 1.38 : Comparaison entre $y = 2^{-x}$ et $y = x^{-2}$: les fonctions exponentielles deviennent nulles plus rapidement à long terme.

Problèmes de la section 1.4

Pour les problèmes 1 à 8, simplifiez l'expression donnée.

1. $8^{4/3}$
2. $27^{1/3}$
3. $10\,000^{5/4}$
4. $16^{1/4}$

5. $27^{-1/3}$
6. $16^{-0,25}$
7. $8^{-2/3}$
8. $4^{-3/2}$

Pour les problèmes 9 à 11, déterminez quelle fonction domine quand $x \to \infty$.

9. $10 \cdot 2^x$ ou $72\,000x^{12}$
10. $0,1x^2$ ou $10^{10}x$
11. $0,25\sqrt{x}$ ou $25\,000x^{-3}$

Pour les problèmes 12 à 14, déterminez ce qu'il advient de la valeur de la fonction quand $x \to \infty$ et quand $x \to -\infty$.

12. $y = x^6$
13. $y = 0,25x^3 + 3$
14. $y = 2 \cdot 10^{4x}$

15. À l'aide d'une calculatrice graphique ou d'un ordinateur, tracez les graphes des fonctions suivantes, d'abord pour $-5 \le x \le 5$, $-100 \le y \le 100$ et ensuite pour $-1,2 \le x \le 1,2$, $-2 \le y \le 2$.

   a) $y = x$, $y = x^3$, $y = x^6$, $y = x^9$
   b) $y = x$, $y = x^4$, $y = x^7$, $y = x^{10}$
   Observez la forme générale de ces fonctions : les puissances impaires ont-elles la même forme générale ? Qu'en est-il des puissances paires ? Quelle fonction est la plus grande en ampleur pour un grand x ? Pour x près de zéro ? Est-ce ce à quoi vous vous attendiez ?

16. a) À l'aide d'une calculatrice graphique ou d'un ordinateur, tracez les graphes de $y = x^3$, de $y = x^4$ et de $y = x^5$ dans l'intervalle $-0,1 \le x \le 0,1$. Déterminez une image appropriée pour y afin que toutes les puissances soient discernables dans le rectangle de visualisation.
   b) Tracez les mêmes graphes pour $-100 \le x \le 100$ et déterminez une image appropriée pour y.

17. À la main, tracez les graphes globaux de $f(x) = x^3$ et de $g(x) = 20x^2$ sur les mêmes axes. Quelle fonction a des valeurs plus grandes quand $x \to \infty$?

18. À la main, tracez les graphes de $f(x) = x^5$, de $g(x) = -x^3$ et de $h(x) = 5x^2$ sur les mêmes axes. Quelle fonction a les valeurs positives les plus grandes quand $x \to \infty$? Quand $x \to -\infty$?

19. En physiologie, la formule de DuBois indique la surface d'une personne s (en mètres carrés) par rapport à son poids w (en kilogrammes) et sa taille h (en centimètres) par

$$s = 0{,}01 w^{0{,}25} h^{0{,}75}.$$

   a) Quelle est la surface d'une personne qui pèse 65 kg et mesure 160 cm ?
   b) Quel est le poids d'une personne dont la taille est de 180 cm et dont la surface est de 1,5 m² ?
   c) Pour des personnes ayant un poids fixe de 70 kg, déterminez h en fonction de s. Simplifiez votre réponse.

20. Supposez qu'une force entre deux atomes séparés par une distance r est donnée par

$$F = \frac{A}{r^3} - \frac{B}{r^2}, \qquad \text{où } A \text{ et } B \text{ sont des constantes positives.}$$

   a) Pour r positif et petit, F est-il positif ou négatif ?
   b) Pour r positif et grand, F est-il positif ou négatif ?
   c) Pour quelles valeurs de r, le cas échéant, F est-il nul ?
   d) Quelles sont les asymptotes verticale et horizontale de F ?

21. Selon l'édition du mois d'avril 1991 de *Car and Driver*, une Alfa Romeo roulant à 112 km/h a besoin de 54 m pour s'arrêter. En supposant que cette distance d'arrêt est proportionnelle au carré de la vitesse, trouvez les distances d'arrêt requises pour une Alfa Romeo roulant à 56 km/h et à 224 km/h (sa vitesse maximale).

22. La loi de Poiseuille donne le débit moyen R du gaz dans un tuyau cylindrique en fonction du rayon du tuyau r pour une pression déterminée. Supposez que la pression est constante pour le reste de ce problème.

   a) Déterminez une formule pour la loi de Poiseuille, étant donné que le débit moyen est proportionnel à la quatrième puissance du rayon.
   b) Si $R = 400$ cm³/s dans un tuyau ayant un rayon de 3 cm pour un gaz donné, déterminez une formule explicite pour le débit moyen de ce gaz dans un tuyau dont le rayon est de r cm.
   c) Quel est le débit moyen du même gaz dans un tuyau ayant un rayon de 5 cm ?

23. Les valeurs de trois fonctions sont données au tableau 1.17 et sont arrondies à deux décimales. Une fonction a la forme $y = ab^t$, une deuxième a la forme $y = ct^2$ et une troisième a la forme $y = kt^3$. Identifiez chaque fonction.

TABLEAU 1.17

t	$f(t)$	t	$g(t)$	t	$h(t)$
2,0	4,40	1,0	3,00	0,0	2,04
2,2	5,32	1,2	5,18	1,0	3,06
2,4	6,34	1,4	8,23	2,0	4,59
2,6	7,44	1,6	12,29	3,0	6,89
2,8	8,62	1,8	17,50	4,0	10,33
3,0	9,90	2,0	24,00	5,0	15,49

TABLEAU 1.18

x	$f(x)$	x	$g(x)$	x	$k(x)$
8,4	5,93	5,0	3,12	0,6	3,24
9,0	7,29	5,5	3,74	1,0	9,01
9,6	8,85	6,0	4,49	1,4	17,66
10,2	10,61	6,5	5,39	1,8	29,19
10,8	12,60	7,0	6,47	2,2	43,61
11,4	14,82	7,5	7,76	2,6	60,91

24. Les valeurs de trois fonctions sont contenues dans le tableau 1.18. (Les nombres ont été arrondis à deux décimales.) Il y a deux fonctions puissance et une fonction exponentielle. L'une des fonctions puissance est quadratique et l'autre cubique. Laquelle est exponentielle ? Laquelle est quadratique ? Laquelle est cubique ?

25. À l'aide d'une calculatrice graphique ou d'un ordinateur, tracez le graphe de $y = x^4$ et de $y = 3^x$. Déterminez les domaines et les images approximatifs qui forment chacun des graphes de la figure 1.39.

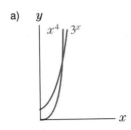 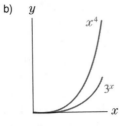 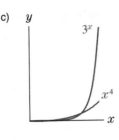

Figure 1.39

1.5 QUELQUES COMMENTAIRES SUR LES FONCTIONS RÉCIPROQUES

De la distance au temps et réciproquement

Le 18 août 1989, le coureur mexicain Arturo Barrios a établi un record mondial pour le 10 000 m. Ses temps (en secondes), à des intervalles de 2000 m, sont notés au tableau 1.19, où $f(d)$ est le nombre de secondes qu'Arturo Barrios a mis pour terminer les d premiers m de la course. Par exemple, Arturo Barrios a couru les 4000 premiers mètres en 650,1 s, donc $f(4000) = 650,1$. Cette fonction f est utile pour les athlètes qui ont l'intention de battre le record d'Arturo Barrios.

On considère maintenant la situation d'un autre point de vue et on analyse les distances plutôt que les temps. Si on veut savoir sur quelle distance Arturo Barrios a couru durant les 650,1 premières secondes de sa course, de toute évidence la réponse est 4000 m. En reculant ainsi du nombre de secondes au nombre de mètres, on obtient une fonction appelée la *fonction réciproque* de f, notée f^{-1}. Ainsi, $f^{-1}(t)$ est le nombre de mètres qu'Arturo Barrios a couru durant les t premières secondes de la course. Pour trouver les valeurs de f^{-1}, on peut soit lire le tableau 1.19 à l'envers ou utiliser le tableau 1.20, qui contient les valeurs de f^{-1}.

Les deux fonctions f et f^{-1} donnent les mêmes renseignements, mais elles les expriment différemment. Par exemple, on peut écrire qu'Arturo Barrios a couru les 6000 premiers mètres de la course en 975,5 s avec f ou f^{-1} :

$$f(6000) = 975,5 \quad \text{ou} \quad f^{-1}(975,5) = 6000.$$

La variable indépendante de f est la variable dépendante de f^{-1}, et inversement. Les domaines et les images de f et de f^{-1} sont également intervertis. Le domaine de f est l'ensemble de toutes les distances d pour lesquelles $0 \le d \le 10\,000$, qui est l'image de f^{-1}. L'image de f est l'ensemble de tous les temps t, pour lesquels $0 \le t \le 1628,23$, qui est le domaine de f^{-1}.

TABLEAU 1.19 *Temps de course d'Arturo Barrios*

d (m)	$f(d)$ (s)
0	0,00
2000	325,90
4000	650,10
6000	975,50
8000	1307,00
10 000	1628,23

TABLEAU 1.20 *Distance parcourue par Arturo Barrios*

t (s)	$f^{-1}(t)$ (m)
0,00	0
325,90	2000
650,10	4000
975,50	6000
1307,00	8000
1628,23	10 000

Quelles fonctions admettent des réciproques ?

On examine d'abord une fonction qui n'admet pas de réciproque.

On considère Freedom 7, l'engin spatial à destination de Mercure, qui a transporté Alan Shepard Jr dans l'espace en mai 1961. Cet astronaute a été le premier Américain à faire un voyage dans l'espace. Après le lancement, son engin spatial a atteint 187 km d'altitude, puis il est revenu amerrir. La fonction $f(t)$, qui donne l'altitude (en kilomètres) t min après le lancement, n'a pas de réciproque. Pour savoir pourquoi, on tente de déterminer une valeur pour $f^{-1}(161)$. De toute évidence, $f^{-1}(161)$ devrait être le moment où l'engin spatial a atteint une altitude de 161 km. Cependant, il existe aussi deux moments de ce type, soit lorsque l'engin spatial a fait une ascension et lorsqu'il a effectué sa descente (voir la figure 1.40).

La fonction d'altitude n'a pas de réciproque parce que l'altitude augmente au départ pour ensuite diminuer. La fonction des temps d'Arturo Barrios avait une réciproque parce qu'elle augmentait constamment. Chaque temps de course t correspond à une distance unique d.

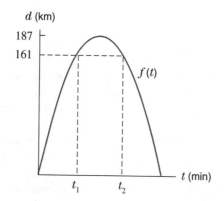

Figure 1.40 : Deux temps, t_1 et t_2, où l'altitude de l'engin spatial atteint une altitude de 161 km

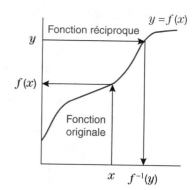

Figure 1.41 : Une fonction croissante admet une réciproque.

Une fonction n'a pas à être croissante à tout moment pour avoir une réciproque. La figure 1.41 présente un exemple de fonction ayant une réciproque, où la fonction originale f passe de la valeur de x à la valeur de y. Puisque le fait d'avoir une réciproque signifie qu'une fonction passe de la valeur de y à la valeur de x, il reste à savoir si on peut revenir à x. En d'autres mots, on se demande si chaque valeur de y correspond à une valeur de x unique. Le cas échéant, il existe une réciproque ; sinon, il n'en existe pas. On peut énoncer ce principe géométriquement comme suit :

> Une fonction admet une réciproque si (et seulement si) toute droite horizontale croise son graphe une fois au plus.

Par exemple, la fonction $f(x) = x^2$ n'a pas de réciproque, car plusieurs droites horizontales croisent la parabole deux fois.

Une fonction réciproque : définition

Si la fonction f admet une réciproque, sa réciproque se définit comme suit :

$$f^{-1}(t) = d \quad \text{signifie} \quad f(d) = t.$$

La notation f^{-1} pour une fonction réciproque peut être trompeuse puisqu'il est facile de la confondre avec une inverse multiplicative, ce que n'est pas la fonction réciproque. Cependant, il n'est pas possible de modifier une notation si bien établie !

Exemple 1 Le point d'ébullition de l'eau diminue au fur et à mesure que l'altitude augmente, phénomène que les cuisiniers connaissent. Soit $f(h)$ le point d'ébullition de l'eau (en degrés Celsius) à une altitude de h m au-dessus du niveau de la mer dans des conditions atmosphériques normales. Sur le plan pratique, quelle est la signification de $f^{-1}(90)$ et de $f^{-1}(90) = 3000$? Évaluez $f^{-1}(100)$.

Solution La fonction f passe de l'altitude à la température, donc f^{-1} passe de la température à l'altitude. L'expression $f^{-1}(90)$ représente l'altitude (en mètres) où le point d'ébullition de l'eau est de 90 °C. L'équation $f^{-1}(90) = 3000$ signifie que le point d'ébullition de l'eau est de 90 °C à une altitude de 3000 m. L'équation $f(3000) = 90$ a la même signification. Puisque le point d'ébullition de l'eau est de 100 °C au niveau de la mer (où l'altitude est de 0 m), on doit avoir $f^{-1}(100) = 0$.

Les formules pour les fonctions réciproques

Quand une fonction est définie par une formule, il est parfois possible de trouver une formule pour la fonction réciproque. Dans la section 1.1, on a étudié l'exemple du criquet, dont le taux de stridulation C (en stridulations par minute) est donné approximativement par la formule

$$C = f(T) = 7T - 28,$$

où T est la température (en degrés Celcius). Jusqu'à maintenant, on a utilisé cette formule pour prédire le taux de stridulation à partir de la température. Mais il est également possible d'utiliser cette formule à l'inverse pour calculer la température à partir du taux de stridulation.

Exemple 2 Trouvez la formule pour la fonction qui donne la température en fonction du taux de stridulation d'un criquet par minute ; autrement dit, trouvez la fonction réciproque f^{-1}, de manière telle que

$$T = f^{-1}(C).$$

Solution Puisque C est une fonction croissante, f admet une réciproque. On sait que $C = 7T - 28$. On détermine T, ce qui donne

$$T = \frac{C}{7} + 4.$$

Ainsi,

$$f^{-1}(C) = \frac{C}{7} + 4.$$

Les graphes des fonctions réciproques

La fonction $f(x) = x^3$ est croissante en tous les points et a donc une réciproque. Pour trouver la réciproque, on résout

$$y = x^3$$

pour déterminer x, ce qui donne

$$x = y^{1/3}.$$

La fonction réciproque est

$$f^{-1}(y) = y^{1/3}$$

ou, si on veut utiliser la variable x,

$$f^{-1}(x) = x^{1/3}.$$

La figure 1.42 présente les graphes de $y = x^3$ et de $y = x^{1/3}$. On remarque que ces graphes sont la réflexion l'un de l'autre par rapport à la droite $y = x$. Par exemple, $(8, 2)$ se trouve sur le graphe de $y = x^{1/3}$, car $2 = 8^{1/3}$ et $(2, 8)$ est sur le graphe de $y = x^3$, car $8 = 2^3$. Les points $(8, 2)$ et $(2, 8)$ sont des réflexions l'un de l'autre par rapport à la droite $y = x$.

En général, si les axes des x et des y ont les mêmes échelles :

Le graphe de f^{-1} est la réflexion du graphe de f par rapport à la droite $y = x$.

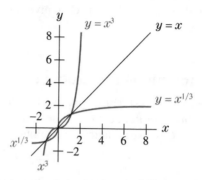

Figure 1.42 : Les graphes des fonctions $y = x^3$ et $y = x^{1/3}$ sont des réflexions par rapport à la droite $y = x$.

Problèmes de la section 1.5

1. Soit p le prix d'un article et q le nombre d'articles vendus à ce prix. On suppose que $q = f(p)$. Expliquez ce que les quantités suivantes signifient en fonction des prix et des quantités vendues.

   a) $f(25)$ b) $f^{-1}(30)$

2. Supposez que $C = f(A)$, où C est le coût (en dollars) de la construction d'une boutique d'une surface A (en mètres carrés). Expliquez en fonction du coût et des mètres carrés ce que les quantités suivantes représentent.

   a) $f(10\ 000)$ b) $f^{-1}(20\ 000)$

3. Soit $f(x)$ la température (en degrés Celcius) lorsque la colonne de mercure d'un thermomètre particulier a x cm de hauteur. Quelle est la signification de $f^{-1}(30)$ en termes simples ?

Pour les problèmes 4 à 7, déterminez si la fonction f admet une fonction réciproque.

4. La fonction $f(t)$ est égale au nombre de clients qui se trouvaient dans le magasin Macy's à midi et t min le 18 décembre 1993.

5. La fonction $f(n)$ est le nombre d'étudiants de votre cours de calcul différentiel et intégral nés le n-ième jour de l'année.

6. La fonction $f(x)$ est le volume (en litres) de x kilogrammes d'eau à 4 °C.

7. La fonction $f(w)$ est le coût (en cents) de l'envoi par la poste d'une lettre pesant w g.

Pour les problèmes 8 à 11, déterminez si les fonctions $y = f(x)$ admettent une fonction réciproque.

8.
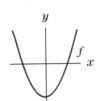

9.

10.
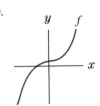

11.
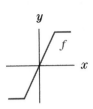

12. Tracez le graphe de chaque fonction ci-dessous et déterminez si elle a une réciproque. Le cas échéant, évaluez approximativement $f^{-1}(20)$ ou $g^{-1}(20)$.

    a) $f(x) = x^2 + 3^x$ b) $g(x) = x^3 + 3^x$

13. Le coût de la production de q articles est donné par la fonction $C = f(q) = 100 + 2q$.

    a) Trouvez une formule pour la fonction réciproque.
    b) Expliquez en termes simples ce que vous indique la fonction réciproque.

14. L'équivalent de 1 kg est d'environ 2,2 lb.

    a) Écrivez une formule pour la fonction f qui donne la masse k (en kilogrammes) d'un objet, en fonction de son poids p (en livres).
    b) Trouvez une formule pour la fonction réciproque de f. Que signifie cette fonction réciproque en termes simples ?

15. Une fonction $y = t(x)$ est toujours croissante. Elle a pour domaine l'ensemble de tous les nombres réels et pour image $0 < t(x) < 4$. Tracez un graphe de $t^{-1}(x)$.

16. Déterminez si l'énoncé suivant est vrai ou faux et expliquez votre réponse. Si f est une fonction croissante, alors f^{-1} est une fonction croissante.

17. Considérez la fonction $y = f(x)$ dont le graphe est donné à la figure 1.43.

    a) Estimez $f^{-1}(2)$.
    b) Tracez le graphe de f^{-1} sur les mêmes axes.

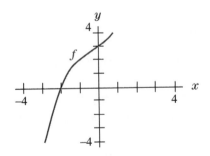

Figure 1.43

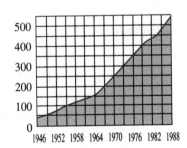

Figure 1.44

18. La figure 1.44 est le graphe[8] de la fonction f, où $f(t)$ est le nombre (en millions) de véhicules motorisés enregistrés dans le monde durant l'année t. (En 1988, le tiers des véhicules enregistrés dans le monde se trouvait aux États-Unis.)

    a) La fonction f admet-elle une réciproque ? Expliquez.
    b) Quelle est la signification de $f^{-1}(400)$ en termes simples ? Évaluez $f^{-1}(400)$.
    c) Tracez le graphe de f^{-1}.

---

8. Tiré de BLERICS, D. et P. WALZER, « Energy for Motor Vehicles », *Scientific American*, septembre 1990.

1.6 LES LOGARITHMES

Dans la section 1.3, on a déterminé la fonction suivante, qui donnait la population approximative du Mexique (en millions d'habitants) :

$$P = f(t) = 67{,}38 \, (1{,}026)^t,$$

où t est le nombre d'années écoulées depuis 1980. La fonction ainsi écrite indique que la population est établie en fonction du temps, qu'elle se chiffrait à 67,38 millions d'habitants en 1980 et qu'elle augmente de 2,6 % par année.

Plutôt que de calculer la population, on suppose à présent qu'on veut trouver l'année où elle atteindra 200 millions d'habitants. Cela signifie qu'on cherche à trouver la valeur de t pour laquelle

$$200 = f(t) = 67{,}38(1{,}026)^t.$$

Puisque la fonction exponentielle est toujours croissante et finit par atteindre plus de 200 millions, il y a exactement une valeur de t qui donne $P = 200$. Comment peut-on la trouver ? Pour commencer, on procède par tâtonnements. En prenant $t = 40$ et $t = 50$, on obtient

$$P = f(40) = 67{,}38(1{,}026)^{40} = 188{,}115\ldots \text{ (donc, } t = 40 \text{ est trop petit)},$$
$$P = f(50) = 67{,}38(1{,}026)^{50} = 243{,}163\ldots \text{ (donc, } t = 50 \text{ est trop grand)}.$$

Par conséquent, en effectuant d'autres essais, on obtient

$$P = f(42) = 67{,}38(1{,}026)^{42} \approx 198{,}0,$$
$$P = f(43) = 67{,}38(1{,}026)^{43} \approx 203{,}2.$$

Donc, t se situe entre 42 et 43. En d'autres mots, la population devrait atteindre 200 millions en l'an 2022.

Bien qu'il soit toujours possible de déterminer approximativement t par tâtonnements, il serait nettement préférable de trouver une formule qui donne t en fonction de P. La *fonction logarithmique* permet de le faire.

La définition et les propriétés des logarithmes en base 10

On définit la fonction *logarithmique* $\log_{10} x$ comme étant la réciproque de la fonction exponentielle 10^x. On appelle 10 la *base*. Donc,

> Le **logarithme** en base 10 de x, qui s'écrit $\mathbf{log_{10}}\boldsymbol{x}$, est la puissance de 10 nécessaire pour obtenir x. En d'autres mots,
>
> $$\log_{10} x = c \qquad \text{signifie} \qquad 10^c = x.$$
>
> On écrit souvent $\log x$ à la place de $\log_{10} x$.

Par exemple, $\log 1000 = \log 10^3 = 3$ puisque 3 est la puissance de 10 nécessaire pour obtenir 1000. De même, $\log(0{,}1) = -1$, car $0{,}1 = 1/10 = 10^{-1}$. Cependant, si on tente de trouver $\log(-7)$ à l'aide d'une calculatrice, on obtient un message d'erreur, car 10 élevé à n'importe quelle puissance n'est jamais négatif (ni égal à zéro). En général,

> $\log x$ n'est pas défini si x est négatif ou égal à zéro.

En travaillant avec des logarithmes, on a besoin des propriétés suivantes :

Propriétés des logarithmes

Pour $A, B, x > 0$, pour un p quelconque, on a :

1. $\log(AB) = \log A + \log B$
2. $\log\left(\frac{A}{B}\right) = \log A - \log B$
3. $\log(A^p) = p \log A$
4. $\log(10^x) = x$
5. $10^{\log x} = x$

De plus, $\log 1 = 0$ parce que $10^0 = 1$.

Le fait que $\log x$ soit la puissance de 10 qui donne x justifie la règle 5.

La résolution d'équations à l'aide de logarithmes

Les logarithmes sont utiles pour trouver des exposants inconnus, comme dans l'exemple 1.

Exemple 1   Trouvez t tel que $2^t = 7$.

Solution   Tout d'abord, on s'attend à ce que t se situe entre 2 et 3 (car $2^2 = 4$ et $2^3 = 8$). Pour calculer t, on prend les logarithmes en base 10 :

$$\log(2^t) = \log 7.$$

Ensuite, on utilise la troisième propriété des logarithmes, laquelle énonce que $\log(2^t) = t \log 2$, et on obtient

$$t \log 2 = \log 7.$$

En utilisant une calculatrice pour trouver les logarithmes, on obtient

$$t = \frac{\log 7}{\log 2} \approx 2{,}81.$$

Exemple 2   Référez-vous à la question qui consiste à savoir quand la population du Mexique atteindra 200 millions d'habitants. Pour obtenir une réponse, résolvez $200 = 67{,}38(1{,}026)^t$ pour déterminer t en utilisant des logarithmes.

Solution   En divisant les deux côtés de l'équation par 67,38, on obtient

$$\frac{200}{67{,}38} = (1{,}026)^t.$$

À présent, on prend des logarithmes des deux côtés :

$$\log\left(\frac{200}{67{,}38}\right) = \log(1{,}026)^t.$$

En considérant le fait que $\log(A^t) = t \log A$, on obtient

$$\log\left(\frac{200}{67{,}38}\right) = t \log(1{,}026).$$

En résolvant l'équation à l'aide d'une calculatrice pour trouver les logarithmes, on obtient

$$t = \frac{\log(200/67{,}38)}{\log(1{,}026)} \approx 42{,}4 \text{ années,}$$

qui se situe entre $t = 42$ et $t = 43$, comme on l'a trouvé au début de la présente section. Cette valeur de t correspond à l'an 2022.

Exemple 3   Donnez une formule pour la réciproque de la fonction suivante (autrement dit, déterminez t en fonction de P) :

$$P = f(t) = 67{,}38(1{,}026)^t.$$

Solution   On veut obtenir une formule exprimant t en fonction de P. On prend les logarithmes

$$\log P = \log(67{,}38(1{,}026)^t).$$

Puisque $\log(AB) = \log A + \log B$, on obtient

$$\log P = \log 67{,}38 + \log((1{,}026)^t).$$

À présent, on utilise $\log(A^t) = t \log A$:

$$\log P = \log 67{,}38 + t \log 1{,}026.$$

On trouve t en deux étapes, en utilisant une calculatrice à l'étape finale :

$$t \log 1{,}026 = \log P - \log 67{,}38$$

$$t = \frac{\log P}{\log 1{,}026} - \frac{\log 67{,}38}{\log 1{,}026} \approx 89{,}7 \log P - 164{,}0.$$

Ainsi,

$$f^{-1}(P) = 89{,}7 \log P - 164{,}0.$$

On note que

$$f^{-1}(200) = 89{,}7(\log 200) - 164{,}0 \approx (89{,}7)(2{,}301) - 164{,}0 \approx 42{,}4,$$

ce qui concorde avec le résultat de l'exemple 2.

Exemple 4   Trouvez la demi-vie de l'exponentielle décroissante $P = P_0(0{,}8)^x$ qu'on a utilisée pour modéliser l'élimination des polluants du kérosène à la section 1.3. Que signifie votre réponse en termes simples ?

Solution   On recherche la valeur de x, de manière telle que

$$P = \frac{1}{2}P_0.$$

On doit donc résoudre l'équation

$$P_0(0{,}8)^x = \frac{1}{2}P_0.$$

En divisant les deux côtés par P_0, il reste

$$(0{,}8)^x = \frac{1}{2}.$$

En prenant les logarithmes des deux côtés, on obtient

$$\log(0{,}8)^x = \log\left(\frac{1}{2}\right)$$

$$x(\log 0{,}8) = \log\left(\frac{1}{2}\right)$$

$$x = \frac{\log(1/2)}{\log 0{,}8}$$

$$x \approx 3{,}1 \text{ m}.$$

En termes simples, on constate qu'en faisant passer le kérosène dans 3,1 m de tuyau rempli d'argile, on parviendra à éliminer la moitié des impuretés.

Le graphe de log x

Exemple 5   Tracez le graphe de $f(x) = \log x$ et comparez-le au graphe de $g(x) = 10^x$.

Solution   Les valeurs de log x du tableau 1.21 ont été trouvées à l'aide d'une calculatrice. Puisque aucune puissance de 10 ne donne zéro, log 0 est indéfini (voir la figure 1.45). Le domaine de $y = \log x$ comporte des valeurs positives de x; l'image est constituée de toutes les valeurs de y. En contraste, $y = 10^x$ a pour domaine toutes les valeurs de x et pour image toutes les valeurs positives de y. Le graphe de $y = \log x$ a une asymptote verticale en $x = 0$, alors que $y = 10^x$ a une asymptote horizontale en $y = 0$.

L'une des principales différences entre $g(x) = 10^x$ et $f(x) = \log x$ est que la fonction exponentielle s'accroît rapidement tandis que la fonction logarithmique augmente très lentement. Cependant, la fonction logarithmique se poursuit à l'infini, bien que lentement, au fur et à mesure que x augmente.

TABLEAU 1.21 *Valeurs de* log x *et de* 10^x

x	$\log x$	x	10^x
0	indéfinie	0	1
1	0	1	10
2	0,3	2	100
3	0,5	3	10^3
4	0,6	4	10^4
$\vdots$	$\vdots$	$\vdots$	$\vdots$
10	1	10	10^{10}

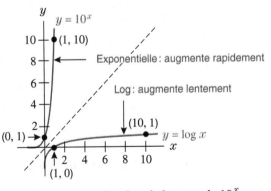

Figure 1.45 : Graphes de log x et de 10^x

Puisque $f(x) = \log x$ et $g(x) = 10^x$ sont des fonctions réciproques, les graphes des deux fonctions sont la réflexion l'un de l'autre par rapport à la droite $y = x$, à la condition que les échelles le long des axes des x et des y soient égales (voir la figure 1.45).

La comparaison entre les logarithmes et les fonctions puissance : $A \log x$ et x^p

Bien qu'il y ait une ressemblance superficielle entre les graphes de $y = x^{1/3}$ et de $y = \log x$ présentés à la figure 1.46, il existe des différences importantes. Le graphe de $x^{1/3}$ comprend l'origine $(0, 0)$, alors que le graphe de $\log x$ n'atteint jamais l'axe vertical $x = 0$, qui est une asymptote. L'autre différence est le taux de croissance des deux fonctions pour les grands x. Le fait que $\log(1\,000\,000) = 6$ et que $\log(10\,000\,000) = 7$ démontre à quel point le logarithme monte lentement lorsque x est grand. En effet, le logarithme augmente plus lentement que toute puissance positive de x.

Dans la figure 1.47, les fonctions $x^{1/3}$ et $100 \log x$ sont comparées; le tableau 1.22 compare $x^{0,001}$ et $1000 \log x$. Dans les deux cas, la fonction logarithmique finit par être inférieure à la fonction puissance. En fait, x^p domine $A \log x$ pour un grand x, peu importe les valeurs de $p > 0$ et de $A > 0$. Cela découle du fait que 10^x domine Bx^q pour un grand x pour tout $q > 0$ et $B > 0$.

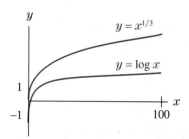

Figure 1.46 : Comparaison entre $y = \log x$ et $y = x^{1/3}$

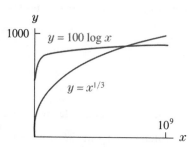

Figure 1.47 : Comparaison entre $y = x^{1/3}$ et $y = 100 \log x$

TABLEAU 1.22 *Comparaison entre $x^{0,001}$ et $1000 \log x$*

x	$x^{0,001}$	$1000 \log x$
10^{5000}	10^5	$5 \cdot 10^6$
10^{6000}	10^6	$6 \cdot 10^6$
10^{7000}	10^7	$7 \cdot 10^6$

Problèmes de la section 1.6

1. Créez une table des valeurs pour comparer les valeurs de $f(x) = \log x$ et de $g(x) = \sqrt{x}$ pour $x = 1, 2, \ldots, 10$. Arrondissez à deux décimales. Utilisez ces valeurs pour tracer le graphe des deux fonctions.

Pour les problèmes 2 à 8, déterminez x en utilisant des logarithmes. (Vous pouvez vérifier votre réponse à l'aide d'une calculatrice graphique ou d'un ordinateur.)

2. $3^x = 11$ 3. $17^x = 2$ 4. $10 = 4^x$ 5. $20 = 50(1,04)^x$

6. $25 = 2(5)^x$ 7. $2 \cdot 5^x = 11 \cdot 7^x$ 8. $4 \cdot 3^x = 7 \cdot 5^x$

Pour les problèmes 9 à 12, déterminez t.

9. $a = b^t$ 10. $P = P_0 a^t$ 11. $Q = Q_0 a^{nt}$ 12. $P_0 a^t = Q_0 b^t$

Pour les problèmes 13 à 17, simplifiez l'expression autant que possible.

13. $\log A^3 - \log B^{2/3} + \log A^{1/3} + \log B^{5/3}$

14. $\dfrac{\log(ABC)}{\log\left(\frac{1}{ABC}\right)}$

15. $\dfrac{\log A^2 - 2\log B}{\log A^2 + \log\left(\frac{1}{AB}\right)}$

16. $10^{\log(AB)}$

17. $100^{(\log A - \log B)}$

Tracez le graphe des fonctions des problèmes 18 et 19 à l'aide d'une calculatrice ou d'un ordinateur. Expliquez le résultat obtenu.

18. $y = \log(10^x)$

19. $y = 10^{\log x}$

Pour les problèmes 20 et 21, déterminez quelle fonction a des valeurs plus grandes quand $x \to \infty$.

20. $x^{1/3}$ ou $75\,000 \log x$

21. $\log x$ ou $10^{-0,01x}$

22. Trouvez l'équation de la droite l dans la figure 1.48.

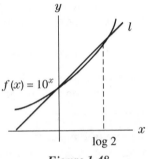

Figure 1.48

23. Quel est le temps de doublement des prix qui augmentent de 5 % par année ?

24. La population d'une région augmente exponentiellement. S'il y avait 40 000 000 d'habitants en 1980 ($t = 0$) et 56 000 000 d'habitants en 1990, trouvez une expression pour la population en tout temps t (en années). Que prédiriez-vous pour l'an 2000 ? Quel est le temps de doublement ?

25. En 1980, il y avait environ 170 millions de véhicules (voitures et camions) et environ 227 millions d'habitants aux États-Unis. Si le nombre de véhicules augmente de 4 % par année et que la population augmente de 1 % par année, en quelle année y aura-t-il, en moyenne, un véhicule par personne ?

26. Grâce à un programme de santé publique innovateur instauré en milieu rural, la mortalité infantile au Sénégal, en Afrique de l'Ouest, a diminué à un taux de 10 % par année. Combien d'années seront nécessaires pour que le taux de mortalité infantile diminue de 50 % ?

27. La demi-vie d'une substance radioactive est de 12 jours. Supposez qu'il y a, au départ, 10,32 g de cette substance.

    a) Trouvez une équation pour déterminer la quantité A de substance en fonction du temps.
    b) Quand la substance sera-t-elle réduite à 1 g ?

28. a) Trouvez le temps de doublement D pour les taux de croissance annuels de i %, de 2 %, de 3 %, de 4 % et de 5 %.
    b) Puisque D diminue lorsque i augmente, on peut supposer que D est inversement proportionnel à i, c'est-à-dire que $D = k/i$. Utilisez vos réponses de la partie a) pour confirmer que, approximativement, $D = 70/i$. Il s'agit de la « règle du 70 » que les banquiers utilisent. Pour estimer le temps de doublement d'un investissement, le banquier divise 70 par le taux d'intérêt annuel.

29. Trouvez la fonction réciproque de $p(t) = (1,04)^t$.

1.7   LE NOMBRE e ET LES LOGARITHMES NATURELS

Les calculs de la section précédente ont été effectués avec des *logarithmes communs*, c'est-à-dire des logarithmes en base 10. Cependant, la base la plus couramment utilisée est le bien connu nombre $e = 2{,}718\ 28\ldots$ En fait, on utilise cette base si souvent que le logarithme en base e s'appelle *logarithme naturel* et qu'il est noté ln. On trouve une touche ln sur la plupart des calculatrices scientifiques ainsi qu'une touche e^x ; cela montre l'importance de la base e. Au premier abord, tout cela peut sembler mystérieux. Que peut-il y avoir de naturel dans l'utilisation de logarithmes en base $2{,}718\ 28\ldots$? Pour répondre à cette question, il faut patienter jusqu'au chapitre 3, où on montrera que bon nombre de formules du calcul différentiel et intégral sont plus claires lorsqu'on utilise e comme base plutôt que toute autre base.

La définition et les propriétés du logarithme naturel

Le logarithme naturel de x, qui s'écrit $\ln x$, se définit comme le logarithme en base e de x. Cela signifie que $\ln x$ est la fonction réciproque de e^x. Donc,

> Le **logarithme naturel** de x, qui s'écrit $\ln x$, est la puissance de e nécessaire pour obtenir x. En d'autres mots,
>
> $$\ln x = c \quad \text{signifie} \quad e^c = x.$$

Les règles de manipulation des logarithmes naturels sont les mêmes que celles des logarithmes en base 10, et $\ln x$ n'est pas défini lorsque x est négatif ou égal à zéro.

Propriétés des logarithmes naturels

Si A, B, et $x > 0$ et si p est quelconque, alors :

1. $\ln (AB) = \ln A + \ln B$

2. $\ln \left(\dfrac{A}{B} \right) = \ln A - \ln B$

3. $\ln (A^p) = p \ln A$

4. $\ln e^x = x$

5. $e^{\ln x} = x$

De plus, $\ln 1 = 0$, car $e^0 = 1$.

En utilisant la touche $\boxed{\text{LN}}$ d'une calculatrice pour tracer le graphe de $f(x) = \ln x$ pour $0 < x \le 10$, on obtient la figure 1.49. On note que le graphe de $y = \ln x$, comme le graphe de $y = \log x$, monte très lentement au fur et à mesure que x augmente. De plus, on remarque que l'intersection avec l'axe des x est $x = 1$, puisque $\ln 1 = 0$.

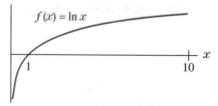

Figure 1.49 : Graphe du logarithme naturel

L'utilisation des fonctions exponentielles en base *e*

On peut démontrer que toute fonction exponentielle peut s'écrire en utilisant *e*.

> Toute fonction de **croissance exponentielle** peut s'écrire sous la forme
>
> $$P = P_0 e^{kt}$$
>
> et toute fonction de **décroissance exponentielle** peut s'écrire
>
> $$Q = Q_0 e^{-kt},$$
>
> où P_0 et Q_0 sont les quantités initiales et k est une constante positive.
>
> On dit que P et Q sont croissantes ou décroissantes à un *taux continu* de k. (Par exemple, $k = 0,02$ correspond à un taux continu de 2 %.)

Exemple 1   Tracez les graphes de $P = e^{0,5t}$ et de $Q = e^{-0,2t}$.

Solution

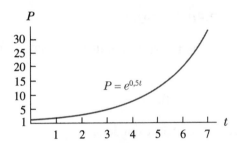

Figure 1.50 : Fonction de croissance exponentielle

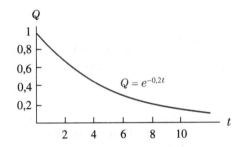

Figure 1.51 : Fonction de décroissance exponentielle

Le graphe de $P = e^{0,5t}$ se trouve dans la figure 1.50. On remarque que le graphe a la même forme que les courbes de croissance exponentielle précédentes : il est croissant et concave vers le haut. En effet, les familles a^t, $a > 1$ et e^{kt}, $k > 0$ sont identiques. Le graphe de $Q = e^{-0,2t}$ se trouve dans la figure 1.51 ; il a la même forme que d'autres fonctions de décroissance exponentielle. Les familles a^t, $0 < a < 1$ et e^{kt}, $k < 0$ sont les mêmes.

Exemple 2   Les chlorofluorocarbones (CFC) utilisés dans les climatiseurs et, dans une proportion moindre, dans les aérosols (laque pour cheveux, crème à raser, etc.) détruisent la couche d'ozone de l'atmosphère quand ils sont libérés. À l'heure actuelle, la quantité d'ozone Q décroît exponentiellement à un taux continu de 0,25 % par année. Quelle est la demi-vie de l'ozone ? En d'autres termes, à ce taux, combien d'années seront nécessaires pour que la moitié de la couche d'ozone disparaisse ?

Solution   Si Q_0 est la quantité initiale d'ozone, alors

$$Q = Q_0 e^{-0,0025t}.$$

On veut trouver T, la valeur de t qui donne $Q = Q_0/2$. Donc,

$$Q_0 e^{-0,0025T} = \frac{Q_0}{2}.$$

En divisant par Q_0 et en prenant les logarithmes naturels, on obtient

$$\ln(e^{-0,0025T}) = -0,0025T = \ln\left(\frac{1}{2}\right) \approx -0,6931.$$

Donc,

$$T \approx 277 \text{ années.}$$

Dans l'exemple 2, le taux de décroissance était donné. Cependant, dans bon nombre de situations où on s'attend à trouver la croissance exponentielle ou la décroissance exponentielle, le taux n'est pas donné. Pour le trouver, on doit connaître la quantité à deux moments différents, puis déterminer le taux de croissance ou de décroissance, comme on le fait dans l'exemple 3.

Exemple 3   La population du Kenya se chiffrait à 19,5 millions d'habitants en 1984 et à 21,2 millions d'habitants en 1986. En supposant qu'elle augmente exponentiellement, trouvez une formule pour la population du Kenya en fonction du temps.

Solution   Si on mesure la population P en millions et le temps t en années depuis 1984, on peut dire que

$$P = P_0 e^{kt} = 19,5 e^{kt},$$

où $P_0 = 19,5$ est la valeur initiale de P. On trouve k en utilisant le fait que $P = 21,2$ lorsque $t = 2$. Donc,

$$21,2 = 19,5 e^{k \cdot 2}.$$

Pour trouver k, on divise les deux côtés par 19,5, ce qui donne

$$\frac{21,2}{19,5} = 1,087 = e^{2k}.$$

À présent, on prend les logarithmes naturels des deux côtés :

$$\ln(1,087) = \ln(e^{2k}).$$

En utilisant une calculatrice et en considérant le fait que $\ln(e^{2k}) = 2k$, on obtient

$$0,0834 = 2k.$$

Donc,

$$k \approx 0,042$$

et ainsi,

$$P = 19,5 e^{0,042t}.$$

Puisque $k = 0,042 = 4,2\ \%$, on dit que la population du Kenya augmentait à un taux continu de 4,2 % par année.

Dans l'exemple 3, on choisit d'utiliser e comme base de la fonction exponentielle représentant la population du Kenya, ce qui clarifie le fait que le taux de croissance continu se chiffrait à 4,2 %. Toutefois, si on veut mettre l'accent sur le taux de croissance annuel, on peut exprimer la fonction exponentielle sous la forme

$$P = P_0 a^t.$$

On montre maintenant que, dans l'exemple 4, le taux de croissance annuel est d'environ 4,3 %, ce qui est légèrement supérieur au taux de croissance continu de 4,2 % de l'exemple 3.

Exemple 4 Exprimez la population du Kenya sous la forme

$$P = P_0 a^t.$$

Solution Puisque la population s'est accrue, passant de 19,5 à 21,2 millions en 2 ans, on sait que

$$21,2 = 19,5 a^2.$$

Donc,

$$a = \left(\frac{21,2}{19,5}\right)^{1/2} \approx 1,043,$$

ce qui donne

$$P = P_0 (1,043)^t.$$

La relation entre a^t et e^{kt}

En général, une fonction exponentielle de la forme $P_0 e^{kt}$ peut toujours s'écrire sous la forme $P_0 a^t$. La raison étant que

$$P_0 e^{kt} = P_0 (e^k)^t,$$

on suggère de prendre

$$a = e^k. \quad \text{Donc,} \quad k = \ln a.$$

Les deux formules différentes, soit $P = P_0 e^{kt}$ et $P = P_0 a^t$, ont le même graphe et représentent la même fonction.

> La croissance ou la décroissance exponentielle peut toujours s'écrire de deux manières, soit
>
> $$P = P_0 a^t \qquad \text{ou} \qquad P = P_0 e^{kt}.$$
>
> Ici a est le facteur de croissance annuelle, $a - 1$ est le *taux de croissance annuel* et k le taux de croissance continu. Alors,
>
> $$a = e^k. \qquad \text{Donc,} \qquad k = \ln a.$$
>
> On note que $k > 0$ donne la croissance exponentielle et que $k < 0$ donne la décroissance exponentielle.

Si a provient d'un taux de croissance en pourcentage r, c'est-à-dire $a = 1 + r$, alors le taux de croissance continu $k = \ln(1 + r)$ sera légèrement inférieur à r, mais très près de celui-ci si r est petit.

Les constantes temporelles et les demi-vies

Les ingénieurs mesurent la vitesse à laquelle une quantité décroissante exponentiellement diminue à l'aide d'une *constante temporelle*. Il s'agit du temps que prend la quantité à diminuer à $1/e$ fois sa valeur initiale.

Exemple 5   Trouvez la constante temporelle d'un circuit dans lequel la charge Q est donnée par

$$Q = Q_0 e^{-t/(RC)}.$$

Ici Q_0 est la charge initiale, t est le temps et R et C sont des constantes qui dépendent du circuit.

Solution   Si T est la constante temporelle, alors $Q = Q_0/e$ au temps T. Donc,

$$\frac{Q_0}{e} = Q_0 e^{-T/(RC)}.$$

En simplifiant Q_0, on obtient

$$e^{-T/(RC)} = \frac{1}{e} = e^{-1}.$$

En prenant les logarithmes naturels, on a

$$-\frac{T}{RC} = -1.$$

Donc,

$$T = RC.$$

Puisque $1/2 > 1/e$, il y a une plus grande décroissance durant une constante temporelle que durant une demi-vie. Donc, la constante temporelle est plus longue que la demi-vie (voir la figure 1.52).

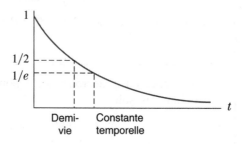

Figure 1.52 : Comparaison d'une demi-vie et d'une constante temporelle

Problèmes de la section 1.7

1. Créez une table des valeurs afin de comparer $f(x) = \log x$ et $g(x) = \ln x$ pour $x = 1, 2, \ldots, 10$. Arrondissez à deux décimales. Utilisez ces valeurs pour tracer le graphe des deux fonctions.

Trouvez x pour les problèmes 2 à 7.

2. $2^x = e^{x+1}$

3. $2e^{3x} = 4e^{5x}$

4. $7^{x+2} = e^{17x}$

5. $10^{x+3} = 5e^{7-x}$

6. $2x - 1 = e^{\ln x^2}$

7. $9^x = 2e^{x^2}$

Pour les problèmes 8 à 10, déterminez t. Supposez que a et b sont des constantes positives et que k est non nul.

8. $a = be^t$

9. $P = P_0 e^{kt}$

10. $ae^{kt} = e^{bt}$, où $k \neq b$

Simplifiez complètement les expressions des problèmes 11 à 17.

11. $e^{\ln(1/2)}$

12. $5e^{\ln(A^2)}$

13. $\ln(e^{2AB})$

14. $\ln e^{\sqrt{A}}$

15. $\ln\left(\dfrac{1}{e}\right) + \ln AB$

16. $2\ln(e^A) + 3\ln B^e$

17. $2\ln(AB) - \ln\left(\dfrac{B}{A}\right)$

Convertissez les fonctions des problèmes 18 à 23 sous la forme $P = P_0 a^t$. Lesquelles représentent la croissance exponentielle et lesquelles représentent la décroissance exponentielle ?

18. $P = 15e^{0,25t}$

19. $P = 2e^{-0,5t}$

20. $P = 10e^{0,917t}$

21. $P = 79e^{-2,5t}$

22. $P = P_0 e^{0,2t}$

23. $P = 7e^{-\pi t}$

Convertissez les fonctions des problèmes 24 à 27 sous la forme $P = P_0 e^{kt}$.

24. $P = 15(1,5)^t$

25. $P = 10(1,7)^t$

26. $P = 174(0,9)^t$

27. $P = 4(0,55)^t$

28. a) Évaluez la quantité $(\ln x)/(\log x)$ pour différentes valeurs de x (soit $x = 0,5, 5, 10, 100$). Que remarquez-vous ?

   b) Tracez le graphe de $y = (\ln x)/(\log x)$ à l'aide d'un ordinateur ou d'une calculatrice. Que voyez-vous ? Comment cela correspond-il à vos résultats de la partie a) ?

   c) Prenez les logarithmes naturels des deux côtés de l'équation $x = 10^{\log x}$ pour démontrer que
   $$\frac{\ln x}{\log x} = \ln 10.$$

29. Trouvez la fonction réciproque de $f(t) = 50e^{0,1t}$.

30. Trouvez la fonction réciproque de $f(t) = 1 + \ln t$.

31. Définissez $g(x) = \dfrac{2}{e^x + 5}$.

   a) g est-elle croissante ou décroissante ?

   b) Expliquez pourquoi g admet une réciproque et trouvez une formule pour g^{-1}.

32. Définissez $f(x) = \dfrac{1}{1 + e^{-x}}$.

   a) La fonction f est-elle croissante ou décroissante ?

   b) Expliquez pourquoi f admet une réciproque et trouvez une formule pour $f^{-1}(x)$.

   c) Quel est le domaine de f^{-1} ?

   d) Tracez les graphes de f et de f^{-1} sur les mêmes axes et expliquez leur relation.

33. a) Une population augmente selon l'équation $P = P_0 e^{kt}$ (avec les constantes P_0, k). Trouvez la population en fonction du temps t si elle augmente à un taux continu de 2 % par année et commence à 1 million d'habitants.

   b) Tracez le graphe de la population que vous avez trouvée dans la partie a) par rapport au temps.

34. L'air d'une usine est filtré de telle sorte que la quantité d'un polluant P (mesuré en milligrammes par litre) est décroissante selon l'équation $P = P_0 e^{-kt}$, où t représente le temps (en heures). Supposez qu'on parvient à éliminer 10 % des polluants dans les cinq premières heures.

   a) Quel pourcentage des polluants reste-t-il après 10 h ?

   b) Combien de temps sera nécessaire pour que les polluants soient réduits de 50 % ?

   c) Tracez le graphe de la quantité de polluants par rapport au temps. Présentez les résultats de vos calculs sur le graphe.

   d) Expliquez pourquoi la quantité de polluants peut diminuer ainsi.

35. La pression atmosphérique P diminue exponentiellement avec la hauteur au-dessus de la surface de la Terre, h :

$$P = P_0 e^{-0,000\,12h},$$

où P_0 est la pression atmosphérique au niveau de la mer et h est la hauteur (en mètres).

   a) Si vous vous rendez au sommet du mont McKinley, soit à une hauteur de 6198 m (environ 20 320 pi), quelle est la pression atmosphérique exprimée en pourcentage de la pression au niveau de la mer ?
   b) L'altitude maximale d'un avion à réaction commercial standard est d'environ 12 000 m (40 000 pi). À cette hauteur, quelle est la pression atmosphérique exprimée en pourcentage de la pression au niveau de la mer ?

36. Dans certaines circonstances, la vitesse V de la chute d'une goutte de pluie est donnée par $V = V_0(1 - e^{-t})$, où t est le temps et V_0 une constante positive.

   a) Tracez un graphe approximatif de V par rapport à t, pour $t \geq 0$.
   b) Que représente V_0 ?

37. La population des États-Unis se chiffrait à 226,5 millions d'habitants en 1980 et à 248,7 millions d'habitants en 1990. En quelle année la population dépassera-t-elle 300 millions d'habitants ?

38. La demi-vie du strontium radioactif est de 29 ans. En 1960, on a libéré du strontium 90 dans l'atmosphère au cours d'une série d'essais d'armes nucléaires et le strontium s'est infiltré dans les os des habitants. Combien d'années seront nécessaires avant qu'il ne reste que 10 % de la quantité initiale absorbée ?

39. Si la taille d'une colonie de bactéries double en 5 h, combien de temps sera nécessaire pour que le nombre de bactéries triple ?

40. Prédisez la population terrestre en l'an 2000. Selon un almanach, la population en 1980 se chiffrait à 4,478 milliards d'habitants et en 1994, à 5,642 milliards d'habitants. Quel est le temps de doublement de la population mondiale ?

41. Supposez qu'une substance radioactive a une demi-vie de 5 ans. Au départ, un objet contient 20 kg de cette matière radioactive.

   a) Quelle quantité de cette matière radioactive restera-t-il après 10 ans ?
   b) On peut déplacer l'objet en toute sécurité lorsque la quantité de matière radioactive est de 0,1 kg ou moins. Combien de temps doit-il s'écouler avant qu'on puisse déplacer l'objet en question ?

42. L'un des principaux contaminants émis lors d'un accident nucléaire, comme celui de Tchernobyl, est le strontium 90, qui se décompose exponentiellement à un taux continu d'environ 2,47 % par année. Des estimations préliminaires effectuées après le désastre suggèrent qu'environ 100 ans seront nécessaires avant que la région puisse être de nouveau habitée par l'homme. Quel sera le pourcentage du strontium 90 initial encore présent à ce moment ?

43. La population P (en millions d'habitants) du Nicaragua se chiffrait à 3,6 millions en 1990 et augmentait à un taux annuel de 3,4 %. Soit t le temps (en années) depuis 1990.

   a) Exprimez P avec une fonction de la forme $P = P_0 a^t$.
   b) Exprimez P sous forme de fonction exponentielle dans la base e.
   c) Comparez les taux de croissance annuel et continu.

44. La datation géologique des roches se fait à l'aide du potassium 40 plutôt que du carbone 14, car le potassium a une demi-vie plus longue. Le potassium se décompose en argon, lequel demeure dans les roches et peut se mesurer. Ainsi, il est possible de calculer la quantité initiale de potassium. La demi-vie du potassium 40 est de $1,28 \cdot 10^9$ années. Trouvez une formule donnant la quantité P de potassium restante en fonction du temps (en années), en supposant que la quantité initiale est P_0.

   a) Utilisez la base 1/2.
   b) Utilisez la base e.

45. Un tableau soi-disant peint par Vermeer (1632–1675) contient 99,5 % de sa quantité initiale de carbone 14 (demi-vie de 5730 années). À partir de cette information, déterminez si le tableau est faux. Expliquez votre raisonnement.

46. Supposez que la quantité de charge électrique d'un condensateur est une fonction décroissante exponentiellement dans le temps :

$$Q = Q_0 e^{-t/k}.$$

a) Quelle est la constante temporelle ?

b) Montrez que, après une période de 3 constantes temporelles, le condensateur a perdu plus de 95 % de la charge initiale.

c) Montrez que, après 5 constantes temporelles, moins de 1 % de la charge est restée.

1.8   COMMENT CRÉER DE NOUVELLES FONCTIONS

Les translations et les dilatations

Le graphe d'un multiple constant d'une fonction donnée est facile à visualiser ; chaque valeur de y est allongée ou rétrécie par ce multiple. Par exemple, on considère la fonction $f(x)$ et ses multiples $y = 3f(x)$ et $y = -2f(x)$. Leurs graphes sont présentés à la figure 1.53. Le facteur 3 de la fonction $y = 3f(x)$ allonge chaque valeur de $f(x)$ en la multipliant par 3 ; le facteur -2 de la fonction $y = -2f(x)$ allonge $f(x)$ en le multipliant par 2 et le réfléchit sur l'axe des x. On peut considérer les multiples d'une fonction donnée comme une famille de fonctions.

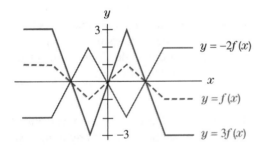

Figure 1.53 : Multiples de la fonction $f(x)$

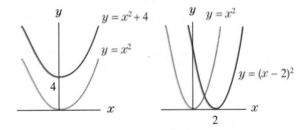

Figure 1.54 : Graphes de $y = x^2$ avec $y = x^2 + 4$ et $y = (x - 2)^2$

Il est également facile de créer des familles de fonctions en décalant les graphes. Par exemple, le graphe de $y - 4 = x^2$ est le même que celui de $y = x^2 + 4$, qui est le graphe de $y = x^2$ translaté (décalé) vers le haut de 4. De même, le graphe de $y = (x - 2)^2$ est le même que celui de $y = x^2$ translaté vers la droite de 2 (voir la figure 1.54).

- La multiplication d'une fonction par une constante c a pour effet d'allonger le graphe verticalement (si $c > 1$) ou de le rétrécir verticalement (si $0 < c < 1$). Un signe négatif (si $c < 0$) réfléchit le graphe par rapport à l'axe des x, outre qu'il le rétrécit ou l'allonge.

- La substitution de y par $(y - k)$ a pour effet de déplacer le graphe vers le haut de k unités si k est positif (vers le bas si k est négatif).

- La substitution de x par $(x - h)$ a pour effet de déplacer le graphe vers la droite de h unités si h est positif (vers la gauche si h est négatif).

On peut tracer le graphe de la somme de deux fonctions en imaginant les valeurs de y des deux graphes empilées les unes sur les autres.

Exemple 1   Tracez le graphe de la fonction $y = 2x^2 + 1/x$ pour $x > 0$.

Solution   On trace d'abord le graphe des fonctions $y = 2x^2$ et $y = 1/x$ séparément. On imagine à présent les valeurs de y correspondantes empilées les unes sur les autres et on obtient le graphe de $y = 2x^2 + 1/x$ (voir la figure 1.55).

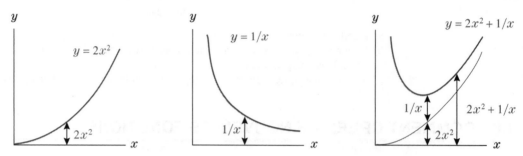

Figure 1.55 : Somme de deux fonctions à partir de leurs graphes

On remarque que, pour un x près de zéro, le graphe de $y = 2x^2 + 1/x$ ressemble beaucoup au graphe de $y = 1/x$ (parce que $1/x$ est beaucoup plus grand que $2x^2$). Pour un grand x, le graphe de $y = 2x^2 + 1/x$ ressemble au graphe de $y = 2x^2$.

Les fonctions composées

Si la cargaison d'huile d'un pétrolier se déverse dans la mer, l'aire de la nappe de pétrole augmentera avec le temps. On suppose que la nappe d'huile forme toujours un cercle parfait. (En pratique, cela ne se produit pas à cause des vents, des marées et de l'emplacement du littoral.) L'aire de la nappe d'huile est fonction de son rayon. Cette fonction est

$$A = f(r) = \pi r^2.$$

Le rayon est également fonction du temps, car il augmente à mesure que le déversement d'huile s'accroît. Ainsi, l'aire, qui est fonction du rayon, est également fonction du temps. Si, par exemple, le rayon est donné par

$$r = g(t) = 1 + t,$$

alors l'aire est donnée en fonction du temps par substitution :

$$A = \pi r^2 = \pi(1 + t)^2.$$

On dit que A est une *fonction composée* ou la *fonction d'une fonction,* ce qui s'écrit

$$A = \underbrace{f(g(t))}_{} = \pi(g(t))^2 = \pi(1 + t)^2.$$

Fonction composée ;
f est à l'extérieur de la fonction,
g est à l'intérieur de la fonction.

On se demande maintenant comment calculer A en utilisant la formule $\pi(1 + t)^2$. Pour tout t donné, le première étape consiste à trouver $1 + t$ et la deuxième, à l'élever au carré et à le multiplier par π. La première étape correspond donc à la fonction intérieure $g(t) = 1 + t$ et la deuxième étape, à la fonction extérieure $f(r) = \pi r^2$.

Exemple 2   Si $f(x) = x^2$ et $g(x) = x + 1$, trouvez les expressions ci-après.

a) $f(g(2))$ b) $g(f(2))$ c) $f(g(x))$ d) $g(f(x))$

Solution a) Puisque $g(2) = 3$, on obtient $f(g(2)) = f(3) = 9$.
 b) Puisque $f(2) = 4$, on obtient $g(f(2)) = g(4) = 5$. On remarque que $f(g(2)) \neq g(f(2))$.
 c) $f(g(x)) = f(x + 1) = (x + 1)^2$.
 d) $g(f(x)) = g(x^2) = x^2 + 1$. Encore une fois, on note que $f(g(x)) \neq g(f(x))$.

Exemple 3 Exprimez chacune des fonctions suivantes sous forme de composition.

 a) $h(t) = (1 + t^3)^{27}$ b) $k(x) = \log(x^2)$ c) $l(x) = (\log x)^2$ d) $n(y) = e^{-y^2}$

Solution Dans chaque cas, on réfléchit à la manière dont on pourrait calculer une valeur de la fonction. La première étape du calcul donnera la fonction intérieure et la deuxième étape, la fonction extérieure.

 a) Pour $(1 + t^3)^{27}$, la première étape consiste à élever au cube et à additionner 1. Donc, la fonction intérieure est $g(t) = 1 + t^3$.
 À la deuxième étape, on doit élever à la 27e puissance. Donc, la fonction extérieure est $f(y) = y^{27}$. Par conséquent,

$$f(g(t)) = f(1 + t^3) = (1 + t^3)^{27}.$$

 En fait, il existe plusieurs réponses différentes ; $g(t) = t^3$ et $f(y) = (1 + y)^{27}$ est une autre possibilité.

 b) Pour évaluer cette fonction, il faut d'abord élever x au carré et ensuite utiliser le logarithme. Donc, si $g(x) = x^2$ est la fonction intérieure et si $f(y) = \log y$ est la fonction extérieure, alors

$$f(g(x)) = \log(x^2).$$

 c) Pour cette fonction, il faut d'abord calculer le logarithme puis l'élever au carré. On utilise les mêmes définitions de f et de g qu'à la partie b), soit $f(x) = \log x$ et $g(t) = t^2$. La composition est

$$g(f(x)) = (\log x)^2.$$

 En évaluant les fonctions dans les parties b) et c) pour $x = 2$, par exemple en ayant $\log(2^2) = 0{,}602$ et $\log^2(2) = 0{,}091$, on constatera que l'ordre dans lequel les deux fonctions sont composées peut avoir de l'importance.

 d) Pour calculer e^{-y^2}, on doit élever y au carré, prendre sa valeur négative puis élever e à cette puissance. Donc, si on définit $g(y) = -y^2$ et $f(z) = e^z$, on peut alors écrire

$$f(g(y)) = e^{-y^2}.$$

 Également, on pourrait prendre $g(y) = y^2$ et $f(z) = e^{-z}$.

La symétrie des fonctions paires et impaires

Une certaine symétrie est apparente dans les graphes de $f(x) = x^2$ et de $g(x) = x^3$ (voir la figure 1.56, page suivante). Pour chaque point (x, x^2) qui appartient au graphe de f, le point $(-x, x^2)$ appartient aussi au graphe ; pour chaque point (x, x^3) appartenant au graphe de g, le point $(-x, -x^3)$ appartient aussi au graphe. Le graphe de $f(x) = x^2$ est symétrique par rapport à l'axe des y, alors que le graphe de $g(x) = x^3$ est symétrique par rapport à l'origine. Le graphe de tout polynôme comprenant uniquement des puissances paires est symétrique par rapport à l'axe des y, tandis que les polynômes ayant uniquement des puissances impaires sont symétriques par rapport à l'origine. Par conséquent, toute fonction ayant l'une ou l'autre de ces propriétés de symétrie est dite *paire* ou *impaire*.

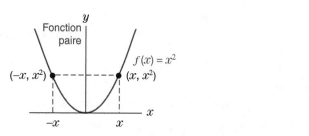

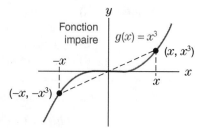

Figure 1.56 : Symétrie des fonctions paires et impaires

Pour toute fonction f,
  f est une fonction **paire** si $f(-x) = f(x)$ pour tout x ;
  f est une fonction **impaire** si $f(-x) = -f(x)$ pour tout x.

Par exemple, $g(x) = e^{x^2}$ est paire et $h(x) = x^{1/3}$ est impaire. Cependant, on note que plusieurs fonctions n'ont aucune symétrie et ne sont ni paires ni impaires.

Problèmes de la section 1.8

1. Le graphe de $y = f(x)$ est présenté à la figure 1.57. Tracez les graphes de chacune des fonctions suivantes. Identifiez toute intersection avec les axes ou toute asymptote que vous pouvez déterminer.

   a) $y = f(x) + 3$ b) $y = 2f(x)$ c) $y = f(x + 4)$ d) $y = 4 - f(x)$

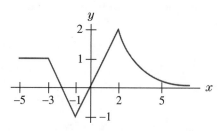

Figure 1.57

2. a) Écrivez une équation pour le graphe obtenu par l'allongement vertical du graphe de $y = x^2$ d'un facteur de 2, suivi d'un décalage vertical vers le haut de 1 unité. Tracez le graphe.
   b) Quelle est l'équation si l'ordre des transformations (l'allongement et le décalage) de la partie a) est inversé ?
   c) Les deux graphes sont-ils identiques ? Expliquez l'effet de l'inversion de l'ordre des transformations.

Pour les problèmes 3 à 11, soit $f(x) = 2x + 1$, $g(x) = \ln(x + 3)$ et $h(x) = e^{4x + 7}$. Trouvez les fonctions ci-après.

3. $f(g(x))$ 4. $g(f(x))$ 5. $f(h(x))$

6. $h(f(x))$ 7. $g(h(x))$ 8. $h(g(x))$

9. $g(h(x) - 3)$ 10. $f(g(h(x)))$ 11. $h(g(f(x)))$

Pour les problèmes 12 à 15, le graphe suggère-t-il que la fonction est paire, impaire ou ni l'une ni l'autre ?

12.   13.   14.   15.

Les fonctions des problèmes 16 et 17 sont-elles paires, impaires ou ni l'une ni l'autre ?

16. $f(x) = x^6 + x^3 + 1$ 17. $f(x) = x^3 + x^2 + x$

Pour les problèmes 18 à 21, déterminez les fonctions f et g, de sorte que $h(x) = f(g(x))$. [Remarque : il existe plus d'une bonne réponse. Ne choisissez pas $f(x) = x$ ou $g(x) = x$.]

18. $h(x) = (x+1)^3$ 19. $h(x) = x^3 + 1$ 20. $h(x) = \ln(x^3)$ 21. $h(x) = (\ln x)^3$

Pour les problèmes 22 à 25, $m(z) = z^2$. Trouvez et simplifiez les quantités ci-après.

22. $m(z+1) - m(z)$ 23. $m(z+h) - m(z)$

24. $m(z) - m(z-h)$ 25. $m(z+h) - m(z-h)$

26. À l'aide d'une calculatrice graphique, trouvez les intervalles en x et en y pour que le graphe de $f(x) = 9x^2 + 5$ soit identique au graphe de $g(x) = x^2$ lorsque $-3 < x < 3$, $-1 < y < 9$.

27. À l'aide d'une calculatrice graphique, trouvez les intervalles en x et en y pour que le graphe de $f(x) = 10x^2 + 1000x$ soit identique au graphe de $g(x) = x^2$ lorsque $-10 < x < 10$, $-10 < y < 100$. [Conseil : utilisez la complétion du carré.]

28. Tracez le graphe de $f(x) = 3^x$ lorsque $0 < x < 3$, $0 < y < 27$. Ensuite, tracez le graphe de $g(x) = 2(3^{x/2})$ lorsque $0 < x < 6$, $0 < y < 54$. Expliquez pourquoi les deux graphes ont une forme identique.

29. a) On vous donne la table des valeurs suivante pour la fonction f. Pour quelles valeurs de x pouvez-vous évaluer $g(x) = f(x/2)$ de manière précise ?

x	0	1	2	3	4	5	6
$f(x)$	0	2	6	12	20	30	42

b) Créez une table des valeurs pour $g(x) = f(x/2)$.
c) En quoi le graphe de g différera-t-il du graphe de f ?

Pour les problèmes 30 à 35, supposez que f et g sont donnés par les graphes de la figure 1.58.

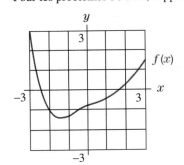
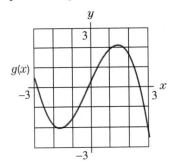

Figure 1.58

30. Estimez $f(g(1))$.

31. Estimez $g(f(2))$.

32. Estimez $f(f(1))$.

33. Tracez un graphe de $f(g(x))$.

34. Tracez un graphe de $g(f(x))$.

35. Tracez un graphe de $f(f(x))$.

36. Soit $h(x)$ et $j(x)$ les fonctions tracées dans les figures 1.59 et 1.60.

a) Tracez les graphes de $h(j(x))$ et de $j(h(x))$. Identifiez toutes les intersections avec les axes.

b) Si possible, tracez un graphe d'une fonction $k(x)$ de manière telle que $j(k(x)) = k(j(x)) = x$. Si cela n'est pas possible, expliquez pourquoi.

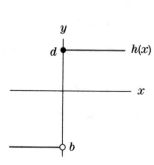

Figure 1.59

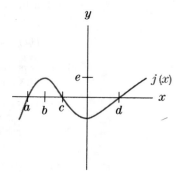

Figure 1.60

37. La fonction échelon unité de Heaviside H est tracée à la figure 1.61. Tracez les graphes des fonctions ci-après.

a) $2H(x)$

b) $H(x) + 1$

c) $H(x + 1)$

d) $-H(x)$

e) $H(-x)$

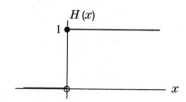

Figure 1.61

Pour les problèmes 38 à 40, utilisez le graphe de $y = f(x)$ de la figure 1.62 pour tracer le graphe des fonctions indiquées.

38. $y = 2f(x)$

39. $y = 2 - f(x)$

40. $y = 1/f(x)$

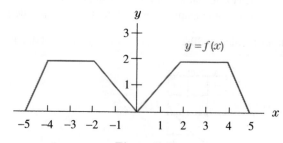

Figure 1.62

41. Remplissez le tableau 1.23 pour montrer les valeurs des fonctions f, g et h, étant donné les conditions ci-après.

    a) f est symétrique par rapport à l'axe des y.
    b) g est symétrique par rapport à l'origine.
    c) h est la composition de g avec f. Autrement dit, $h(x) = g(f(x))$.

TABLEAU 1.23

x	$f(x)$	$g(x)$	$h(x)$
−3	0	0	
−2	2	2	
−1	2	2	
0	0	0	
1			
2			
3			

1.9   LES FONCTIONS TRIGONOMÉTRIQUES

La trigonométrie tire ses origines de l'étude des triangles. En effet, le mot *trigonométrie* (de trigone et -métrie) signifie « la mesure des figures à trois coins ». Ainsi, les premières définitions des fonctions trigonométriques étaient données à partir des triangles. Cependant, les fonctions trigonométriques peuvent également se définir à partir du cercle unité (cercle de rayon 1), une définition qui les rend périodiques ou répétitives. Bon nombre de processus qui se produisent naturellement sont aussi périodiques. Le niveau d'eau d'un bassin de marée, la pression sanguine du cœur, le courant alternatif et la position des molécules d'air qui transmettent une note musicale fluctuent tous de manière régulière. On peut représenter de tels phénomènes à l'aide des fonctions trigonométriques.

On n'utilisera que les trois fonctions trigonométriques qu'on trouve sur la calculatrice : le sinus, le cosinus et la tangente.

Les radians

Il existe deux manières courantes d'exprimer l'argument des fonctions trigonométriques : les radians et les degrés. Les formules du calcul différentiel et intégral, comme on le verra, sont plus claires en radians qu'en degrés.

> Un angle de 1 **radian** est défini comme l'angle qui intercepte, depuis le centre d'un cercle unité, un arc de longueur 1, mesuré dans le sens contraire des aiguilles d'une montre (voir la figure 1.63 a), page suivante).

Un angle de 2 rad intercepte un arc de longueur 2 sur un cercle unité. Un angle négatif, comme −1/2 rad, intercepte un arc de longueur 1/2, mesuré dans le sens des aiguilles d'une montre (voir la figure 1.63 b), page suivante).

Il est utile de considérer les angles comme des rotations puisqu'on peut alors comprendre les angles de plus de 360°. Puisqu'une rotation complète de 360° intercepte un arc de longueur 2π, soit la circonférence d'un cercle unité, il s'ensuit que

$$360° = 2\pi \text{ rad.} \quad \text{Donc,} \quad 180° = \pi \text{ rad.}$$

En d'autres mots, 1 rad = $180°/\pi$; un radian mesure donc environ 60°. On omet souvent le mot *radian*. Par conséquent, si un angle ou une rotation est mentionné sans unité, il est sous-entendu que celle-ci est en radians.

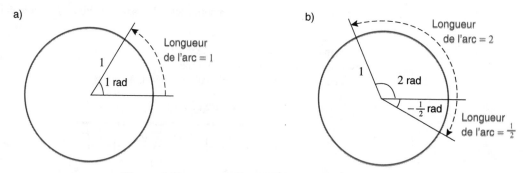

Figure 1.63 : Radians définis à l'aide d'un cercle unité

La longueur de l'arc

Les radians sont également utiles pour calculer la longueur de l'arc d'un cercle de rayon diffé-rent de 1. Si le cercle a un rayon r et que l'arc intercepte un angle θ (voir la figure 1.64), alors on a la relation ci-après.

$$\boxed{\text{Longueur d'arc} = s = r\theta.}$$

Figure 1.64 : Longueur de l'arc d'un secteur de cercle

Le sinus et le cosinus

Les deux fonctions trigonométriques fondamentales — le sinus et le cosinus — sont définies à l'aide d'un cercle unité. À la figure 1.65, un angle de t rad est mesuré dans le sens contraire des aiguilles d'une montre autour du cercle à partir du point $(1, 0)$. Si P a les coordonnées (x, y), on définit

$$\boxed{\cos t = x \quad \text{et} \quad \sin t = y.}$$

On suppose que les angles sont *toujours* donnés en radians, à moins d'indication contraire.

Puisque l'équation du cercle unité est $x^2 + y^2 = 1$, on obtient l'identité fondamentale suivante :

$$\boxed{\cos^2 t + \sin^2 t = 1.}$$

Au fur et à mesure que t augmente et que P se déplace autour du cercle, les valeurs de $\sin t$ et de $\cos t$ oscillent entre 1 et -1 et finissent par se répéter alors que P passe par les points qu'il a déjà parcourus. Si t est négatif, l'angle est mesuré dans le sens des aiguilles d'une montre autour du cercle.

L'amplitude, la période et la phase

Les graphes de sinus et de cosinus sont présentés à la figure 1.66. On remarque que le sinus est une fonction impaire et que le cosinus est une fonction paire. Les valeurs maximale et minimale de sinus et de cosinus sont $+1$ et -1, car ce sont les valeurs maximale et minimale de y et de x sur le cercle unité. Lorsque le point P s'est déplacé une fois autour du cercle complet, les valeurs de $\cos t$ et de $\sin t$ commencent à se répéter ; on dit alors que les fonctions sont *périodiques*.

> Pour toute fonction périodique du temps,
>
> - l'**amplitude** représente la moitié de la distance entre les valeurs maximale et minimale (le cas échéant) ;
>
> - la **période** est le temps nécessaire pour que la fonction exécute un cycle complet.

L'amplitude de $\cos t$ et de $\sin t$ est 1 et la période est 2π. Pourquoi 2π ? Parce qu'il s'agit de la valeur de t lorsque le point P a fait le tour du cercle exactement une fois. (Il ne faut pas oublier que $360° = 2\pi$ rad.)

En observant la figure 1.66, on peut constater que les graphes du sinus et du cosinus ont exactement la même forme, sauf qu'ils sont translatés horizontalement. Puisque le cosinus est le sinus translaté de $\pi/2$ vers la gauche,

$$\cos t = \sin(t + \pi/2).$$

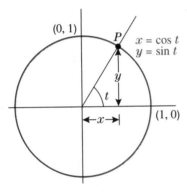

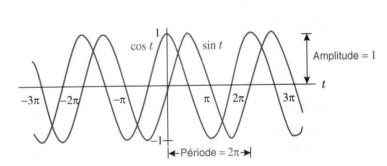

Figure 1.65 : Définitions de $\sin t$ et de $\cos t$

Figure 1.66 : Graphes de $\cos t$ et de $\sin t$

Cela signifie que le cosinus de tout nombre est le même que le sinus du nombre qui est $\pi/2$ plus à droite — ce qu'illustre précisément le graphe. De même, le sinus est le cosinus translaté de $\pi/2$ vers la droite, soit

$$\sin t = \cos (t - \pi/2).$$

On dit que la *différence de phase* entre $\sin t$ et $\cos t$ est $\pi/2$.

Les fonctions dont les graphes ont la forme d'une courbe de sinus ou de cosinus sont appelées des fonctions *sinusoïdales*.

> Pour décrire arbitrairement les amplitudes et les périodes des fonctions sinusoïdales, on utilise les fonctions de la forme
>
> $$f(t) = A \sin (Bt) \quad \text{et} \quad g(t) = A \cos (Bt),$$
>
> où $|A|$ est l'amplitude et $2\pi/|B|$ est la période.
> Pour représenter arbitrairement les différences de phase, on translate horizontalement un graphe dont l'amplitude et la période sont déjà fixées en remplaçant t par $t - h$ ou par $t + h$.

Exemple 1   Trouvez l'amplitude et la période des fonctions, puis tracez-en le graphe.

a) $y = 5 \sin(2t)$ b) $y = -5 \sin\left(\dfrac{t}{2}\right)$ c) $y = 1 + 2 \sin t$

Solution a)   À partir de la figure 1.67, on peut voir que l'amplitude de $y = 5 \sin(2t)$ est 5 parce que le facteur 5 allonge les oscillations jusqu'à 5 vers le haut et jusqu'à −5 vers le bas. La période de $y = \sin(2t)$ est π, parce que, lorsque t varie de 0 à π, la quantité $2t$ varie de 0 à 2π et la fonction sinus a donc terminé une oscillation.

b)   La figure 1.68 montre que l'amplitude de $y = -5 \sin(t/2)$ est de nouveau 5 parce que le signe négatif reflète les oscillations par rapport à l'axe des t, mais ne fait pas varier la distance de variation vers le haut ni vers le bas. La période de $y = -5 \sin(t/2)$ est 4π, car lorsque t varie de 0 à 4π, la quantité $t/2$ varie de 0 à 2π et la fonction sinus complète alors une oscillation.

c)   Le 1 fait décaler le graphe de $y = 2 \sin t$ vers le haut de 1. Puisque $y = 2 \sin t$ a une amplitude de 2 et une période de 2π, le graphe de $y = 1 + 2 \sin t$ monte à 3 et descend à −1 et il a une période de 2π (voir la figure 1.69). Ainsi, $y = 1 + 2 \sin t$ a également une amplitude de 2.

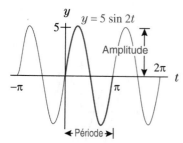

Figure 1.67 : Amplitude = 5,
période = π

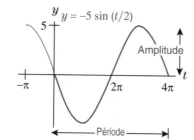

Figure 1.68 : Amplitude = 5,
période = 4π

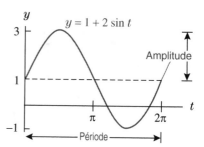

Figure 1.69 : Amplitude = 2,
période = 2π

Exemple 2   Trouvez des formules pour les fonctions décrivant les oscillations des figures 1.70 à 1.72.

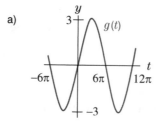

Figure 1.70

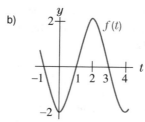

Figure 1.71

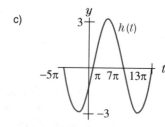

Figure 1.72

Solution a)   La fonction de la figure 1.70 ressemble à une fonction sinus d'amplitude 3. Donc, $g(t) = 3 \sin(Bt)$. Puisque la fonction exécute une oscillation complète entre $t = 0$ et $t = 12\pi$, lorsque t varie de 12π, la quantité Bt varie de 2π. Cela signifie que $B \cdot 12\pi = 2\pi$. Donc, $B = 1/6$. Ainsi, $g(t) = 3 \sin(t/6)$ correspond au graphe illustré ci-dessus.

b)   La fonction de la figure 1.71 ressemble à une fonction cosinus inversée d'amplitude 2. Donc, $f(t) = -2 \cos(Bt)$. La fonction effectue une oscillation entre $t = 0$ et $t = 4$. Ainsi, lorsque t varie de 4, la quantité Bt varie de 2π. Donc, $B \cdot 4 = 2\pi$ ou $B = \pi/2$. Ainsi, $f(t) = -2 \cos(\pi t/2)$ correspond au graphe illustré.

c)   La fonction de la figure 1.72 ressemble à la fonction $g(t)$ de la figure 1.70, mais translatée d'une distance de π vers la droite. Puisque $g(t) = 3 \sin(t/6)$, on remplace t par $(t - \pi)$ pour obtenir $h(t) = 3 \sin[(t - \pi)/6]$.

Il existe bon nombre d'équations appropriées pour ces fonctions ; il est sans doute possible d'en trouver d'autres.

Exemple 3   Le 10 février 1990, à Boston, la marée était haute à minuit. Le niveau de la mer à marée haute atteignait 3,01 m ; plus tard, à marée basse, il était de 0,01 m. En supposant que la prochaine marée haute est exactement à midi et que le niveau de la mer est donné par une courbe de sinus ou de cosinus, trouvez une formule pour le niveau de la mer à Boston en fonction du temps.

Solution   Soit y le niveau de la mer (en mètres) et t le temps mesuré (en heures) à partir de minuit. Les oscillations doivent avoir une amplitude de 1,5 m (= (3,01 − 0,01)/2) et une période de 12. Donc, $12\,B = 2\pi$ et $B = \pi/6$. Puisque la mer est à son plus haut niveau à minuit, lorsque $t = 0$ les oscillations sont mieux représentées par un cosinus, car le cosinus est à son maximum au début du cycle (voir la figure 1.73). On peut dire

$$\text{Niveau au-dessus de la moyenne} = 1{,}5 \cos\left(\frac{\pi}{6}t\right).$$

Puisque le niveau moyen de l'eau était de 1,51 m (= (3,01 + 0,01)/2), il faut translater la courbe de cosinus vers le haut de 1,51. On obtient cette translation en ajoutant 1,51 :

$$y = 1{,}51 + 1{,}5 \cos\left(\frac{\pi}{6}t\right).$$

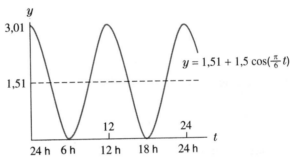

Figure 1.73 : Fonction donnant une approximation
de la marée à Boston le 10 février 1990

Exemple 4   Bien sûr, l'hypothèse de l'exemple 3 est inexacte, car elle suppose que la prochaine marée haute sera à midi juste. Le cas échéant, la marée haute serait toujours à midi ou à minuit, plutôt que de progresser lentement au cours de la journée, comme c'est le cas. L'intervalle entre les marées hautes successives équivaut en moyenne à 12 h 24 min. À l'aide de ces données, donnez une formule plus précise pour calculer le niveau de la mer en fonction du temps.

Solution   La période est de 12 h 24 min = 12,4 h. Donc, $B = 2\pi/12{,}4$, ce qui donne

$$y = 1{,}51 + 1{,}5 \cos\left(\frac{2\pi}{12{,}4}t\right) = 1{,}51 + 1{,}5 \cos(0{,}507t).$$

Exemple 5   Utilisez les données de l'exemple 3 (précisées dans l'exemple 4) pour trouver une formule pour le niveau de la mer à Boston lorsque la marée haute est à 14 h.

Solution   Lorsque la marée est haute à minuit, le niveau de la mer est donné par

$$y = 1{,}51 + 1{,}5 \cos(0{,}507t).$$

Puisque 14 h signifie 14 heures après minuit, on remplace t par $(t − 14)$. Ainsi, lorsque la marée est haute à 14 h,

$$y = 1{,}51 + 1{,}5 \cos(0{,}507(t − 14)).$$

Exemple 6   Expliquez pourquoi la fonction suivante représente une oscillation qui s'éclipse, ce qu'on appelle une *oscillation amortie* :

$$f(x) = (0{,}9)^x \sin x.$$

Solution   On considère $f(x)$ comme une fonction sinus ayant une amplitude de $(0{,}9)^x$, qui diminue à mesure que x augmente (voir la figure 1.74). Il s'agit du type de mouvement prévu lorsqu'on place un poids sur un ressort et que les oscillations sont amorties à cause de la friction.

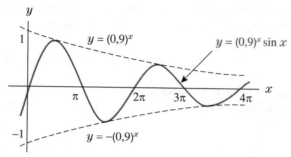

Figure 1.74 : Oscillation amortie

La fonction tangente

Si t représente tout nombre avec $\cos t \neq 0$, on définit la fonction tangente par

$$\tan t = \frac{\sin t}{\cos t}.$$

La figure 1.65 montre la signification géométrique de la fonction tangente : $\tan t$ est la pente de la droite passant par l'origine $(0, 0)$ et par le point $P\,(\cos t,\, \sin t)$ sur le cercle unité.

La fonction tangente est indéfinie lorsque $\cos t = 0$, notamment en $t = \pm\pi/2,\ \pm3\pi/2,\ \ldots,$ et elle a une asymptote verticale à chacune de ces valeurs. À présent, on considère les endroits où $\tan t$ sera positive et où elle sera négative. Elle sera positive là où $\sin t$ et $\cos t$ ont le même signe. La figure 1.75 présente le graphe de la tangente.

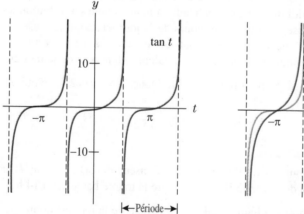

Figure 1.75 : Fonction tangente

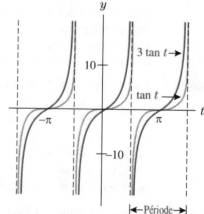

Figure 1.76 : Multiple de tangente

On note que la fonction tangente a la période π, car elle se répète toutes les π unités. Est-il logique de parler de l'amplitude de la fonction tangente ? Non, si on considère l'amplitude comme une mesure de la taille de l'oscillation, car la tangente devient infiniment grande à proximité de chaque asymptote verticale. On peut quand même multiplier la tangente par une constante, mais celle-ci, dans ce cas, ne représente plus une amplitude (voir la figure 1.76).

Les fonctions trigonométriques réciproques

Parfois, il est nécessaire de trouver un nombre à l'aide d'un sinus donné, par exemple trouver x satisfaisant à

$$\sin x = 0$$

ou satisfaisant à

$$\sin x = 0{,}3.$$

On peut résoudre la première de ces deux équations en effectuant une vérification ; les solutions sont $x = 0, \pm\pi, \pm 2\pi, \ldots$ Pour résoudre la deuxième équation, il faut utiliser une calculatrice, qui donne également un nombre infini de solutions qui sont

$$x \approx 0{,}305,\ 2{,}84,\ 0{,}305 \pm 2\pi,\ 2{,}84 \pm 2\pi,\ \ldots$$

Pour chaque équation, on opte pour une seule solution comprise entre $-\pi/2$ et $\pi/2$ inclusivement. Par exemple, la solution de $\sin x = 0$ est $x = 0$, et la solution de $\sin x = 0{,}3$ est $x = 0{,}305$. On définit la fonction arcsinus, qui s'écrit « arcsin » ou « $\sin^{-1}$ », comme la fonction qui permet d'obtenir la solution voulue.

> Pour $-1 \le y \le 1$,
>
> $$\operatorname{arcsin} y = x$$
>
> signifie que
>
> $$\sin x = y \qquad \text{avec} \qquad -\frac{\pi}{2} \le x \le \frac{\pi}{2}.$$

Ainsi, l'arcsin est la fonction réciproque de la fonction sinus ayant le domaine restreint $[-\pi/2, \pi/2]$ (voir le tableau 1.24 et la figure 1.77). Sur une calculatrice, la fonction arcsinus[9] est généralement notée $\boxed{\sin^{-1}}$.

TABLEAU 1.24 *Valeurs de $\sin x$ et de $\sin^{-1} x$*

x	$\sin x$	x	$\sin^{-1} x$
$-\frac{\pi}{2}$	$-1{,}000$	$-1{,}000$	$-\frac{\pi}{2}$
$-1{,}0$	$-0{,}841$	$-0{,}841$	$-1{,}0$
$-0{,}5$	$-0{,}479$	$-0{,}479$	$-0{,}5$
$0{,}0$	$0{,}000$	$0{,}000$	$0{,}0$
$0{,}5$	$0{,}479$	$0{,}479$	$0{,}5$
$1{,}0$	$0{,}841$	$0{,}841$	$1{,}0$
$\frac{\pi}{2}$	$1{,}000$	$1{,}000$	$\frac{\pi}{2}$

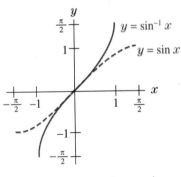

Figure 1.77 : Fonction arcsinus

L'arctangente, qui s'écrit arctan ou $\tan^{-1}$, est la fonction réciproque de la fonction tangente ayant le domaine restreint $-\pi/2 < x < \pi/2$. Sur une calculatrice, l'arctangente est normalement notée $\boxed{\tan^{-1}}$. La figure 1.79 (page suivante) présente son graphe.

---

9. À noter que $\sin^{-1} x = \operatorname{arcsin} x$ est différent de $(\sin x)^{-1} = 1/\sin x$.

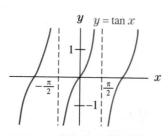

Figure 1.78 : Fonction tangente

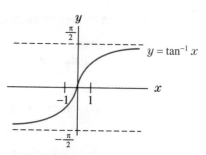

Figure 1.79 : Fonction arctangente

Pour tout y,

$$\arctan y = x$$

signifie que

$$\tan x = y \qquad \text{avec} \qquad -\frac{\pi}{2} < x < \frac{\pi}{2}.$$

La fonction arccosinus, qui s'écrit arccos ou $\cos^{-1}$, est abordée au problème 34.

Problèmes de la section 1.9

Pour les problèmes 1 à 9, dessinez l'angle en utilisant un rayon qui passe par l'origine, puis déterminez si le sinus, le cosinus ou la tangente de cet angle sont positifs, négatifs, nuls ou indéfinis.

1. $\frac{3\pi}{2}$ 　　　　2. 2π 　　　　3. $\frac{\pi}{4}$ 　　　　4. 3π 　　　　5. $\frac{\pi}{6}$

6. $\frac{4\pi}{3}$ 　　　　7. $\frac{-4\pi}{3}$ 　　　　8. 4 　　　　9. -1

Étant donné que $\sin(\pi/12) = 0{,}259$ et que $\cos(\pi/5) = 0{,}809$, calculez (sans utiliser les fonctions trigonométriques de votre calculatrice) les quantités demandées aux problèmes 10 à 13. Vous pourriez dessiner les angles qu'on y retrouve et ensuite vérifier vos réponses à l'aide d'une calculatrice.

10. $\cos\left(-\frac{\pi}{5}\right)$ 　　　　11. $\sin\frac{11\pi}{12}$ 　　　　12. $\sin\frac{\pi}{5}$ 　　　　13. $\cos\frac{\pi}{12}$

14. Utilisez la solution de l'exemple 3 pour estimer le niveau d'eau dans le port de Boston à 3 h, à 4 h et à 17 h le 10 février 1990.

15. Un disque compact tourne à une vitesse de 200 à 500 révolutions par minute. Quelles sont les vitesses équivalentes en radians par seconde ?

16. Lorsque le moteur d'une voiture effectue moins de 200 révolutions par minute environ, il cale. Quelle est la période de la rotation du moteur lorsqu'il est sur le point de caler ?

17. Quelle est la différence entre $\sin x^2$, $\sin^2 x$ et $\sin(\sin x)$? Exprimez chacune de ces trois expressions sous la forme d'une composition. [Remarque : $\sin^2 x = (\sin x)^2$.]

18. Considérez la fonction $y = 5 + \cos(3x)$.
    a) Quelle est son amplitude ?　　b) Quelle est sa période ?　　c) Tracez son graphe.

19. Faites concorder les fonctions ci-dessous avec les graphes de la figure 1.80.
    a) $y = 2\cos(t - \pi/2)$ 　　b) $y = 2\cos t$ 　　c) $y = 2\cos(t + \pi/2)$

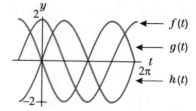

Figure 1.80

Pour les problèmes 20 à 28, trouvez une formule pour chaque graphe.

20.

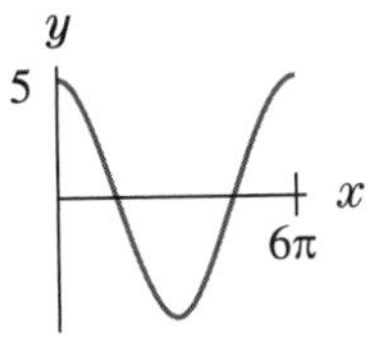

21.

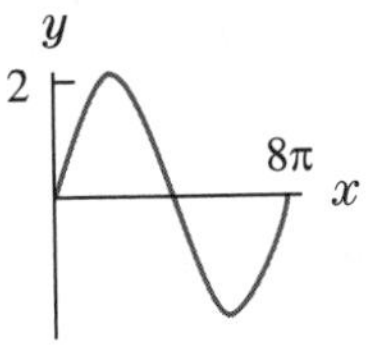

22.

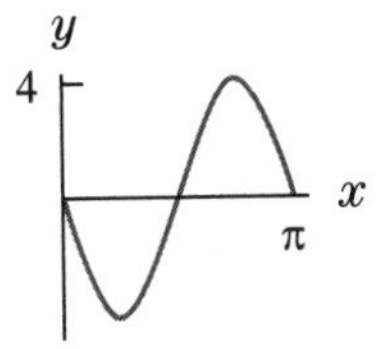

23.

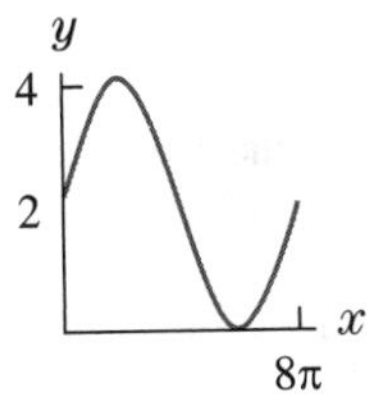

24.

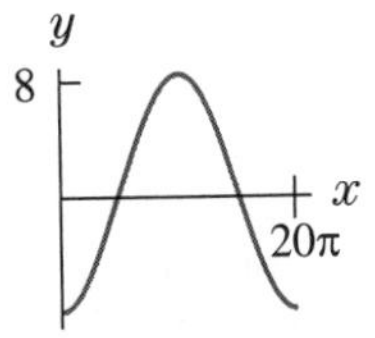

25.

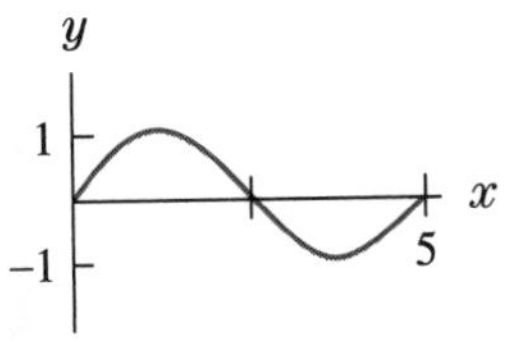

26.

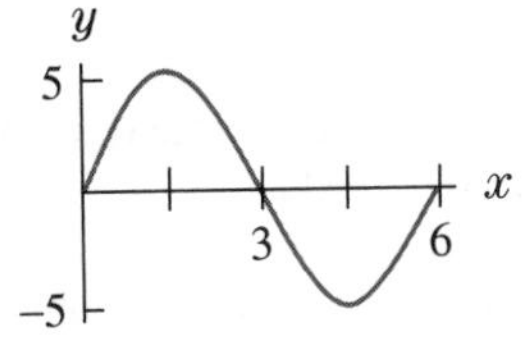

27.

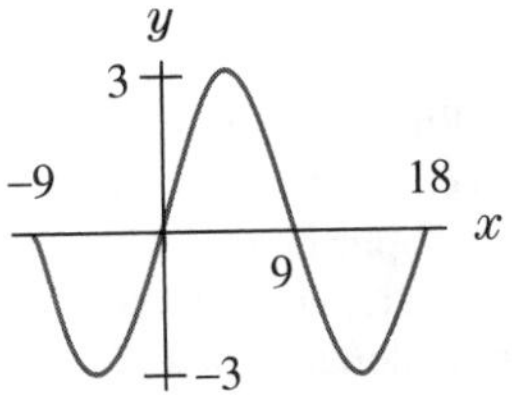

28.

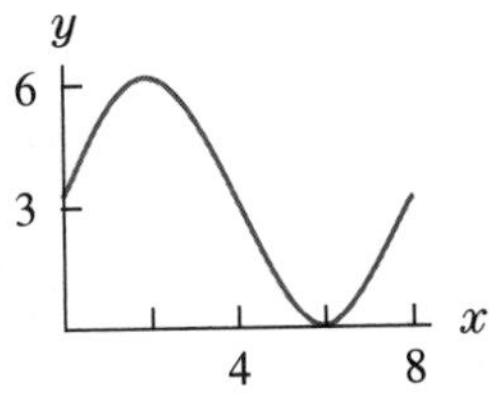

29. La tension V d'une prise électrique dans une maison est donnée en fonction du temps t (en secondes) par $V = V_0 \cos(120\pi t)$.

    a) Quelle est la période de l'oscillation ?

    b) Que représente V_0 ?

    c) Tracez le graphe de V par rapport à t. Identifiez les axes.

30. Une population animale oscille de manière sinusoïdale entre son plus bas niveau de 700, le 1er janvier, et son plus haut niveau de 900, le 1er juillet.

    a) Tracez le graphe de la population par rapport au temps.

    b) Trouvez une formule pour la population en fonction du temps t mesuré (en mois) depuis le début de l'année.

31. Le guide de voyage de la ville de Saint Petersburg, en Floride, contient le tableau présenté à la figure 1.81, destiné à promouvoir le climat idéal dont elle jouit. Trouvez une fonction trigonométrique approximative en fonction des données. La variable indépendante doit être le temps (en mois). Pour ce faire, vous devrez estimer l'amplitude et la période des données et déterminer quand on retrouve le maximum. (Il y a plusieurs réponses possibles pour ce problème, selon la manière dont vous lisez le graphe.)

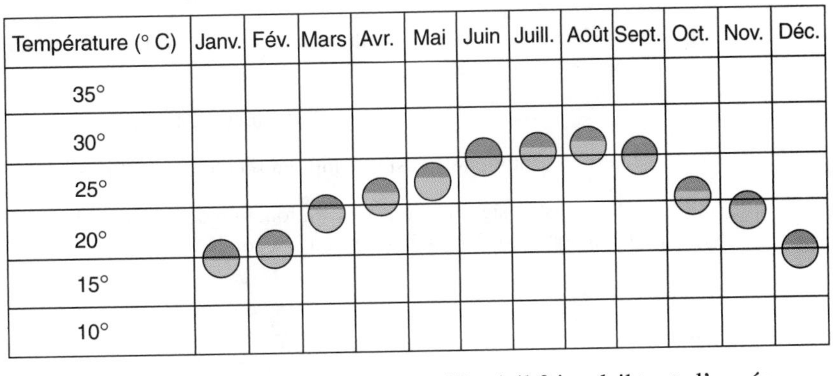

Figure 1.81 : « Saint Petersburg… la ville où il fait soleil toute l'année. »
(Reproduction autorisée.)

32. La baie de Fundy, au Canada, est réputée pour sa marée haute, que l'on considère comme la plus haute au monde. La différence entre les niveaux d'eau les plus élevés et les plus bas est de 15 m (presque 50 pi). Supposez qu'en un point particulier de la baie de Fundy, la profondeur de l'eau, soit y m, est donnée en fonction du temps t (en heures) à partir de minuit le 1er janvier 1997, par

$$y = D + A \cos (B(t - C)).$$

   a) Quelle est la signification physique de D ?
   b) Quelle est la valeur de A ?
   c) Quelle est la valeur de B ? Supposez que le temps entre les marées hautes successives est de 12,4 h.
   d) Quelle est la signification physique de C ?

33. a) À l'aide d'une calculatrice réglée en radians, créez une table des valeurs, à deux décimales, de $f(x) = \arcsin x$, pour $x = -1, -0,8, -0,6, \ldots, 0, \ldots, 0,8, 1$. (L'arcsinus est noté $\boxed{\sin^{-1}}$ sur la plupart des calculatrices.)
   b) Tracez $f(x) = \arcsin x$. Inscrivez le domaine et l'image de f sur le graphe.

34. Ce problème présente la fonction arccosinus, ou cosinus inverse, notée $\boxed{\cos^{-1}}$ sur la plupart des calculatrices.

   a) À l'aide d'une calculatrice réglée en radians, créez une table des valeurs, à deux décimales, de $g(x) = \arccos x$, pour $x = -1, -0,8, -0,6, \ldots, 0, \ldots, 0,8, 1$.
   b) Tracez le graphe de $g(x) = \arccos x$.
   c) Selon votre graphe, quels sont le domaine et l'image de l'arccosinus ?
   d) Pourquoi le domaine de l'arccosinus est-il le même que le domaine de l'arcsinus ?
   e) Pourquoi l'image de l'arcsinus n'est-elle pas la même que l'image de l'arccosinus ? Pour répondre à cette question, observez la manière dont le domaine de la fonction sinus originale a été restreint pour construire l'arcsinus. Pourquoi le domaine du cosinus ne peut-il être restreint de la même manière pour construire l'arccosinus ? Comment le domaine du cosinus doit-il être restreint ?

35. À l'aide d'une calculatrice, estimez tous les points d'intersection des graphes de $f(x) = x + \sin x$ et de $g(x) = x^3$. Comment pouvez-vous être sûr de les avoir tous trouvés ?

36. a) Utilisez une calculatrice graphique ou un ordinateur pour estimer la période de $2 \sin\theta + 3 \cos (2\theta)$.
   b) Expliquez votre réponse, étant donné que la période de $\sin \theta$ est 2π et que la période de $\cos (2\theta)$ est π.

37. Une balle de baseball frappée à un angle de θ par rapport à l'horizontale à une vitesse initiale de v_0 a une image horizontale R donnée par

$$R = \frac{v_0^2}{g} \sin(2\theta) .$$

   Ici g est une constante qui représente l'accélération causée par la gravité. Tracez R en fonction de θ pour $0 \leq \theta \leq \pi/2$. Quel est l'angle qui permet d'obtenir la portée maximale ? Quelle est la portée maximale ?

38. Considérez une masse qui oscille au bout d'un ressort. La distance y de la masse depuis sa position d'équilibre est donnée par

$$y = y_0 \cos (2\pi\omega t).$$

   Ici y est en centimètres, t est le temps en secondes, y_0 et ω sont des constantes positives.

   a) Quelle est la signification de y_0 en fonction de l'oscillation ?
   b) Combien y a-t-il d'oscillations en 1 seconde ?

1.10 LES FONCTIONS POLYNOMIALES ET LES FONCTIONS RATIONNELLES

Les polynômes

Certaines des fonctions les plus connues pour lesquelles il existe des formules sont les polynômes tels que

$$y = p(x) = a_n x^n + a_{n-1} x^{n-1} + \cdots + a_1 x + a_0.$$

Ici n est un entier positif appelé le *degré* du polynôme et a_n, a_{n-1}, ..., a_1, a_0 sont des constantes ayant le coefficient dominant $a_n \neq 0$. Un exemple de polynôme de degré $n = 3$ est

$$y = p(x) = 2x^3 - x^2 - 5x - 7.$$

Dans ce cas, $a_3 = 2$, $a_2 = -1$, $a_1 = -5$ et $a_0 = -7$. La forme du graphe d'un polynôme est fonction de son degré ; des graphes typiques sont présentés à la figure 1.82. Ces graphes correspondent à un coefficient positif pour x^n ; un coefficient négatif renverse le graphe. On remarque que le graphe du quadratique « change de direction » une fois, que le cubique « change de direction » deux fois et que le quartique (quatrième degré) « change de direction » trois fois. Un polynôme de degré n « change de direction » au plus $n - 1$ fois (où n est un entier positif).

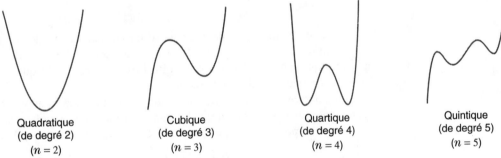

Quadratique (de degré 2) ($n = 2$)   Cubique (de degré 3) ($n = 3$)   Quartique (de degré 4) ($n = 4$)   Quintique (de degré 5) ($n = 5$)

Figure 1.82 : Graphes de polynômes typiques de degré n

Exemple 1   Trouvez des formules pour les polynômes dont les graphes se trouvent dans la figure 1.83.

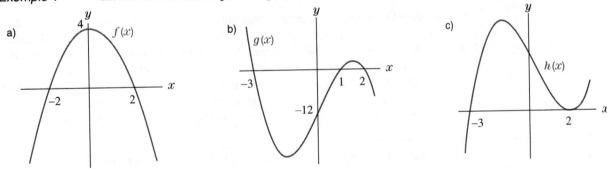

Figure 1.83 : Graphes des polynômes

Solution   a)   Ce graphe semble être une parabole, renversée et translatée vers le haut de 4. Donc,

$$f(x) = -x^2 + 4.$$

Le signe négatif renverse la parabole et le $+4$ la déplace vers le haut de 4 unités. On remarque que cette formule donne l'intersection exacte avec l'axe des x, puisque $0 = -x^2 + 4$ a les solutions $x = \pm 2$. Ces valeurs de x s'appellent les *zéros* de f.

On peut également résoudre ce problème en observant d'abord les intersections avec l'axe des x, lesquelles indiquent que $f(x)$ a les facteurs $(x+2)$ et $(x-2)$. Donc, avec k réel,

$$f(x) = k(x+2)(x-2).$$

Pour trouver k, on considère le fait que le graphe a une intersection en 4 avec l'axe des y. Donc, $f(0) = 4$, ce qui donne

$$4 = k(0+2)(0-2)$$

d'où $k = -1$. Par conséquent, $f(x) = -(x+2)(x-2)$, ce qui donne, après multiplication, $f(x) = -x^2 + 4$. À noter que

$$f(x) = 4 - \frac{x^4}{4}$$

satisfait également aux exigences, mais sa courbe a une forme plus « large » entre ses racines. On verra qu'il existe plusieurs réponses à ce type de questions.

b)   Ce graphe ressemble à celui d'un cubique ayant les facteurs $(x+3)$, $(x-1)$ et $(x-2)$, un pour chaque intersection avec les axes. On a

$$g(x) = k(x+3)(x-1)(x-2).$$

Puisque l'intersection avec l'axe des y est en -12,

$$-12 = k(0+3)(0-1)(0-2).$$

Donc, $k = -2$, et

$$g(x) = -2(x+3)(x-1)(x-2).$$

c)   Ce graphe ressemble également à celui d'un cubique ayant des racines en $x = 2$ et en $x = -3$. On remarque qu'en $x = 2$, le graphe de $h(x)$ touche l'axe des x mais ne le croise pas, alors qu'en $x = -3$, le graphe croise l'axe des x. On dit que $x = 2$ est une *racine double,* mais que $x = -3$ est une racine simple.

À présent, pour trouver une formule pour $h(x)$, on imagine d'abord le graphe de $h(x)$ légèrement plus bas, de façon que le graphe ait une intersection avec l'axe des x près de $x = -3$ et deux près de $x = 2$, par exemple en $x = 1,9$ et en $x = 2,1$. Alors la formule serait

$$h(x) \approx k(x+3)(x-1,9)(x-2,1).$$

À présent, on replace le graphe à sa position initiale. Les racines en $x = 1,9$ et en $x = 2,1$ se déplacent vers $x = 2$, ce qui donne

$$h(x) = k(x+3)(x-2)(x-2) = k(x+3)(x-2)^2.$$

La racine double entraîne un facteur répété, soit $(x-2)^2$. À noter que, lorsque $x > 2$, le facteur $(x-2)^2$ est positif et, lorsque $x < 2$, le facteur $(x-2)^2$ est encore positif. Cela reflète le fait que $h(x)$ ne change pas de signe près de $x = 2$. On peut comparer ce comportement à celui qu'on observe près de la racine simple en $x = -3$, où h change de signe.

On ne peut trouver k puisque aucune coordonnée n'est donnée pour l'intersection avec l'axe des y. En insérant une valeur positive de k, le graphe sera allongé verticalement, mais les racines ne seront pas modifiées. Donc, tout k positif s'applique.

Exemple 2   En utilisant une calculatrice ou un ordinateur, tracez les graphes de $y = x^4$ et de $y = x^4 - 15x^2 - 15x$ pour $-4 \le x \le 4$ puis pour $-20 \le x \le 20$. Établissez l'image de y sur $-100 \le y \le 100$ pour le premier domaine et sur $-100 \le y \le 200\,000$ pour le deuxième. Que remarquez-vous ?

Solution   À partir des graphes de la figure 1.84, si on regarde de près, on peut constater (pour $-4 \le x \le 4$) que les graphes ont des formes différentes. De loin, cependant, ils sont presque indiscernables parce que les termes dominants (ceux qui ont les puissances de x les plus élevées) sont les mêmes, notamment x^4, et que, pour les valeurs absolues plus grandes de x, le terme de la puissance la plus élevée domine tout autre terme.

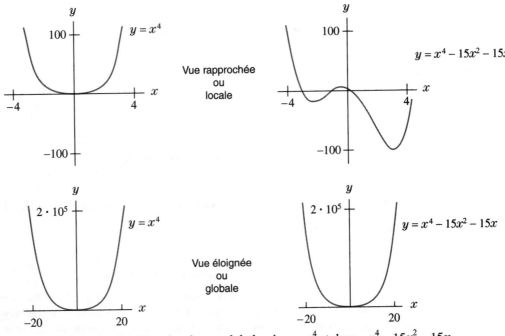

Figure 1.84 : Vues locales ou globales de $y = x^4$ et de $y = x^4 - 15x^2 - 15x$

Lorsque $x = \pm 20$, les différences entre les valeurs des deux fonctions, bien qu'elles soient importantes, sont petites en comparaison avec l'échelle verticale (−100 à 200 000) [voir le tableau 1.25]. Donc, il est impossible d'apercevoir ces différences sur le graphe.

TABLEAU 1.25 *Valeurs numériques de $y = x^4$ et de $y = x^4 - 15x^2 - 15x$*

x	$y = x^4$	$y = x^4 - 15x^2 - 15x$	Différence
−20	160 000	154 300	5700
−15	50 625	47 475	3150
15	50 625	47 025	3600
20	160 000	153 700	6300

Les fonctions rationnelles

Les fonctions rationnelles ont la forme

$$f(x) = \frac{p(x)}{q(x)},$$

où p et q sont des fonctions polynomiales. Leurs graphes ont souvent des asymptotes verticales où le dénominateur est zéro. Si le dénominateur n'est nulle part égal à zéro, il n'y a pas d'asymptote verticale. Les fonctions rationnelles peuvent également comporter des asymptotes horizontales ; on retrouve celles-ci si $f(x)$ s'approche d'un nombre fini lorsque $x \to \infty$ ou lorsque $x \to -\infty$. On appelle ce comportement d'une fonction, lorsque $x \to \pm\infty$, son *comportement à l'infini*.

Exemple 3 Tracez le graphe de $y = \dfrac{1}{x^2 + 4}$ et discutez son comportement à l'infini.

Solution Ce graphe n'a aucune asymptote verticale puisque le dénominateur n'est jamais égal à zéro. Le graphe est symétrique par rapport à l'axe des y et l'axe des x est une asymptote horizontale

puisque

$$y \to 0 \qquad \text{quand} \qquad x \to \pm\infty.$$

(Voir la figure 1.85.)

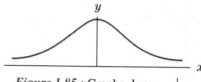

Figure 1.85 : Graphe de $y = \frac{1}{x^2 + 4}$

Exemple 4   Tracez le graphe de $y = \dfrac{x^2 - 4}{x^2 - 1}$, y compris le comportement à l'infini, et décrivez-le.

Solution   La factorisation donne

$$y = \frac{x^2 - 4}{x^2 - 1} = \frac{(x+2)(x-2)}{(x+1)(x-1)}.$$

Donc, $x = 1$ et $x = -1$ sont des asymptotes verticales. Si $y = 0$, alors $(x+2)(x-2) = 0$ ou $x = \pm 2$; il s'agit des intersections avec l'axe des x. À noter que les asymptotes verticales proviennent des zéros du dénominateur, tandis que les zéros du numérateur donnent lieu à des intersections avec l'axe des x. En remplaçant x par 0, on obtient $y = 4$; il s'agit de l'intersection avec l'axe des y. On remarque que, dans cet exemple, chaque valeur de y provient de deux abscisses opposées. Donc, le graphe est symétrique par rapport à l'axe des y, puisque $(-x)^2 = x^2$.

TABLEAU 1.26   *Valeurs de* $y = \frac{x^2 - 4}{x^2 - 1}$

x	$y = \frac{x^2-4}{x^2-1}$
± 10	0,969 697
± 100	0,999 700
± 1000	0,999 997

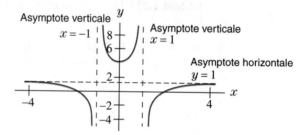

Figure 1.86 : Graphe de la fonction $y = \frac{x^2 - 4}{x^2 - 1}$

Pour voir ce qui se produit quand $x \to \pm\infty$, on observe les valeurs de y dans le tableau 1.26. De toute évidence, y se rapproche de 1 quand x augmente dans le sens positif ou négatif. On peut également constater cet effet quand on s'aperçoit que, lorsque $x \to \pm\infty$, seules les puissances les plus élevées de x importent véritablement. Pour un grand x, le 4 et le 1 sont sans importance en comparaison avec x^2. Donc,

$$y = \frac{x^2 - 4}{x^2 - 1} \approx \frac{x^2}{x^2} = 1 \qquad \text{pour un grand } x.$$

Par conséquent, $y \to 1$ quand $x \to \pm\infty$ et l'asymptote horizontale est $y = 1$. Puisque, pour $x > 1$, le dénominateur est positif et le numérateur est inférieur au dénominateur, le graphe se trouve *au-dessous* de son asymptote. (Pourquoi le graphe ne se trouve-t-il pas au-dessous de $y = 1$ lorsque $-1 < x < 1$? (Voir la figure 1.86.)

Problèmes de la section 1.10

1. Déterminez le comportement à l'infini de chacune des fonctions ci-dessous.

   a) $f(x) = x^7$

   b) $f(x) = 5 + 24x + 78x^3 - 12x^4$

   c) $f(x) = x^{-4}$

   d) $f(x) = (6x^3 - 5x^2 + 12)/(x^3 - 8)$

2. Supposez que chacun des graphes de la figure 1.87 est celui d'un polynôme.

   a) Pour chaque graphe, quel est le degré minimal possible du polynôme ?

   b) Pour chaque graphe, le *coefficient dominant* du polynôme est-il positif ou négatif ? (Vous pouvez supposer que les graphes se trouvent dans des fenêtres suffisamment larges pour laisser apercevoir leur comportement global.)

I) 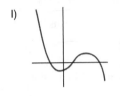 II) 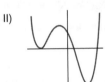 III) 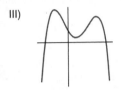 IV) 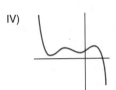 V)

Figure 1.87

Pour les problèmes 3 à 6, tracez les graphes des polynômes à la main. Vérifiez votre travail à l'aide d'une calculatrice ou d'un ordinateur.

3. $f(x) = (x - 3)(x - 4)(x - 5)$

4. $f(x) = (x + 3)(x + 4)(x + 1)(x + 2)$

5. $f(x) = 5(x^2 - 4)(x^2 - 25)$

6. $f(x) = -5(x^2 - 4)(25 - x^2)$

7. Tracez le graphe de chacun des polynômes suivants à l'aide d'une calculatrice graphique ou d'un ordinateur et utilisez les graphes pour déterminer lesquels sont ceux de fonctions impaires, paires ou ni l'une ni l'autre.

   a) $a(x) = x^2$

   b) $b(x) = x^3$

   c) $c(x) = x^4$

   d) $d(x) = -10x^5$

   e) $e(x) = x^3 + 3x^2$

   f) $f(x) = x^4 - x^2$

   g) $g(x) = x^5 - 2x^3$

   h) $h(x) = 2x^4 + 5$

   i) $i(x) = 7x + 5$

8. À l'aide de vos réponses au problème 7, comment pouvez-vous déterminer si un polynôme est une fonction paire ou impaire simplement en analysant sa formule ?

Pour chacune des fonctions rationnelles des problèmes 9 à 11, trouvez des asymptotes, le comportement de la fonction quand $x \to \pm\infty$ et le comportement de la fonction près de toute asymptote verticale. Ensuite, utilisez ces données pour tracer un graphe à la main. Vérifiez votre travail en utilisant un ordinateur ou une calculatrice graphique.

9. $y = \dfrac{1 - x^2}{x - 2}$

10. $y = \dfrac{1 - 4x}{2x + 2}$

11. $y = \dfrac{x^2 + 2x + 1}{x^2 - 4}$

12. Lesquelles des fonctions I à III concordent avec les descriptions suivantes ? Plusieurs fonctions (ou aucune d'elles) peuvent satisfaire à chacune des descriptions.

   a) Asymptote horizontale en $y = 1$.

   b) L'axe des x est une asymptote horizontale.

   c) La fonction est symétrique par rapport à l'axe des y.

   d) La fonction est impaire.

   e) Les asymptotes verticales en $x = \pm 1$.

   I) $y = \dfrac{x - 1}{x^2 + 1}$

   II) $y = \dfrac{x^2 - 1}{x^2 + 1}$

   III) $y = \dfrac{x^2 + 1}{x^2 - 1}$

13. La hauteur d'un objet au-dessus du sol au moment t est donnée par

$$s = v_0 t - \frac{g}{2} t^2,$$

où v_0 représente la vitesse initiale et g est une constante appelée l'accélération causée par la gravité.

a) À quelle hauteur se trouve l'objet au départ ?
b) Pendant combien de temps l'objet reste-t-il dans les airs avant qu'il ne touche le sol ?
c) À quel moment l'objet atteindra-t-il sa hauteur maximale ?
d) Quelle est cette hauteur maximale ?

14. Une grenade est projetée dans les airs depuis le sol au temps $t = 0$ et à une vitesse de 19,6 m/s. Sa hauteur au temps t est de $f(t) = -4,9t^2 + 19,6t$. À quel moment touchera-t-elle le sol et à quel moment atteindra-t-elle son plus haut point dans les airs ? Quelle est sa hauteur maximale ?

15. Si $f(x) = ax^2 + bx + c$, que pouvez-vous dire au sujet des valeurs de a, de b et de c dans les situations ci-après ?

a) $(1, 1)$ se trouve sur le graphe de $f(x)$.
b) $(1, 1)$ est le sommet du graphe de $f(x)$. (Vous pourriez considérer le fait que l'équation pour l'axe de symétrie de la parabole $y = ax^2 + bx + c$ est $x = -b/2a$.)
c) L'intersection du graphe avec l'axe des y est en $(0, 6)$.
d) Trouvez une fonction quadratique qui satisfait aux trois conditions précédentes.

Déterminez les polynômes cubiques qui représentent chacun des graphes des problèmes 16 et 17.

16.

17.

Pour les problèmes 18 à 21 :

a) Trouvez une formule pour le graphe.
b) Pour chaque graphe, faites la lecture des intervalles sur lesquels la fonction est croissante et sur lesquels elle est décroissante.

18. 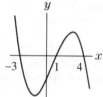 19. 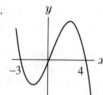 20. 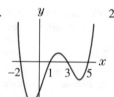 21.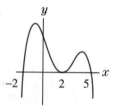

22. Le graphe d'une fonction rationnelle $y = f(x)$ est donné à la figure 1.88. Si $f(x) = g(x)/h(x)$, où $g(x)$ et $h(x)$ sont toutes deux des fonctions quadratiques, donnez des formules possibles pour $g(x)$ et $h(x)$. (Il existe plusieurs réponses acceptables.)

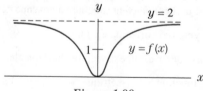

Figure 1.88

23. Faites concorder les fonctions suivantes avec les graphes de la figure 1.89. Supposez que $0 < b < a$.

   a) $y = \dfrac{a}{x} - x$

   b) $y = \dfrac{(x-a)(x+a)}{x}$

   c) $y = \dfrac{(x-a)(x^2+a)}{x^2}$

   d) $y = \dfrac{(x-a)(x+a)}{(x-b)(x+b)}$

I) 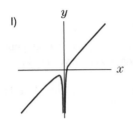   II) 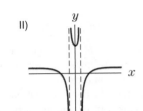   III) 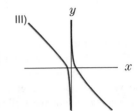   IV)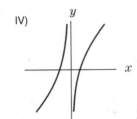

Figure 1.89

24. Le taux R auquel la population augmente dans un espace confiné est proportionnel au produit de la population actuelle P et à la différence entre la *capacité* L et la population actuelle. (La capacité est la population maximale que l'environnement peut supporter.)

   a) Écrivez R en fonction de P.
   b) Tracez R en fonction de P.

25. La deuxième loi du mouvement de Newton, soit $F = ma$, indique que la force nette F exercée sur un train de masse m est proportionnelle à son accélération a. Supposez que les seules forces sont celle du moteur, lequel exerce une force constante F_E dans la direction du mouvement, et celle de la résistance du vent, qui exerce une force proportionnelle au carré de la vitesse du train v, mais dans la direction opposée.

   a) Trouvez une formule qui donne a en fonction de v.
   b) Tracez le graphe de a par rapport à v.

26. Imaginez un colis en forme de boîte ayant des coins carrés. Le service postal accepte de tels colis si la somme de la longueur et du périmètre de la section transversale carrée, qui est perpendiculaire à la longueur, est inférieure à 250 cm. Trouvez une formule pour le volume V d'un colis qui répond aux critères du service postal en fonction de s, la longueur du côté de l'extrémité carrée. Tracez un graphe de V par rapport à s.

27. Une boîte cylindrique de volume fixe V a des extrémités fermées et un rayon r pour $r > 0$.

   a) Trouvez l'aire de la surface S en fonction de r.
   b) Qu'advient-il de la valeur de S quand $r \to \infty$?
   c) Tracez le graphe de S par rapport à r en supposant que $V = 10$ cm^3.

28. Après avoir couru sur une distance de 3 km à une vitesse de x km/h, un homme marche les 6 km suivants à une vitesse inférieure de 2 km/h. Exprimez la durée du trajet en fonction de x. Quelles asymptotes verticales et horizontales le graphe de cette fonction comporte-t-il ?

29. Considérez le point P à l'intersection du cercle $x^2 + y^2 = 2a^2$ et de la parabole $y = x^2/a$ de la figure 1.90. Si a augmente, le point P tracera une courbe. Trouvez l'équation de cette courbe.

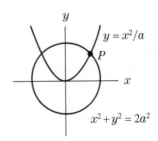

Figure 1.90

30. Supposez que c est la vitesse de la lumière. Un objet de masse m se déplaçant à une vitesse v, qui est petite si on la compare à c, a une énergie donnée approximativement par

$$E \approx \frac{1}{2}mv^2.$$

Si v est comparable en grandeur à c, alors l'énergie doit être calculée par la formule exacte

$$E = mc^2\left(\frac{1}{\sqrt{1 - v^2/c^2}} - 1\right).$$

a) Tracez un graphe des deux formules pour E par rapport à v pour $0 \le v \le 5 \cdot 10^8$ et pour $0 \le E \le 5 \cdot 10^{17}$. Prenez $m = 1$ kg et $c = 3 \cdot 10^8$ m/s. Expliquez comment vous pouvez prédire la position de l'asymptote verticale à partir de la formule exacte.

b) Que vous indiquent les graphes au sujet de l'approximation ? Pour quelles valeurs de v la première formule donne-t-elle une bonne approximation par rapport à E ?

1.11   LA CONTINUITÉ : INTRODUCTION

Dans cette section, on présente la notion de *continuité* d'une fonction des points de vue graphique et numérique. La section sur la continuité et les limites présentée au chapitre 2 traite plus en détail de cette notion.

La continuité d'une fonction sur un intervalle

En général, on dit qu'une fonction est *continue* sur un intervalle si son graphe n'a pas d'interruptions, de sauts ni de trous dans cet intervalle. La continuité est importante puisque, comme on le verra ultérieurement, les fonctions qui ont cette propriété possèdent de nombreuses autres propriétés désirables.

Par exemple, pour repérer les zéros d'une fonction, on recherche souvent des intervalles où la fonction change de signe. Dans le cas de la fonction $f(x) = 3x^3 - x^2 + 2x - 1$, par exemple, on s'attend[10] à trouver un zéro entre 0 et 1 parce que $f(0) = -1$ et que $f(1) = 3$ (voir la figure 1.91). Pour s'assurer que $f(x)$ a un zéro, on doit s'assurer que le graphe de la fonction n'a aucune interruption ni aucun saut. Sinon, le graphe pourrait sauter par-dessus l'axe des x, en changeant de signe, mais sans créer de zéro. Par exemple, $f(x) = 1/x$ a des signes opposés en $x = -1$ et en $x = 1$, mais n'a aucun zéro à cause de l'interruption en $x = 0$ (voir la figure 1.92). Pour s'assurer qu'une fonction a un zéro dans un intervalle sur lequel elle change de signe, on doit savoir si cette fonction est définie et continue.

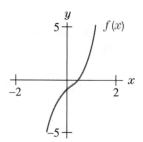

Figure 1.91 : Graphe de $f(x) = 3x^3 - x^2 + 2x - 1$

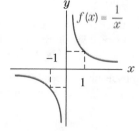

Figure 1.92 : Aucun zéro, bien que $f(-1)$ et $f(1)$ aient des signes opposés

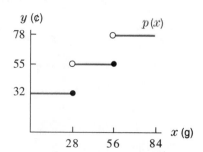

Figure 1.93 : Coût de l'envoi d'une lettre

---

10. À cause du théorème de la valeur intermédiaire, dont on discutera à la fin du chapitre.

Que signifie la continuité d'une fonction d'un point de vue graphique ?

Une fonction est continue si elle a un graphe qu'on peut tracer sans soulever le crayon.

Exemple : La fonction $f(x) = 3x^3 - x^2 + 2x - 1$ est continue sur tout intervalle (voir la figure 1.91).

Exemple : La fonction $f(x) = 1/x$ n'est pas définie en $x = 0$. Elle est continue sur tout intervalle ne contenant pas de zéro (voir la figure 1.92).

Exemple : On suppose que $p(x)$ est le prix de l'envoi en première classe d'une lettre pesant x g. Le coût est de 32 ¢ pour 28 g ou moins, de 55 ¢ si le poids dépasse 28 g sans dépasser 56 g, et ainsi de suite. Donc, le graphe de la figure 1.93 représente une suite de sauts. Cette fonction n'est pas continue sur tout intervalle contenant un entier positif, car le graphe saute à ces points.

Que signifie la continuité d'une fonction d'un point de vue numérique ?

Une fonction est continue si les valeurs rapprochées de la variable indépendante donnent des valeurs rapprochées de la fonction. En pratique, la continuité est importante, car elle signifie que de petites variations dans la variable indépendante entraînent de petites variations dans la valeur de la fonction.

Exemple : On suppose que $f(x) = x^2$ et qu'on veut calculer $f(\pi)$. Sachant que f est continue, on sait qu'en prenant $x = 3,14$ on devrait obtenir une bonne approximation de $f(\pi)$, et qu'on peut obtenir une meilleure approximation de $f(\pi)$ en utilisant plus de décimales de π.

Exemple : Si $p(x)$ est le coût de l'envoi d'une lettre pesant x g, alors $p(27,99) = p(28) = 32$ ¢, alors que $p(28,01) = 55$ ¢, car aussitôt qu'on dépasse 28 g, le prix monte à 55 ¢. On constate qu'une faible différence dans le poids d'une lettre peut entraîner une différence considérable de prix d'envoi. Ainsi, p n'est pas continu.

Quelles fonctions sont continues ?

Exiger qu'une fonction soit continue sur un intervalle est chose courante. Par exemple, les fonctions exponentielles, les fonctions polynomiales et les fonctions sinus et cosinus sont continues sur tout intervalle. Les fonctions rationnelles sont continues sur tout intervalle dans lequel leurs dénominateurs ne sont pas nuls. Les fonctions créées par l'addition, la multiplication ou la composition de fonctions continues sont également continues.

Exemple 1   Que vous indiquent les valeurs du tableau 1.27 au sujet des zéros de $f(x) = \cos x - 2x^2$?

TABLEAU 1.27

x	$f(x)$
0	1,00
0,2	0,90
0,4	0,60
0,6	0,11
0,8	−0,58
1,0	−1,46

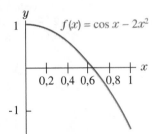

Figure 1.94 : Les zéros se retrouvent là où le graphe d'une fonction continue croise l'axe horizontal.

Solution   Puisque la fonction $f(x)$ est la différence entre les deux fonctions continues, elle est continue. On peut conclure que $f(x)$ a au moins un zéro sur l'intervalle $0,6 < x < 0,8$, puisque $f(x)$ passe du positif au négatif sur cet intervalle. Le graphe de $f(x)$ (voir la figure 1.94) suggère qu'il n'y a qu'un zéro sur l'intervalle $0 \leq x \leq 1$, mais on ne peut s'en assurer qu'en se fiant uniquement au graphe ou à la table des valeurs.

Problèmes de la section 1.11

Les fonctions des problèmes 1 à 8 sont-elles continues sur les intervalles donnés ?

1. $\dfrac{1}{x-2}$ sur $[0, 3]$

2. $\dfrac{1}{x-2}$ sur $[-1, 1]$

3. $\dfrac{x}{x^2+2}$ sur $[-2, 2]$

4. $\dfrac{1}{\sqrt{2x-5}}$ sur $[3, 4]$

5. $\dfrac{1}{\sin x}$ sur $\left[-\dfrac{\pi}{2}, \dfrac{\pi}{2}\right]$

6. $\dfrac{1}{\cos x}$ sur $[0, \pi]$

7. $\dfrac{e^{\sin \theta}}{\cos \theta}$ sur $\left[-\dfrac{\pi}{4}, \dfrac{\pi}{4}\right]$

8. $\dfrac{e^x}{e^x - 1}$ sur $[-1, 1]$

9. Discutez de la continuité de la fonction g tracée à la figure 1.95 et définie comme suit :

$$g(\theta) = \begin{cases} \dfrac{\sin \theta}{\theta} & \text{pour } \theta \neq 0 \\ 1/2 & \text{pour } \theta = 0. \end{cases}$$

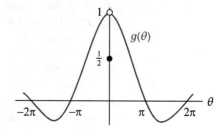

Figure 1.95

10. Tracez les graphes de trois fonctions différentes qui sont continues sur $0 \leq x \leq 1$ et qui ont les valeurs données au tableau. La première fonction doit contenir exactement un zéro dans l'intervalle $[0, 1]$, la deuxième doit contenir au moins deux zéros dans l'intervalle $[0{,}6, 0{,}8]$, et la troisième doit contenir au moins deux zéros dans l'intervalle $[0, 0{,}6]$.

x	0	0,2	0,4	0,6	0,8	1,0
$f(x)$	1,00	0,90	0,60	0,11	−0,58	−1,46

11. Utilisez un ordinateur ou une calculatrice pour tracer les fonctions $y(x) = \sin x$ et $z_k(x) = ke^{-x}$ pour $k = 1, 2, 4, 6, 8, 10$. Dans chaque cas, trouvez la solution positive la plus petite pour l'équation $y(x) = z_k(x)$. À présent, définissez une nouvelle fonction f par

$$f(k) = \{\text{La plus petite solution positive de } y(x) = z_k(x)\}.$$

Expliquez pourquoi la fonction $f(k)$ n'est pas continue sur l'intervalle $0 \leq k \leq 10$.

SOMMAIRE DU CHAPITRE

- **Terminologie des fonctions**
  Domaine/image, croissante/décroissante, concavité, zéros (racines), paire/impaire, comportement à l'infini, asymptotes.

- **Fonctions linéaires**
  Pente, intersection avec l'axe des y. Croissance par quantités égales en temps égaux.

- **Fonctions exponentielles**
  La croissance et la décroissance exponentielles, le taux de croissance, le taux de croissance continu, le temps de doublement, la demi-vie. Croissance par pourcentages égaux en temps égaux.

- **Fonctions puissance**
  Puissances fractionnaires, puissances négatives.

- **Fonctions logarithmiques**
  Logarithme en base 10, logarithme naturel.

- **Fonctions trigonométriques**
  Sinus, cosinus, tangente, amplitude, période, arcsinus, arctangente.
- **Fonctions polynomiales et rationnelles**
- **Nouvelles fonctions à partir d'anciennes**
  Fonctions réciproques, composition des fonctions, translation (décalage), allongement, rétrécissement, réflexion.
- **Travailler avec les fonctions**
  Trouver une formule pour les fonctions linéaires, exponentielles, puissance, logarithmiques ou trigonométriques, étant donné le graphe, la table des valeurs ou la description verbale. Faire concorder les fonctions avec les données. Trouver les zéros, les asymptotes verticales ou horizontales.
- **Comparaisons entre les fonctions**
  Les fonctions exponentielles croissantes dominent les fonctions puissance et les fonctions linéaires, les puissances plus élevées dominent les puissances plus faibles, les fonctions puissance et les fonctions linéaires dominent les fonctions logarithmiques.
- **Continuité**

PROBLÈMES DE RÉVISION DU CHAPITRE UN

1. Tout le graphe de $y = f(x)$ est présenté à la figure 1.96.

   a) Quel est le domaine de $f(x)$?
   b) Quelle est l'image de $f(x)$?
   c) Énumérez les zéros de $f(x)$.
   d) Énumérez tous les intervalles sur lesquels $f(x)$ est décroissante.
   e) La fonction $f(x)$ est-elle concave vers le haut ou vers le bas en $x = 6$?
   f) Que vaut $f(4)$?
   g) Cette fonction admet-elle une réciproque ? Expliquez.

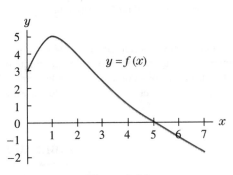

Figure 1.96

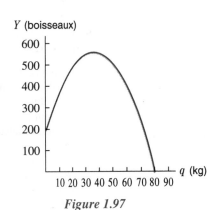

Figure 1.97

2. Le graphe de la production Y d'un verger (en boisseaux) par rapport à la quantité q de fertilisants (en kg) utilisée dans le verger est présenté à la figure 1.97.

   a) Décrivez l'effet de la quantité de fertilisants utilisée sur la production du verger.
   b) Quelle est l'intersection verticale ? Expliquez ce que cela signifie pour ce qui est des pommes et des fertilisants.
   c) Quelle est l'intersection horizontale ? Expliquez ce que cela signifie pour ce qui est des pommes et des fertilisants.
   d) Quelle est l'image de la fonction pour $0 \le q \le 80$?
   e) La fonction est-elle croissante ou décroissante en $q = 60$?
   f) La fonction est-elle concave vers le haut ou concave vers le bas en $q = 40$?

3. Lorsqu'un nouveau produit est annoncé, plus de consommateurs en font l'essai. Cependant, le taux de nouveaux consommateurs qui essaient le produit diminue avec le temps.

a) Tracez le graphe du nombre de consommateurs qui ont essayé un nouveau produit par rapport au temps.

b) Que savez-vous de la concavité du graphe ?

4. Une voiture démarre lentement, puis accélère jusqu'à ce que l'un de ses pneus crève. Tracez un graphe de la distance que la voiture a parcourue en fonction du temps.

5. Tracez des graphes raisonnables pour les propositions suivantes. Portez une attention particulière à la concavité des graphes et expliquez votre raisonnement.

a) Les revenus réalisés par une entreprise de location de voitures par rapport à la quantité d'argent dépensée en publicité.

b) La température d'une tasse de chocolat chaud dans une pièce en fonction du temps.

6. Dans chaque paire ci-dessous, quelle fonction finira par être plus grande quand x tend vers l'infini ?

a) $2x^5$ ou $200x^4$ b) $10x^3$ ou e^x

c) x^{-2} ou x^{-5} d) $x^{1/2}$ ou $\ln x$

Trouvez une équation possible où on retrouve une exponentielle pour les graphes donnés aux problèmes 7 et 8.

7.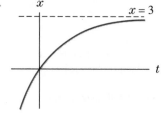

8.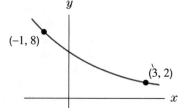

9. En translatant le graphe de $y = x^3$, trouvez un polynôme cubique représentant le graphe de la figure 1.98.

10. Supposez qu'une population augmente exponentiellement. Estimez le temps de doublement de la population représentée par le graphe de la figure 1.99 et vérifiez graphiquement que le temps de doublement est indépendant de l'endroit où vous commencez sur le graphe. Démontrez algébriquement que, si $P = P_0 a^t$ double entre le temps t et le temps $t + d$, alors d est le même nombre, peu importe la valeur de t.

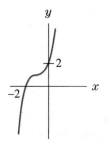

Figure 1.98

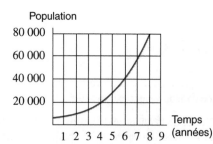

Figure 1.99

TABLEAU 1.28

x	$f(x)$	$g(x)$	$h(x)$
-2	12	16	37
-1	17	24	34
0	20	36	31
1	21	54	28
2	18	81	25

11. Le tableau 1.28 contient des valeurs pour trois différentes fonctions.

a) Parmi ces fonctions, lesquelles (s'il y en a) sont linéaires ? Pour les fonctions linéaires, trouvez la formule.

b) Parmi ces fonctions, lesquelles (s'il y en a) sont exponentielles ? Pour les fonctions exponentielles, trouvez la formule.

12. Tracez le graphe d'une fonction $f(x)$ satisfaisant aux conditions ci-après :

- Quand $x \to \infty$, $f(x) \to 0$.
- Quand $x \to -\infty$, $f(x) \to +\infty$.
- Les zéros de $f(x)$ sont -3, 1 et 2.

13. Un avion consomme une quantité fixe de carburant pour le décollage, une quantité fixe (différente) pour l'atterrissage ainsi qu'une troisième quantité fixe pour le vol. En quoi la quantité totale de carburant exigée dépend-elle de la durée du vol ? Trouvez une formule pour exprimer la fonction en question. Expliquez la signification des constantes dans votre formule.

14. À des fins d'impôt, on suppose que vous deviez mentionner la valeur de vos actifs, tels que la voiture ou le réfrigérateur. La valeur que vous mentionnerez dans votre déclaration se déprécie ou diminue avec le temps. En fait, la voiture que vous avez payée 10 000 $ au départ peut ne valoir que 5000 $ quelques années plus tard. La manière la plus simple de calculer la valeur de vos actifs consiste à utiliser la « méthode de l'amortissement linéaire », laquelle suppose que la valeur est fonction du temps de manière linéaire. Si un réfrigérateur de 950 $ se déprécie complètement en 7 ans, trouvez une formule exprimant sa valeur en fonction du temps.

15. Pour $g(x) = x^2 + 2x + 3$, trouvez et simplifiez les expressions ci-après.

    a) $g(2 + h)$ b) $g(2)$ c) $g(2 + h) - g(2)$

16. Si $f(x) = x^2 + 1$, trouvez et simplifiez les expressions ci-après.

    a) $f(t + 1)$ b) $f(t^2 + 1)$ c) $f(2)$ d) $2f(t)$ e) $[f(t)]^2 + 1$

17. Pour $f(n) = 3n^2 - 2$ et $g(n) = n + 1$, trouvez et simplifiez les expressions ci-après.

    a) $f(n) + g(n)$ d) $f(g(n))$

    b) $f(n)g(n)$ e) $g(f(n))$

    c) Le domaine de $f(n)/g(n)$

Précisez si les fonctions des problèmes 18 à 21 sont continues sur l'intervalle $[-1, 1]$.

18. $f(x) = |x|$ **19.** $g(x) = \dfrac{|x|}{x}$ **20.** $h(\theta) = \theta \sin \theta$ **21.** $f(t) = \dfrac{\sin t}{t^2}$

Convertissez les fonctions des problèmes 22 à 23 sous la forme $P = P_0 a^t$.

22. $P = 2{,}91 e^{0,55t}$ **23.** $P = (5 \cdot 10^{-3}) e^{-1,9 \cdot 10^{-2}t}$

24. Certains types d'un même élément (appelés différents *isotopes*) peuvent avoir des demi-vies différentes. La décroissance du plutonium 240 est décrite par la formule

$$Q = Q_0 e^{-0,000\,11t},$$

tandis que la décroissance du plutonium 242 est décrite par

$$Q = Q_0 e^{-0,000\,001\,8t}.$$

Trouvez les demi-vies du plutonium 240 et du plutonium 242.

25. a) Utilisez les données du tableau 1.29 pour déterminer la formule de la forme

$$Q = Q_0 e^{rt}$$

qui donnerait le nombre de lapins Q au temps t (en mois).

    b) Quel est le temps de doublement approximatif pour cette population de lapins ?

    c) Utilisez votre équation pour prédire le moment où la population de lapins atteindra 1000 individus.

TABLEAU 1.29

t	0	1	2	3	4	5
Q	25	43	75	130	226	391

26. Au départ, une culture contient 500 bactéries. Après deux heures, elle en contient 1500. En supposant qu'il y a croissance exponentielle, combien y aura-t-il de bactéries après 6 h ?

27. Une culture de 100 bactéries double au bout de 2 h. Combien de temps (en heures) sera nécessaire pour que le nombre de bactéries atteigne 3200 ?

28. Cent kilogrammes d'une substance radioactive donnée se décomposent pour atteindre 40 kg 10 ans plus tard. Combien en restera-t-il dans 20 ans ?

29. Trouvez la demi-vie d'une substance radioactive réduite de 30 % en 20 h.

30. Une substance radioactive a une demi-vie de 8 ans. S'il y a 200 g de cette substance au départ, combien en restera-t-il dans 12 ans ? Combien de temps sera nécessaire pour que 90 % de la quantité initiale se soit décomposée ?

31. Supposez que les prix augmentent de 0,1 % par jour.

    a) De quel pourcentage les prix augmentent-ils par année ?
    b) À l'aide de votre réponse de la partie a), trouvez le temps de doublement approximatif des prix s'ils augmentent à ce taux. Vérifiez votre réponse.

32. Au début des années 1920, l'Allemagne enregistrait un taux d'inflation très élevé, appelé hyper-inflation. Sur des photographies de l'époque, on peut voir des gens qui se rendent au magasin avec des brouettes remplies d'argent. Si un pain coûtait 1/4 DM en 1919 et 2 400 000 DM en 1922, quel était le taux d'inflation annuel moyen entre 1919 et 1922 ?

33. Chaque planète se déplace autour du Soleil pour effectuer une orbite elliptique. La période orbitale T d'une planète est le temps qu'elle prend pour faire le tour du Soleil une fois. Le demi-grand axe de l'orbite de chaque planète est la moyenne des distances les plus grandes et les plus courtes entre la planète et le Soleil. Johannes Kepler (1571–1630) a découvert que la période d'une planète est proportionnelle à la puissance $\frac{3}{2}$ de son demi-grand axe. Quelle est la période orbitale (en jours) de Mercure, la planète la plus proche du Soleil, avec un demi-grand axe de 58 millions de kilomètres ? Quelle est la période (en années) de Pluton, la planète la plus éloignée, avec un demi-grand axe de 6000 millions de kilomètres ? Le demi-grand axe de la Terre est de 150 millions de kilomètres. [Indice : la période de la Terre est 365,24 jours.]

34. a) Considérez les fonctions tracées à la figure 1.100 a). Trouvez les coordonnées de C.
    b) Considérez les fonctions de la figure 1.100 b). Trouvez les coordonnées de C en fonction de b.

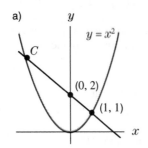 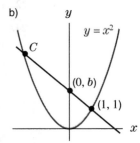

Figure 1.100

Trouvez des formules pour les graphes des problèmes 35 à 37.

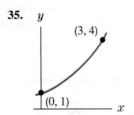 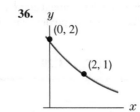 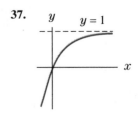

Trouvez des formules pour les graphes des problèmes 38 à 53.

38.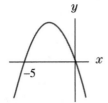

39.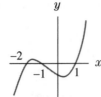

40.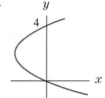

41.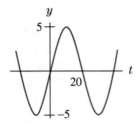

42.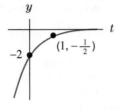

43.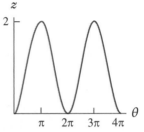

44. La profondeur de l'eau (en mètres) dans un réservoir oscille de manière sinusoïdale une fois toutes les 6 h. Si la profondeur la plus petite est de 5,5 m et la profondeur la plus grande est de 8,5 m, trouvez une formule pour calculer la profondeur en fonction du temps (en heures). (Il existe plusieurs réponses possibles.)

45. Soit le graphe de $y = h(x)$ de la figure 1.101.

    a) Tracez le graphe de
       i) $y = h^{-1}(x)$

       ii) $y = \dfrac{1}{h(x)}$

    b) Qu'advient-il de l'asymptote lorsque vous tracez la fonction réciproque ?

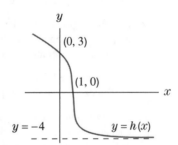

Figure 1.101

46. Chacune des fonctions décrites par les données du tableau 1.30 est croissante dans son domaine mais de manière différente. Parmi les graphes de la figure 1.102 (page suivante), lequel concorde le mieux avec chaque fonction ?

TABLEAU 1.30

x	$f(x)$	x	$g(x)$	x	$h(x)$
1	1	3,0	1	10	1
2	2	3,2	2	20	2
4	3	3,4	3	28	3
7	4	3,6	4	34	4
11	5	3,8	5	39	5
16	6	4,0	6	43	6
22	7	4,2	7	46,5	7
29	8	4,4	8	49	8
37	9	4,6	9	51	9
47	10	4,8	10	52	10

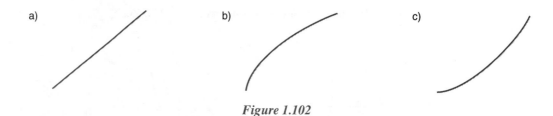

Figure 1.102

47. La figure 1.103 est un graphe de la fonction $f(t)$. Ici $f(t)$ est la profondeur (en mètres) au-dessous du fond de l'océan Atlantique où on peut trouver des roches de t millions d'années[11].

    a) Évaluez $f(15)$ et dites ce que cela signifie en termes simples.

    b) f admet-elle une réciproque ? Expliquez.

    c) Évaluez $f^{-1}(120)$ et dites ce que cela signifie en termes simples.

    d) Tracez le graphe de f^{-1}.

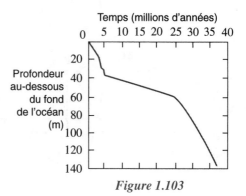

Figure 1.103

48. Une population de poissons se reproduit à un taux annuel équivalant à 5 % de la population actuelle P. Entre-temps, les pêcheurs attrapent des poissons à un taux constant T (mesuré en poissons par année).

    a) Écrivez une formule pour le taux R auquel la population de poissons augmente en fonction de P.

    b) Tracez le graphe de R par rapport à P.

49. Du glucose est injecté dans le sang d'un patient à un taux constant k_1 par rapport au temps. Une fois dans le sang, le glucose est éliminé à un taux proportionnel à la quantité de glucose présent. Soit R le taux net auquel la quantité G de glucose dans le sang augmente.

    a) Écrivez une formule donnant R en fonction de G.

    b) Tracez un graphe de R par rapport à G.

50. Le *catalyseur* d'une réaction chimique est une substance qui accélère la réaction mais qui ne change pas. Si le produit d'une réaction est en lui-même un catalyseur, on dit que la réaction est *autocatalytique*. Supposez que le taux r d'une réaction autocatalytique particulière est proportionnel au produit de la quantité de la matière initiale restante et de la quantité du produit p résultant. Soit A la quantité initiale de matière originale et $A - p$ la quantité qui reste.

    a) Exprimez r en fonction de p.

    b) Quelle est la valeur de p lorsque la réaction se produit le plus rapidement ?

51. Quel domaine et quelle image approximatifs entraînent une ressemblance entre les graphes de $y = x^2$ et de $y = 0,01e^{0,01x}$ et les graphes de la figure 1.104 ?

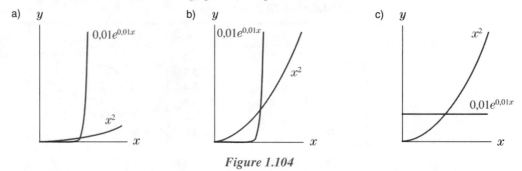

Figure 1.104

---

11. Données du Dr Murlene Clark basées sur des échantillons centraux forés à partir du bateau de recherche *Glomar Challenger*, tirées de *Initial Reports of the Deep Sea Drilling Project*.

GROS PLAN SUR LA THÉORIE

LES FONDEMENTS DU CALCUL DIFFÉRENTIEL ET INTÉGRAL

Sous leur forme appliquée, les mathématiques ont une existence immémoriale. L'arithmétique commerciale ainsi que la géométrie de l'arpentage et de l'architecture étaient déjà en usage aux alentours de 1500 av. J.-C. Graduellement, les gens se rendirent compte que de simples faits mathématiques pouvaient être interreliés de manière non évidente et que ces interrelations valaient la peine d'être étudiées. On dit que Thalès (640–546 av. J.-C.) aurait *prouvé* que la somme des angles d'un triangle était égale à deux fois l'angle droit. Il s'agit là de l'indication la plus ancienne qu'on possède sur la notion de preuve en géométrie. Dans la prochaine section, on présentera un exemple de preuve.

Au cours des siècles suivants, les gens commencèrent à considérer la géométrie comme bien plus que de simples dessins à la craie constitués de points, de droites et de cercles. Il s'agissait plutôt d'une science formée d'entités abstraites : des points plus petits que le plus petit atome, des droites parfaitement droites et des cercles parfaitement ronds. En d'autres mots, ce qu'on dessine au tableau ou qu'on sculpte dans la pierre est simplement un modèle imparfait de la réalité abstraite. Platon (427–347 av. J.-C.) approfondit ces notions. Il croyait que l'ensemble des connaissances était une ombre imparfaite des réalités véritables. Cependant, on ne peut pas raisonner sur des entités abstraites sans tenir pour certaines quelques-unes de leurs propriétés. En mathématiques, ces hypothèses s'appellent des *axiomes* ou des *postulats*.

Autour de 300 ans av. J.-C., Euclide écrivit un traité intitulé *Les éléments,* qui couvrait un grand nombre de notions géométriques, certaines théories des nombres ainsi qu'une première approche des nombres irrationnels. Il s'agissait et il s'agit toujours de l'écrit le plus célèbre. (Il est d'ailleurs encore imprimé.) Euclide commença son traité de géométrie en énonçant plusieurs axiomes sur les droites et les cercles. Par exemple :

Si A et B sont deux points, il existe un cercle qui a un centre A et qui passe par B.

Il s'agit sans aucun doute d'une propriété raisonnable qu'on peut attribuer aux points et aux cercles abstraits. Euclide démontra ensuite bon nombre de faits concernant les figures dans le plan et dans l'espace, y compris le très célèbre théorème de Pythagore : dans un triangle rectangle, le carré de l'hypoténuse est égal à la somme des carrés des deux autres côtés.

Pendant de nombreuses années, *Les éléments* fut considéré comme la fine pointe du raisonnement logique. Effectivement, il s'agit bel et bien d'un chef-d'œuvre, mais on ne considère dorénavant plus son raisonnement comme rigoureusement exact. En fait, il y a une erreur (selon les normes modernes) dans la preuve de la toute première proposition. Voici le raisonnement.

En partant de deux points A et B, on considère le cercle ayant le centre A et qui passe par B et le cercle ayant le centre B et qui passe par A (voir la figure 1.105). Ces cercles se coupent l'un et l'autre en C...

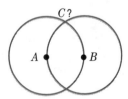

Figure 1.105

Mais pourquoi doit-il y avoir un point d'intersection de ces deux cercles ? On voit claire-ment sur la figure qu'ils se croisent, mais cette figure est tracée dans le monde réel et non dans celui de l'abstraction géométrique pure. En remplaçant les cercles qu'on a tracés par leurs représentations abstraites, il est possible qu'il n'y ait aucun point d'intersection C. Ici et à d'autres endroits, Euclide semble s'être fié uniquement à une figure. Peut-être ne savait-il pas comment décrire clairement les propriétés des dessins qu'il croyait transposer à la géométrie abstraite et qu'ainsi il garantissait l'existence du point C, laissant au lecteur la tâche de déter-miner si C existe ou non dans le monde idéal. Même si ces lacunes furent constatées à l'époque classique, *Les éléments* a conservé son statut d'exemple ultime de rigueur mathématique jusqu'au XIXe siècle. Finalement, après plusieurs siècles d'études effectuées par plusieurs mathématiciens, Hilbert (1863–1943) a énoncé ce qui est considéré à l'heure actuelle comme le traitement définitif de la géométrie d'Euclide. Il est important de se rendre compte que, de façon générale, personne n'a démontré l'inexactitude des théorèmes énoncés par Euclide ; les difficultés reposent uniquement sur le fait que les axiomes d'Euclide sont énoncés de manière incomplète.

Le calcul différentiel et intégral appartient à une branche des mathématiques qui est diffé-rente de la géométrie. Au lieu de droites, de cercles et d'angles, le calcul différentiel et intégral étudie le comportement de fonctions numériques, plus précisément de fonctions qui représen-tent un taux de variation. Le calcul différentiel et intégral propose également un langage qui permet d'exprimer les lois de la nature qui régissent tout et ce, du comportement du noyau atomique aux cycles de la vie des étoiles.

On peut entrevoir certaines anticipations du calcul différentiel et intégral dans les écrits d'Euclide et d'autres auteurs classiques, mais la plupart de ces notions sont d'abord nées au XVIIe siècle. C'est à Newton (1642–1727) et à Leibniz (1646–1716) qu'on accorde générale-ment l'élaboration d'une théorie cohérente. L'œuvre la plus célèbre de Newton, *Philosophiae Naturalis Principia Mathematica* (en trois volumes) a vu le jour en 1686–1687. Sa découverte la plus célèbre est que les lois du mouvement planétaire, lesquelles furent énoncées par Kepler (1571–1630) sur la base de preuves purement empiriques, peuvent être déduites à partir de lois universelles plus simples, comme la loi de la gravité. De plus, la théorie de Newton expliquait d'autres phénomènes astronomiques, tels que les irrégularités du mouvement de la Lune ainsi que des phénomènes terrestres comme les marées. La signification réelle de *Principia* repose sur la démonstration que des systèmes physiques très complexes peuvent être modélisés au moyen de mathématiques pures. Bien que *Principia* se sert d'arguments géométriques et non du calcul différentiel et intégral, les notions qui s'y trouvent furent, pour employer les mots de Newton lui-même, produites à l'aide du calcul différentiel et intégral.

Après sa naissance au XVIIe siècle, le calcul différentiel et intégral a été utilisé pendant plus d'un siècle sans fondements axiomatiques appropriés. Newton a écrit qu'il pouvait être fondé rigoureusement sur la notion de *limites,* mais il n'a jamais détaillé cette idée. Une limite est, de façon générale, la valeur vers laquelle tend une fonction à proximité d'un point donné. Au cours du XVIIIe siècle, plusieurs mathématiciens ont fondé leurs travaux sur les limites, mais leur définition de la limite n'était pas claire. En 1784, Lagrange (1736–1813), de l'Académie de Berlin, promit un prix à qui trouverait les fondements axiomatiques justes du calcul diffé-rentiel et intégral. Lui-même ainsi que d'autres mathématiciens désiraient être aussi certains de la cohérence interne du calcul différentiel et intégral qu'ils l'étaient de l'algèbre et de la géométrie. Personne ne réussit à relever le défi. C'est Cauchy (1789–1857) qui a démontré, autour de 1820, que les limites pouvaient être définies rigoureusement au moyen des inéga-lités. La définition moderne de la limite, donnée dans le chapitre 2, a essentiellement été énoncée par Cauchy[12].

Cette définition rigoureuse de la limite a constitué l'étape nécessaire pour entreprendre l'élaboration des fondements axiomatiques du calcul différentiel et intégral, où chaque résultat est soigneusement prouvé par des axiomes ou des théorèmes précédemment démontrés. Les cours d'*analyse* respectent cette chaîne de raisonnement logique.

---

12. GRABINER, Judith V., « Who Gave You the Epsilon ? Cauchy and the Origins of Rigorous Calculus », *American Mathematical Monthly*, n° 90, 1983, p. 185-194.

Dans le présent manuel, nous nous appliquerons à développer une compréhension intuitive solide dont dépend cette approche rigoureuse. Nous mettrons l'accent sur des arguments plausibles et non sur des preuves, mais donnerons des aperçus des fondements théoriques du calcul différentiel et intégral dans les sections « Gros plan sur la théorie ». Nous espérons que ces brèves incursions dans un monde plus théorique vous encourageront à aller plus loin dans votre recherche.

LE THÉORÈME BINOMIAL

Dans la vie de tous les jours, on se contente souvent de croire des choses simplement en les observant. En mathématiques, cependant, ce sont les arguments logiques qui permettent de d'établir ce qui est vrai. Les mathématiciens tentent d'éliminer toutes sources possibles de désaccord en énonçant rigoureusement les *axiomes* (les hypothèses) et les *définitions,* en formulant des *théorèmes* précis (les énoncés à prouver) et en utilisant des règles de logique strictes. Dans la présente section, nous illustrons la manière dont les théorèmes sont formulés et prouvés en étudiant l'exemple du théorème binomial. Dans la section suivante, on verra comment et pourquoi un axiome est introduit à l'aide d'un exemple sur la complétude des nombres réels.

Voici d'abord les formules algébriques d'élévation au carré et au cube de $x + y$:

$$(x + y)^2 = x^2 + 2xy + y^2,$$
$$(x + y)^3 = x^3 + 3x^2y + 3xy^2 + y^3.$$

On trouve une formule générale du développement de $(x + y)^n$ pour tout entier positif n. Trois étapes sont nécessaires pour trouver cette formule :

- trouver un modèle ;
- formuler un énoncé, appelé *conjecture,* qui décrit le modèle ;
- prouver la conjecture.

Une fois l'énoncé prouvé, il devient un *théorème.*

La recherche d'un modèle

En premier lieu, on examine des exemples supplémentaires. Si on développe $(x + y)^n$ pour $n = 4$, 5 ou 6, on obtient

$$(x + y)^4 = x^4 + 4x^3y + 6x^2y^2 + 4xy^3 + y^4,$$
$$(x + y)^5 = x^5 + 5x^4y + 10x^3y^2 + 10x^2y^3 + 5xy^4 + y^5,$$
$$(x + y)^6 = x^6 + 6x^5y + 15x^4y^2 + 20x^3y^3 + 15x^2y^4 + 6xy^5 + y^6.$$

On remarque que la somme des exposants de x et de y dans chaque terme de droite équivaut toujours à n, car dans l'expansion de

$$(x + y)^n = \underbrace{(x + y)(x + y) \cdots (x + y)}_{n \text{ fois}},$$

chaque terme provient du fait qu'on choisit des x à partir de certains facteurs et des y à partir d'autres facteurs. Le nombre total de x et de y choisis correspond au nombre total de $(x + y)$, qui est n. Par exemple, dans l'expansion de $(x + y)^3$, si on choisit x à partir de l'un des facteurs et y à partir des deux autres, on obtient un terme xy^2. Il existe trois manières différentes de faire cela (selon le facteur à partir duquel le x est choisi) ; il y a donc trois termes de cette forme, ce qui donne $3xy^2$.

On dispose les coefficients de l'expansion de $(x + y)^n$ en un triangle appelé le triangle de Pascal en l'honneur du mathématicien français Blaise Pascal.

$$
\begin{array}{ccccccccccc}
 & & & & & 1 & & 1 & & & \\
 & & & & 1 & & 2 & & 1 & & \\
 & & & 1 & & 3 & & 3 & & 1 & \\
 & & 1 & & 4 & & 6 & & 4 & & 1 \\
 & 1 & & 5 & & 10 & & 10 & & 5 & & 1 \\
1 & & 6 & & 15 & & 20 & & 15 & & 6 & & 1
\end{array}
$$

La deuxième rangée de ce triangle donne les coefficients de l'expansion $(x + y)^2 = x^2 + 2xy + y^2$, soit 1, 2 et 1. La rangée suivante donne les coefficients pour $(x + y)^3$, et ainsi de suite. La rangée du haut donne les coefficients pour l'expansion $(x + y)^1 = x + y$.

Ce triangle semble comporter un modèle : les valeurs extérieures sont toutes des 1, et chaque valeur intérieure est égale à la somme des deux valeurs immédiatement à sa gauche et à sa droite dans la rangée précédente. Par exemple, pour chaque 10 de la quatrième rangée, il y a un 4 et un 6 immédiatement au-dessus et $10 = 4 + 6$.

La formulation du théorème

On souhaite prouver que, pour tout n, les coefficients de l'expansion de $(x + y)^n$ confirment un modèle qu'on a observé pour $n = 1, ..., 6$. Le cas général est simplifié en écrivant C_k^n pour le coefficient de $x^{n-k}y^k$ dans l'expansion de $(x + y)^n$. Donc,

$$(x + y)^n = C_0^n x^n + C_1^n x^{n-1}y + C_2^n x^{n-2}y^2 + \cdots + C_{n-1}^n xy^{n-1} + C_n^n y^n.$$

Ainsi, par exemple, $C_3^5 = 10$, car le terme $x^2 y^3$ de l'expansion de $(x + y)^5$ est $10x^2 y^3$.

À présent,

$$C_0^n \quad C_1^n \quad C_2^n \quad \cdots \quad C_{n-1}^n \quad C_n^n$$

est la n-ième rangée du triangle de Pascal. Deux règles décrivent le modèle qu'on vient d'observer. Premièrement, les valeurs extérieures sont toutes des 1 ; deuxièmement, chaque valeur intérieure correspond à la somme des deux termes immédiatement au-dessus de cette dernière sur la rangée précédente. Ainsi, on doit d'abord démontrer que $C_0^n = 1$ et que $C_n^n = 1$ pour tout n et ensuite que

$$C_k^n = C_{k-1}^{n-1} + C_k^{n-1}, \quad 0 < k < n.$$

On remarque que, si $0 < k < n$, alors C_k^n est une valeur intérieure dans le triangle, et C_{k-1}^{n-1} et C_k^{n-1} sont les valeurs immédiatement au-dessus de cette dernière. On peut maintenant énoncer le théorème qu'on veut prouver, de la manière décrite ci-après.

Le théorème binomial

Si n est un entier positif et qu'on écrit

$$(x + y)^n = C_0^n x^n + C_1^n x^{n-1}y + C_2^n x^{n-2}y^2 + \cdots + C_{n-1}^n xy^{n-1} + C_n^n y^n,$$

alors

$$C_0^n = C_n^n = 1 \quad \text{pour } n \geq 1$$

et

$$C_k^n = C_{k-1}^{n-1} + C_k^{n-1} \quad \text{pour} \quad n \geq 2 \quad \text{et} \quad 0 < k < n.$$

Preuve   Dans l'expansion de

$$(x + y)^n = \underbrace{(x + y)(x + y) \cdots (x + y)}_{n \text{ fois}},$$

il n'y a qu'une manière d'obtenir le terme x^n, et c'est en choisissant un x de chaque facteur. Ainsi, le coefficient de x^n est 1. Selon l'argument analogue, le coefficient de y^n est également 1. Donc,

$$C_0^n = C_n^n = 1.$$

Pour prouver que $C_k^n = C_{k-1}^{n-1} + C_k^{n-1}$, on écrit

$$(x + y)^n = C_0^n x^n + C_1^n x^{n-1} y + C_2^n x^{n-2} y^2 + \cdots + C_{n-1}^n x y^{n-1} + C_n^n y^n$$

et

$$(x + y)^{n-1} = C_0^{n-1} x^{n-1} + C_1^{n-1} x^{n-2} y + C_2^{n-1} x^{n-3} y^2 + \cdots + C_{n-2}^{n-1} x y^{n-2} + C_{n-1}^{n-1} y^{n-1}.$$

À présent, on considère le fait que

$$(x + y)^n = (x + y)(x + y)^{n-1}.$$

En posant $(x + y)^{n-1}$ et $(x + y)^n$, on obtient

$$C_0^n x^n + C_1^n x^{n-1} y + \quad \cdots \quad + C_{n-1}^n x y^{n-1} + C_n^n y^n$$

$$= (x + y) \left(C_0^{n-1} x^{n-1} + C_1^{n-1} x^{n-2} y + \quad \cdots \quad + C_{n-2}^{n-1} x y^{n-2} + C_{n-1}^{n-1} y^{n-1} \right)$$

$$= x \left(C_0^{n-1} x^{n-1} + C_1^{n-1} x^{n-2} y + \quad \cdots \quad + C_{n-2}^{n-1} x y^{n-2} + C_{n-1}^{n-1} y^{n-1} \right)$$

$$\quad + y \left(C_0^{n-1} x^{n-1} + C_1^{n-1} x^{n-2} y + \quad \cdots \quad + C_{n-2}^{n-1} x y^{n-2} + C_{n-1}^{n-1} y^{n-1} \right)$$

$$= C_0^{n-1} x^n + \left(C_1^{n-1} + C_0^{n-1} \right) x^{n-1} y + \cdots + \left(C_{n-1}^{n-1} + C_{n-2}^{n-1} \right) x y^{n-1} + C_{n-1}^{n-1} y^n.$$

Les termes intérieurs de cette expression ont la forme $\left(C_k^{n-1} + C_{k-1}^{n-1} \right) x^{n-k} y^k$ pour $k = 1, \ldots,$ $n - 1$. Le terme correspondant dans l'expansion de $(x + y)^n$ est $C_k^n x^{n-k} y^k$. Puisque les expressions sont égales, les coefficients des termes identiques doivent être égaux. Donc,

$$C_k^n = C_k^{n-1} + C_{k-1}^{n-1} = C_{k-1}^{n-1} + C_k^{n-1},$$

soit le résultat qu'on voulait démontrer.

La formule pour les coefficients binomiaux

Les nombres C_k^n sont appelés des *coefficients binomiaux*. On les calcule normalement à l'aide de la formule suivante plutôt que d'écrire le triangle de Pascal. (À noter que $k! = k \cdot (k - 1) \cdots 3 \cdot 2 \cdot 1$.)

$$\boxed{C_k^n = \frac{n!}{k!(n-k)!} = \frac{n(n-1) \cdots (n-k+1)}{k!}}$$

Cette formule s'applique pour $k = 0$ et pour $k = n$ si on adopte la convention voulant que $0! = 1$:

$$C_0^n = \frac{n!}{0!(n-0)!} = \frac{n!}{n!} = 1 \qquad \text{et} \qquad C_n^n = \frac{n!}{n!(n-n)!} = \frac{n!}{n!} = 1.$$

Pour prouver la formule en général, on utilise une technique importante, appelée l'*induction*, qui comporte deux étapes :

- prouver la formule dans le cas où $n = 1$;
- prouver que, si la formule s'applique pour un entier positif précis n, alors elle s'applique pour $n + 1$.

La deuxième étape, appelée l'étape d'induction, permet de déduire que la formule est vraie pour tout n. Puisque selon la première étape on sait qu'elle est vraie pour $n = 1$, selon l'étape d'induction elle est vraie pour $n = 2$. Puis, toujours selon l'étape d'induction, elle est vraie pour $n = 3$, et ainsi de suite.

Preuve   On a déjà prouvé que la formule s'applique pour $n = 1$ puisque les seuls coefficients binomiaux dans ce cas sont C_0^1 et C_1^1.

On démontre maintenant l'étape d'induction. On suppose que la formule est vraie pour n. Autrement dit, on suppose que

$$C_k^n = \frac{n!}{k!(n-k)!}, \qquad 0 \le k \le n.$$

On veut déduire la formule pour $n + 1$. Autrement dit, on veut montrer que

$$C_k^{n+1} = \frac{(n+1)!}{k!(n+1-k)!}, \qquad 0 \le k \le n+1.$$

On sait déjà que cela est vrai si $k = 0$ ou si $k = n + 1$. Si $0 < k < n + 1$, alors, en utilisant le théorème binomial,

$$C_k^{n+1} = C_k^n + C_{k-1}^n = \frac{n!}{k!(n-k)!} + \frac{n!}{(k-1)!(n-k+1)!}$$

$$= \frac{n!}{k(k-1)!(n-k)!} + \frac{n!}{(k-1)!(n-k+1)(n-k)!}$$

$$= \frac{n!}{(k-1)!(n-k)!}\left(\frac{1}{k} + \frac{1}{n-k+1}\right)$$

$$= \frac{n!}{(k-1)!(n-k)!}\left(\frac{n-k+1+k}{k(n-k+1)}\right)$$

$$= \frac{n!}{(k-1)!(n-k)!}\frac{(n+1)}{k(n-k+1)} = \frac{(n+1)!}{k!(n-k+1)!},$$

ce qu'il fallait démontrer.

Problèmes sur le théorème binomial

1. La formule pour les coefficients binomiaux donne C_k^n comme un rapport de nombres entiers. C_k^n est-il nécessairement un entier ? C_k^n pourrait-il être une fraction ? Justifiez votre réponse.

2. Observez les termes dans les premières rangées du triangle de Pascal illustré précédemment. Vous devriez constater un modèle de symétrie.

a) Décrivez ce modèle avec des mots.
b) Formulez une conjecture sur les coefficients binomiaux C_k^n qui décrit mathématiquement le modèle.
c) Prouvez votre conjecture.

3. Additionnez les termes sur chacune des rangées du triangle de Pascal pour les six premières rangées. Vous devriez trouver un modèle dans la suite de nombres que vous obtenez.

a) Formulez une conjecture générale qui décrit ce modèle.
b) Prouvez votre conjecture.

LA COMPLÉTUDE DES NOMBRES RÉELS

Si deux personnes se disputent suffisamment longtemps, elles pourraient finir par révéler les hypothèses cachées qui sont à la source de la dispute. De la même manière, les mathématiciens arrivent à formuler des axiomes par un procédé semblable à une dispute avec eux-mêmes. En tentant de comprendre une chose, ils s'interrogent sur chaque énoncé apparemment évident, espérant finalement trouver des axiomes fondamentaux.

On applique cette méthode au processus de la recherche du zéro d'un polynôme en se concentrant sur son graphe. Ce processus permet de découvrir une propriété subtile des nombres réels appelée *complétude*. Bon nombre de preuves faisant appel aux limites dépendent de cette propriété.

Les zéros d'un polynôme : étude de cas

On considère le polynôme $f(x) = 3x^3 - x^2 + 2x - 1$ sur l'intervalle $[0, 1]$. Puisque $f(0) = -1$ et que $f(1) = 3$, on s'attend à ce que le graphe de f croise l'axe des x à un point donné $x = r$ entre $x = 0$ et $x = 1$. Comme les coordonnées de ce point sont $(r, 0)$, on a $f(r) = 0$. On estime ce zéro en traçant le graphe d'un polynôme à l'aide d'une calculatrice ou d'un ordinateur et en faisant un gros plan sur celui-ci. On sait au départ que

$$0 \leq r \leq 1.$$

Grâce au gros plan, on trouve $f(0,4) < 0$ et $f(0,5) > 0$. Donc, r est emprisonné dans un plus petit intervalle

$$0,4 \leq r \leq 0,5.$$

Des gros plans successifs montrent que

$$0,45 \leq r \leq 0,46,$$
$$0,459 \leq r \leq 0,460,$$
$$0,4598 \leq r \leq 0,4599.$$

À chaque étape, on divise les intervalles en dixièmes et on choisit l'un de ceux-ci pour lequel f est négatif à l'extrémité gauche et positif à l'extrémité droite. (Si f est égal à zéro à l'une des extrémités, on a trouvé r et on peut arrêter.) En continuant ainsi, on obtient une suite d'intervalles, où chacun a une longueur égale au dixième de la longueur du précédent et contient r (voir la figure 1.106, page suivante). Bien qu'une calculatrice ne donne qu'un nombre fini de chiffres, on pourrait en principe continuer éternellement ; on obtiendrait alors une suite infinie d'intervalles.

Ce processus semble conduire à un nombre r tel que $f(r) = 0$. Cependant, on peut soulever deux questions :

• Comment sait-on[13] que ce procédé de gros plan permet véritablement de se rapprocher d'un nombre r particulier ?
• Comment sait-on que $f(r) = 0$?

---

13. Cela est relié à la question posée précédemment (voir la figure 1.105) sur l'existence d'un point d'intersection C de deux cercles.

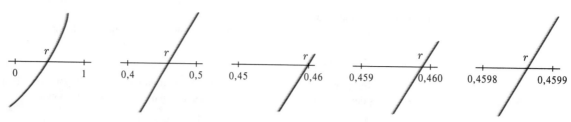

Figure 1.106 : Gros plan sur un zéro de $f(x) = 3x^3 - x^2 + 2x - 1$

L'axiome de complétude

On considère la première question ci-dessus (la réponse à la deuxième question est trouvée au problème 26, chapitre 2). Les extrémités gauches des intervalles emboîtés forment une suite toujours croissante de nombres décimaux. De toute évidence, le nombre r qu'on recherche est le nombre le plus petit qui est plus grand que tous ces nombres décimaux. Selon l'axiome de complétude, étant donné un ensemble non vide de nombres réels, s'il y a un nombre plus grand que ou égal à tous les nombres de l'ensemble, alors il existe un tel plus petit nombre[14]. Un nombre qui est plus grand que ou égal à tous les nombres d'un ensemble s'appelle un *majorant*[15] de l'ensemble et le plus petit majorant s'appelle le supremum. L'axiome de complétude est défini ci-après.

Axiome de complétude

Un ensemble non vide de nombres réels qui a un majorant a un *supremum*.

Exemple 1   Dites si chacun des ensembles suivants a un majorant. Le cas échéant, donnez le supremum.

     a)   L'ensemble des x tel que $-2 < x < 3$.
     b)   L'ensemble des x tel que $-2 \le x \le 3$.
     c)   L'ensemble de tous les entiers.
     d)   La suite 0,9, 0,99, 0,999, …

Solution   a)   Les nombres 3, 4 et π sont tous des majorants ; 3 est le supremum.

     b)   Les nombres 3, 4 et π sont tous des majorants ; le majorant d'un ensemble peut se trouver dans l'ensemble, puisqu'il ne doit être que plus grand que *ou égal à* chaque nombre de l'ensemble. Le nombre 3 est le supremum.

     c)   Il n'y a pas de majorant pour cet ensemble ; aussi grand que soit le nombre choisi pour le majorant, il y aura toujours un entier plus grand que celui-ci.

     d)   Tous ces nombres sont plus petits que 1, et 1 est le plus petit nombre ayant cette propriété. Ainsi, cette suite a un supremum de 1.

Dans l'exemple 1, on pouvait tout de suite remarquer quels étaient les supremums, ce qui n'est pas toujours le cas. L'axiome de complétude garantit l'existence du supremum, mais n'aide pas à le trouver.

---

14. Il est possible de donner une définition des nombres réels dans laquelle l'axiome de complétude devient un théorème.

15. Le terme « majorant » est la traduction de *upper bound*, qu'il ne faut pas traduire de manière littérale par « borne supérieure ». Par ailleurs, « supremum » est la traduction de *least upper bound*, qu'on traduit aussi parfois par « borne supérieure ».

Le théorème des intervalles emboîtés

Voici maintenant comment l'axiome de complétude permet de s'assurer que les gros plans se font effectivement sur un nombre spécifique.

> ### Le théorème des intervalles emboîtés
>
> Étant donné une suite infinie d'intervalles fermés, $[a_n, b_n]$, chacun étant contenu dans le précédent, alors il y a au moins un nombre dans tous les intervalles.

Preuve Puisque chaque intervalle $[a_n, b_n]$ est contenu dans le précédent, chaque a_n doit au moins être aussi grand que le précédent. Donc,

$$a_1 \leq a_2 \leq a_3 \leq \cdots \leq a_n \leq \cdots.$$

De même, chaque b_n n'est pas plus grand que son prédécesseur. Ainsi,

$$\cdots \leq b_n \leq \cdots \leq b_3 \leq b_2 \leq b_1.$$

Tous les a_n sont majorés par b_1 et, en fait, par chaque b_n. Ainsi, selon l'axiome de complétude, on sait que a_n a un supremum qu'on appelle r. Puisque r est un majorant, $r \geq a_n$ pour tout n. Puisque r est le supremum, r doit être inférieur ou égal à chacun des majorants b_n. Ainsi, r se trouve dans les intervalles.

À noter que, dans l'énoncé de la propriété d'intervalle emboîté, on ne supposait pas que les longueurs des intervalles s'approchaient de zéro. Donc, en général, il peut y avoir plus qu'un nombre r dans les intervalles. Cependant, lorsque les longueurs s'approchent de zéro, comme dans le cas de la recherche d'une racine par gros plans, il y a un nombre r *unique* (voir le problème 2 un peu plus loin).

Le théorème de la valeur intermédiaire

Lorsque l'on considère le polynôme $3x^3 - x^2 + 2x - 1$, on suppose qu'il doit y avoir un zéro entre $x = 0$ et $x = 1$, car il était négatif en $x = 0$ et positif en $x = 1$. Plus généralement, la notion intuitive de continuité indique que, lorsqu'on suit le graphe d'une fonction continue f à partir d'un point $(a, f(a))$ jusqu'à un autre point $(b, f(b))$, alors f doit prendre des valeurs intermédiaires entre $f(a)$ et $f(b)$ [voir la figure 1.107]. Il s'agit du théorème de la valeur intermédiaire.

> ### Théorème de la valeur intermédiaire
>
> On suppose que f est continue sur un intervalle fermé $[a, b]$. Si k est un nombre compris entre $f(a)$ et $f(b)$, alors il y a au moins un nombre c sur $[a, b]$ tel que $f(c) = k$.

Les problèmes 26 et 27 (chapitre 2) suggèrent une manière de prouver le théorème de la valeur intermédiaire à l'aide du théorème des intervalles emboîtés.

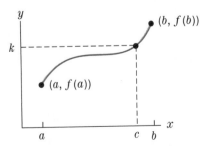

Figure 1.107 : Théorème de la valeur intermédiaire

Problèmes sur la complétude des nombres réels

1. a) À l'aide des définitions données dans la présente section, définissez les termes ci-après.
   i) Le minorant d'un ensemble de nombres.
   ii) L'infimum d'un ensemble de nombres.
   b) Énoncez l'axiome de complétude en fonction des minorants.

2. Soit r un nombre contenu dans chacune des suites d'intervalles emboîtés $[a_n, b_n]$. Supposez que la largeur des intervalles $|b_n - a_n|$ tende vers zéro quand $n \to \infty$. Prouvez que r est unique. [Conseil : supposez qu'il y a deux nombres tels que r et présentez un argument contradictoire.]

3. Dans ce problème, on utilise l'axiome de complétude pour montrer qu'une expansion décimale infinie définit véritablement un nombre réel et que les n premiers chiffres de l'expansion donnent le nombre à n décimales exactes. Soit x_n le nombre défini par les n premiers chiffres de l'expansion ; on appelle x_n la n-ième troncature de l'expansion.

   a) Pour tout n, montrez que $x_n + (1/10)^n$ est un majorant pour l'ensemble de toutes les troncatures.
   b) Démontrez qu'il y a un nombre réel c tel que $x_n \leq c \leq x_n + (1/10)^n$ pour tout n. Ainsi, x_n représente c à n décimales exactes. Il est donc raisonnable de dire que c est le nombre représenté par l'expansion décimale infinie.

CHAPITRE DEUX

UN CONCEPT CLÉ : LA DÉRIVÉE

On commence ce chapitre en examinant le problème de la vitesse. Comment peut-on mesurer la vitesse d'un objet en mouvement à un instant donné ? Plus fondamentalement, que signifie le terme *vitesse* ? On aboutira à une définition de la vitesse qui permet de nombreuses applications, non seulement en ce qui concerne la vitesse, mais aussi les taux de variation de toute quantité. À la fin de ce chapitre, on abordera le concept clé de *dérivée,* qui est le fondement de l'étude du calcul différentiel et intégral.

La dérivée peut être interprétée géométriquement comme la pente d'une courbe et physiquement, comme un taux de variation. On constate que les dérivées s'appliquent à toutes les sciences. Les dérivées peuvent représenter toute forme de fluctuation, depuis les taux d'intérêt jusqu'aux variations du nombre d'espèces aquatiques ou du mouvement des molécules de gaz.

2.1 COMMENT MESURER LA VITESSE ?

Aussi surprenant que cela puisse paraître, il est difficile de définir de façon précise la vitesse d'un objet à un instant donné. On considère l'énoncé « Au moment où le cheval a franchi la ligne d'arrivée, sa vitesse était de 42 km/h ». Comment peut-on appuyer une telle déclaration ? Une photographie prise à cet instant montrera un cheval immobile et ne sera d'aucune utilité. Il y a donc un certain paradoxe à essayer d'étudier le mouvement du cheval à un instant donné puisque, en se concentrant sur cet instant précis, on fige complètement le mouvement !

Le problème du mouvement fut au centre des préoccupations de Zénon et d'autres philosophes à une époque aussi lointaine que le ve siècle avant J.-C. L'approche moderne, établie grâce à Newton, consiste à analyser la notion de vitesse sur de petits intervalles qui contiennent cet instant plutôt qu'à un instant donné. Cette méthode contourne le problème philosophique déjà mentionné, mais elle introduit de ce fait de nouvelles questions.

Les idées présentées ci-dessus sont illustrées par un exemple tiré du monde idéal qu'on peut appeler une expérimentation théorique. Le cas est idéalisé en ce sens qu'on présume pouvoir prendre des mesures de la distance et du temps d'une manière aussi précise qu'on le veut.

Une expérimentation théorique : la vitesse moyenne et instantanée

On observe la vitesse d'un petit objet (par exemple un pamplemousse) qui serait lancé verticalement en l'air à l'instant $t = 0$ s. Le pamplemousse quitte la main de celui qui l'a lancé à une très grande vitesse, ensuite il ralentit au fur et à mesure qu'il atteint sa hauteur maximale, puis il accélère de nouveau pendant qu'il tombe et, finalement, c'est l'impact ! (voir la figure 2.1).

On suppose qu'on veut être plus précis dans la détermination de la vitesse, par exemple pour l'instant $t = 1$ s. On émet l'hypothèse qu'on peut mesurer la hauteur du pamplemousse au-dessus du sol à tout instant t. On pense que la hauteur y est donc en fonction du temps (voir le tableau 2.1). L'impact survient après environ 6 ou 7 s. Les données illustrent le comportement décrit ci-dessus : pendant la première seconde, le pamplemousse se déplace de $27,4 - 1,8 = 25,6$ m et, durant la deuxième seconde, il se déplace de seulement $43,2 - 27,4 = 15,8$ m. Donc, le pamplemousse se déplace plus vite pendant le premier intervalle $0 \leq t \leq 1$ que pendant le deuxième intervalle $1 \leq t \leq 2$.

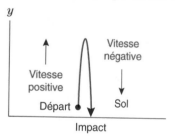

Figure 2.1 : Parcours vertical
du pamplemousse
vers le haut et vers le bas

TABLEAU 2.1 *Hauteur du pamplemousse par rapport au sol*

t (s)	0	1	2	3	4	5	6
y (m)	1,8	27,4	43,2	49,2	45,4	31,8	8,4

La vitesse et la norme de la vitesse

À partir de maintenant, on distinguera la vitesse et la grandeur de la vitesse. On suppose qu'un objet se déplace le long d'une droite. On détermine une direction comme étant positive et on dit que la *vitesse* est positive si l'objet se déplace dans cette direction et négative si l'objet se déplace dans la direction opposée. Pour le pamplemousse, le mouvement vers le haut est positif et le mouvement vers le bas est négatif (voir la figure 2.1). La *norme,* quant à elle, représente la grandeur (en valeur absolue) de cette vitesse et elle est donc toujours positive ou nulle.

> Si $s(t)$ est la position d'un objet à l'instant t, alors la **vitesse moyenne** de cet objet sur l'intervalle $a \leq t \leq b$ est égale à
>
> $$\text{Vitesse moyenne} = \frac{\text{Variation de la position}}{\text{Variation de temps}} = \frac{s(b) - s(a)}{b - a}.$$
>
> En d'autres mots, la **vitesse moyenne** d'un objet sur un intervalle est la variation nette de position durant cet intervalle divisée par la variation de temps.

Exemple 1   Calculez la vitesse moyenne du pamplemousse pendant l'intervalle $4 \leq t \leq 5$. Quelle est la signification du signe de votre réponse ?

Solution   Durant cet intervalle, le pamplemousse se déplace de $(31,8 - 45,4) = -13,6$ m. La vitesse moyenne est de $-13,6$ m/s. Le signe moins signifie que la hauteur est décroissante et que le pamplemousse est en train de tomber.

Exemple 2   Calculez la vitesse moyenne du pamplemousse pendant l'intervalle $1 \leq t \leq 3$.

Solution   La vitesse moyenne est de $(49,2 - 27,4)/(3 - 1) = 21,8/2 = 10,9$ m/s.

La vitesse moyenne est un concept utile puisqu'elle donne une idée approximative du comportement du pamplemousse. Si deux pamplemousses sont lancés en l'air et que l'un a une vitesse moyenne de 10 m/s pendant l'intervalle $0 \leq t \leq 1$ alors que le second a une vitesse moyenne de 100 m/s pendant le même intervalle, il est clair que le second pamplemousse est plus rapide que le premier.

Néanmoins, le calcul de la vitesse moyenne sur un intervalle ne résout pas le problème qui consiste à mesurer la vitesse du pamplemousse à exactement $t = 1$ s. Pour se rapprocher de la réponse, on doit analyser en détail le comportement de l'objet au moment où il s'approche de plus en plus de $t = 1$. Les données[1] de la figure 2.2 illustrent la vitesse moyenne pour de très petits intervalles de chaque côté de $t = 1$.

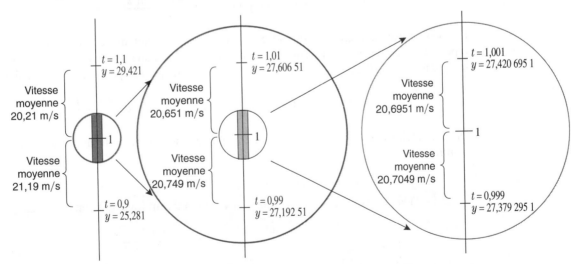

Figure 2.2 : Vitesses moyennes au cours des intervalles de chaque côté de $t = 1$, qu'on obtient en rétrécissant de plus en plus ces intervalles

---

1. Ce résultat est obtenu à partir de la formule $y = 1,8 + 30,5t - 4,9t^2$.

À noter que la vitesse moyenne avant $t = 1$ est légèrement plus grande que la vitesse moyenne après $t = 1$. Par conséquent, la vitesse à $t = 1$ se situera entre ces deux vitesses moyennes avant et après. Plus les intervalles se rétrécissent, plus les valeurs de la vitesse avant $t = 1$ et après $t = 1$ se rapprochent. Dans le plus petit intervalle de la figure 2.2, les deux vitesses sont de 20,7 m/s, de telle sorte qu'on peut définir la vitesse à $t = 1$ comme étant égale à 20,7 m/s (en ne gardant qu'une décimale).

Bien entendu, plus on ajoutera de décimales exactes, plus les vitesses moyennes avant et après $t = 1$ s'éloigneront. Pour calculer la vitesse à $t = 1$ avec précision, on devra alors choisir des intervalles de plus en plus petits de chaque côté de $t = 1$ jusqu'à ce que les vitesses moyennes concordent avec la précision (le nombre de décimales exactes) qu'on désire. De cette manière, on peut calculer la vitesse à $t = 1$ avec la précision désirée.

La définition de la vitesse instantanée au moyen de la notation de limite

Lorsqu'on prend des intervalles de plus en plus petits, il s'ensuit que les vitesses moyennes se situent toujours juste au-dessus ou juste en dessous de 20,7 m/s. Il semble alors naturel de définir la vitesse au temps $t = 1$ comme étant de 20,7 m/s. Ce résultat est appelé la *vitesse instantanée* en ce point. Sa définition dépend de la conviction que des intervalles de plus en plus petits fournissent arbitrairement des vitesses moyennes de plus en plus proches de 20,7. Ce procédé est appelé *passage à la limite*.

On remarque qu'on a substitué à la difficulté originale de calculer la vitesse en un point donné la recherche d'une argumentation prouvant que les vitesses moyennes se rapprochent mutuellement d'un nombre fixe au fur et à mesure que les intervalles diminuent en longueur. D'une certaine manière, on a échangé une question difficile pour une autre, puisqu'on n'a toujours aucune idée de la manière de certifier de quel nombre ces vitesses moyennes vont se rapprocher. Dans l'expérimentation théorique qu'on a faite, ce nombre semble être exactement 20,7. Mais qu'en serait-il s'il était 20,700 001 ? Comment peut-on s'assurer qu'on a pris des intervalles suffisamment étroits ? En fait, démontrer que la limite est d'exactement 20,7 exige une connaissance plus exacte du processus même de détermination de la limite.

On définit maintenant la vitesse instantanée en un point arbitraire $t = a$. On utilise la même méthode que pour $t = 1$: on considère des intervalles de plus en plus petits de taille h autour de $t = a$. Puis, sur l'intervalle $a \leq t \leq a + h$,

$$\text{Vitesse moyenne} = \frac{s(a + h) - s(a)}{h}.$$

La même formule s'applique quand $h < 0$. La vitesse instantanée est le nombre dont vont se rapprocher les vitesses moyennes au fur et à mesure que les intervalles décroissent en longueur, c'est-à-dire au fur et à mesure que h devient de plus en plus près de 0. Ainsi, on définit

$$\text{Vitesse instantanée} = \text{Limite, quand } h \text{ tend vers zéro, de } \frac{s(a + h) - s(a)}{h}.$$

On peut écrire cette expression de manière plus condensée en utilisant la notation de limite, comme suit :

Soit $s(t)$ la position à l'instant t. Alors, la **vitesse instantanée** au temps $t = a$ est

$$\begin{array}{l} \text{Vitesse instantanée} \\ \text{à } t = a \end{array} = \lim_{h \to 0} \frac{s(a + h) - s(a)}{h}$$

En d'autres termes, la **vitesse instantanée** d'un objet au temps $t = a$ est obtenue par la limite de la vitesse moyenne sur un intervalle au fur et à mesure que cet intervalle se rétrécit autour de a.

Cette expression constitue le fondement du calcul différentiel et intégral. Il faut s'assurer de bien comprendre cette notation et de la reconnaître pour ce qu'elle est : le nombre dont les vitesses moyennes se rapprochent au fur et à mesure que les intervalles diminuent en longueur. Pour calculer cette limite, on observe des intervalles de plus en plus petits, mais qui ne sont jamais zéro.

La représentation de la vitesse : la pente d'une courbe

On étudie maintenant comment représenter visuellement la vitesse en utilisant un graphe des hauteurs. Pour ce faire, on reprend l'exemple du pamplemousse. On suppose que la figure 2.3 illustre la hauteur à laquelle se trouve le pamplemousse dans le temps. (On note que ce graphe n'illustre pas l'image du parcours du pamplemousse, car ce dernier est une parfaite verticale.)

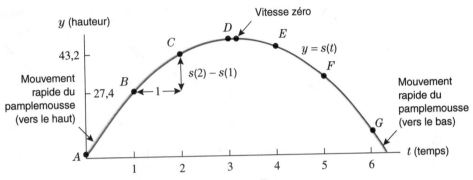

Figure 2.3 : Hauteur y d'un pamplemousse au temps t

Comment peut-on visualiser la vitesse moyenne sur ce graphe ? On suppose que $y = s(t)$. On considère l'intervalle $1 \leq t \leq 2$ et l'expression

$$\text{Vitesse moyenne} = \frac{\text{Variation de position}}{\text{Variation de temps}} = \frac{s(2) - s(1)}{2 - 1} = \frac{43,2 - 27,4}{1} = 15,8 \text{ m/s.}$$

On suppose maintenant que $s(2) - s(1)$ représente la variation de la position sur l'intervalle ; cette variation est illustrée verticalement sur la figure 2.3. La valeur 1 au dénominateur représente le temps écoulé et elle est illustrée horizontalement sur la figure 2.3. Par conséquent,

$$\text{Vitesse moyenne} = \frac{\text{Variation de position}}{\text{Variation de temps}} = \text{Pente de la droite joignant } B \text{ et } C.$$

(Voir la figure 2.3.) Une démonstration similaire aboutit à l'énoncé suivant :

> La **vitesse moyenne** sur tout intervalle $a \leq t \leq b$ est représentée par la pente de la droite qui joint les points du graphe $s(t)$ correspondant à $t = a$ et à $t = b$.

La question suivante consiste à trouver comment visualiser la vitesse instantanée. On reprend la méthode avec laquelle on a trouvé la vitesse instantanée. On a pris des vitesses moyennes dans des intervalles de temps de plus en plus petits en commençant en $t = 1$. On représente des vitesses de ce type par les pentes des droites sur la figure 2.4 (page suivante). Au fur et à mesure que l'intervalle se réduit, la pente de la droite se rapproche de plus en plus de la pente de la courbe en $t = 1$.

L'argumentation repose sur le fait qu'à l'intérieur d'une échelle très petite, la plupart des fonctions ressembleront presque à des lignes droites. Si on observe le graphe d'une fonction près d'un point et qu'on fait un gros plan de cette image (voir la figure 2.5, page suivante), on s'aperçoit que plus on grossit l'image, plus la courbe ressemble à une droite. En d'autres termes, si on ne cesse de grossir l'image d'une section de courbe, en se concentrant sur un point quelconque,

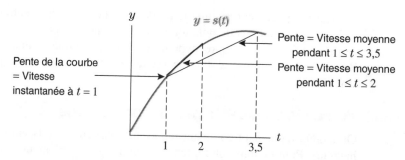

Figure 2.4 : Vitesses moyennes sur de petits intervalles

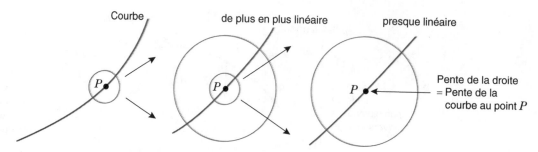

Figure 2.5 : Estimation de la pente de la courbe en un point si on fait un gros plan

cette section de la courbe ressemblera à une droite. On appelle la pente de cette droite la *pente de la courbe* en ce point. Par conséquent, la pente de cette droite considérablement grossie représente la vitesse instantanée et on peut dire que

> La **vitesse instantanée** est égale à la pente de la courbe en un point donné.

On retourne au graphe de la hauteur du pamplemousse en fonction du temps à la figure 2.3 (page précédente). Si on imagine la vitesse en n'importe quel point comme étant la pente de la courbe en ce point, on peut constater comment la vitesse du pamplemousse varie durant son parcours. Aux points A et B, la courbe a une grande pente positive, ce qui indique que le pamplemousse se déplace rapidement vers le haut. Le point D est presque au sommet : le pamplemousse ralentit énormément. Tout en haut, la pente de la courbe est à zéro : le pamplemousse a atteint la vitesse zéro pendant un bref instant avant de chuter vers le sol. Au point E, la courbe a une petite pente négative qui indique une petite vitesse de descente. Finalement, la pente de la courbe au point G est grande et négative, ce qui indique une grande vitesse de descente jusqu'à l'impact du fruit au sol.

L'idée de limite

Afin de définir la vitesse instantanée, on a observé des vitesses moyennes sur des intervalles qui se réduisent de plus en plus à proximité d'un point. C'est ainsi qu'on a pu introduire la notion de limite. On examine maintenant cette notion qui sera étudiée en détail dans la section « Gros plan sur la théorie ». On abordera la *limite* de la fonction au point c.

> On écrit $\lim_{x \to c} f(x)$ pour représenter le nombre L dont se rapproche $f(x)$ quand x tend vers c.

Exemple 3   Calculez $\lim\limits_{x \to 2} x^2$ numériquement.

Solution   À noter qu'on peut rendre x^2 aussi proche de 4 qu'on le veut en choisissant x suffisamment proche de 2. (On considère les valeurs $1,9^2$, $1,99^2$, $1,999^2$ et $2,1^2$, $2,01^2$, $2,001^2$. Toutes ces valeurs semblent se rapprocher de 4 [voir le tableau 2.2].)

On écrit donc

$$\lim_{x \to 2} x^2 = 4,$$

ce qui se lit « la limite de x^2, quand x tend vers 2, est 4 ». On note que la limite ne répond pas à la question « qu'arrive-t-il quand $x = 2$? ». Il ne suffit pas de poser 2 dans l'équation pour trouver la réponse. La limite décrit le comportement d'une fonction à *proximité* d'un point mais non *au* point lui-même.

TABLEAU 2.2   *Valeurs de x^2*

x	1,9	1,99	1,999	2,001	2,01	2,1
x^2	3,61	3,96	3,996	4,004	4,04	4,41

Exemple 4   Au moyen d'un graphe, calculez $\lim\limits_{\theta \to 0} \dfrac{\sin\theta}{\theta}$. (Utilisez les radians.)

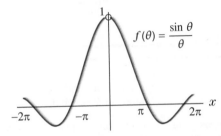

Figure 2.6 : Trouver la limite quand $\theta \to 0$

Solution   La figure 2.6 montre qu'au fur et à mesure que θ tend vers zéro par la gauche ou par la droite, la valeur de $\dfrac{\sin\theta}{\theta}$ semble tendre vers 1, ce qui suggère que $\lim\limits_{\theta \to 0} \dfrac{\sin\theta}{\theta} = 1$. Si on fait un gros plan (zoom) du graphe aux alentours de $\theta = 0$, on obtient une preuve supplémentaire à l'appui de cette conclusion. À noter que l'expression $\dfrac{\sin\theta}{\theta}$ est indéfinie pour $\theta = 0$.

Exemple 5   Calculez $\lim\limits_{h \to 0} \dfrac{(3+h)^2 - 9}{h}$ de façon numérique.

Solution   La limite est la valeur vers laquelle tend cette expression quand h tend vers zéro. Les valeurs du tableau 2.3 (page suivante) semblent converger vers 6 au fur et à mesure que $h \to 0$. Ainsi, il est raisonnable de supposer que

$$\lim_{h \to 0} \frac{(3+h)^2 - 9}{h} = 6.$$

Il est cependant impossible d'être sûr que la limite est *exactement* 6 simplement en observant le tableau. Pour calculer la limite exacte, il faut recourir à l'algèbre.

TABLEAU 2.3 *Valeurs de $((3 + h)^2 - 9)/h$*

h	$-0{,}1$	$-0{,}01$	$-0{,}001$	$0{,}001$	$0{,}01$	$0{,}1$
$((3 + h)^2 - 9)/h$	5,9	5,99	5,999	6,001	6,01	6,1

Exemple 6 Utilisez l'algèbre pour trouver $\displaystyle\lim_{h \to 0} \frac{(3 + h)^2 - 9}{h}$.

Solution L'expansion du numérateur donne

$$\frac{(3 + h)^2 - 9}{h} = \frac{9 + 6h + h^2 - 9}{h} = \frac{6h + h^2}{h}.$$

Puisque le fait de prendre la limite quand $h \to 0$ signifie observer les valeurs calculées de l'expression pour des valeurs de h proches de zéro, mais non égales à zéro, on peut simplifier h, ce qui donne

$$\lim_{h \to 0} \frac{(3 + h)^2 - 9}{h} = \lim_{h \to 0} (6 + h).$$

Quand $h \to 0$, les valeurs de $(6 + h)$ tendent vers 6. Donc,

$$\lim_{h \to 0} \frac{(3 + h)^2 - 9}{h} = \lim_{h \to 0} (6 + h) = 6.$$

Problèmes de la section 2.1

1. Supposez qu'une voiture est conduite à une vitesse constante. Tracez un graphe de la distance parcourue par la voiture en fonction du temps.

2. Supposez qu'une voiture est conduite à une vitesse croissante. Tracez un graphe de la distance parcourue par la voiture en fonction du temps.

3. Une voiture démarre à grande vitesse, puis elle décélère. Tracez un graphe de la distance parcourue par la voiture en fonction du temps.

4. Pour la fonction montrée à la figure 2.7, en quels points du graphe la pente est-elle positive ? négative ? En quel point du graphe la pente est-elle la plus grande (c'est-à-dire la plus positive) ? En quel point est-elle la plus petite (c'est-à-dire la plus négative) ?

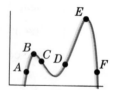

Figure 2.7

5. Faites correspondre les points indiqués sur la courbe de la figure 2.8 avec les pentes suivantes :

Pente	Point
-3	
-1	
0	
$1/2$	
1	
2	

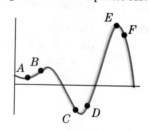

Figure 2.8

6. Pour le graphe de $y = f(x)$ illustré à la figure 2.9, placez les nombres suivants en ordre ascendant (du plus petit au plus grand) :

   - La pente du graphe au point A
   - La pente du graphe au point B
   - La pente du graphe au point C
   - La pente du segment AB
   - Le nombre 0
   - Le nombre 1

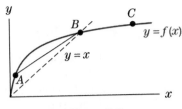

Figure 2.9

7. Le graphe de $f(t)$ de la figure 2.10 montre la position d'une particule au temps t. Placez les caractéristiques suivantes en ordre croissant (de la plus petite à la plus grande) :

   - A, la vitesse moyenne entre $t = 1$ et $t = 3$
   - B, la vitesse moyenne entre $t = 5$ et $t = 6$
   - C, la vitesse instantanée à $t = 1$
   - D, la vitesse instantanée à $t = 3$
   - E, la vitesse instantanée à $t = 5$
   - F, la vitesse instantanée à $t = 6$

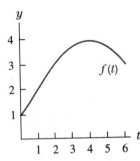

Figure 2.10

8. On observe une particule qui se déplace à une vitesse variable le long d'une ligne droite et on suppose que $s = f(t)$ représente la distance de la particule à partir d'un point en fonction du temps t. Tracez un graphe possible pour f si la vitesse moyenne de la particule entre $t = 2$ et $t = 6$ est la même que la vitesse instantanée à $t = 5$.

Évaluez les limites pour chacun des problèmes 9 à 12 en donnant à h des valeurs de plus en plus près de zéro. Donnez des réponses avec une précision de une décimale.

9. $\lim\limits_{h \to 0} \dfrac{(3 + h)^3 - 27}{h}$ 10. $\lim\limits_{h \to 0} \dfrac{\cos h - 1}{h}$ 11. $\lim\limits_{h \to 0} \dfrac{7^h - 1}{h}$ 12. $\lim\limits_{h \to 0} \dfrac{e^{1 + h} - e}{h}$

Pour chacune des fonctions des problèmes 13 à 22, effectuez les quatre opérations suivantes :

   a) Concevez une table des valeurs de $f(x)$ pour $x = 0{,}1,\ 0{,}01,\ 0{,}001,\ 0{,}0001,\ -0{,}1,\ -0{,}01,\ -0{,}001,\ -0{,}0001$.

   b) Que diriez-vous de la valeur de $\lim\limits_{x \to 0} f(x)$?

   c) Tracez la fonction pour vérifier la cohérence avec les réponses des parties a) et b).

   d) Trouvez un intervalle pour x autour de zéro de telle sorte que la différence entre votre estimation de limite et la valeur de la fonction soit moindre que 0,01. (En d'autres termes, trouvez une fenêtre de hauteur 0,02 de telle sorte que le graphe déborde des deux côtés, mais sans dépasser ni en haut ni en bas.)

13. $f(x) = 3x + 1$

14. $f(x) = x^2 - 1$

15. $f(x) = \sin 2x$

16. $f(x) = \sin 3x$

17. $f(x) = \dfrac{\sin 2x}{x}$

18. $f(x) = \dfrac{\sin 3x}{x}$

19. $f(x) = \dfrac{e^x - 1}{x}$

20. $f(x) = \dfrac{e^{2x} - 1}{x}$

21. $f(x) = \dfrac{\cos 2x - 1 + 2x^2}{x^3}$

22. $f(x) = \dfrac{\cos 3x - 1 + 4{,}5x^2}{x^3}$

2.2 LA DÉRIVÉE EN UN POINT

Le taux moyen de variation

On applique maintenant les résultats de l'analyse effectuée à la section 2.1 à une fonction $y = f(x)$ en généralisant la représentation de la hauteur comme une fonction du temps. Dans le cas de la hauteur, on observera la variation de la hauteur divisée par la variation du temps, ce qui permet d'énoncer que

$$\text{le taux moyen de variation de la hauteur en fonction du temps} = \frac{s(a + h) - s(a)}{h}.$$

Ce rapport est appelé un *quotient d'accroissements*. Pour toute fonction f, on peut énoncer que

$$\text{Le taux moyen de variation de } f \text{ sur l'intervalle de } a \text{ à } a + h = \frac{f(a + h) - f(a)}{h}.$$

Le numérateur $f(a + h) - f(a)$ mesure la variation des valeurs de f sur l'intervalle de a à $a + h$. Le taux moyen de variation est la variation de f divisée par la variation de x (voir la figure 2.11).

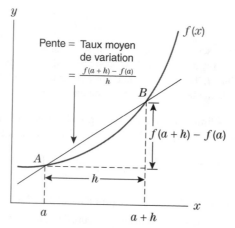

Figure 2.11 : Représentation du taux moyen de variation de f

Quoique l'intervalle dont on discute ne soit plus nécessairement un intervalle de temps, on continuera à parler de *taux moyen de variation* de f sur un intervalle. Si on veut insister sur le fait qu'il s'agit d'une variable indépendante, on énoncera qu'il s'agit du taux moyen de variation de f *en fonction de x*.

Le taux moyen de variation et la variation totale

Le taux moyen de variation d'une fonction sur un intervalle n'est pas le même que la variation totale. Celle-ci représente simplement la différence des valeurs de f aux deux extrémités de l'intervalle. Autrement dit,

$$f(a + h) - f(a).$$

Le taux moyen de variation est, quant à lui, la variation totale divisée par la longueur de l'intervalle, c'est-à-dire

$$\frac{f(a + h) - f(a)}{h}.$$

Le taux moyen de variation indique donc comment (à quelle vitesse) la fonction varie d'une extrémité à l'autre de l'intervalle, en fonction de la longueur de cet intervalle. À noter qu'il est plus souvent significatif de connaître le taux de variation que la variation totale. Par exemple, si quelqu'un vous offre un revenu de 150 $ pour un investissement de 100 $, vous désirerez certainement savoir combien de temps cela vous prendra pour obtenir cette somme. Savoir simplement que la variation totale de vos gains est de 50 $ n'est pas suffisant ; par contre, connaître le taux de variation (c'est-à-dire la somme de 50 $ divisée par le temps nécessaire pour l'obtenir) vous permettra de décider si vous voulez ou non faire cet investissement.

Le gonflement d'un ballon

On considère la fonction qui calcule le rayon d'une sphère par rapport à son volume. Par exemple, si on examine le gonflement d'un ballon, on remarque certainement que le ballon semble se gonfler plus vite au début, puis qu'il semble se gonfler plus lentement au fur et à mesure que l'on continue à souffler. On observe là une variation du taux de changement du rayon en fonction du volume.

Exemple 1   Le volume V d'une sphère est donné par $V = 4\pi r^3/3$. En décomposant cette expression pour r en termes de V, on obtient

$$r = f(V) = \left(\frac{3V}{4\pi}\right)^{1/3}.$$

Calculez le taux moyen de variation de r en fonction de V sur les intervalles $0,5 \leq V \leq 1$ et $1 \leq V \leq 1,5$.

Solution   En appliquant la formule pour calculer le taux moyen de variation, on obtient

$$\begin{matrix}\text{Taux moyen de variation} \\ \text{du rayon pour } 0,5 \leq V \leq 1\end{matrix} = \frac{f(1) - f(0,5)}{0,5} = 2\left(\left(\frac{3}{4\pi}\right)^{1/3} - \left(\frac{1,5}{4\pi}\right)^{1/3}\right) \approx 0,26$$

$$\begin{matrix}\text{Taux moyen de variation} \\ \text{du rayon pour } 1 \leq V \leq 1,5\end{matrix} = \frac{f(1,5) - f(1)}{0,5} = 2\left(\left(\frac{4,5}{4\pi}\right)^{1/3} - \left(\frac{3}{4\pi}\right)^{1/3}\right) \approx 0,18.$$

Ainsi, on constate que ce taux décroît au fur et à mesure que le volume augmente.

Le taux de variation instantané : la dérivée

On peut également définir le *taux de variation instantané* d'une fonction en un point de la même façon qu'on a défini une vitesse instantanée : on observe le taux moyen de variation sur des intervalles de plus en plus petits. Ce taux de variation instantané est tellement important qu'on y a donné son propre nom, la *dérivée de f en a*, notée $f'(a)$. On définit la dérivée comme suit :

La **dérivée de f en a**, notée $f'(a)$, est définie comme étant

$$\begin{matrix}\text{le taux de variation} \\ \text{de } f \text{ en } a\end{matrix} = f'(a) = \lim_{h \to 0} \frac{f(a + h) - f(a)}{h}.$$

Si la limite existe, alors f est dite dérivable (ou différentiable) au point d'abscisse a.

Afin d'insister sur le fait que $f'(a)$ est le taux de variation de $f(x)$ au fur et à mesure que la variable x varie, on appelle $f'(a)$ la dérivée de f *par rapport à x* en $x = a$. Ainsi, si la fonction $y = s(t)$ représente la position d'un objet, sa dérivée $s'(t)$ représente sa vitesse.

Exemple 2 En choisissant des valeurs proches de 0 pour h, calculez le taux de variation instantané du rayon d'une sphère en fonction du volume pour $V = 1$.

Solution Avec $h = 0,01$ et $h = -0,01$, on obtient les quotients

$$\frac{f(1,01) - f(1)}{0,01} \approx 0,2061 \qquad \text{et} \qquad \frac{f(0,99) - f(1)}{-0,01} \approx 0,2075.$$

Avec $h = 0,001$ et $h = -0,001$,

$$\frac{f(1,001) - f(1)}{0,001} \approx 0,2067 \qquad \text{et} \qquad \frac{f(0,999) - f(1)}{-0,001} \approx 0,2069.$$

Les valeurs de ces taux moyens de variation suggèrent que la limite se situe entre 0,2067 et 0,2069. On peut conclure que la valeur est d'environ 0,207. Ce résultat se confirme si on prend des valeurs de h plus près de 0. Donc, on peut dire que

$$f'(1) = \begin{array}{c} \text{Taux de variation instantané} \\ \text{du rayon en fonction} \\ \text{du volume pour } V = 1 \end{array} \approx 0,207.$$

Dans cet exemple, on trouve une approximation du taux de variation instantané, soit la dérivée, en prenant des valeurs de h de plus en plus près de 0. On étudie maintenant la manière de représenter graphiquement la dérivée.

La représentation de la dérivée : la pente d'une courbe et la pente de la tangente

Comme dans le cas de la vitesse, on peut se représenter la dérivée $f'(a)$ comme étant la pente du graphe de f au point $x = a$. Il existe une autre façon de se représenter la dérivée $f'(a)$. On considère le quotient $(f(a + h) - f(a))/h$. Le numérateur, $f(a + h) - f(a)$, est la distance verticale illustrée à la figure 2.12 et h est la distance horizontale. On a

$$\text{Taux moyen de variation de } f = \frac{f(a + h) - f(a)}{h} = \text{Pente de la droite } AB.$$

Au fur et à mesure que h s'approche de zéro, la droite AB se rapproche de la droite tangente à la courbe au point A (voir la figure 2.13). On a

$$\begin{array}{c} \text{Taux de variation} \\ \text{instantané de } f \\ \text{en } a \end{array} = \lim_{h \to 0} \frac{f(a + h) - f(a)}{h} = \text{Pente de la tangente au point } A.$$

La dérivée au point A peut donc être interprétée comme étant :

- La pente de la courbe au point A.
- La pente de la tangente à la courbe au point A.

Dans de nombreux cas, l'interprétation pour ce qui est de la pente permet d'obtenir une première approximation de la dérivée, comme le montrent les trois prochains exemples.

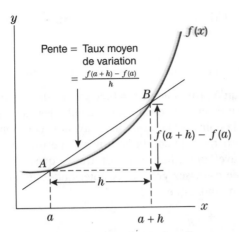

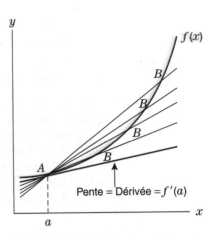

Figure 2.12 : Représentation du taux moyen de variation de f

Figure 2.13 : Visualisation du taux de variation instantané de f

---

Exemple 3   La dérivée de $\sin x$ en $x = \pi$ est-elle positive ou négative ?

Solution   En observant le graphe de $\sin x$ de la figure 2.14 (il faut se souvenir que x est en radians), on constate que la tangente tracée en $x = \pi$ a une pente négative. On peut en conclure que la dérivée en ce point sera négative.

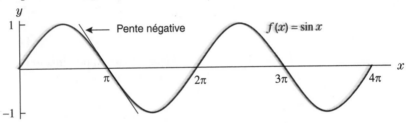

Figure 2.14 : Droite tangente à la fonction $\sin x$ en $x = \pi$

On se rappelle que si on fait un zoom sur le graphe d'une fonction $y = f(x)$ au point $x = a$, on trouve généralement que le graphe ressemble de plus en plus à une droite dont la pente est $f'(a)$.

Exemple 4   En faisant un zoom sur le graphe de la fonction sinus au point $(0, 0)$, estimez la valeur de la dérivée de $\sin x$ en $x = 0$, x étant exprimé en radians.

Solution   La figure 2.15 présente des graphes successifs de $\sin x$ avec des échelles de plus en plus petites. Sur l'intervalle $-0,1 \leq x \leq 0,1$, le graphe ressemble à une droite de pente 1. Par conséquent, la dérivée de $\sin x$ en $x = 0$ est d'environ 1.

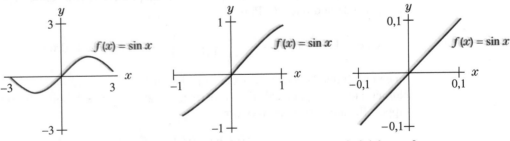

Figure 2.15 : Zoom sur le graphe de $\sin x$ à proximité de $x = 0$

On démontrera plus tard que la dérivée de $\sin x$ en $x = 0$ est exactement égale à 1. À partir de maintenant, on supposera qu'il en est ainsi.

Exemple 5 Utilisez la droite tangente en $x = 0$ afin d'estimer les valeurs de $\sin x$ à proximité de $x = 0$.

Solution Dans l'exemple précédent, on voit qu'à proximité de $x = 0$, le graphe de $y = \sin x$ ressemble au graphe d'une droite $y = x$. On peut utiliser cette droite pour calculer les valeurs de $\sin x$ quand x est proche de zéro. Par exemple, le point sur la droite $y = x$ ayant la coordonnée $x = 0{,}32$ est $(0{,}32,\ 0{,}32)$. Puisque la droite est proche de la courbe $y = \sin x$, on estime que $\sin 0{,}32 \approx 0{,}32$ (voir la figure 2.16). Si on vérifie avec une calculatrice, on trouve que $\sin 0{,}32 \approx 0{,}3146$, de telle sorte que l'évaluation effectuée est assez précise. À noter que le graphe suggère que la valeur réelle de $\sin 0{,}32$ est un peu moindre que $0{,}32$.

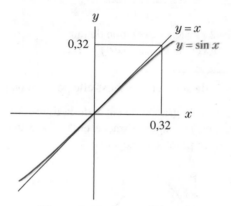

Figure 2.16 : Approximation
de $y = \sin x$ avec $y = x$

Pourquoi utiliser des radians et non des degrés ?

Après l'exemple 4, on a dit que la dérivée de $\sin x$ en $x = 0$ est égale à 1 si x est en radians. Telle est la raison pour laquelle on utilise des radians. Si on avait effectué l'exemple 4 avec des degrés, la dérivée de $\sin x$ aurait été un nombre bien plus compliqué (voir le problème 25).

L'estimation de la dérivée d'une fonction exponentielle

Exemple 6 Estimez la valeur de la dérivée de $f(x) = 2^x$ en $x = 0$ graphiquement et numériquement.

Solution Graphiquement : la figure 2.17 montre que le graphe est concave (vers le haut). En se fondant sur cette constatation, on conclut que la pente au point A se situe entre la pente de la droite BA et la pente de la droite AC. Puisque

$$\text{Pente de la droite } BA = \frac{(2^0 - 2^{-1})}{(0 - (-1))} = \frac{1}{2} \quad \text{et} \quad \text{Pente de la droite } AC = \frac{(2^1 - 2^0)}{(1 - 0)} = 1,$$

on en déduit que la dérivée se situe entre $1/2$ et 1.

Numériquement : pour calculer la dérivée en $x = 0$, on a besoin d'observer les valeurs du rapport (le taux moyen de variation)

$$\frac{f(0 + h) - f(0)}{h} = \frac{2^h - 2^0}{h} = \frac{2^h - 1}{h}$$

pour des valeurs de h près de 0. Le tableau 2.4 montre quelques valeurs de 2^h ainsi que les valeurs du taux moyen de variation (voir le problème 33, qui illustre le comportement des valeurs de h très proches de 0).

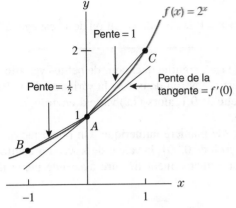

Figure 2.17 : Graphe de $y = 2^x$ montrant la dérivée en $x = 0$

TABLEAU 2.4 *Valeurs numériques du taux moyen de variation de 2^x au point $x = 0$*

h	2^h	Taux moyen de variation : $\frac{2^h - 1}{h}$
$-0,0003$	0,999 792 078	0,693 075
$-0,0002$	0,999 861 380	0,693 099
$-0,0001$	0,999 930 688	0,693 123
0	1	
0,0001	1,000 069 32	0,693 171
0,0002	1,000 138 64	0,693 195
0,0003	1,000 207 97	0,693 219

L'hypothèse concernant la concavité de la courbe permet de conclure que les taux moyens de variation calculés avec des valeurs négatives de h sont plus petits que la dérivée, tandis que ceux qui sont calculés avec des valeurs positives de h sont plus grands que la dérivée. En se référant au tableau 2.4, on voit que la dérivée se situe entre 0,693 123 et 0,693 171. Avec trois décimales exactes, $f'(0) = 0,693$.

Exemple 7   En utilisant l'information de l'exemple 6, trouvez une équation de la droite tangente à $f(x) = 2^x$ en $x = 0$.

Solution   Dans l'exemple 6, on a vu que la pente de la tangente est d'environ 0,693. Puisqu'on sait qu'elle coupe l'axe des y au point 1, l'équation devient

$$y = 0,693x + 1.$$

Le calcul de la dérivée de x^2

Dans les exemples précédents, on a obtenu une approximation de la dérivée en utilisant des valeurs de plus en plus petites de h. On recherche maintenant la dérivée exacte de x^2.

Exemple 8   Trouvez la dérivée de la fonction $f(x) = x^2$ au point $x = 1$.

Solution   On recourt à la définition

$$f'(1) = \lim_{h \to 0} \frac{f(1 + h) - f(1)}{h},$$

d'où

$$f'(1) = \lim_{h \to 0} \frac{(1 + h)^2 - 1^2}{h} = \lim_{h \to 0} \frac{(1 + 2h + h^2) - 1}{h} = \lim_{h \to 0} \frac{2h + h^2}{h}.$$

Puisque la limite ne tient compte que des valeurs de h proches de zéro, mais non égales à zéro, on peut factoriser h et simplifier l'expression $(2h + h^2)/h$. On obtient

$$\lim_{h \to 0} \frac{h(2 + h)}{h} = \lim_{h \to 0} (2 + h).$$

La limite est 2 ; donc, $f'(1) = 2$. Par conséquent, en $x = 1$, le taux de variation de x^2 est égal à 2.

Puisque la dérivée est le taux de variation, $f'(1) = 2$ signifie que, pour de petites variations de x proches de $x = 1$, la variation de $f(x) = x^2$ est d'environ deux fois la variation de x. Par exemple, si x varie de 1 à 1,1, soit une variation nette de 0,1, alors $f(x)$ varie d'environ 0,2. La figure 2.18 illustre ce fait de manière géométrique.

Le tableau 2.5 montre la dérivée de $f(x) = x^2$ de manière numérique. On remarque qu'à proximité de $x = 1$, chaque fois que la valeur de x croît de 0,001, la valeur de x^2 croît d'environ 0,002. À proximité de $x = 1$, la fonction est approximativement linéaire avec une pente de $0,002/0,001 = 2$.

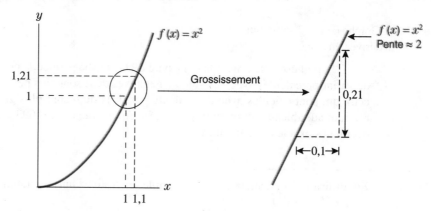

Figure 2.18 : Le graphe de $f(x) = x^2$ à proximité de $x = 1$ a une pente de ≈ 2.

TABLEAU 2.5 *Valeurs de $f(x) = x^2$ à proximité de $x = 1$*

x	x^2	Différence des valeurs successives de x^2
0,998	0,996 004	
		0,001 997
0,999	0,998 001	
		0,001 999
1,000	1,000 000	
		0,002 001
1,001	1,002 001	
		0,002 003
1,002	1,004 004	
↑		↑
x incrémentée de 0,001		Écart approximatif de 0,002

Problèmes de la section 2.2

1. Tracez un graphe approximatif de $f(x) = \sin x$. En observant ce graphe, déterminez si la dérivée de $f(x)$ en $x = 3\pi$ est positive ou négative. Justifiez votre réponse.

2. a) Dressez un tableau des valeurs arrondies à deux décimales de la fonction $f(x) = e^x$ pour $x = 1$, 1,5, 2, 2,5 et 3. À l'aide de ce tableau, répondez aux parties b) et c).

b) Trouvez le taux moyen de variation de $f(x)$ entre $x = 1$ et $x = 3$.

c) Utilisez les taux moyens de variation pour estimer le taux de variation instantané de $f(x)$ en $x = 2$.

3. Placez les points A, B, C, D, E et F sur le graphe de $y = f(x)$ de la figure 2.19.

a) Le point A est un point de la courbe où la dérivée est négative.

b) Le point B est le point de la courbe où la valeur de la fonction est négative.

c) Le point C est le point de la courbe où la dérivée est la plus grande.

d) Le point D est le point de la courbe où la dérivée est zéro.

e) Les points E et F sont des points de la courbe où la dérivée est approximativement la même.

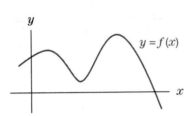

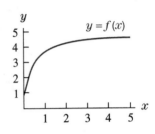

Figure 2.19   Figure 2.20

4. Considérez le graphe de $y = f(x)$ illustré à la figure 2.20. Quelle est la valeur la plus grande dans chacune des deux options suivantes ?

a) Taux moyen de variation entre $x = 1$ et $x = 3$ ou entre $x = 3$ et $x = 5$?

b) $f(2)$ ou $f(5)$?

c) $f'(1)$ ou $f'(4)$?

5. À partir d'une reproduction de la figure 2.21, marquez les longueurs qui représentent les quantités des parties a) à d). (Choisissez n'importe quelle valeur de x et supposez que $h > 0$.)

a) $f(x)$ b) $f(x + h)$ c) $f(x + h) - f(x)$ d) h

e) À l'aide des réponses aux parties a) à d), montrez comment la quantité $\dfrac{f(x + h) - f(x)}{h}$ peut être représentée comme la pente d'une droite sur le graphe.

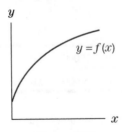

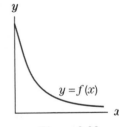

Figure 2.21   Figure 2.22

6. À partir d'une reproduction de la figure 2.22, marquez les longueurs qui représentent les quantités des parties a) à d). (Choisissez n'importe quelle valeur de x et supposez que $h > 0$.)

a) $f(x)$ b) $f(x + h)$ c) $f(x + h) - f(x)$ d) h

e) À l'aide des réponses aux parties a) à d), montrez comment la quantité $\dfrac{f(x + h) - f(x)}{h}$ peut être représentée comme la pente d'une droite sur le graphe.

7. À partir d'une reproduction de la figure 2.23 (page suivante), démontrez comment vous pouvez représenter les valeurs ci-après.

a) $f(4)$ b) $f(4) - f(2)$ c) $\dfrac{f(5) - f(2)}{5 - 2}$ d) $f'(3)$

8. Considérez la fonction $y = f(x)$ illustrée à la figure 2.23. Quelle est la valeur la plus grande dans chacune des deux options suivantes ? Justifiez votre réponse.

a) $f(3)$ ou $f(4)$?

b) $f(3) - f(2)$ ou $f(2) - f(1)$?

c) $\dfrac{f(2) - f(1)}{2 - 1}$ ou $\dfrac{f(3) - f(1)}{3 - 1}$?

d) $f'(1)$ ou $f'(4)$?

9. Sur la fonction f donnée à la figure 2.23, placez les quantités suivantes en ordre ascendant :

$$0, \quad 1, \quad f'(2), \quad f'(3), \quad f(3) - f(2)$$

10. Supposez que $y = f(x)$ (voir la figure 2.23) représente le coût pour produire x kg d'un produit chimique. Dans ce cas, $f(x)/x$ représente le coût moyen pour produire 1 kg quand on produit x kg. Ce problème exige que vous représentiez ces moyennes graphiquement.

a) Montrez comment représenter $f(4)/4$ comme la pente d'une droite.

b) Quelle est la valeur la plus grande, $f(3)/3$ ou $f(4)/4$?

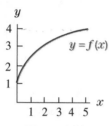

Figure 2.23

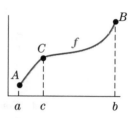

Figure 2.24

11. Considérez la fonction illustrée à la figure 2.24.

a) Écrivez une expression comportant f pour représenter la pente de la droite joignant A et B.

b) Tracez la droite tangente au point C. Comparez la pente de cette tangente à la pente de la droite de la partie a).

c) Y a-t-il d'autres points sur la courbe pour lesquels la pente de la tangente est la même que la pente de la tangente au point C ? Si oui, indiquez-les sur le graphe. Sinon, expliquez pourquoi.

12. Le tableau 2.6 montre les valeurs de $f(x) = x^3$ à proximité de $x = 2$ (avec trois décimales exactes). Utilisez ce tableau pour calculer $f'(2)$.

TABLEAU 2.6

x	1,998	1,999	2,000	2,001	2,002
x^3	7,976	7,988	8,000	8,012	8,024

Trouvez les dérivées pour les problèmes 13 à 18 de manière algébrique.

13. $g(t) = 3t^2 + 5t$ en $t = -1$

14. $f(x) = 5x^2$ en $x = 10$

15. $f(x) = x^3$ en $x = -2$

16. $f(x) = x^3 + 5$ en $x = 1$

17. $g(x) = 1/x$ en $x = 2$

18. $g(z) = z^{-2}$, trouvez $g'(2)$

Dans les problèmes 19 à 22, trouvez l'équation de la droite tangente à chacune des fonctions au point indiqué.

19. $f(x) = x^3$ en $x = -2$

20. $f(x) = 5x^2$ en $x = 10$

21. $f(x) = x$ en $x = 20$

22. $f(x) = 1/x^2$ en $(1, 1)$

23. Trouvez la valeur de la dérivée de $f(x) = x^2 + 1$ en $x = 3$ de manière algébrique. Trouvez l'équation de la droite tangente à f en $x = 3$.

24. Trouvez l'équation de la droite tangente à $f(x) = x^2 + x$ en $x = 3$. Tracez le graphe de la fonction et de sa droite tangente.

25. a) Estimez $f'(0)$ si $f(x) = \sin x$ avec x exprimé en degrés.

    b) À l'exemple 4, on a trouvé que la dérivée de $\sin x$ en $x = 0$ était égale à 1. Pourquoi obtenez-vous un résultat différent ici ? (Ce problème démontre pourquoi le radian est généralement privilégié comme unité dans le calcul différentiel et intégral.)

26. Estimez la dérivée de $f(x) = x^x$ en $x = 2$.

27. Pour $y = f(x) = 3x^{3/2} - x$, utilisez une calculatrice pour construire le graphe de $y = f(x)$ pour $0 \le x \le 2$. À partir de ce graphe, estimez $f'(0)$ et $f'(1)$.

28. Soit $f(x) = \ln(\cos x)$. Utilisez une calculatrice pour estimer le taux de variation instantané de f au point $x = 1$. Répétez l'opération pour $x = \pi/4$. [Conseil : assurez-vous que la calculatrice est réglée en radians.]

29. Il existe une fonction appelée la fonction d'erreur, $y = \text{erf}(x)$. Supposez que la calculatrice a un bouton pour $\text{erf}(x)$ qui vous donne les valeurs suivantes :

    $$\text{erf}(0) = 0 \quad \text{erf}(1) = 0{,}842\,700\,79 \quad \text{erf}(0{,}1) = 0{,}112\,462\,92 \quad \text{erf}(0{,}01) = 0{,}011\,283\,42.$$

    a) Servez-vous de ces valeurs pour déterminer la meilleure évaluation de $\text{erf}'(0)$. (Ne donnez que les chiffres dont vous êtes raisonnablement certains.)

    b) Supposez que vous trouviez que $\text{erf}(0{,}001) = 0{,}001\,128\,38$. Comment cette information supplémentaire changerait-elle la réponse à la partie a) ?

30. a) À l'aide d'une calculatrice, évaluez la dérivée de la fonction sinus hyperbolique (qui s'écrit $\sinh x$) aux points 0, 0,3, 0,7 et 1.

    b) Pouvez-vous trouver une relation entre les valeurs de cette dérivée et les valeurs du cosinus hyperbolique (qui s'écrit $\cosh x$) ?

31. La population P de la Chine (en milliards de personnes) peut être représentée par la fonction

    $$P = 1{,}15(1{,}014)^t,$$

    où t est le nombre d'années écoulées depuis le début de 1993. À l'aide de ce modèle, estimez le taux de croissance de la population au début de 1993 et au début de 1995. Exprimez votre réponse en millions de personnes par année.

32. a) Tracez les graphes des fonctions $f(x) = \frac{1}{2}x^2$ et $g(x) = f(x) + 3$ sur le même système d'axes. Que pouvez-vous dire des pentes des tangentes à ces deux graphes au point $x = 0$? au point $x = 2$? en tout point $x = x_0$?

    b) Expliquez pourquoi, si vous ajoutez une valeur constante C à chacune des fonctions, cet ajout ne changera pas la valeur de la pente du graphe en quelque point que ce soit. [Conseil : soit $g(x) = f(x) + C$; calculez les taux moyens de variation pour f et g.]

33. Supposez que le tableau 2.4 est prolongé avec des valeurs très petites de h. Une calculatrice quelconque donne les résultats du tableau 2.7. (Votre calculatrice pourrait donner des résultats sensiblement différents.) Expliquez les valeurs des taux moyens de variation indiqués au tableau 2.7. En particulier, pourquoi la dernière valeur de $(2^h - 1)/h$ est-elle égale à zéro ? À quelle valeur vous attendez-vous pour $(2^h - 1)/h$ quand $h = 10^{-20}$?

TABLEAU 2.7 *Valeurs (à vérifier) des taux moyens de variation de 2^x à proximité de $x = 0$*

h	Taux moyen de variation : $(2^h - 1)/h$
10^{-4}	0,693 171 2
10^{-6}	0,693 147
10^{-8}	0,693 1
10^{-10}	0,69
10^{-12}	0

2.3 LA FONCTION DÉRIVÉE

Dans la section précédente, on a étudié la dérivée d'une fonction en un point fixe. On considère maintenant la dérivée en une variété de points. Puisque celle-ci prend généralement des valeurs différentes en des points différents, elle devient elle-même une fonction.

D'abord, il faut se souvenir que la dérivée d'une fonction en un point représente le taux de variation de la valeur de la fonction en ce point. Géométriquement, si on fait un zoom sur une partie du graphe jusqu'à ce que ce dernier ressemble à une droite, la pente de cette droite est la dérivée en ce point. De manière équivalente, on peut considérer la dérivée comme la pente de la droite tangente en ce point, puisque plus les zooms nous rapprochent du graphe, plus la courbe et la droite tangente se confondent.

Exemple 1 Estimez la dérivée de la fonction $f(x)$ tracée à la figure 2.25 en chacun des points suivants : $x = -2, -1, 0, 1, 2, 3, 4, 5$.

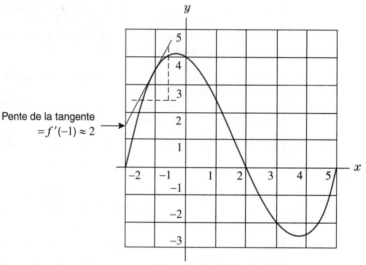

Figure 2.25 : Approximation de la dérivée comme étant la pente de la droite tangente

Solution À partir de ce graphe, on estime que la dérivée, en tous les points, peut être obtenue en plaçant une règle de telle sorte qu'elle forme une tangente en ce point, puis en calculant la pente de la règle à l'aide de la grille. Par exemple, la tangente en $x = -1$ est illustrée à la figure 2.25 et elle a une pente d'environ 2, de telle sorte que $f'(-1) \approx 2$. À noter que la pente en $x = -2$ est positive et relativement grande. La pente en $x = -1$ est positive mais plus faible. En $x = 0$, la pente est négative et, en $x = 1$, elle est encore plus négative, etc. On trouvera un certain nombre d'approximations de la dérivée au tableau 2.8. Si on examine ces valeurs, peut-on dire qu'elles sont raisonnables ? La dérivée est-elle positive aux points prévus ? Est-elle négative ?

TABLEAU 2.8 *Estimations de la dérivée de la fonction de la figure 2.25*

x	-2	-1	0	1	2	3	4	5
$f'(x)$	6	2	-1	-2	-2	-1	1	4

Il est important de noter que pour toute valeur de x, il existe une valeur correspondante de la dérivée. Par conséquent, la dérivée est elle-même une fonction de x.

Pour toute fonction f, on définit la **fonction dérivée** f' par

$$f'(x) = \text{Taux de variation de } f \text{ en } x = \lim_{h \to 0} \frac{f(x+h) - f(x)}{h}.$$

Pour toutes les valeurs de x pour lesquelles cette limite existe, on dit que f est *dérivable en* cette valeur de x. Si la limite existe pour toutes les valeurs de x du domaine de f, on dit que f est *dérivable partout*. Les fonctions avec lesquelles on travaillera par la suite sont toutes dérivables en tous les points du domaine, excepté peut-être en quelques points isolés.

La fonction dérivée : le modèle graphique

Exemple 2   Tracez le graphe de la dérivée de la fonction illustrée à la figure 2.25.

Solution   On place sur la courbe les valeurs de la dérivée obtenue au tableau 2.8. On obtient la figure 2.26, qui montre un graphe de la dérivée (f') ainsi que la fonction originale (f).

On vérifie par soi-même que ce graphe de f' est raisonnable. Les valeurs de f' sont positives quand f croît ($x < -0{,}3$ ou $x > 3{,}8$) et sont négatives quand f décroît. À noter qu'au point où f a la plus grande pente positive, comme en $x = -2$, le graphe de la dérivée est bien au-dessus de l'axe des x, comme on doit s'y attendre puisque la valeur de la dérivée est très grande. Par ailleurs, aux points où la courbe a une pente douce telle qu'en $x = -1$, le graphe de f' est beaucoup plus proche de l'axe des x puisque la dérivée est petite.

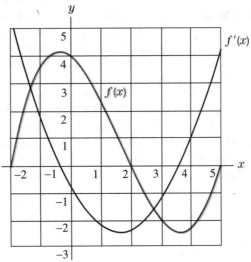

Figure 2.26 : Fonction originale (f) et sa dérivée (f') extraites de l'exemple 1

Quelle est la signification du modèle graphique de la dérivée ?

Quand f' est positive, la droite tangente à f a une pente positive et f croît ; quand f' est négative, la droite tangente à f a une pente négative et f décroît. Si $f' = 0$ en tous les points, alors la droite tangente à f est horizontale partout et f demeure constante. Autrement dit, le signe de f' permet de savoir si la fonction f est croissante ou décroissante.

> Si $f' > 0$ sur un intervalle, alors f est *croissante* sur cet intervalle.
> Si $f' < 0$ sur un intervalle, alors f est *décroissante* sur cet intervalle.

De plus, l'amplitude de la dérivée indique l'amplitude du taux de variation. Ainsi, si f' est grande (positive ou négative), alors le graphe de f est très abrupt (vers le haut ou vers le bas), tandis que si f' est petite, le graphe de f est adouci. En gardant ces constatations en mémoire, on peut en déduire quantité d'informations à propos du comportement d'une fonction à partir de celui de sa dérivée.

La fonction dérivée : le modèle numérique

On considère la table des valeurs d'une fonction au lieu du graphe de cette fonction. On peut estimer les valeurs de la dérivée de la manière suivante.

Exemple 3

Le tableau 2.9 indique les valeurs de $c(t)$, qui représente la concentration (en microgrammes par centimètre cube) d'une solution dans le système sanguin au temps t (en minutes). Construisez une table des valeurs estimées pour $c'(t)$, soit le taux de variation de $c(t)$ en fonction du temps.

TABLEAU 2.9 *Concentration en fonction du temps*

t (min)	0	0,1	0,2	0,3	0,4	0,5	0,6	0,7	0,8	0,9	1,0
$c(t)$ (μg/cm^3)	0,84	0,89	0,94	0,98	1,00	1,00	0,97	0,90	0,79	0,63	0,41

Solution

On cherche à estimer les valeurs de c' en utilisant les valeurs du tableau. Pour ce faire, on suppose que les points donnés sont suffisamment proches les uns des autres pour que la concentration ne varie pas de manière significative entre ces points. À partir du tableau, on constate que la concentration croît entre $t = 0$ et $t = 0,4$, de telle sorte qu'on s'attend à une dérivée positive sur cet intervalle. Cependant, l'accroissement étant plus lent, on doit donc avoir une dérivée faible. La concentration ne change pas entre 0,4 et 0,5. On obtient alors une dérivée proche de zéro sur cet intervalle. De $t = 0,5$ à $t = 1,0$, la concentration commence à décroître et le taux de décroissance devient de plus en plus fort, de telle sorte qu'on aura une dérivée négative d'amplitude de plus en plus grande.

À partir des données du tableau, on peut donc estimer la dérivée en utilisant le taux moyen de variation

$$c'(t) \approx \frac{c(t+h) - c(t)}{h}.$$

Puisque les mesures sont prises à des intervalles de 0,1 de part et d'autre, on prend $h = 0,1$ et, ainsi, on estime que

$$c'(0) \approx \frac{c(0,1) - c(0)}{0,1} = \frac{0,89 - 0,84}{0,1} = 0,5 \ \mu\text{g/cm}^3/\text{min}$$

$$c'(0,1) \approx \frac{c(0,2) - c(0,1)}{0,1} = \frac{0,94 - 0,89}{0,1} = 0,5 \ \mu\text{g/cm}^3/\text{min}$$

$$c'(0,2) \approx \frac{c(0,3) - c(0,2)}{0,1} = \frac{0,98 - 0,94}{0,1} = 0,4 \ \mu\text{g/cm}^3/\text{min}$$

$$c'(0,3) \approx \frac{c(0,4) - c(0,3)}{0,1} = \frac{1,00 - 0,98}{0,1} = 0,2 \ \mu\text{g/cm}^3/\text{min}$$

$$c'(0,4) \approx \frac{c(0,5) - c(0,4)}{0,1} = \frac{1,00 - 1,00}{0,1} = 0,0 \ \mu\text{g/cm}^3/\text{min, etc.}$$

On retrouve ces valeurs dans le tableau 2.10. À noter que la dérivée est positive et faible jusqu'à $t = 0,4$, où elle est proche de zéro ; puis elle devient de plus en plus négative, comme on s'y attendait. Les pentes sont indiquées sur le graphique de $c(t)$ à la figure 2.27.

TABLEAU 2.10
Estimation de la dérivée des concentrations

t	$c'(t)$
0	0,5
0,1	0,5
0,2	0,4
0,3	0,2
0,4	0,0
0,5	−0,3
0,6	−0,7
0,7	−1,1
0,8	−1,6
0,9	−2,2

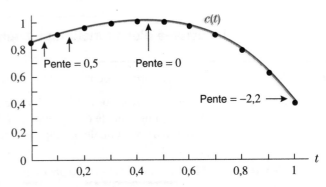

Figure 2.27 : Graphe des concentrations en fonction du temps

L'amélioration de l'estimation numérique de la dérivée

Dans l'exemple 3, on a estimé la dérivée en $t = 0,2$ en utilisant un intervalle qui partait de 0,2 et allait vers la droite. On a trouvé le taux moyen de variation entre $t = 0,2$ et $t = 0,3$. Cependant, on peut aussi faire ce même calcul en allant vers la gauche et prendre le taux de variation entre $t = 0,1$ et $t = 0,2$ afin de se rapprocher de la dérivée en 0,2. Pour un résultat plus précis, on peut faire la moyenne de ces pentes et dire que

$$c'(0,2) \approx \frac{1}{2}\left(\begin{matrix}\text{Pente à la gauche} \\ \text{de 0,2}\end{matrix} + \begin{matrix}\text{Pente à la droite} \\ \text{de 0,2}\end{matrix}\right) = \frac{0,5 + 0,4}{2} = 0,45.$$

En général, la moyenne des pentes permet d'obtenir une réponse plus précise.

La fonction dérivée : à partir d'une formule

Si on a une formule pour f, est-il possible de trouver une formule pour f' ? Le plus souvent oui, comme le montre l'exemple 4. En fait, la puissance du calcul différentiel dépend principalement du fait qu'il permet de trouver des formules pour les dérivées de toutes les fonctions qu'on a décrites précédemment. Cette méthode sera expliquée de manière systématique au chapitre 3.

La dérivée d'une fonction constante

Le graphe d'une fonction constante $f(x) = k$ est une droite horizontale de pente zéro partout. Par conséquent, sa dérivée est zéro partout (voir la figure 2.28).

Si $f(x) = k$, alors $f'(x) = 0$.

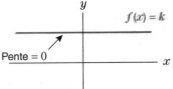

Figure 2.28 : Fonction constante

La dérivée d'une fonction linéaire

Nous savons également que la pente d'une droite est une constante. Par conséquent, la dérivée d'une fonction linéaire sera constante.

$$\text{Si } f(x) = b + mx, \text{ alors } f'(x) = \text{pente} = m.$$

La dérivée d'une fonction puissance

Exemple 4   Trouvez une formule pour calculer la dérivée de $f(x) = x^2$.

Solution   Avant de calculer la formule de $f'(x)$ de manière algébrique, on essaie de deviner la formule en examinant un modèle des valeurs de $f'(x)$. Le tableau 2.11 présente les valeurs de $f(x) = x^2$ (arrondies à trois décimales), ce qui permettra d'estimer la valeur de $f'(1)$, de $f'(2)$ et de $f'(3)$.

TABLEAU 2.11   *Valeurs de $f(x) = x^2$ à proximité de $x = 1$, de $x = 2$ et de $x = 3$ (arrondies à trois décimales)*

x	x^2	x	x^2	x	x^2
0,999	0,998	1,999	3,996	2,999	8,994
1,000	1,000	2,000	4,000	3,000	9,000
1,001	1,002	2,001	4,004	3,001	9,006
1,002	1,004	2,002	4,008	3,002	9,012

À proximité de $x = 1$, la valeur de x^2 croît d'environ 0,002 chaque fois que x croît de 0,001. Donc,

$$f'(1) \approx \frac{0,002}{0,001} = 2.$$

De la même façon, à proximité de $x = 2$ et de $x = 3$, les valeurs de x^2 croissent respectivement d'environ 0,004 et 0,006, lorsque x croît de 0,001. Donc,

$$f'(2) \approx \frac{0,004}{0,001} = 4 \qquad \text{et} \qquad f'(3) \approx \frac{0,006}{0,001} = 6.$$

La connaissance des valeurs de f' à des points spécifiques ne peut donner la formule exacte pour f' ; en revanche, cela permet certainement de la définir. Par exemple, si on sait que $f'(1) \approx 2, f'(2) \approx 4, f'(3) \approx 6$, cela suggère que $f'(x) = 2x$.

La dérivée est calculée en formant le quotient de la variation de f et de la variation de x et en prenant la limite pour h tendant vers zéro. Le taux moyen de variation est

$$\frac{f(x+h) - f(x)}{h} = \frac{(x+h)^2 - x^2}{h} = \frac{x^2 + 2xh + h^2 - x^2}{h} = \frac{2xh + h^2}{h}.$$

Puisque h n'atteint jamais zéro, on peut simplifier l'expression finale de manière à obtenir $2x + h$. La limite de cette expression quand h tend vers zéro est $2x$, de telle sorte que

$$f'(x) = \lim_{h \to 0} (2x + h) = 2x.$$

Exemple 5   Calculez $f'(x)$ si $f(x) = x^3$.

Solution   On observe le taux moyen de variation

$$\frac{f(x+h) - f(x)}{h} = \frac{(x+h)^3 - x^3}{h}.$$

Après expansion, on obtient $(x + h)^3 = x^3 + 3x^2h + 3xh^2 + h^3$, de telle sorte que

$$f'(x) = \lim_{h \to 0} \frac{x^3 + 3x^2h + 3xh^2 + h^3 - x^3}{h} = \lim_{h \to 0} \frac{3x^2h + 3xh^2 + h^3}{h}.$$

Puisqu'en prenant la limite pour $h \to 0$, on considère les valeurs de h proches de zéro mais non égales à zéro, on peut factoriser h et simplifier, ce qui donne

$$f'(x) = \lim_{h \to 0} \frac{3x^2h + 3xh^2 + h^3}{h} = \lim_{h \to 0} (3x^2 + 3xh + h^2).$$

Quand $h \to 0$, la valeur de $(3xh + h^2) \to 0$, de telle sorte que

$$f'(x) = \lim_{h \to 0} (3x^2 + 3xh + h^2) = 3x^2.$$

Les exemples 4 et 5 montrent comment calculer les dérivées des fonctions puissance de la forme $f(x) = x^n$ quand n est égal à 2 ou à 3. On peut utiliser le théorème du binôme (tiré de la section « Gros plan sur la théorie » du présent chapitre) de manière à démontrer que, pour tout n entier positif,

$$\boxed{\text{Si } f(x) = x^n, \text{ alors } f'(x) = nx^{n-1}.}$$

En fait, ce résultat est valable pour toute valeur réelle de n.

Problèmes de la section 2.3

Pour les problèmes 1 à 9, tracez un graphe de la fonction dérivée de chacune des fonctions ci-après.

1.

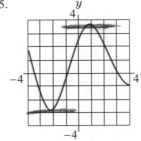

2.

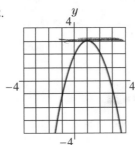

3.

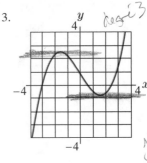

4.

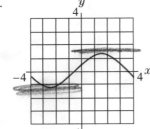

5.

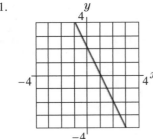

6.

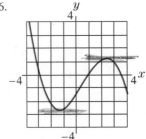

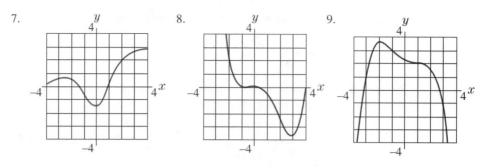

7.   8.   9.

10. a) Tracez une courbe de pente douce qui sera toujours positive et qui croîtra graduellement.
    b) Tracez une courbe de pente douce qui sera toujours positive et qui décroîtra graduellement.
    c) Tracez une courbe de pente douce qui sera toujours négative et qui croîtra graduellement (c'est-à-dire qui deviendra de moins en moins négative).
    d) Tracez une courbe de pente douce qui sera toujours négative et qui décroîtra graduellement (c'est-à-dire qui deviendra de plus en plus négative).

11. En considérant les valeurs numériques montrées ci-dessous, trouvez les valeurs approximatives de la dérivée de $f(x)$ pour chacune des valeurs de x données. À quel moment le taux de variation de $f(x)$ est-il positif ? est-il négatif ? semble-t-il être le plus grand ?

x	0	1	2	3	4	5	6	7	8
$f(x)$	18	13	10	9	9	11	15	21	30

12. Les valeurs de x et leurs valeurs correspondantes de $g(x)$ sont présentées dans le tableau ci-dessous. Pour quelle valeur de x la valeur correspondante de $g'(x)$ sera-t-elle la plus proche de 3 ?

x	2,7	3,2	3,7	4,2	4,7	5,2	5,7	6,2
$g(x)$	3,4	4,4	5,0	5,4	6,0	7,4	9,0	11,0

Trouvez une formule algébrique pour les dérivées des fonctions des problèmes 13 à 16.

13. $g(x) = 2x^2 - 3$ 14. $k(x) = 1/x$ 15. $l(x) = 1/x^2$ 16. $m(x) = 1/(x+1)$

17. Tracez le graphe de la fonction continue $y = f(x)$ qui satisfait aux trois conditions suivantes :

   • $f'(x) > 0$ pour $x < -2$,
   • $f'(x) < 0$ pour $-2 < x < 2$,
   • $f'(x) = 0$ pour $x > 2$.

18. Tracez le graphe d'une fonction continue $y = f(x)$ qui satisfait aux trois conditions suivantes :

   • $f'(x) > 0$ pour $-\frac{\pi}{2} < x < \frac{\pi}{2}$,
   • $f'(x) < 0$ pour $-\pi < x < -\frac{\pi}{2}$ et $\frac{\pi}{2} < x < \pi$,
   • $f'(x) = 0$ en $x = -\frac{\pi}{2}$ et $x = \frac{\pi}{2}$.

Pour les problèmes 19 à 22, tracez le graphe de $f(x)$ et utilisez-le pour tracer le graphe de $f'(x)$.

19. $f(x) = x^2$ 20. $f(x) = x(x-1)$ 21. $f(x) = \cos x$ 22. $f(x) = \log x$

Pour les problèmes 23 à 28, tracez le graphe de $y = f'(x)$ pour les fonctions illustrées ci-dessous.

23.   24.

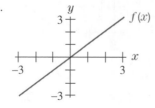

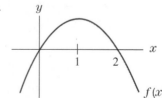

25.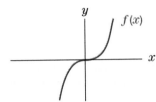

26.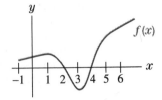

27.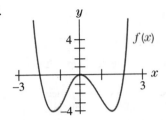

28.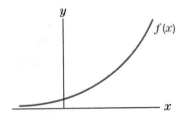

29. Sur le graphe de f de la figure 2.29, pour quelle valeur de x trouvez-vous :

   a) $f(x)$ le plus grand ?   b) $f(x)$ le plus petit ?
   c) $f'(x)$ le plus grand ?   d) $f'(x)$ le plus petit ?

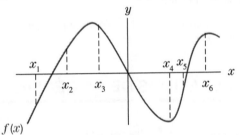

Figure 2.29

30. Considérez un véhicule qui se déplace sur une route rectiligne. Supposez que $f(t)$ exprime la distance du véhicule à partir de son point de départ au temps t. Quel est le graphe de la figure 2.30 qui pourrait représenter $f'(t)$ pour les scénarios suivants ? (On supposera que les échelles sur les axes verticaux sont toutes les mêmes.)

   a) Un autobus est sur sa route normale et il n'y a pas de circulation.
   b) Une voiture circule dans une zone sans circulation, et tous les feux de circulation sont verts.
   c) Une voiture est prise dans une circulation dense.

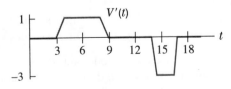

Figure 2.30

31. Un enfant gonfle un ballon, le regarde un instant, puis laisse l'air s'en échapper à un taux constant. Si $V(t)$ est le volume du ballon au temps t, alors la figure 2.31 représente $V'(t)$ en fonction de t.

Figure 2.31

Dites à quel moment l'enfant :

a) commence à souffler le ballon ;

b) finit de souffler le ballon ;

c) commence à laisser l'air s'en échapper.

d) À quoi ressemblerait le graphe de $V'(t)$ si l'enfant alternait entre pincer et relâcher l'embouchure du ballon au lieu de laisser l'air s'échapper à un taux constant ?

32. L'évolution de la population d'un troupeau de chevreuils est modélisée par la fonction suivante :

$$P(t) = 4000 + 500 \sin\left(2\pi t - \frac{\pi}{2}\right),$$

où t indique le nombre d'années écoulées depuis le 1er janvier.

a) Quelle est la variation de cette population dans le temps ? Tracez un graphe de $P(t)$ pour une année.

b) Utilisez ce graphe pour déterminer si, au cours d'une année, le troupeau atteint sa population maximale. Quel est ce maximum ? Y a-t-il un minimum ? si oui, quand ?

c) À l'aide de ce graphe, déterminez à quel moment la population croît le plus rapidement et décroît le plus rapidement.

d) Évaluez approximativement à quel taux cette population varie le 1er juillet.

33. En considérant un graphe, expliquez pourquoi, si $f(x)$ est une fonction paire, alors $f'(x)$ est une fonction impaire.

34. En examinant un graphe, expliquez pourquoi, si $g(x)$ est une fonction impaire, alors $g'(x)$ est une fonction paire.

2.4 DES INTERPRÉTATIONS DE LA DÉRIVÉE

On a déjà démontré que la dérivée peut être interprétée comme une pente ou comme un taux de variation. Dans cette section, on considérera des exemples d'autres interprétations. Le but n'est pas de dresser un catalogue des interprétations possibles, mais d'illustrer le processus qui permet de les obtenir.

Une autre notation pour la dérivée

Jusqu'à présent, on a utilisé la notation f' pour représenter la dérivée d'une fonction f. Une autre notation pour les dérivées a été proposée par le mathématicien allemand Wilhelm Gottfried Leibniz (1646-1716) lorsque le calcul différentiel et intégral a été développé pour la toute première fois. Si la variable y dépend de la variable x, alors

$$y = f(x) ;$$

on représente alors par dy/dx la dérivée, de telle sorte que

$$\frac{dy}{dx} = f'(x).$$

La notation de Leibniz est assez suggestive, en particulier si on interprète la lettre d dans dy/dx comme étant la « petite différence dans... ». La notation dy/dx rappelle que la dérivée est une limite du rapport de la forme

$$\frac{\text{Différence des valeurs de } y}{\text{Différence des valeurs de } x}.$$

La notation dy/dx est commode pour déterminer les unités de la dérivée. En effet, les unités de dy/dx sont les unités de y divisées par les unités de x. Les deux entités distinctes dy et dx n'ont aucune signification indépendante. Elles font toutes deux partie d'une seule et même notation. En fait, une bonne manière formelle d'envisager la notation dy/dx est de l'imaginer sous la forme d/dx d'un symbole unique qui signifie « la dérivée en fonction de x... ». Ainsi, dy/dx peut être interprété comme

$$\frac{d}{dx}(y), \quad \text{qui signifie « la dérivée de } y \text{ par rapport à } x \text{ ».}$$

D'un autre point de vue, plusieurs scientifiques et mathématiciens considèrent dy et dx comme deux entités distinctes représentant des différences infinitésimalement petites de y et de x, même s'il est difficile de comprendre exactement ce que le mot *infinitésimal* veut dire. Bien que cette formulation ne soit pas absolument correcte, elle peut être très utile pour comprendre intuitivement dy/dx sous la forme d'une variation infiniment petite de y divisée par une variation infiniment petite de x.

Par exemple, on se rappelle que si $s = f(t)$ représente la position d'un objet mobile au temps t, alors $v = f'(t)$ est la vitesse de ce même objet au temps t. En écrivant

$$v = \frac{ds}{dt}$$

on se rappelle que v est la vitesse, puisque la notation suggère une distance ds parcourue sur un intervalle dt, et on sait que la distance par rapport au temps représente la vitesse. De la même façon, on reconnaît que

$$\frac{dy}{dx} = f'(x)$$

est la pente du graphe de $y = f(x)$ en se souvenant que la pente est l'accroissement vertical dy sur l'accroissement horizontal dx.

Le désavantage de la notation de Leibniz est qu'elle est compliquée lorsqu'il s'agit de représenter les valeurs de x pour lesquelles on évalue la dérivée. Par exemple, pour représenter $f'(2)$, on devrait écrire

$$\frac{dy}{dx}\bigg|_{x=2}.$$

L'utilité des unités pour interpréter la dérivée

Les exemples suivants démontrent l'utilité des unités lorsqu'il s'agit d'interpréter la dérivée.

Par exemple, on suppose que $s = f(t)$ exprime la distance (en mètres) d'un objet à partir d'un point fixe en fonction du temps t (en secondes). Alors, en sachant que

$$\frac{ds}{dt}\bigg|_{t=2} = f'(2) = 10 \text{ m/s}$$

on constate que, lorsque $t = 2$ s, le corps se déplace à une vitesse instantanée de 10 m/s. Ce résultat signifie que si l'objet continue à se déplacer à la même vitesse pendant une autre seconde complète, il parcourra 10 m de plus. En réalité, la vitesse de l'objet pourrait changer et donc ne pas rester à la vitesse de 10 m/s pour bien longtemps. À noter que les unités de vitesse instantanée et de vitesse moyenne sont les mêmes. De fait, les unités du taux moyen de variation et du taux de variation instantané sont *toujours* les mêmes.

Exemple 1   Le coût C (en dollars) de la construction d'un bâtiment ayant une aire A (en mètres carrés) est donné par la fonction $C = f(A)$. Quelle est l'interprétation pratique de la fonction $f'(A)$?

Solution   On prend la notation

$$f'(A) = \frac{dC}{dA}.$$

Celle-ci représente le coût divisé par l'aire et mesure (en dollars) le prix au mètre carré. On peut en déduire que dC est le coût supplémentaire pour construire un espace dA supplémentaire et que dC/dA est le coût additionnel par mètre carré. Ainsi, si on prévoit construire un bâtiment d'une surface d'environ A m^2, $f'(A)$ sera le coût par mètre carré de la construction d'une surface *additionnelle* et sera appelé le *coût marginal*. Le coût marginal est probablement plus petit que le coût moyen par mètre carré pour le bâtiment complet, puisqu'une fois qu'on a convenu de construire le bâtiment principal, le coût d'agrandissement par mètre carré est normalement beaucoup plus bas.

Exemple 2 Le coût d'extraction de T tonnes de minerai de cuivre est égal à $C = f(T)$ \$. Que signifie l'expression $f'(2000) = 100$?

Solution On utilise la nouvelle notation

$$f'(2000) = \left.\frac{dC}{dT}\right|_{T = 2000} = 100 .$$

Puisque C est mesuré en dollars et T en tonnes, dC/dT doit être mesuré en dollars par tonne. Par conséquent, l'expression $f'(2000) = 100$ signifie que, lorsqu'on a déjà extrait 2000 tonnes de minerai, le coût pour extraire 1 tonne de plus est d'approximativement 100 \$.

Exemple 3 Si $q = f(p)$ indique le nombre de kg de sucre produit quand le prix unitaire est de p \$, quelles sont les unités et la signification de

$$f'(3) = 50 ?$$

Solution Puisque $f'(3)$ est la limite quand $h \to 0$ de

$$\frac{f(3 + h) - f(3)}{h}$$

et que $f(3 + h) - f(3)$ représente des kilogrammes et h des dollars, les unités du dernier quotient sont des kilogrammes par dollar. Puisque $f'(3)$ est la limite du quotient précédent, ses unités sont également des kilogrammes par dollar. L'énoncé

$$f'(3) = 50 \text{ kg/\$}$$

signifie que le taux de variation de q par rapport à p est de 50 quand $p = 3$. En reformulant cette expression, on peut dire que, lorsque le prix est de 3 \$, la quantité produite croît de 50 kg par dollar supplémentaire. Il s'agit d'un taux de variation instantané, ce qui signifie que, si le taux demeure à 50 kg/\$ et si le prix augmente de 1 \$, la quantité produite augmentera approximativement de 50 kg. En fait, le taux ne restera sans doute pas constant et, par conséquent, la quantité supplémentaire produite ne sera probablement pas d'exactement 50 kg. On remarque que les unités de la dérivée et du taux moyen de variation sont encore les mêmes.

Exemple 4 Une conduite d'eau a un débit constant de 10 m^3/s. Interprétez ce taux comme la dérivée d'une fonction appropriée.

Solution D'abord, on considère que l'énoncé a un rapport avec la vitesse de l'eau. Cependant, un débit de 10 m^3/s peut être obtenu soit par un écoulement très lent au travers d'un gros tuyau, soit par un écoulement très rapide au travers d'un tuyau étroit. Si on tient compte des unités, qui sont en mètres cubes par seconde, on s'aperçoit qu'elles représentent un taux de variation de la quantité en mètres cubes. Le mètre cube étant une mesure de volume, le taux de variation concernera le volume. On peut, par exemple, imaginer que l'eau s'écoule au travers du tuyau pour aboutir dans un réservoir. Soit $V(t)$ le volume de l'eau dans le réservoir au temps t. Dans ce cas, le taux de variation de $V(t)$ est égal à 10 ou

$$V'(t) = \frac{dV}{dt} = 10 .$$

Exemple 5   Supposez que $P = f(t)$ est la population du Mexique exprimée en millions de personnes et t le nombre d'années écoulées depuis 1980. Expliquez la signification des énoncés ci-après.

    a) $f'(6) = 2$ b) $f^{-1}(95,5) = 16$ c) $(f^{-1})'(95,5) = 0,46$

Solution

a) Les unités de P sont des millions de personnes, les unités de t sont des années, donc les unités de $f'(t)$ sont des millions de personnes par année. Par conséquent, l'énoncé $f'(6) = 2$ indique qu'à $t = 6$ (c'est-à-dire en 1986), la population du Mexique était en croissance à un taux de 2 millions de personnes par année.

b) $f^{-1}(95,5) = 16$ indique que l'année où la population était de 95,5 millions de personnes est $t = 16$ (c'est-à-dire l'année 1996).

c) Les unités de la dérivée $(f^{-1})'(P)$ sont des années par million de personnes. L'énoncé $(f^{-1})'(95,5) = 0,46$ indique que, l'année où la population était de 95,5 millions de personnes, il fallait à peu près 0,46 année pour que la population s'accroisse de 1 million.

Problèmes de la section 2.4

1. Soit $f(x)$ la hauteur (en mètres) du fleuve Amazone à x km de sa source. Quelles sont les unités de $f'(x)$? Que pouvez-vous dire du signe de $f'(x)$?

2. La température T (en degrés Celcius) d'un plat froid dans un four très chaud est obtenue par $T = f(t)$, où t est le temps (en minutes) écoulé depuis que le plat a été placé dans le four.

    a) Quel est le signe de $f'(t)$? Pourquoi ?
    b) Quelles sont les unités de $f'(20)$? Quelle est la signification pratique de l'énoncé $f'(20) = 2$?

3. Supposez que $P(t)$ est le versement mensuel (en dollars) d'une hypothèque sur t années. Quelles sont les unités de $P'(t)$? Quelle est la signification pratique de $P'(t)$? Quel est son signe ?

4. Supposez que $C(r)$ est le coût total d'une voiture louée à un taux annuel de r %. Quelles sont les unités de $C'(r)$? Quelle est la signification pratique de $C'(r)$? Quel est son signe ?

5. Après que vous avez investi 1000 \$ à un taux d'intérêt annuel de 7 % composé continuellement pendant t années, votre avoir sera de B \$, où $B = f(t)$. Quelles sont les unités de dB/dt ? Quelle est l'interprétation financière de dB/dt ?

6. Si vous investissez 1000 \$ à un taux d'intérêt annuel de r % composé continuellement pendant 10 ans, votre avoir sera de B \$, où $B = g(r)$. Quelle est l'interprétation financière des énoncés ci-après ?

    a) $g(5) \approx 1649$
    b) $g'(5) \approx 165$. Quelles sont les unités de $g'(5)$?

7. Un fabricant de crème glacée sait que le coût C (en dollars) pour produire une quantité g (en litres) de crème glacée est une fonction de g telle que $C = f(g)$.

    a) Si $f(200) = 70$, quelles sont les unités du nombre 200 ? Quelles sont les unités du nombre 70 ? Expliquez clairement ce que cette égalité vous apprend.
    b) Si $f'(200) = 3$, quelles sont les unités du nombre 200 ? Quelles sont les unités du nombre 3 ? Expliquez clairement ce que cette égalité vous apprend.

8. Un économiste s'intéresse à la manière dont le prix de certains articles influe sur les ventes. Supposez qu'une quantité q est vendue pour le prix de p \$. Si $q = f(p)$, expliquez la signification de chacun des énoncés ci-après.

    a) $f(150) = 2000$ b) $f'(150) = -25$

9. Soit $p(h)$ la pression (en dynes par centimètre carré) exercée sur une foreuse à une profondeur de h m sous la surface de l'océan. Que signifie chacune des quantités suivantes en ce qui concerne la foreuse ? Donnez les unités de ces quantités.

   a) $p(100)$

   b) h tel que $p(h) = 1{,}2 \cdot 10^6$

   c) $p(h) + 20$

   d) $p(h + 20)$

   e) $p'(100)$

   f) h tel que $p'(h) = 20$

10. Soit $f(t)$ le nombre de centimètres de pluie tombée depuis minuit, où t est le temps (en heures). Interprétez les expressions suivantes de manière pratique en donnant les unités.

    a) $f(10) = 3{,}1$
    b) $f^{-1}(10) = 16$
    c) $f'(8) = 0{,}4$
    d) $(f^{-1})'(5) = 2$

11. Soit W la quantité d'eau (en litres) dans une baignoire au temps t (en minutes).

    a) Quelle est la signification et quelles sont les unités de dW/dt ?
    b) Supposez que la baignoire est remplie au temps t_0 de telle sorte que $W(t_0) > 0$. Puis, au temps $t_p > t_0$, on retire le bouchon. Est-ce que dW/dt est positif, négatif ou zéro dans les situations suivantes :

       i)   pour $t_0 < t < t_p$?
       ii) après qu'on a retiré le bouchon ?
       iii) quand toute l'eau s'est vidée de la baignoire ?

12. Supposez que w est le poids d'une quantité de papier dans un bac ouvert et que t représente le temps. On lance une allumette allumée dans le bac de papier au temps $t = 0$.

    a) Quel est le signe de dw/dt pour t durant la période où le papier est en train de brûler ?
    b) Quel est le comportement de dw/dt qui indique que le feu est éteint ?
    c) Si le feu est d'abord circonscrit, mais qu'il prend de l'ampleur durant un certain intervalle de temps, alors est-ce que dw/dt sera croissant ou décroissant sur cet intervalle ? Que diriez-vous de $|dw/dt|$?

13. Si $g(v)$ est la consommation d'essence (en kilomètres par litre) d'une voiture allant à la vitesse v (en kilomètres par heure), quelles sont les unités de $g'(55)$? Quelle est la signification pratique de l'énoncé $g'(55) = -0{,}54$?

14. a) Si vous sautez d'un avion sans parachute, vous tomberez de plus en plus vite jusqu'à ce que la résistance du vent vous freine pour approcher une vitesse stable appelée vitesse *terminale*. Tracez un graphe de la vitesse en fonction du temps.
    b) Expliquez la concavité du graphe obtenu.
    c) Supposez que la résistance du vent est négligeable en $t = 0$. Quel phénomène naturel est représenté par la pente du graphe en $t = 0$?

15. Les revenus d'un concessionnaire de voitures C (en milliers de dollars) sont une fonction de ses dépenses de publicité a, également mesurées en milliers de dollars. Supposez que $C = f(a)$.

    a) Comment pouvez-vous représenter les espoirs de la société au moyen du signe de f' ?
    b) Que signifie l'énoncé $f'(100) = 2$ en termes pratiques ? Que signifie $f'(100) = 0{,}5$?
    c) Supposez que le budget de publicité de la société est d'environ 100 000 $. Si $f'(100) = 2$, est-ce que la société doit dépenser plus ou moins que 100 000 $ en publicité ? Que se passerait-il si $f'(100) = 0{,}5$?

16. Soit $P(x)$ le nombre de personnes dans le monde dont la grandeur est $\leq x$ cm. Quelle est la signification de $P'(170)$? Quelles sont les unités ? Évaluez $P'(170)$ (avec bon sens). $P'(x)$ est-il toujours négatif ? [Conseil : vous devriez essayer d'estimer $P'(170)$ par le taux de variation avec $h = 1$. Vous pouvez également supposer que la population de la Terre est d'environ 6 milliards d'habitants.

2.5 LA DÉRIVÉE SECONDE

Puisque la dérivée est elle-même une fonction, on peut considérer sa propre dérivée. Pour une fonction f, la dérivée de la dérivée est appelée la *dérivée seconde* et s'écrit f'' (lire f seconde).

Si $y = f(x)$, la dérivée seconde peut également s'écrire $\dfrac{d^2y}{dx^2}$, ce qui signifie $\dfrac{d}{dx}\left(\dfrac{dy}{dx}\right)$, soit la dérivée de $\dfrac{dy}{dx}$.

Que signifient les dérivées ?

Il faut se rappeler que les dérivées d'une fonction indiquent si la fonction est croissante ou décroissante :

- si $f' > 0$ sur un intervalle, alors f est *croissante* sur cet intervalle ;
- si $f' < 0$ sur un intervalle, alors f est *décroissante* sur cet intervalle.

Puisque f'' est la dérivée de f',

- si $f'' > 0$ sur un intervalle, alors f' est *croissante* sur cet intervalle ;
- si $f'' < 0$ sur un intervalle, alors f' est *décroissante* sur cet intervalle.

Que signifie le fait que f' soit croissante ou décroissante ? Un exemple de f' croissante est illustré à la figure 2.32. On remarque que la courbe est incurvée vers le haut (ou concave vers le haut). Dans l'exemple illustré à la figure 2.33, f' est décroissante et on remarque que le graphe est incurvé vers le bas (ou concave vers le bas). Ces figures permettent d'énoncer :

> Si $f'' > 0$ sur un intervalle, alors f' est croissante sur cet intervalle et le graphe de f est donc concave vers le haut.
>
> Si $f'' < 0$ sur un intervalle, alors f' est décroissante sur cet intervalle et le graphe de f est donc concave vers le bas.

Figure 2.32 : Signification de f'' : la pente croît de la gauche vers la droite ; f'' est positive et f est concave vers le haut.

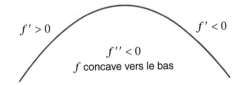

Figure 2.33 : Signification de f'' : la pente décroît de la gauche vers la droite ; f'' est négative et f est concave vers le bas.

Exemple 1   Pour les fonctions dont le graphe est illustré à la figure 2.34 (page suivante), on dira dans quel cas la dérivée seconde est positive et dans quel cas elle est négative.

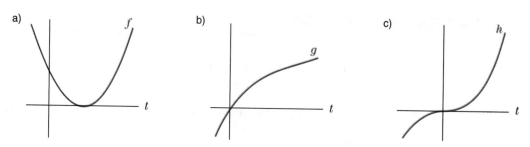

Figure 2.34 : Quels sont les signes des dérivées secondes ?

Solution   À partir de ces graphes, il apparaît que :

a) $f'' > 0$ partout, parce que le graphe de f est concave vers le haut partout.

b) $g'' < 0$ partout, parce que le graphe est concave vers le bas partout.

c) $h'' < 0$ pour $t < 0$, parce que le graphe est concave vers le bas sur cet intervalle ; $h'' > 0$ pour $t > 0$, parce que le graphe de h est concave vers le haut sur cet intervalle.

L'interprétation de la dérivée seconde comme taux de variation

Si on considère que la dérivée représente un taux de variation, alors la dérivée seconde représente le taux de variation d'un taux de variation. Si la dérivée seconde est positive, le taux de variation de f est croissant ; si la dérivée seconde est négative, le taux de variation de f est décroissant.

La dérivée seconde est parfois au cœur de la réflexion. En 1985, un journal titrait que le Congrès avait réduit le budget du Secrétariat de la Défense. En réponse à cette accusation, les opposants firent remarquer que le Congrès n'avait fait que réduire le taux de croissance du budget de la Défense[2]. En d'autres termes, la dérivée du budget de la Défense était toujours positive (le budget continuait à croître), mais la dérivée seconde était négative (le taux d'accroissement du budget ralentissait).

Exemple 2   Une population P dans un environnement fermé augmente souvent selon une courbe de croissance *logistique,* comme celle qui est illustrée à la figure 2.35. Utilisez d^2P/dt^2 pour décrire à quel taux la population croît dans le temps. Quelles sont les interprétations pratiques de t_0 et de L ?

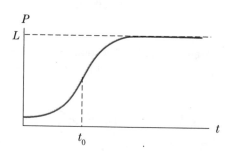

Figure 2.35 : Courbe de croissance logistique

Solution   À l'origine, la population croît à un taux croissant. Ainsi, à l'origine, dP/dt est croissant et $d^2P/dt^2 > 0$. À t_0, le taux auquel la population croît est maximal. En d'autres termes, à t_0, la population a une croissance plus rapide. Après t_0, le taux de croissance de la population

---

2. Dans le *Boston Globe* du 13 mars 1985, on a rapporté que le représentant William Gray (D-PA.) a dit : « Le peuple américain est dérouté lorsqu'on lui laisse entendre que le Congrès compromet la sécurité nationale lorsqu'il fait des réductions alors que, en réalité, c'est de réduction du taux de croissance qu'il est question. »

ralentit et ainsi, $d^2P/dt^2 < 0$. À t_0, la courbe qui était concave vers le haut devient concave vers le bas, et $d^2P/dt^2 = 0$ en ce point.

La quantité L représente la valeur limite de la population quand $t \to \infty$. Les biologistes appellent L la *capacité limite* d'un environnement.

Exemple 3   Des tests effectués sur la Corvette Chevy C5 donnent les résultats[3] illustrés au tableau 2.12.

a)   Évaluez dv/dt pour les intervalles illustrés.

b)   Que pouvez-vous dire du signe de d^2v/dt^2 pendant la période indiquée ?

TABLEAU 2.12   *Vitesse de la Corvette Chevy C5*

Temps t (s)	0	3	6	9	12
Vitesse v (m/s)	0	20	33	43	51

Solution   a)   Sur chacun des intervalles, on doit calculer le taux moyen de variation de la vitesse. Par exemple, de $t = 0$ à $t = 3$, on a

$$\frac{dv}{dt} \approx \text{Taux moyen de variation de } v = \frac{20 - 0}{3 - 0} = 6,67 \ \frac{\text{m/s}}{\text{s}}.$$

Le tableau 2.13 présente les estimations de dv/dt.

b)   Puisque les valeurs de dv/dt sont décroissantes, $d^2v/dt^2 < 0$. Le graphe de v par rapport à t de la figure 2.36 confirme cette affirmation car il est concave vers le bas. Le signe de $dv/dt > 0$ indique que la voiture accélère.

Le signe de $d^2v/dt^2 < 0$ indique que le taux de variation décroît pendant cette période.

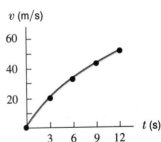

Figure 2.36 : Vitesse de la Corvette Chevy C5

TABLEAU 2.13   *Estimations de dv/dt [(m/s)/s]*

Intervalle (s)	$0 - 3$	$3 - 6$	$6 - 9$	$9 - 12$
Taux moyen de variation (dv/dt)	6,67	4,33	3,33	2,67

La vitesse et l'accélération

La voiture de l'exemple 3 a une vitesse croissante ; on dit qu'elle accélère. On définit donc l'*accélération* comme le taux de variation de la vitesse en fonction du temps. Si $v(t)$ est la vitesse d'un objet au temps t, on a

$$\begin{array}{c} \text{Accélération moyenne} \\ \text{de } t \text{ à } t + h \end{array} = \frac{v(t + h) - v(t)}{h}.$$

---

3.   Adapté du rapport tiré de *Car and Driver*, février 1997.

$$\text{Accélération instantanée} = v'(t) = \lim_{h \to 0} \frac{v(t+h) - v(t)}{h}$$

Si le terme *vitesse* (ou accélération) est utilisé seul, on supposera que la vitesse est instantanée. Puisque la vitesse est la dérivée de la position, l'accélération est la dérivée seconde de la position. En résumé,

Si $y = s(t)$ est la position d'un objet au temps t, alors

- Vitesse : $v(t) = \dfrac{dy}{dt} = s'(t)$.

- Accélération : $a(t) = \dfrac{d^2 y}{dt^2} = s''(t) = v'(t)$.

Exemple 4   Une particule se déplace le long d'une ligne droite. Si sa distance s à droite d'un point fixe est donnée par la figure 2.37, évaluez

    a)   à quel moment la particule se déplace vers la droite et à quel moment elle se déplace vers la gauche ;

    b)   à quel moment la particule a une accélération positive et à quel moment elle a une accélération négative.

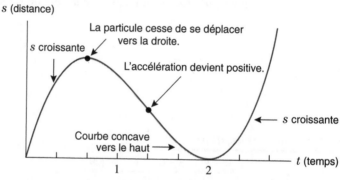

Figure 2.37 : Distance par rapport à un point fixe
d'une particule qui se déplace vers la droite

Solution   a)   La particule se déplace vers la droite chaque fois que s est croissante. En examinant le graphe, on constate que ce phénomène apparaît pour $0 < t < \frac{2}{3}$ et $t > 2$. Pour $\frac{2}{3} < t < 2$, la valeur de s est décroissante et la particule se déplace donc vers la gauche.

    b)   La particule a une accélération positive chaque fois que la courbe est concave vers le haut, ce qui apparaît pour $t > \frac{4}{3}$. La particule a une accélération négative quand la courbe est concave vers le bas, c'est-à-dire pour $t < \frac{4}{3}$.

Problèmes de la section 2.5

Pour les problèmes 1 à 6, donnez les signes des dérivées première et seconde pour chacune des fonctions ci-après.

1.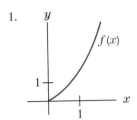

2.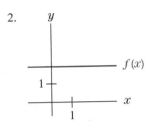

3.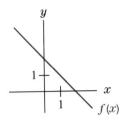

4.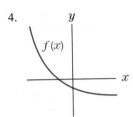

5.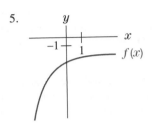

6.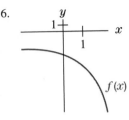

7. Une voiture sport passe de 0 km/h à 100 km/h en 5 s. Sa vitesse est donnée dans le tableau 2.14, qui convertit les kilomètres par heure en mètres par seconde afin que les mesures soient exprimées en secondes. (Remarque : 1 km/h est égal à 5/18 m/s.) Trouvez l'accélération moyenne de la voiture au cours de chacune des deux premières secondes.

TABLEAU 2.14

Temps t (s)	0	1	2	3	4	5
Vitesse $v(t)$ (m/s)	0	10	16	21	24	27

8. Soit $P(t)$ le prix de l'action d'une corporation au temps t. Que signifient les énoncés suivants en ce qui concerne les signes des dérivées première et seconde de $P(t)$?

a) « Le prix de l'action croît de plus en plus vite. »

b) « Le prix de l'action a *presque atteint son cours le plus bas.* »

9. « Vaincre la pauvreté » a été décrit de manière cynique comme « ralentir le taux auquel la population tombe en dessous du seuil de pauvreté ». Supposez que cet énoncé est vrai.

a) Tracez le graphe du nombre total de personnes qui vivent en dessous du seuil de pauvreté en fonction du temps.

b) Si N est le nombre de personnes vivant en dessous du seuil de pauvreté au temps t, quels sont les signes de dN/dt et de d^2N/dt^2 ?

10. En économie, l'*utilité totale* représente le taux de satisfaction maximale à propos d'un produit. Selon l'économiste Samuelson[4] :

Au fur et à mesure qu'un même produit est consommé, l'utilité (psychologique) totale croît. Cependant, [...] au fur et à mesure qu'apparaissent de nouveaux produits, l'utilité totale connaîtra une croissance de plus en plus lente en raison de la tendance naturelle des consommateurs à apprécier davantage des produits concurrents.

a) Illustrez l'utilité totale comme une fonction du nombre d'unités consommées.

b) Comment pouvez-vous représenter en termes de dérivées l'affirmation de Samuelson ?

11. En avril 1991, le journal *The Economist* publiait un article[5] qui disait :

Soudainement, partout, ce n'est plus le taux de variation des choses qui importe, mais le taux de variation du taux de variation. Plus personne ne se soucie de l'inflation ; on se soucie simplement de savoir si elle augmente ou diminue. Ou plutôt, si elle accélère ou ralentit. « L'inflation

---

4. SAMUELSON, Paul A., *Economics*, 11ᵉ éd., New York, McGraw-Hill, 1981.

5. Extrait de « The Tyranny of Differential Calculus : $d^2P/dt^2 > 0$ = misery », *The Economist*, Londres, 6 avril 1991.

chute de deux points », s'écrie la Bourse, ce qui peut signifier que les prix continuent de croître, mais moins vite qu'auparavant, bien que cela ne soit pas aussi lentement que tout le monde l'espérait.

La dernière phrase de cet article contient trois énoncés concernant les prix. Rédigez ces énoncés sous forme de dérivées.

12. Au Pérou, IBM se sert des dérivées secondes pour évaluer le succès relatif de ses diverses campagnes de publicité. Les dirigeants estiment que toutes les campagnes produisent un certain accroissement des ventes. Si un graphe des ventes en fonction du temps montre une dérivée seconde positive durant une nouvelle campagne de publicité, que doivent en déduire les dirigeants d'IBM ? Pourquoi ? Quelle signification aurait une dérivée seconde négative pendant une campagne de publicité ?

13. Une industrie est accusée par l'Agence de protection de l'environnement d'avoir déversé un taux inacceptable de polluants toxiques dans un lac. Sur une période de sept mois, une firme d'experts-conseils effectue des mesures quotidiennes pour connaître le taux de déversement des polluants dans le lac.

Supposez que la firme produise un graphe similaire à celui de la figure 2.38 a) ou à celui de la figure 2.38 b). Imaginez dans chaque cas l'argumentation que l'Agence de protection de l'environnement devrait présenter à la cour contre cette industrie et la défense de cette dernière.

Figure 2.38 : Déversements toxiques

14. En tenant compte des données suivantes :

x	0	0,2	0,4	0,6	0,8	1,0
$f(x)$	3,7	3,5	3,5	3,9	4,0	3,9

a) Estimez $f'(0,6)$ et $f'(0,5)$.
b) Estimez $f''(0,6)$.
c) Où croyez-vous que les valeurs maximale et minimale de f sont atteintes sur l'intervalle $0 \le x \le 1$?

15. Le graphe de la fonction $f(x)$ est illustré à la figure 2.39. Sur une copie du tableau ci-dessous, indiquez le signe de f, de f' et de f'' pour chaque point indiqué (positif, négatif ou zéro).

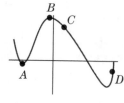

Figure 2.39

Point	f	f'	f''
A			
B			
C			
D			

16. Le graphe de f' (et non de f) est illustré à la figure 2.40. Pour quelle valeur de x trouvez-vous :

a) $f(x)$ le plus grand ?   b) $f(x)$ le plus petit ?   c) $f'(x)$ le plus grand ?

d) $f'(x)$ le plus petit ?   e) $f''(x)$ le plus grand ?   f) f'' le plus petit ?

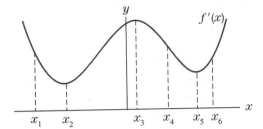

Figure 2.40 : Remarquez que ce graphe est celui de f'.

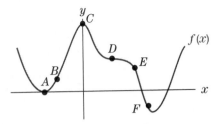

Figure 2.41

17. Quels sont les points du graphe illustré à la figure 2.41 qui ont :

a) f' et f'' différents de zéro et du même signe ?
b) au moins deux des valeurs f, f' ou f'' égales à zéro ?

18. La distance d'une voiture à partir de sa position initiale t minutes après son départ est donnée par l'équation $s(t) = 5t^2 + 3$ km. Quelles sont la vitesse et l'accélération de la voiture au temps t ? Précisez les unités.

SOMMAIRE DU CHAPITRE

- **Taux de variation**
  Moyen, instantané.

- **Définition de la dérivée**
  Taux moyen de variation, limite.

- **Évaluation et calcul des dérivées**
  Évaluer les dérivées à partir d'un graphe, d'un tableau de valeurs ou de formules. Utiliser la définition pour trouver les dérivées des fonctions simples de manière algébrique. Connaître les dérivées d'une fonction constante, d'une fonction linéaire et d'une fonction puissance.

- **Interprétation des dérivées**
  Taux de variation, vitesse instantanée, pente, utilisation des unités.

- **Dérivée seconde**
  Concavité de la courbe, accélération.

- **Utilisation des dérivées**
  Compréhension de la relation entre le signe de f' et la croissance de la fonction f. Tracé du graphe de f' à partir du graphe de f.

PROBLÈMES DE RÉVISION DU CHAPITRE DEUX

1. Un cycliste pédale à une allure constante et alterne avec des parcours en roues libres à intervalles constants. Dessinez le graphe de la distance parcourue par ce cycliste en fonction du temps.

2. Quand vous quittez votre domicile, vous commencez par aller très vite, puis vous ralentissez et vous accélérez de nouveau. Tracez un graphe de la distance parcourue depuis votre domicile en fonction du temps.

3. a) Construisez un tableau des valeurs (arrondies à deux décimales) pour $f(x) = \log x$ (soit log en base 10) avec $x = 1$, 1,5, 2, 2,5 et 3. Puis, utilisez ce tableau pour répondre aux parties b) et c).
   b) Trouvez le taux moyen de variation de $f(x)$ entre $x = 1$ et $x = 3$.
   c) Utilisez les taux moyens de variation pour calculer approximativement le taux de variation instantané de $f(x)$ au point $x = 2$.

4. Pour la fonction $f(x) = \log x$, estimez $f'(1)$. À partir du graphe de $f(x)$, vous attendriez-vous à ce que votre estimation soit plus grande ou moins grande que $f'(1)$?

5. Pour $f(x) = \ln x$, construisez les tableaux (de valeurs arrondies à quatre décimales) à proximité de $x = 1$, de $x = 2$, de $x = 5$ et de $x = 10$. Utilisez ces tableaux pour estimer $f'(1)$, $f'(2)$, $f'(5)$ et $f'(10)$. Puis, proposez une formule générale pour $f'(x)$.

6. En fonction des valeurs de la fonction de Bessel $J_0(x)$ du tableau 2.15, quelle est votre meilleure estimation pour la dérivée de $J_0(x)$ en $x = 0,5$?

TABLEAU 2.15

x	0	0,1	0,2	0,3	0,4	0,5
$J_0(x)$	1,0	0,9975	0,9900	0,9776	0,9604	0,9385
x	0,6	0,7	0,8	0,9	1,0	
$J_0(x)$	0,9120	0,8812	0,8463	0,8075	0,7652	

Tracez les graphes des dérivées des fonctions illustrées aux problèmes 7 à 12. Assurez-vous que vos tracés respectent les caractéristiques principales des fonctions originales.

7.

8.
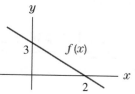

9.
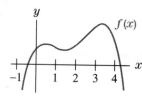

10.
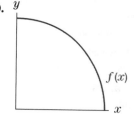

11.
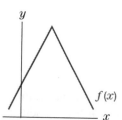

12.
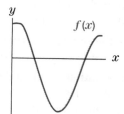

À l'aide de la définition, trouvez algébriquement la dérivée des fonctions des problèmes 13 et 14.

13. $f(x) = 5x^2 + x$

14. $n(x) = \dfrac{1}{x} + 1.$

15. a) Sur le même système d'axes, tracez $f(x) = \sin x$ et $g(x) = \sin 2x$ à partir de $x = 0$ jusqu'à $x = 2\pi$.

   b) Sur un deuxième système d'axes, tracez les graphes de $f'(x)$ et $g'(x)$ et comparez-les. (Faites attention en comparant les pentes de $f(x)$ et de $g(x)$ à chacun des points.)

16. Les valeurs du tableau 2.16 pour la fonction $y = k(x)$ permettent-elles de dire que la fonction $k(x)$ est concave vers le haut ou concave vers le bas pour $1 \le x \le 3,3$? Justifiez votre réponse.

TABLEAU 2.16

x	1,0	1,2	1,5	1,9	2,5	3,3
$k(x)$	4,0	3,8	3,6	3,4	3,2	3,0

17. Une pomme de terre vient d'être sortie du four et est en train de refroidir avant d'être consommée. La température T de la pomme de terre (en degrés Celcius) est fonction du temps écoulé depuis sa sortie du four ; t est le temps (en minutes). Par conséquent, on a $T = f(t)$.

   a) $f'(t)$ est-elle positive ou négative ? Pourquoi ?
   b) Quelles sont les unités pour $f'(t)$?

18. Un économiste s'intéresse aux effets du prix sur la vente d'un certain produit. Supposez qu'à un prix de p \$, une quantité q de ce produit est vendue. Si $q = f(p)$, expliquez en termes économiques la signification des énoncés $f(10) = 240\,000$ et $f'(10) = -29\,000$.

19. On demande à des étudiants d'estimer $f'(4)$ à partir du tableau ci-dessous, qui montre les valeurs de la fonction f.

x	1	2	3	4	5	6
$f(x)$	4,2	4,1	4,2	4,5	5,0	5,7

- L'étudiant A estime que la dérivée est $f'(4) \approx \dfrac{f(5) - f(4)}{5 - 4} = 0,5$.

- L'étudiant B estime que la dérivée est $f'(4) \approx \dfrac{f(4) - f(3)}{4 - 3} = 0,3$.

- L'étudiant C suggère qu'on devrait séparer la différence et calculer la moyenne de ces deux résultats, c'est-à-dire $f'(4) \approx \frac{1}{2}(0,5 + 0,3) = 0,4$.

a) Tracez le graphe de f et indiquez comment ces trois estimations sont représentées sur le graphe.

b) Expliquez quelle réponse est, selon vous, la meilleure.

c) En vous servant de la méthode de l'étudiant C, trouvez une formule algébrique qui s'approche de $f'(x)$ en utilisant des incréments de taille h.

20. Chacun des graphes de la figure 2.42 montre la position d'une particule en mouvement le long de l'axe des x en fonction du temps $0 \le t \le 5$. Les échelles verticales du graphe sont les mêmes. Durant cet intervalle, quelle particule a :

a) une vitesse constante ?

b) la vitesse initiale la plus grande ?

c) la vitesse moyenne la plus grande ?

d) la vitesse moyenne nulle ?

e) l'accélération nulle ?

f) une accélération positive partout ?

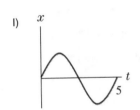 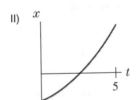 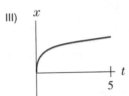 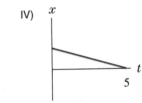

Figure 2.42

21. Une personne atteinte d'une maladie du foie commence par montrer des concentrations de plus en plus grandes de certaines enzymes [appelées SGOT (sérum glutama oxaloacétique transaminase) et SGPT (sérum glutama pyruvique transaminase)] dans le sang. Plus le mal progresse, plus la concentration des enzymes décroît, du niveau qui précédait la maladie jusqu'à zéro (lorsque presque toutes les cellules du foie sont mortes). La surveillance de la présence de ces enzymes permet aux médecins de suivre l'état du patient. Soit $C = f(t)$, qui représente la concentration des enzymes dans le sang en fonction du temps.

a) Tracez le graphe possible de $C = f(t)$.

b) Marquez sur le graphe les intervalles où $f' > 0$ et où $f' < 0$.

c) Que représente $f'(t)$ en termes simples ?

22. La population d'un troupeau de chevreuils est modélisée par

$$P(t) = 4000 + 400 \sin\left(\frac{\pi}{6}t\right) + 180 \sin\left(\frac{\pi}{3}t\right)$$

où t représente les mois écoulés depuis le 1er avril.

a) À l'aide d'une calculatrice ou d'un ordinateur, tracez le graphe de la variation de ce troupeau en fonction du temps.

En vous référant au graphe de la partie a), répondez aux questions suivantes :

b) À quel moment le troupeau est-il le plus nombreux ? Combien y a-t-il de chevreuils à ce moment-là ?

c) À quel moment le troupeau est-il le moins nombreux ? Combien y a-t-il de chevreuils à ce moment-là ?

d) À quel moment le troupeau croît-il le plus rapidement ? À quel moment décroît-il le plus rapidement ?

e) Avec quelle rapidité le troupeau est-il en croissance le 1er avril ?

23. Soit $g(x) = \sqrt{x}$ et $f(x) = kx^2$, où k est une constante.

a) Trouvez la pente de la droite tangente au graphe de g au point $(4, 2)$.
b) Trouvez l'équation de cette tangente.
c) Si le graphe de f passe par le point $(4, 2)$, trouvez k.
d) À quel point le graphe de f coupe-t-il la tangente ?

24. L'équation d'un cercle dont le centre est à l'origine des axes et dont le rayon est de longueur $\sqrt{19}$ est $x^2 + y^2 = 19$. Tracez ce cercle.

a) Seulement par observation du graphe, que pouvez-vous dire à propos de la pente de la droite tangente à ce cercle au point $(0, \sqrt{19})$? Que pouvez-vous dire de la pente de la tangente au point $(\sqrt{19}, 0)$?
b) Estimez la pente de la tangente à ce cercle au point $(2, -\sqrt{15})$ en traçant avec précaution la tangente en ce point.
c) Utilisez le résultat de la partie b) et la propriété de symétrie du cercle pour trouver les pentes des tangentes tracées à ce cercle aux points $(-2, \sqrt{15})$, $(-2, -\sqrt{15})$ et $(2, \sqrt{15})$.

25. Une fonction continue, définie pour toutes les valeurs de x, a les propriétés suivantes :

- f est croissante.   • f est concave vers le bas.   • $f(5) = 2$.   • $f'(5) = \frac{1}{2}$.

a) Tracez un graphe possible pour f.   b) Combien de zéros f contient-il ?

c) Que pouvez-vous dire sur l'emplacement de ces zéros ?   d) Quelle est la valeur de $\lim\limits_{x \to -\infty} f(x)$?

e) Est-il possible que $f'(1) = 1$?   f) Est-il possible que $f'(1) = \frac{1}{4}$?

26. Le nombre d'heures H d'ensoleillement à Madrid est une fonction de t, qui est le nombre de jours écoulés depuis le début de l'année. La figure 2.43 illustre une période d'un mois du graphe de H.

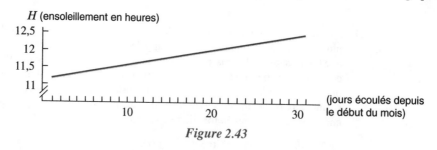

Figure 2.43

a) Que pensez-vous de la forme de ce graphe ? Pourquoi ressemble-t-il à une droite ?
b) Quel est le mois qui est illustré par ce graphe ? Comment le savez-vous ?
c) Quelle est la pente approximative de cette droite ? Que signifie-t-elle en termes simples ?

27. Supposez que vous placez une pomme de terre dans un four très chaud que vous maintenez à une température constante de 200 °C. La température de la pomme de terre s'accroît progressivement[6].

6. TAYLOR, Peter D., *Calculus : The Analysis of Functions*, Toronto, Wall & Emerson Inc., 1992.

a) Tracez un graphe possible de la température T de la pomme de terre en fonction du temps t (en minutes) depuis qu'elle a été mise dans le four. Expliquez les caractéristiques intéressantes de ce graphe et, en particulier, expliquez sa concavité.

b) Supposez que, à $t = 30$, la température T de la pomme de terre soit de 120 $^{\circ}$C et qu'elle croisse à un taux (instantané) de 2 $^{\circ}$C/min. En utilisant cette information et ce que vous savez de la forme du graphe de T, évaluez sa température au temps $t = 40$.

c) Supposez de plus que, à $t = 60$, la température de la pomme de terre est de 165 $^{\circ}$C. Pouvez-vous améliorer votre première estimation de la température à $t = 40$?

d) Sur la base de toutes les informations précédentes, estimez le moment où la pomme de terre sera à la température de 150 $^{\circ}$C.

GROS PLAN SUR LA THÉORIE

LES LIMITES ET LA CONTINUITÉ

Dans cette section, on donnera des exemples de limites et de continuité qui illustreront la manière dont les définitions formelles sont issues d'idées intuitives.

La définition de la limite

Au début du XIXe siècle, le calcul différentiel et intégral démontra sa valeur et il n'y avait aucun doute en ce qui concerne l'exactitude de ses réponses. Cependant, il a fallu attendre les travaux du mathématicien français Augustin Cauchy (1789-1857) pour obtenir une définition formelle de la limite qui est semblable à la définition suivante :

> Soit une fonction f définie sur un intervalle autour de c, mais non au point $x = c$. On définit la **limite** de la fonction $f(x)$ quand x tend vers c, ce qui s'écrit $\lim_{x \to c} f(x)$, comme étant un nombre L (s'il existe) de telle sorte que $f(x)$ puisse être rendue aussi proche que possible de L chaque fois que x est suffisamment proche de c (mais $x \neq c$). Si L existe, on écrit
>
> $$\lim_{x \to c} f(x) = L.$$

En bref, on dira que « aussi proche que possible » et « suffisamment proche » donnent une signification précise quand on utilise des inégalités. Tout d'abord, on étudie $\lim_{\theta \to 0} (\sin \theta / \theta)$ plus en détail (voir l'exemple 4 de la section 2.1).

Exemple 1

En traçant le graphe de $y = (\sin \theta)/\theta$ sur un intervalle de θ et de y approprié, trouvez à quelle proximité de zéro doit se trouver θ pour que $(\sin \theta)/\theta$ soit à une distance 0,01 de 1.

Solution

Puisqu'on veut que $(\sin \theta)/\theta$ soit à une distance 0,01 de 1, on définit l'intervalle y de la fenêtre graphique entre 0,99 et 1,01. Le premier essai avec $-0,5 \leq \theta \leq 0,5$ conduit à tracer le graphe de la figure 2.44. Puisqu'on veut que les valeurs de y soient à l'intérieur des limites $0,99 < y < 1,01$, il ne faut pas que le graphe déborde de la fenêtre par le haut ni par le bas. Par approximations successives, on trouve qu'en changeant les limites de θ pour $-0,2 \leq \theta \leq 0,2$, on obtient le graphe de la figure 2.45. Ce graphe permet de penser que $(\sin\theta)/\theta$ sera à une distance 0,01 de 1 chaque fois que θ est à une distance 0,2 de 0. La preuve exige toutefois une argumentation analytique et non simplement des graphes tracés à l'aide d'une calculatrice.

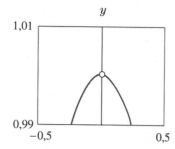

Figure 2.44 : $(\sin\theta)/\theta$
avec $-0,5 \leq \theta \leq 0,5$

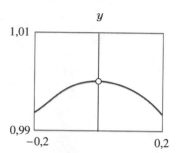

Figure 2.45 : $(\sin\theta)/\theta$
avec $-0,2 \leq \theta \leq 0,2$

Lorsqu'on dit que « $f(x)$ est aussi proche que possible de L », cela signifie qu'on peut spécifier une distance maximale entre $f(x)$ et L. On exprimera cette distance au moyen de valeurs absolues :

$$|f(x) - L| = \text{Distance entre } f(x) \text{ et } L.$$

En utilisant la lettre grecque ϵ (epsilon) pour représenter cette distance, on peut écrire

$$|f(x) - L| < \epsilon$$

afin d'indiquer que la distance maximale entre $f(x)$ et L est moindre que ϵ. Dans l'exemple 1, on peut utiliser $\epsilon = 0{,}01$. D'une manière similaire, on pose que « x est suffisamment proche de c » en spécifiant une distance maximale entre x et c, soit

$$|x - c| < \delta,$$

où δ (lettre grecque delta) indique la proximité de x par rapport à c. Dans l'exemple 1, on trouve $\delta = 0{,}2$.

Si $\lim\limits_{x \to c} f(x) = L$, quelle que soit l'étroitesse de l'intervalle défini par ϵ à la figure 2.46, il existe toujours une valeur de δ qui permettra que le graphe soit à l'intérieur de l'intervalle pour $c - \delta < x < c + \delta$.

Ainsi, on obtient une nouvelle définition de la limite au moyen de symboles.

Définition de la limite

On définit $\lim\limits_{x \to c} f(x)$ comme étant le nombre L (s'il existe) tel que, pour toute valeur $\epsilon > 0$ (aussi petite qu'on le veut), il existe une valeur $\delta > 0$ (suffisamment petite) telle que, si $|x - c| < \delta$ et $x \neq c$, alors $|f(x) - L| < \epsilon$.

On se rend compte que l'essentiel de cette définition réside dans le fait que, pour toute valeur de ϵ qu'on donne, on doit être capable de déterminer une valeur correspondante de δ. Une manière de le faire est de donner une expression explicite pour δ en termes de ϵ.

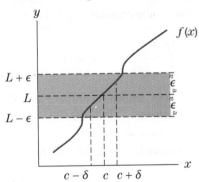

Figure 2.46 : Signification pratique de la définition d'une limite

---

Exemple 2   À l'aide de l'algèbre, trouvez une distance maximale entre x et 2 qui confirmera que x^2 est à une distance 0,1 de 4. Utilisez une argumentation similaire pour démontrer que $\lim\limits_{x \to 2} x^2 = 4$.

Solution   On écrit $x = 2 + h$. On désire trouver les valeurs de h qui rendent $|x^2 - 4| < 0{,}1$. On sait que

$$x^2 = (2 + h)^2 = 4 + 4h + h^2,$$

tel que x^2 diffère de 4 par $4h + h^2$. Puisqu'on veut $|x^2 - 4| < 0{,}1$, il faut que

$$|x^2 - 4| = |4h + h^2| = |h| \cdot |4 + h| < 0{,}1.$$

En supposant que $0 < |h| < 1$, on sait que $|4 + h| < 5$. Donc, il faut que

$$|x^2 - 4| < 5|h| < 0,1.$$

Ainsi, si on choisit h tel que $0 < |h| < 0,1/5 = 0,02$, alors x^2 est à une distance inférieure à 0,1 de 4.

Une argumentation analogue qui utiliserait le tout petit ϵ plutôt que 0,1 démontrerait que, si on prend $\delta = \epsilon/5$, alors

$$|x^2 - 4| < \epsilon \quad \text{pour toute valeur de } x \text{ telle que} \quad |x - 2| < \epsilon/5.$$

On a donc utilisé la définition pour démontrer que

$$\lim_{x \to 2} x^2 = 4.$$

Il est important de comprendre que la définition utilisant les ϵ et δ ne simplifie pas le calcul des limites. L'avantage de cette définition est qu'elle donne la possibilité de fonder le calcul différentiel sur des bases rigoureuses. À partir de celles-ci, on peut démontrer les propriétés suivantes (voir les problèmes 13 à 16).

Théorème : propriétés des limites

Supposez que toutes les limites du membre de droite existent.

1. Si b est une constante, alors $\lim_{x \to c} \big(bf(x)\big) = b \left(\lim_{x \to c} f(x)\right)$.

2. $\lim_{x \to c} \big(f(x) + g(x)\big) = \lim_{x \to c} f(x) + \lim_{x \to c} g(x)$.

3. $\lim_{x \to c} \big(f(x)g(x)\big) = \left(\lim_{x \to c} f(x)\right)\left(\lim_{x \to c} g(x)\right)$.

4. $\lim_{x \to c} \dfrac{f(x)}{g(x)} = \dfrac{\lim_{x \to c} f(x)}{\lim_{x \to c} g(x)}$ à la condition que $\lim_{x \to c} g(x) \neq 0$.

5. Pour toute constante k, $\lim_{x \to c} k = k$.

6. $\lim_{x \to c} x = c$.

Ces propriétés sous-tendent la plupart des calculs de limites et, par conséquent, on s'y référera souvent explicitement.

Exemple 3   Expliquez comment les propriétés des limites servent dans le calcul suivant :

$$\lim_{x \to 3} \frac{x^2 + 5x}{x + 9} = \frac{3^2 + (5)(3)}{3 + 9} = 2.$$

Solution   On calcule cette limite par étapes, en utilisant les propriétés des limites pour justifier chacune des étapes :

$$\lim_{x \to 3} \frac{x^2 + 5x}{x + 9} = \frac{\lim_{x \to 3}(x^2 + 5x)}{\lim_{x \to 3}(x + 9)} \qquad \text{Propriété 4 (puisque } \lim_{x \to 3}(x + 9) \neq 0)$$

$$= \frac{\lim_{x \to 3}(x^2) + \lim_{x \to 3}(5x)}{\lim_{x \to 3} x + \lim_{x \to 3} 9} \qquad \text{Propriété 2}$$

$$= \frac{\left(\lim_{x \to 3} x\right)^2 + 5\left(\lim_{x \to 3} x\right)}{\lim_{x \to 3} x + \lim_{x \to 3} 9} \qquad \text{Propriétés 1 et 3}$$

$$= \frac{3^2 + (5)(3)}{3 + 9} = 2. \qquad \text{Propriétés 5 et 6}$$

Les limites unilatérales et bilatérales

Quand on écrit

$$\lim_{x \to 2} f(x),$$

on désigne le nombre vers lequel tend $f(x)$ au fur et à mesure que x se rapproche de 2 par les *deux côtés*. On examine les valeurs de $f(x)$ au fur et à mesure que x se rapproche de 2 en se servant des valeurs plus grandes que 2 (telles que 2,1, 2,01 ou 2,003) et des valeurs plus petites que 2 (telles que 1,9, 1,99 ou 1,994). Si on veut que x se rapproche de 2 par des valeurs plus grandes que 2, on écrit

$$\lim_{x \to 2^+} f(x)$$

pour désigner la valeur vers laquelle tend $f(x)$ [en supposant qu'elle existe]. De la même façon,

$$\lim_{x \to 2^-} f(x)$$

représente la valeur (si elle existe) qu'on obtient en faisant se rapprocher x de 2 par des valeurs plus petites que 2. On appelle $\lim_{x \to 2^+} f(x)$ la *limite à droite* et $\lim_{x \to 2^-} f(x)$ la *limite à gauche*.

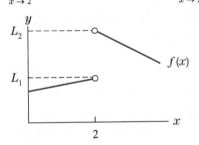

Figure 2.47 : Limites à droite et à gauche de $x = 2$

Pour la fonction de la figure 2.47, on obtient

$$\lim_{x \to 2^-} f(x) = L_1 \qquad \lim_{x \to 2^+} f(x) = L_2.$$

Si les limites à droite et à gauche sont égales, c'est-à-dire si $L_1 = L_2$, alors il est facile de démontrer que $\lim_{x \to 2} f(x)$ existe et que $\lim_{x \to 2} f(x) = L_1 = L_2$. Puisque, sur la figure 2.47, on constate que $L_1 \neq L_2$, alors $\lim_{x \to 2} f(x)$ n'existe pas dans ce cas.

Le cas des limites inexistantes

Chaque fois qu'il n'existe pas de nombre L tel que $\lim_{x \to c} f(x) = L$, on dit que $\lim_{x \to c} f(x)$ n'existe pas. En dehors des cas pour lesquels les limites à droite et à gauche sont inégales, il existe aussi d'autres cas pour lesquels les limites n'existent pas (voir les exemples 4, 5 et 6).

Exemple 4   Pourquoi $\lim\limits_{x \to 2} \dfrac{|x-2|}{x-2}$ n'existe-t-elle pas ?

Solution   La figure 2.48 illustre le problème. La limite à droite et la limite à gauche sont différentes. Pour $x > 2$, on obtient $|x-2| = x-2$, de telle sorte que, lorsque x se rapproche de 2 par la droite,

$$\lim_{x \to 2^+} \frac{|x-2|}{x-2} = \lim_{x \to 2^+} \frac{x-2}{x-2} = \lim_{x \to 2^+} 1 = 1.$$

De la même façon, si $x < 2$, alors $|x-2| = 2-x$, de telle sorte que

$$\lim_{x \to 2^-} \frac{|x-2|}{x-2} = \lim_{x \to 2^-} \frac{2-x}{x-2} = \lim_{x \to 2^-} (-1) = -1.$$

Ainsi, si $\lim\limits_{x \to 2} \dfrac{|x-2|}{x-2} = L$, alors L serait égal à la fois à 1 et à -1. Comme L ne peut avoir deux valeurs différentes, cette limite n'existe pas.

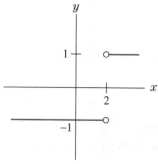

Figure 2.48 : Graphe de $\frac{|x-2|}{x-2}$

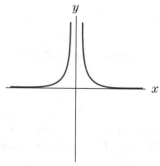

Figure 2.49 : Graphe de $\frac{1}{x^2}$

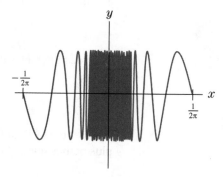

Figure 2.50 : Graphe de $\sin\left(\frac{1}{x}\right)$

Exemple 5   Pourquoi $\lim\limits_{x \to 0} \dfrac{1}{x^2}$ n'existe-t-elle pas ?

Solution   Plus x se rapproche de zéro, plus la fonction $1/x^2$ devient arbitrairement très grande, de sorte qu'elle ne tend vers aucun nombre fini L (voir la figure 2.49). Par conséquent, on dit que $1/x^2$ n'a pas de limite quand $x \to 0$.

Exemple 6   Pourquoi $\lim\limits_{x \to 0} \sin\left(\dfrac{1}{x}\right)$ n'existe-t-elle pas ?

Solution   On sait que la fonction sinus se situe entre -1 et 1. Le graphe de la figure 2.50 oscille de plus en plus rapidement quand $x \to 0$. Il y a autant de valeurs de x proches de zéro qu'on le désire quand $\sin(1/x) = 0$. Il y a aussi autant de valeurs de x proches de zéro qu'on le désire quand $\sin(1/x) = 1$. Pour que la limite existe, il faudrait donc qu'elle soit à la fois 0 et 1. Par conséquent, cette limite n'existe pas. (Voir le problème numéro 9 de la présente section.)

Les limites à l'infini

On désire parfois connaître le comportement de $f(x)$ quand x devient très grand, autrement dit, le comportement à l'infini de f.

Si $f(x)$ se rapproche d'un nombre L quand x devient suffisamment grand, alors on écrit

$$\lim_{x \to \infty} f(x) = L.$$

De la même façon, si $f(x)$ se rapproche de L au fur et à mesure que x devient de plus en plus négatif, alors on écrit

$$\lim_{x \to -\infty} f(x) = L.$$

Le symbole ∞ ne représente pas un nombre. Quand on écrit $x \to \infty$, cela signifie qu'on prend des valeurs arbitraires très grandes de x. Si la limite de $f(x)$ quand $x \to \infty$ ou quand $x \to -\infty$ est L, on dit que le graphe de f a une *asymptote horizontale* en $y = L$.

Exemple 7   Analysez $\lim\limits_{x \to \infty} \dfrac{1}{x}$ et $\lim\limits_{x \to -\infty} \dfrac{1}{x}$.

Solution   Une vue globale du graphe de $f(x) = \frac{1}{x}$ permet de voir que $1/x$ tend vers zéro quand x croît dans une direction positive ou dans une direction négative (voir la figure 2.51). Cette constatation est conforme à ce à quoi on s'attendait, puisqu'en divisant 1 par des nombres de plus en plus positifs ou de plus en plus négatifs, on obtient des résultats de plus en plus près de 0. Cela suggère que

$$\lim_{x \to \infty} \frac{1}{x} = \lim_{x \to -\infty} \frac{1}{x} = 0,$$

et que $f(x) = 1/x$ a $y = 0$ comme asymptote horizontale au fur et à mesure que $x \to \pm\infty$.

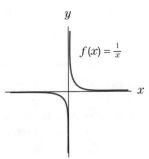

Figure 2.51 : Comportement à l'infini de $f(x) = \frac{1}{x}$

La définition de la continuité

On peut maintenant définir la continuité. Il faut se rappeler que l'idée de continuité interdit les sauts, les ruptures et les trous en exigeant que le comportement d'une fonction à proximité d'un point soit cohérent avec son comportement *en* ce point même.

La fonction f est dite **continue** en $x = c$ si f est définie en $x = c$ et que

$$\lim_{x \to c} f(x) = f(c).$$

En d'autres mots, $f(x)$ peut être aussi près qu'on le veut de $f(c)$ si x est assez proche de c. La fonction est **continue sur l'intervalle** $[a, b]$ si elle est continue en tout point de cet intervalle[7].

---

7. Si c est l'une des extrémités de l'intervalle, on définit la continuité en $x = c$ en utilisant les limites unilatérales au point c.

Les fonctions constantes et $f(x) = x$ sont continues (voir le problème 16). En utilisant la continuité des sommes et des produits, on peut démontrer que tout polynôme est continu. Prouver que $\sin x$, $\cos x$ et e^x sont continus est une opération plus difficile. Le théorème suivant, fondé sur les propriétés des limites déjà énoncées, permet de déterminer si une fonction donnée est continue.

Théorème : continuité des sommes, des produits et des quotients de fonctions

On suppose que f et g sont continues sur un intervalle et que b est une constante. Alors, sur le même intervalle,

1. $bf(x)$ est continue ;
2. $f(x) + g(x)$ est continue ;
3. $f(x)g(x)$ est continue ;
4. $f(x)/g(x)$ est continue en supposant que $g(x) \neq 0$ sur cet intervalle.

On démontre la première de ces propriétés.

Preuve Pour démontrer que $bf(x)$ est continue, on prend un point c quelconque sur l'intervalle. Il faut démontrer que $\lim\limits_{x \to c} bf(x) = bf(c)$. Puisque $f(x)$ est continue, on sait déjà que $\lim\limits_{x \to c} f(x) = f(c)$. Ainsi, la première propriété des limites est

$$\lim_{x \to c} (bf(x)) = b\left(\lim_{x \to c} f(x)\right) = bf(c).$$

Puisque c a été choisie arbitrairement, on a démontré que $bf(x)$ est continue partout sur cet intervalle.

Théorème : continuité des fonctions composées

Si f et g sont continues et si la fonction composée $f(g(x))$ est définie sur un intervalle, alors $f(g(x))$ est continue sur cet intervalle.

Comme on a supposé la continuité de $\sin x$ et de e^x, ce résultat démontre par exemple que $\sin(e^x)$ et $e^{\sin x}$ sont toutes deux des fonctions continues. La preuve de la continuité des fonctions composées est demandée au problème 17.

Problèmes sur les limites et la continuité

1. Considérez la fonction $(\sin\theta)/\theta$. Évaluez la proximité de zéro à laquelle θ doit être pour que $(\sin\theta)/\theta$ soit à une distance 0,001 de 1.

2. La fonction $g(\theta) = (\sin\theta)/\theta$ n'est pas définie en $\theta = 0$. Est-il possible de définir $g(0)$ de telle façon que g soit continue en $\theta = 0$? Justifiez votre réponse.

À l'aide d'un graphe, estimez chacune des limites dans les problèmes 3 à 6.

3. $\lim\limits_{\theta \to 0} \dfrac{\sin(2\theta)}{\theta}$ (utilisez des radians)

4. $\lim\limits_{\theta \to 0} \dfrac{\cos\theta - 1}{\theta}$ (utilisez des radians)

5. $\lim\limits_{\theta \to 0} \dfrac{\sin\theta}{\theta}$ (utilisez des degrés)

6. $\lim\limits_{\theta \to 0} \dfrac{\theta}{\tan(3\theta)}$ (utilisez des radians)

7. Considérez la limite

$$\lim_{x \to 0^+} x^x.$$

Estimez cette limite en considérant x^x pour des valeurs positives de plus en plus petites de x (par exemple $x = 0,1, 0,01, 0,001, ...$) ou en grossissant le graphe de $y = x^x$ à proximité de $x = 0$.

8. a) Donnez un exemple d'une fonction qui satisfait à $\lim_{x \to 2} f(x) = \infty$.

   b) Donnez un exemple d'une fonction qui satisfait à $\lim_{x \to 2} f(x) = -\infty$.

9. Considérez la fonction $f(x) = \sin(1/x)$.

   a) Trouvez une suite de valeurs de x qui s'approchent de zéro de telle sorte que $\sin(1/x) = 0$.
      [Conseil : considérez le fait que $\sin(\pi) = \sin(2\pi) = \sin(3\pi) = ... = \sin(n\pi) = 0$.]
   b) Trouvez une suite de valeurs de x qui s'approchent de zéro de telle sorte que $\sin(1/x) = 1$.
      [Conseil : considérez le fait que $\sin(n\pi/2) = 1$ si $n = 1, 5, 9, ...$]
   c) Trouvez une suite de valeurs de x qui s'approchent de zéro de telle sorte que $\sin(1/x) = -1$.
   d) Expliquez pourquoi les réponses que vous donnez à chacune des parties a) à c) démontrent que $\lim_{x \to 0} \sin(1/x)$ n'existe pas.

10. Rédigez une définition de l'énoncé suivant à la fois en langage courant et en langage symbolique :

$$\lim_{h \to a} g(h) = K.$$

11. Pour chacune des fonctions qui suivent, effectuez les opérations demandées.

    i) Construisez une table des valeurs de $f(x)$ pour $x = a + 0,1$, $a + 0,01$, $a + 0,001$, $a + 0,0001$, $a - 0,1$, $a - 0,01$, $a - 0,001$ et $a - 0,0001$.

    ii) Faites une supposition à propos de la valeur de $\lim_{x \to a} f(x)$.

    iii) Tracez le graphe de la fonction pour vérifier si elle est cohérente avec les réponses aux parties i) et ii).

    iv) Trouvez un intervalle pour x qui contient a, de telle sorte que la différence entre la limite supposée et la valeur de la fonction soit inférieure à 0,01 sur cet intervalle. (En d'autres mots, trouvez une fenêtre de hauteur 0,02 telle que le graphe déborde des deux côtés de la fenêtre, sans dépasser ni en haut ni en bas.)

    a) $f(x) = \dfrac{x^2 - 4}{x - 2}$, $\quad a = 2$

    b) $f(x) = \dfrac{x^2 - 9}{x - 3}$, $\quad a = 3$

    c) $f(x) = \dfrac{\sin x - 1}{x - \pi/2}$, $\quad a = \dfrac{\pi}{2}$

    d) $f(x) = \dfrac{\sin 5x - 1}{x - \pi/2}$, $\quad a = \dfrac{\pi}{2}$

    e) $f(x) = \dfrac{e^{2x-2} - 1}{x - 1}$, $\quad a = 1$

    f) $f(x) = \dfrac{e^{0,5x-1} - 1}{x - 2}$, $\quad a = 2$

12. En supposant que les limites quand $x \to \infty$ ont les propriétés énoncées précédemment quand $x \to c$, effectuez une manipulation algébrique pour évaluer $\lim_{x \to \infty}$ dans le cas des fonctions ci-après.

    a) $f(x) = \dfrac{x + 3}{2 - x}$

    b) $f(x) = \dfrac{x^2 + 2x - 1}{3 + 3x^2}$

    c) $f(x) = \dfrac{x^2 + 4}{x + 3}$

    d) $f(x) = \dfrac{2x^3 - 16x^2}{4x^2 + 3x^3}$

    e) $f(x) = \dfrac{x^4 + 3x}{x^4 + 2x^5}$

    f) $f(x) = \dfrac{3e^x + 2}{2e^x + 3}$

    g) $f(x) = \dfrac{2e^{-x} + 3}{3e^{-x} + 2}$

13. Ce problème permet de démontrer la première propriété des limites énoncée précédemment :

$$\lim_{x \to c} bf(x) = b \lim_{x \to c} f(x).$$

a) Premièrement, démontrez la propriété dans le cas où $b = 0$.

b) Supposez que $b \neq 0$. Soit $\epsilon > 0$. Démontrez que, si $|f(x) - L| < \epsilon/|b|$, alors $|bf(x) - bL| < \epsilon$.

c) Finalement, démontrez que si $\lim\limits_{x \to c} f(x) = L$ alors $\lim\limits_{x \to c} bf(x) = bL$. [Conseil : choisissez δ de telle sorte que, si $|x - c| < \delta$, alors $|f(x) - L| < \epsilon/|b|$.]

14. Démontrez la deuxième propriété des limites : $\lim\limits_{x \to c} \big(f(x) + g(x)\big) = \lim\limits_{x \to c} f(x) + \lim\limits_{x \to c} g(x)$. Supposez que les limites à droite existent.

15. Ce problème permet de démontrer la troisième propriété des limites, qui est

$$\lim_{x \to c} \big(f(x)g(x)\big) = \left(\lim_{x \to c} f(x)\right)\left(\lim_{x \to c} g(x)\right).$$

Supposez que les limites à droite existent. Soit $L_1 = \lim\limits_{x \to c} f(x)$ et $L_2 = \lim\limits_{x \to c} g(x)$.

a) Premièrement, démontrez que, si $\lim\limits_{x \to c} f(x) = \lim\limits_{x \to c} g(x) = 0$, alors $\lim\limits_{x \to c} \big(f(x)g(x)\big) = 0$.

b) Démontrez de manière algébrique que
$f(x)g(x) = \big(f(x) - L_1\big)\big(g(x) - L_2\big) + L_1 g(x) + L_2 f(x) - L_1 L_2$.

c) Au moyen de la deuxième propriété des limites (voir le problème 14), expliquez pourquoi

$$\lim_{x \to c} \big(f(x) - L_1\big) = \lim_{x \to c} \big(g(x) - L_2\big) = 0.$$

d) À partir des résultats des parties a) et c), expliquez pourquoi $\lim\limits_{x \to c} \big(f(x) - L_1\big)\big(g(x) - L_2\big) = 0$.

e) Finalement, utilisez les réponses des parties b) et d) ainsi que la première et la deuxième propriété des limites pour démontrer que $\lim\limits_{x \to c} \big(f(x)g(x)\big) = \left(\lim\limits_{x \to c} f(x)\right)\left(\lim\limits_{x \to c} g(x)\right)$.

16. Démontrez que les fonctions suivantes sont toutes les deux continues partout.

a) $f(x) = k$ (une constante)   b) $g(x) = x$

17. Ce problème permet de démontrer le théorème de la continuité des fonctions composées exposé précédemment. Si f et g sont continues et que la fonction composée $f\big(g(x)\big)$ est définie sur un intervalle, alors $f\big(g(x)\big)$ est continue sur cet intervalle.

Soit c un point à l'intérieur de l'intervalle, où $f\big(g(x)\big)$ est définie. Il faut démontrer que $\lim\limits_{x \to c} f\big(g(x)\big) = f\big(g(c)\big)$. Soit $d = g(c)$. Alors la continuité de f en d signifie que $\lim\limits_{y \to d} f(y) = f(d)$. Par conséquent, pour une valeur de $\epsilon > 0$, vous pouvez choisir $\delta > 0$ de sorte que $|y - d| < \delta$ implique que $|f(y) - f(d)| < \epsilon$.

Prenez maintenant $y = g(x)$ et démontrez que la continuité de g signifie que vous pouvez trouver une valeur de $\delta_1 > 0$ telle que, si $|x - c| < \delta_1$, alors $|g(x) - d| < \delta$. Expliquez comment cette affirmation établit la continuité de $f\big(g(x)\big)$ en $x = c$.

Pour chaque valeur de ϵ dans les problèmes 18 et 19, trouvez une valeur positive de δ telle que le graphe de la fonction déborde de la fenêtre $a - \delta < x < a + \delta$, $b - \epsilon < y < b + \epsilon$ par les côtés, mais ne dépasse ni en haut ni en bas.

18. $f(x) = -2x + 3$; $a = 0$; $b = 3$; $\epsilon = 0{,}2,\ 0{,}1,\ 0{,}02,\ 0{,}01,\ 0{,}002,\ 0{,}001$.

19. $g(x) = -x^3 + 2$; $a = 0$; $b = 2$; $\epsilon = 0{,}1,\ 0{,}01,\ 0{,}001$.

20. Démontrez que $\lim\limits_{x \to 0} (-2x + 3) = 3$. Utilisez le résultat du problème 18.

21. Démontrez que $\lim\limits_{x \to 0} (-x^3 + 2) = 2$. [Conseil : essayez avec $\delta = \epsilon^{1/3}$.]

Dans les problèmes 22 à 24, modifiez la définition de la limite énoncée précédemment de manière à donner une définition pour chacune des propositions ci-après.

22. Limite à droite.   23. Limite à gauche.   24. $\lim\limits_{x \to \infty} f(x) = L$.

25. Considérez la fonction $f(x) = \begin{cases} x\sin\left(\dfrac{1}{x}\right) & x \neq 0 \\ 0 & x = 0 \end{cases}$.

Démontrez que f est continue partout, mais qu'elle n'est jamais croissante partout ni décroissante partout sur l'intervalle $[0, \epsilon]$ pour toute valeur de $\epsilon > 0$, aussi petite soit-elle.

26. Dans le chapitre 1, on a montré comment trouver une suite d'intervalles $[a_n, b_n]$ qui convergent vers une racine r de $f(x) = 3x^3 - x^2 + 2x - 1$. Dans ce problème, on utilise la propriété de la continuité de f pour démontrer que r est en réalité une racine, c'est-à-dire que $f(r) = 0$. Vous pouvez présumer que tous les intervalles ont été choisis de manière que $f(a_n) < 0$ et que $f(b_n) > 0$.

   a) Supposez que $f(r) = L > 0$. Utilisez la définition de la continuité avec toute valeur de ϵ qui satisfait à $\epsilon < L$ afin de choisir une valeur de δ qui satisfait à

   $$|f(x) - L| < \epsilon \quad \text{pour toute valeur de } x \text{ telle que} \quad |x - r| < \delta.$$

   Trouvez une valeur de a_n sur l'intervalle $[r - \delta, r + \delta]$ et démontrez que vous arrivez à une contradiction en ce qui concerne $f(a_n)$.

   b) Supposez que $f(r) = L < 0$. Faites une démonstration similaire pour aboutir à une contradiction en ce qui concerne b_n.

   c) Concluez que $f(r) = 0$.

27. Adaptez l'argument du grossissement décrit au chapitre 1 et l'argument du problème 26 afin de démontrer le théorème de la valeur intermédiaire. Si f est continue sur l'intervalle $[a, b]$ et que k est une constante entre $f(a)$ et $f(b)$, il existe un point c de $[a, b]$ pour lequel $f(c) = k$. [Conseil : considérez que $g(x) = f(x) - k$ et recherchez un zéro de g.]

LA DIFFÉRENTIABILITÉ ET L'APPROXIMATION LINÉAIRE

Dans cette section, on étudiera l'approximation de la droite tangente et l'erreur qui y est associée. Cette analyse conduira à une autre vision de la différentiabilité. Il faut se rappeler ce qui suit :

> Une fonction f est dite **différentiable ou dérivable en** $x = a$ si $f'(a)$ existe.

La plupart des fonctions traitées ici ont une dérivée en tous les points de leur domaine ; ces fonctions sont dites *différentiables partout* (ou dérivables partout).

Comment reconnaître une fonction dérivable ?

Si une fonction possède une dérivée en un point, son graphe doit comporter une droite tangente en ce point. La pente de cette droite tangente est la dérivée. Quand on fait un zoom sur le graphe de cette fonction, on aperçoit une droite qui n'est pas une droite verticale.

Parfois, on rencontre des fonctions qui ne possèdent pas de dérivée en certains points. Par exemple, une fonction discontinue dont le graphe montre une rupture en un point ne peut avoir de dérivée en ce point. Les cas où une fonction n'est pas dérivable en un point sont les suivants :

- si la fonction n'est pas continue en ce point ;
- si le graphe comporte un angle en ce point ;
- si le graphe a une droite tangente verticale.

La figure 2.52 (page suivante) illustre une fonction qui semble dérivable en tous les points, excepté en $x = a$ et en $x = b$. En effet, il n'existe pas de tangente au point A parce que le graphe trace un angle en ce point. Plus x se rapproche de a à partir de la gauche, plus la pente du segment PA converge vers un nombre positif quelconque. Plus x se rapproche de a à partir de la droite, plus la pente du segment PA converge vers un nombre négatif quelconque. Par conséquent, les pentes tendent vers des valeurs différentes au fur et à mesure qu'on se rapproche du point $x = a$ de l'un ou de l'autre des côtés, donc la fonction n'est pas dérivable en $x = a$.

Le point B ne semble pas présenter un angle aigu. Au fur et à mesure que x se rapproche de b, la pente du segment BQ ne converge pas et semble grandir de plus en plus. Cette propriété reflète le fait que le graphe possède au point B une tangente verticale. Puisque la pente de cette droite verticale n'est pas définie, la fonction n'est pas dérivable au point $x = b$.

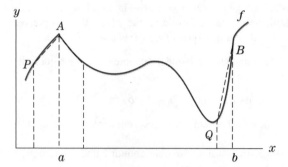

Figure 2.52 : Fonction non dérivable en A ou en B

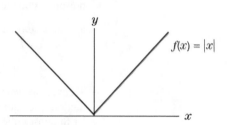

Figure 2.53 : Graphe d'une fonction valeur absolue montrant un point de non-dérivabilité en $x = 0$

Des exemples de fonctions non dérivables

La fonction la plus connue qui présente un angle est la fonction *valeur absolue*. Elle est définie comme suit :

$$f(x) = |x| = \begin{cases} x & \text{si } x \geq 0, \\ -x & \text{si } x < 0. \end{cases}$$

Le graphe de cette fonction est illustré à la figure 2.53. À proximité de $x = 0$, même un grossissement de plus en plus fort du graphe de $f(x)$ montre la même propriété. Il existe donc un angle qui ne peut être aplati par grossissement.

Exemple 8   On essaie de calculer la dérivée de la fonction $f(x) = |x|$ en $x = 0$. Cette fonction est-elle dérivable en ce point ?

Solution   Pour trouver la pente en $x = 0$, on a besoin de considérer

$$f'(0) = \lim_{h \to 0} \frac{f(h) - f(0)}{h} = \lim_{h \to 0} \frac{|h| - 0}{h} = \lim_{h \to 0} \frac{|h|}{h}.$$

On constate que, au fur et à mesure que h se rapproche de zéro à partir de la droite, h demeure toujours positif, de telle sorte que $|h| = h$ et, par conséquent, le rapport est toujours 1. Au fur et à mesure que h se rapproche de zéro à partir de la gauche, h est négatif, de telle sorte que $|h| = -h$ et, par conséquent, le rapport est toujours -1. Puisque ces limites sont différentes de part et d'autre de zéro, la limite n'existe pas. Par conséquent, la fonction valeur absolue n'est pas dérivable en $x = 0$. Les limites 1 et -1 illustrent, sur le graphique, que la pente du côté droit du graphique est égale à 1 et que la pente du côté gauche du graphique est égale à -1.

Exemple 9   On analyse la dérivabilité de $f(x) = x^{1/3}$ en $x = 0$.

Solution   Cette fonction est une courbe « douce » et ne présente pas d'angle en $x = 0$; en revanche, on peut suspecter une tangente verticale en ce point (voir la figure 2.54). En examinant le taux moyen de variation en $x = 0$, on constate que

$$f'(0) = \lim_{h \to 0} \frac{(0 + h)^{1/3} - 0^{1/3}}{h} = \lim_{h \to 0} \frac{h^{1/3}}{h} = \lim_{h \to 0} \frac{1}{h^{2/3}}.$$

Donc, quand $h \to 0$, le dénominateur devient plus petit, de telle sorte que la fraction croît sans limite. Par conséquent, cette fonction n'aura pas de dérivée en $x = 0$.

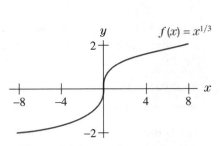

Figure 2.54 : Fonction continue non dérivable en $x = 0$: tangente verticale

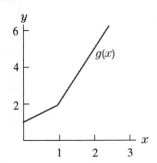

Figure 2.55 : Fonction continue non dérivable en $x = 1$

Exemple 10   Considérez la fonction donnée par les deux formules suivantes :

$$g(x) = \begin{cases} x + 1 & \text{si } x \leq 1 \\ 3x - 1 & \text{si } x > 1. \end{cases}$$

Ce type de fonction est qualifié de *linéaire par morceaux* parce que chaque segment est en soi linéaire. On trace le graphe de g. La fonction g est-elle continue ? Est-elle dérivable en $x = 1$?

Solution   Le graphe de la figure 2.55 ne présente pas de rupture, ce qui prouve que la fonction est continue. Cependant, ce graphe présente un angle en $x = 1$ qu'aucun zoom ne peut faire disparaître. À gauche de $x = 1$, la pente est égale à 1 ; à droite de $x = 1$, la pente est égale à 3. Par conséquent, le taux moyen de variation en $x = 1$ n'aura pas de limite. Donc, la fonction g n'est pas dérivable en $x = 1$.

L'étude des courbes qui ne possèdent pas des dérivées *partout* a été l'objet d'un très grand intérêt au cours des dernières années. Ces courbes, connues sous le nom de *fractales,* servent à la modélisation de processus naturels aléatoires ou chaotiques, tel un trajet de molécule d'eau dans un récipient. Si cette molécule quitte par hasard son environnement, elle suit alors un tracé en zigzag comportant de nombreux angles non dérivables. Bien que ce parcours soit doux entre les collisions, la courbe servant à le modéliser n'est dérivable en aucun point. Les lignes côtières du Maine ou de l'État de Washington sont aussi des illustrations de ces courbes. En tous les points, elle ne peuvent être adoucies, quel que soit le zoom qu'on y applique.

La dérivation et l'approximation linéaire

Lorsqu'on effectue un zoom sur le graphe d'une fonction dérivable, le résultat ressemble à une ligne droite. En fait, le graphe n'est pas exactement une ligne droite, mais la différence est si minime qu'on ne peut la détecter à l'œil nu. Cette observation signifie que la ligne droite qu'on voit quand on effectue un zoom sur le graphe de $f(x)$ en $x = a$ a une pente qui est égale à la dérivée $f'(a)$, de sorte que son équation est

$$y = f(a) + f'(a)\,(x - a).$$

Le fait que ce graphe ressemble à une droite signifie que y est une bonne approximation de $f(x)$ (voir la figure 2.56). Cette constatation conduit à la définition suivante :

Approximation par la droite tangente

On suppose que f est dérivable en a. Alors pour les valeurs de x à proximité de a, l'approximation de $f(x)$ par une droite tangente est définie par

$$f(x) \approx f(a) + f'(a)\,(x - a).$$

L'expression $f(a) + f'(a)\,(x - a)$ est appelée la *linéarisation locale* de f à proximité de $x = a$. On considère que a est une abscisse fixe, donc $f(a)$ et $f'(a)$ sont des constantes. L'**erreur** $E(x)$, dans cette approximation, est définie par

$$E(x) = f(x) - f(a) - f'(a)\,(x - a).$$

On peut démontrer que l'approximation par la droite tangente est la meilleure approximation linéaire de f à proximité de a (voir le problème 15).

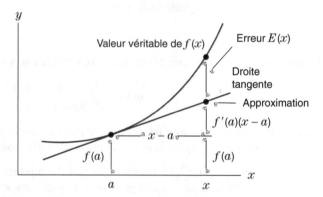

Figure 2.56 : Approximation par la droite tangente et son erreur

---

Exemple 11   Quelle est l'approximation par la droite tangente pour $f(x) = \sin x$ à proximité de $x = 0$? On suppose que $f'(0) = 1$.

Solution   L'approximation par la droite tangente de f à proximité de $x = 0$ est

$$f(x) \approx f(0) + f'(0)\,(x - 0).$$

Si $f(x) = \sin x$, alors $f(0) = \sin 0 = 0$. Du fait que $f'(0) = 1$, l'approximation devient

$$\sin x \approx x.$$

Cela signifie qu'à proximité de $x = 0$, la fonction $f(x) = \sin x$ est suffisamment bien approximée par la fonction $y = x$. Si on fait un zoom sur les graphes des fonctions $\sin x$ et x à proximité de l'origine, on ne pourra les distinguer l'un de l'autre (voir la figure 2.57).

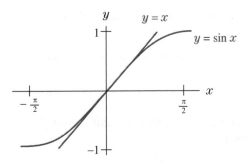

Figure 2.57 : Approximation par la droite tangente de $y = \sin x$

L'estimation de l'erreur de l'approximation

On considère maintenant l'erreur $E(x)$ qui représente la différence entre $f(x)$ et sa linéarisation locale (voir la figure 2.56). Le fait pour le graphe de f de ressembler à une droite au fur et à mesure qu'on effectue des zooms signifie que, non seulement l'erreur $E(x)$ est négligeable pour x à proximité de a, mais qu'elle est aussi négligeable par rapport à $(x - a)$. Pour démontrer cette propriété, on établira la preuve du théorème suivant pour $E(x)/(x - a)$.

> ### Théorème : dérivation et linéarité locale
>
> On suppose que f est dérivable en $x = a$ et que $E(x)$ est l'erreur dans l'approximation par la droite tangente. Cela signifie que
>
> $$E(x) = f(x) - f(a) - f'(a)\,(x - a).$$
>
> Alors,
>
> $$\lim_{x \to a} \frac{E(x)}{x - a} = 0.$$

Preuve   En utilisant la définition de $E(x)$, on obtient

$$\frac{E(x)}{x - a} = \frac{f(x) - f(a) - f'(a)(x - a)}{x - a} = \frac{f(x) - f(a)}{x - a} - f'(a).$$

En prenant la limite quand $x \to a$ et en appliquant la définition de la dérivée, on constate que

$$\lim_{x \to a} \frac{E(x)}{x - a} = \lim_{x \to a}\left(\frac{f(x) - f(a)}{x - a} - f'(a)\right) = f'(a) - f'(a) = 0.$$

La linéarisation locale d'un graphe

On se servira de l'erreur $E(x)$ pour mieux comprendre la linéarisation locale d'un graphe lorsqu'on applique un zoom sur le graphe.

Exemple 12   On considère le graphe de $f(x) = \sin x$ à proximité de $x = 0$ et son approximation linéaire calculée à l'exemple 11. On démontre qu'il existe un intervalle autour de zéro qui a la propriété selon laquelle la distance de $f(x) = \sin x$ à cette approximation linéaire est inférieure à $0,1|x|$ pour toutes les valeurs de x sur cet intervalle.

Solution   L'approximation linéaire de $f(x) = \sin x$ à proximité de zéro est $y = x$. Ainsi, on peut écrire

$$\sin x = x + E(x).$$

Puisque $\sin x$ est dérivable en $x = 0$, à l'aide du théorème, on peut dire que

$$\lim_{x \to 0} \frac{E(x)}{x} = 0.$$

En prenant $\epsilon = 1/10$, alors la définition de la limite garantit qu'il y a une valeur de $\delta > 0$ qui confirme que

$$\left| \frac{E(x)}{x} \right| < 0,1 \quad \text{pour tout} \quad |x| < \delta.$$

En d'autres termes, pour x dans l'intervalle $]{-}\delta, \delta[$, on a $|x| < \delta$. Ainsi,

$$|E(x)| < 0,1|x|.$$

(Voir la figure 2.58.)

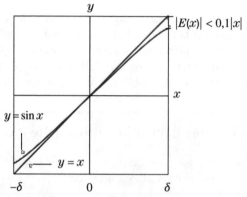

Figure 2.58 : Graphe de $y = \sin x$ et son approximation linéaire
$y = x$ à l'intérieur d'une fenêtre où la valeur absolue
de l'erreur $|E(x)|$ est moindre que $0,1|x|$ pour toutes les valeurs
de x à l'intérieur de la fenêtre

À partir de cet exemple, on peut généraliser et expliquer la linéarisation locale du graphe de f quand on l'examine au travers d'une très petite fenêtre graphique. Si on suppose que f est dérivable en $x = a$, on obtient que $\lim\limits_{x \to a} \left| \dfrac{E(x)}{x - a} \right| = 0$. Ainsi, pour toute valeur de $\epsilon > 0$, on peut trouver une valeur de δ assez petite qui démontre que

$$\left| \frac{E(x)}{x - a} \right| < \epsilon, \qquad \text{pour} \qquad a - \delta < x < a + \delta.$$

Ainsi, pour toute valeur de x dans l'intervalle $]a - \delta, a + \delta[$, on a

$$|E(x)| < \epsilon \, |x - a|.$$

Par conséquent, la valeur absolue de l'erreur $E(x)$ est plus petite que ϵ fois $|x - a|$, c'est-à-dire la distance entre x et a. Ainsi, plus on fait un gros plan sur ce graphe en choisissant des valeurs de plus en plus petites de ϵ, plus la déviation $|E(x)|$ de f à partir de la droite tangente diminue proportionnellement à l'échelle du graphe. Ainsi, le zoom rend rectiligne le graphe d'une fonction dérivable.

Différentiabilité et continuité

Le fait qu'une fonction dérivable en un point possède une tangente en ce point permet d'affirmer que la fonction est continue, comme le démontre le théorème suivant.

Théorème : une fonction dérivable est continue

Si $f(x)$ est dérivable au point $x = a$, alors $f(x)$ est continue en $x = a$.

Preuve On suppose que $f(x)$ est dérivable en $x = a$. Donc, on sait que

$$f'(a) = \lim_{x \to a} \frac{f(x) - f(a)}{x - a},$$

de telle sorte qu'on a

$$\lim_{x \to a} (f(x) - f(a)) = \lim_{x \to a} \left((x - a) \cdot \frac{f(x) - f(a)}{x - a} \right) = \left(\lim_{x \to a} (x - a) \right) \cdot \left(\lim_{x \to a} \frac{f(x) - f(a)}{x - a} \right).$$

$$= 0 \cdot f'(a) = 0.$$

Alors,

$$\lim_{x \to a} f(x) = f(a),$$

ce qui signifie que $f(x)$ est continue en $x = a$.

Problèmes sur la différentiabilité et l'approximation linéaire

1. Pour chacun des graphes de la figure 2.59, dressez une liste des valeurs de x pour lesquelles la fonction semble être i) non continue et ii) non dérivable.

a)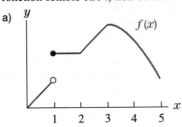

b)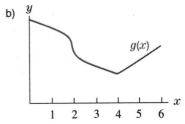

Figure 2.59

2. Observez le graphe de $f(x) = (x^2 + 0{,}0001)^{1/2}$ montré à la figure 2.60, qui semble présenter un angle en $x = 0$. Pensez-vous que f a une dérivée en $x = 0$?

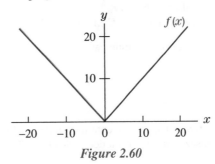

Figure 2.60

Déterminez si les fonctions des problèmes 3 à 5 sont dérivables en $x = 0$. Essayez de faire un zoom sur f à l'aide d'une calculatrice graphique ou en calculant la dérivée $f'(0)$ à partir de la définition.

3. $f(x) = (x + |x|)^2 + 1$

4. $f(x) = \begin{cases} x\sin(1/x) + x & \text{pour } x \neq 0 \\ 0 & \text{pour } x = 0 \end{cases}$

5. $f(x) = \begin{cases} x^2\sin(1/x) & \text{pour } x \neq 0 \\ 0 & \text{pour } x = 0 \end{cases}$

6. La charge électrique Q dans un circuit est donnée par une fonction du temps t qui est la suivante :

$$Q = \begin{cases} C & \text{pour } t \leq 0 \\ Ce^{-t/RC} & \text{pour } t > 0, \end{cases}$$

où C et R sont des constantes positives. Le courant électrique I est le taux de variation de la charge tel que

$$I = \frac{dQ}{dt}.$$

a) La charge Q est-elle une fonction continue du temps ?

b) Pensez-vous que le courant I est défini à tous les instants t ? [Conseil : pour tracer cette fonction, prenez par exemple $C = 1$ et $R = 1$.]

7. Un champ magnétique B est une fonction de la distance r à partir du centre d'un câble, établie comme suit :

$$B = \begin{cases} \dfrac{r}{r_0} B_0 & \text{pour } r \leq r_0 \\[2mm] \dfrac{r_0}{r} B_0 & \text{pour } r > r_0 \end{cases}.$$

a) Tracez le graphe de B en fonction de r. Quelle est la signification de la constante B_0 ?

b) B est-il continu en $r = r_0$? Justifiez votre réponse.

c) B est-il dérivable en $r = r_0$? Justifiez votre réponse.

8. Un câble est constitué d'un matériau isolant ayant la forme d'un long cylindre mince de rayon r_0. Sa charge électrique est distribuée de manière égale tout le long du câble. Le champ électrique E à une distance r du centre de ce câble est donné par l'expression

$$E = \begin{cases} kr & \text{pour } r \leq r_0 \\[2mm] k\,\dfrac{r_0^2}{r} & \text{pour } r > r_0 \end{cases}.$$

a) E est-il continu en r_0 ?

b) E est-il dérivable en r_0 ?

c) Tracez un graphe de E en fonction de r.

9. Tracez la fonction définie par

$$g(r) = \begin{cases} 1 + \cos(\pi r/2) & \text{pour } -2 \leq r \leq 2 \\ 0 & \text{pour } r < -2 \text{ ou } r > 2. \end{cases}$$

a) La fonction g est-elle continue en $r = 2$? Justifiez votre réponse.

b) Pensez-vous que g soit dérivable en $r = 2$? Justifiez votre réponse.

10. Le potentiel ϕ d'une distribution de charge en un point de l'axe des y est donné par

$$\phi = \left\{ \begin{array}{ll} 2\pi\sigma \left(\sqrt{y^2 + a^2} - y \right) & \text{pour } y \geq 0 \\ 2\pi\sigma \left(\sqrt{y^2 + a^2} + y \right) & \text{pour } y < 0 \end{array} \right.,$$

où σ et a sont des constantes positives. [Conseil : pour tracer cette fonction, prenez par exemple $2\pi\sigma = 1$ et $a = 1$.]

    a) ϕ est-il continu en $y = 0$?
    b) Pensez-vous que ϕ est dérivable en $y = 0$?

11. Considérez la fonction $f(x) = \sqrt{x}$. Supposez que $f'(4) = 1/4$.

    a) Tracez le graphe de $f(x)$ et trouvez l'approximation par la droite tangente de $f(x)$ à proximité de $x = 4$.
    b) Comparez la valeur véritable de $f(4,1)$ avec la valeur obtenue en utilisant l'approximation par la droite tangente.
    c) Comparez la valeur véritable à la valeur approximative de $f(16)$ obtenue par cette droite.
    d) Au moyen d'un graphe, expliquez pourquoi l'approximation par la droite tangente est valable quand $x = 4,1$ mais non quand $x = 16$.

12. La linéarisation locale sous-estime les valeurs de la fonction x^2 et surestime les valeurs de la fonction $\sqrt{x}$. Tracez les graphes qui permettent d'expliquer ce fait.

13. Trouvez la linéarisation locale de $f(x) = x^2$ à proximité de $x = 1$.

14. Considérez le graphe de $f(x) = x^2$ à proximité de $x = 1$. Trouvez un intervalle autour de $x = 1$ qui a la propriété en vertu de laquelle, sur tout intervalle plus petit, le graphe de $f(x) = x^2$ ne divergera jamais de sa linéarisation locale de plus de $0,1|x - 1|$ pour toutes les valeurs de x de cet intervalle.

15. Considérez une fonction f et un point a. Supposez qu'il existe un nombre L tel que la fonction linéaire g, soit

$$g(x) = f(a) + L(x - a)$$

est une bonne approximation de f. Cela signifie que

$$\lim_{x \to a} \frac{E_L(x)}{x - a} = 0,$$

où $E_L(x)$ est l'erreur d'approximation définie par

$$f(x) = g(x) + E_L(x) = f(a) + L(x - a) + E_L(x).$$

Démontrez que f est dérivable en $x = a$ et que $f'(a) = L$, donc que l'approximation par la droite tangente est la seule bonne approximation linéaire.

GROS PLAN SUR LA PRATIQUE

CALCUL ALGÉBRIQUE DE LIMITES

Nous avons vu dans ce chapitre qu'il était parfois possible de calculer exactement certaines limites en transformant algébriquement l'expression à évaluer. Pour y arriver, il faut cependant être à l'aise avec les manipulations algébriques de base. Dans la présente section, on mettra cette méthode en pratique et on en profitera pour revoir des formules d'algèbre, des identités trigonométriques et d'autres simplifications qui apparaissent régulièrement dans ce genre de calculs.

La division de polynômes

Le premier exemple concerne les polynômes et utilise le résultat suivant: « a est un zéro du polynôme $p(x)$ si et seulement si $p(x)$ est divisible par $x - a$ » (rappelons qu'un nombre réel a est un zéro ou une racine du polynôme $p(x)$ si et seulement si $p(a) = 0$).

Exemple 1   Trouvez $\lim\limits_{x \to -3} \dfrac{x^3 + 3x^2 - 2x - 6}{x + 3}$.

Solution   On a ici une limite du type $0/0$. Comme la valeur -3 annule le numérateur, cela signifie que le polynôme $x^3 + 3x^2 - 2x - 6$ se divise (exactement, sans reste) par $x + 3$. Une division donne alors la factorisation $x^3 + 3x^2 - 2x - 6 = (x + 3)(x^2 - 2)$, et ainsi

$$\lim_{x \to -3} \frac{x^3 + 3x^2 - 2x - 6}{x + 3} = \lim_{x \to -3} \frac{(x + 3)(x^2 - 2)}{x + 3} = \lim_{x \to -3} \frac{x^2 - 2}{1} = (-3)^2 - 2 = 7.$$

Notons que le fait que la limite existe nous permet, par exemple, de dire que la fonction f, définie sur toute la droite par

$$f(x) = \begin{cases} \dfrac{x^3 + 3x^2 - 2x - 6}{x + 3} & \text{si } x \neq -3 \\ 7 & \text{si } x = -3 \end{cases}$$

est continue partout.

Les différences de carrés et de cubes

Les cas classiques de factorisation concernent notamment les formules remarquables de différences de carrés et de cubes

$$a^2 - b^2 = (a - b)(a + b)$$
$$a^3 - b^3 = (a - b)(a^2 + ab + b^2),$$

comme l'illustre le prochain exemple.

Exemple 2   Trouvez $\lim\limits_{x \to 3} \dfrac{x^4 - 27x}{x^2 - 9}$.

Solution   La fonction $f(x) = \dfrac{x^4 - 27x}{x^2 - 9}$ n'est pas définie en $x = 3$ (ni en $x = -3$ d'ailleurs). Mais le dénominateur de f est une différence de carrés tandis que le numérateur est le produit de x avec une différence de cubes. En utilisant les formules d'algèbre

$$a^2 - b^2 = (a - b)(a + b)$$
$$a^3 - b^3 = (a - b)(a^2 + ab + b^2),$$

on peut écrire :

$$f(x) = \frac{x^4 - 27x}{x^2 - 9} = \frac{x(x^3 - 27)}{(x - 3)(x + 3)} = \frac{x(x - 3)(x^2 + 3x + 9)}{(x - 3)(x + 3)} = \frac{x(x^2 + 3x + 9)}{x + 3} \quad \text{pour } x \neq 3,$$

et il n'y a plus de « danger » à laisser x approcher de 3 ; on obtient

$$\lim\limits_{x \to 3} \frac{x^4 - 27x}{x^2 - 9} = \lim\limits_{x \to 3} \frac{x(x^2 + 3x + 9)}{x + 3} = \frac{3(9 + 9 + 9)}{3 + 3} = \frac{27}{2}.$$

Que signifie ce résultat d'un point de vue graphique ? Tout simplement qu'il y avait un « trou » dans le graphe, au point de coordonnées $(3, 27/2)$.

Exemple 3   Trouvez $\lim\limits_{x \to -3} \dfrac{x^4 - 27x}{x^2 - 9}$.

Solution   Cet exemple reprend la même fonction qu'à l'exemple précédent mais pour x tendant vers -3. Nous trouvons alors $\lim\limits_{x \to -3} \dfrac{x^4 - 27x}{x^2 - 9} = \lim\limits_{x \to -3} \dfrac{x(x^2 + 3x + 9)}{x + 3}$.

Ici le dénominateur tend vers 0 tandis que le numérateur tend vers -27. Par conséquent, la limite n'existe pas (est indéfinie) et la droite verticale $x = -3$ est une asymptote verticale du graphe. Si l'on s'approchait de -3 par la gauche ou par la droite, la limite n'existerait pas plus mais l'on pourrait spécifier si la réponse est $-\infty$ ou ∞. En effet, lorsque x tend vers -3 par la gauche, $x < -3$ et $x + 3 < 0$. La règle des signes dit donc que

$$\lim\limits_{x \to -3^-} \frac{x(x^2 + 3x + 9)}{x + 3} = \infty \quad \text{tandis que} \quad \lim\limits_{x \to -3^+} \frac{x(x^2 + 3x + 9)}{x + 3} = -\infty.$$

Certaines expressions contiennent des radicaux ; il est parfois possible de les transformer en utilisant les formules de différences de carrés et de cubes pour faciliter leur évaluation.

En effet, les formules

$$a^2 - b^2 = (a - b)(a + b)$$
$$a^3 - b^3 = (a - b)(a^2 + ab + b^2)$$

permettent d'écrire que $\sqrt{a} - \sqrt{b} = \dfrac{a - b}{\sqrt{a} + \sqrt{b}}$ et $\sqrt[3]{a} - \sqrt[3]{b} = \dfrac{a - b}{\sqrt[3]{a^2} + \sqrt[3]{a}\,\sqrt[3]{b} + \sqrt[3]{b^2}}$.

Les problèmes 5 et 6 utilisent ces résultats.

Les limites à l'infini

La factorisation de la puissance la plus élevée d'un polynôme et le fait que $\lim\limits_{x \to \infty} \dfrac{1}{x} = 0$ permettent de calculer facilement les limites **à l'infini** de fonctions rationnelles.

Exemple 4   Trouvez $\lim\limits_{x \to \infty} \dfrac{3x^3 - 1023x^2 + 23x - 12}{2 - 7x^3}$.

Solution   Quand on remplace x par de grandes valeurs dans $\lim\limits_{x \to \infty} \dfrac{3x^3 - 1023x^2 + 23x - 12}{2 - 7x^3}$, les termes de degré 3 dominent les autres termes. On s'attend donc à trouver la valeur $3/(-7)$ comme limite. En effet,

$$\lim_{x \to \infty} \frac{3x^3 - 1023x^2 + 23x - 12}{2 - 7x^3} = \lim_{x \to \infty} \frac{x^3\left(3 - \dfrac{1023}{x} + \dfrac{23}{x^2} - \dfrac{12}{x^3}\right)}{x^3\left(\dfrac{2}{x^3} - 7\right)}$$

$$= \lim_{x \to \infty} \frac{\left(3 - \dfrac{1023}{x} + \dfrac{23}{x^2} - \dfrac{12}{x^3}\right)}{\left(\dfrac{2}{x^3} - 7\right)} = \frac{3 - 0 + 0 - 0}{0 - 7} = -\frac{3}{7}.$$

Les limites de fonctions trigonométriques

En manipulant des expressions trigonométriques, on peut également obtenir la valeur exacte de certaines limites. Pour ce faire, il importe de connaître certaines identités trigonométriques.

La toute première est

$$\cos^2 x + \sin^2 x = 1 \quad (1)$$

(x étant un quelconque nombre réel). Ensuite, en appliquant les formules des sommes et des différences pour $a, b \in \mathbf{R}$, on a

$$\sin(a \pm b) = \sin a \cos b \pm \cos a \sin b \quad (2)$$

$$\cos(a \pm b) = \cos a \cos b \mp \sin a \sin b \quad (3)$$

Seulement à partir de (1), (2) et (3) (ou d'une combinaison de ces formules), on peut facilement déduire la formule du double de l'angle (4) ou encore celles des transformations des produits en sommes ((8), (9) et (10)) :

$$\sin 2x = 2 \sin x \cos x \quad (4)$$

$$\cos 2x = \cos^2 x - \sin^2 x = 1 - 2\sin^2 x = 2\cos^2 x - 1 \quad (5)$$

$$\cos^2 x = \frac{1 + \cos 2x}{2} \quad (6)$$

$$\sin^2 x = \frac{1 - \cos 2x}{2} \quad (7)$$

$$\cos a \cos b = \frac{\cos(a + b) + \cos(a - b)}{2} \quad (8)$$

$$\sin a \sin b = \frac{\cos(a - b) - \cos(a + b)}{2} \quad (9)$$

$$\sin a \cos b = \frac{\sin(a + b) + \sin(a - b)}{2} \quad (10)$$

et la liste pourrait s'allonger (par exemple, on peut facilement trouver une formule transformant une somme de deux sinus en un produit de sinus et de cosinus, etc.). Ces identités de trigonométrie et le résultat

$$\lim_{x \to 0} \frac{\sin x}{x} = 1$$

(voir l'exemple 4, page 101) permettent de calculer certaines limites, comme celle du prochain exemple.

Exemple 5   La fonction $f(x) = \begin{cases} \dfrac{\sin^2 x}{\sin 2x} & \text{si } x \neq 0 \\ 0 & \text{si } x = 0 \end{cases}$ est-elle continue à l'origine ?

Solution   On sait que la fonction sera continue à l'origine si et seulement si $\lim_{x \to 0} f(x) = f(0)$. Donc, si et seulement si $\lim_{x \to 0} f(x) = 0$. Or, étant donné l'identité du double de l'angle, on peut écrire

$$\frac{\sin^2 x}{\sin 2x} = \frac{\sin^2 x}{2 \sin x \cos x} = \frac{\sin x}{2 \cos x} = \frac{\tan x}{2} .$$

Ainsi, la limite existe (limite à gauche = limite à droite) et vaut $\tan(0)/2 = 0$. Donc, cette fonction est bien continue à l'origine. Elle est discontinue en chaque multiple impair de $\pi/2$, où elle a des asymptotes verticales.

On peut également obtenir la valeur exacte de certaines limites en utilisant la technique dite du changement de variable.

Exemple 6   Trouvez $L = \lim_{\theta \to 0} \dfrac{\sin 4\theta}{\theta}$.

Solution   En réécrivant cette expression, on a

$$L = \lim_{\theta \to 0} \frac{\sin 4\theta}{\theta} = \lim_{\theta \to 0} \frac{4 \sin 4\theta}{4\theta} = 4 \lim_{\theta \to 0} \frac{\sin 4\theta}{4\theta} .$$

Or, si $\theta \to 0$, $4\theta \to 0$ également, et on obtient alors $L = 4 \lim_{4\theta \to 0} \dfrac{\sin 4\theta}{4\theta} = 4 \lim_{x \to 0} \dfrac{\sin x}{x} = 4 \cdot 1 = 4.$

On aurait obtenu le même résultat de manière différente en utilisant les identités trigonométriques:

$$\frac{\sin 4\theta}{\theta} = \frac{\sin(2(2\theta))}{\theta} = \frac{2 \sin 2\theta \, \cos 2\theta}{\theta} = \frac{2(2 \sin \theta \, \cos \theta) \cos 2\theta}{\theta} = 4 \cos\theta \cos 2\theta \frac{\sin \theta}{\theta}$$

et on voit qu'il n'y a plus de « danger » à laisser θ approcher de 0.

Les limites et les valeurs absolues

Il faut toujours faire attention en présence de valeurs absolues ! Par exemple, considérons la fonction

$$f(x) = \frac{x^2|x-1|}{x^3-1},$$

dont le domaine est constitué des nombres réels sauf $x = 1$. La droite $y = 1$ est une asymptote horizontale, de même que la droite $y = -1$. On est donc en présence de 2 asymptotes horizontales ! En effet, si x est supérieur à 1, on a

$$\frac{x^2|x-1|}{x^3-1} = \frac{x^2(x-1)}{(x-1)(x^2+x+1)} = \frac{x^2}{x^2+x+1},$$

tandis que si $x < 1$, on a

$$\frac{x^2|x-1|}{x^3-1} = \frac{x^2(1-x)}{(x-1)(x^2+x+1)} = \frac{-x^2}{x^2+x+1}.$$

Il est maintenant clair que si x tend vers ∞, la fonction tend vers 1 (puisque alors f est le quotient de polynômes de même degré avec coefficients dominants identiques). Si x tend vers $-\infty$, alors la fonction tend vers -1 (puisque alors f est le quotient de polynômes de même degré avec coefficients dominants égaux et de signes opposés).

Problèmes sur le calcul algébrique de limites

Pour les problèmes 1 à 20, calculez les limites de façon exacte. Vérifiez votre réponse au moyen d'un graphe.

1. $\lim\limits_{x \to 0} \dfrac{x^2 - 3x + 3}{x + 1}$

2. $\lim\limits_{x \to -1} \dfrac{x^2 + 4x + 3}{x + 1}$

3. $\lim\limits_{x \to \infty} \dfrac{x^2 - 3x + 3}{2x^2 + \pi}$

4. $\lim\limits_{y \to \pi} \dfrac{\ln y}{\sin y}$

5. $\lim\limits_{u \to 0} \dfrac{\sqrt{1 + u + u^2} - 1}{u}$

6. $\lim\limits_{u \to 0} \dfrac{\sqrt[3]{1 + u + u^2} - 1}{u}$

7. $\lim\limits_{x \to -2} \dfrac{x^3 + 3x^2 + 2x}{x^2 - x - 6}$

8. $\lim\limits_{x \to -\infty} \dfrac{2x^2 + x - 4}{3x - 1}$

9. $\lim\limits_{x \to 0} \dfrac{\sin(1 + x) - \sin(1 - x)}{x}$

10. $\lim\limits_{x \to \infty} \dfrac{x^3 + x - 4}{3x^4 - 1}$

11. $\lim\limits_{w \to -\infty} \dfrac{\sqrt{w^2 + 1}}{w + 1}$

12. $\lim\limits_{w \to \infty} \dfrac{\sqrt{w^2 + 1}}{w + 1}$

13. $\lim\limits_{x \to 4} \dfrac{x^3 - 4x^2 - x + 4}{2x - 8}$

14. $\lim\limits_{x \to 9} \dfrac{x^3 - 9x^2 - 4x + 36}{\sqrt{x} - 3}$

15. $\lim\limits_{x \to 0} \dfrac{\sin 5x}{\cos 7x}$

16. $\lim\limits_{x \to -4} \dfrac{\dfrac{1}{\sqrt{x + 13}} - \dfrac{1}{3}}{x + 4}$

17. $\displaystyle\lim_{x \to 0} \frac{1 - \cos^4 x}{3 \sin x}$

18. $\displaystyle\lim_{x \to 0} \frac{\tan 3x}{x}$

19. $\displaystyle\lim_{x \to 1} \frac{x^4 - 1}{x - 1}$

20. $\displaystyle\lim_{x \to 0} \frac{(1 + x)^3 - 1}{x}$

Pour chacune des fonctions rationnelles (quotients de deux polynômes) des problèmes 21 à 24, trouvez toutes les asymptotes verticales ainsi que les asymptotes horizontales. Justifiez vos réponses par des calculs de limites à droite et à gauche pour les asymptotes verticales et par des limites à l'infini (ou à moins l'infini) pour les asymptotes horizontales. Dans les cas où le degré du numérateur est exactement un de plus que celui du dénominateur, trouvez l'équation de l'asymptote oblique et vérifiez graphiquement qu'il s'agit bien d'une asymptote oblique.

21. $\dfrac{3x - 1}{x^2 + 7x + 12}$

22. $\dfrac{3x^2 + 2x + 5}{2x + 3}$

23. $\dfrac{x^3 - 3x^2 + 6x - 7}{2x^3 - 13x^2 + 27x - 18}$

24. $\dfrac{2 - x^3}{x^2 + 1}$

Pour les problèmes 25 et 26, vérifiez si la fonction donnée est continue sur son domaine. Vérifiez votre réponse au moyen d'un graphe.

25. $f(x) = \begin{cases} x^2 - 3x + 1 & \text{si } 0 \le x \le 2 \\ \sin(2\pi x) - 1 & \text{si } x > 2. \end{cases}$

26. $f(x) = \begin{cases} 2 & \text{si } -\infty < x < 1 \\ 2x & \text{si } 1 \le x \le 2 \\ x^2 & \text{si } x < 2. \end{cases}$

27. Peut-on trouver un nombre réel a pouvant rendre continue la fonction suivante en $x = -3$?

$f(x) = \begin{cases} \dfrac{\left| x^2 + 7x + 12 \right|}{x + 3} & \text{si } x \ne -3 \\ a & \text{si } x = -3. \end{cases}$ Justifiez votre réponse.

CHAPITRE TROIS

LES TECHNIQUES DE DÉRIVATION

Au chapitre 2, on a défini la fonction dérivée comme étant

$$f'(x) = \lim_{h \to 0} \frac{f(x+h) - f(x)}{h},$$

et on a montré comment la dérivée représente une pente ou un taux de variation. On a appris comment estimer la dérivée d'une fonction soit de manière graphique (en estimant la pente de la tangente en chaque point), soit de manière numérique (en trouvant les taux moyens de variation de la fonction entre des valeurs données). On a calculé les dérivées de x^2 et de x^3 de manière exacte en utilisant la définition.

Dans ce chapitre, on fera l'étude systématique des dérivées des fonctions données au moyen de formules. Au nombre de ces fonctions, on trouve les puissances, les polynômes, les exponentielles, les logarithmes et les fonctions trigonométriques. On présentera également des règles générales telles que la règle du produit, la règle du quotient et la règle de dérivation en chaîne, qui permettront de dériver des combinaisons de fonctions.

Notation utile : on écrit $\frac{d}{dx}(x^3)$, par exemple, pour représenter la dérivée de x^3 par rapport à x. De la même façon, $\frac{d}{d\theta}(\sin(\theta^2))$ représente la dérivée de $\sin(\theta^2)$ avec θ considéré comme variable.

3.1   LES PUISSANCES ET LES POLYNÔMES

La dérivée d'une fonction multipliée par une constante

À la figure 3.1, on voit les graphes de $y = f(x)$ et de trois multiples de cette fonction, soit $y = 3f(x)$, $y = \frac{1}{2}f(x)$ et $y = -2f(x)$. Quelle est la relation entre les dérivées de ces fonctions ? En d'autres termes, pour une valeur particulière de x, comment peut-on comparer les pentes de ces graphes ?

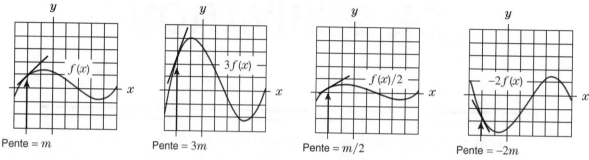

Figure 3.1 : Graphes d'une fonction et de ses multiples : la dérivée d'un multiple d'une fonction est le multiple de la dérivée de la fonction.

En multipliant par une constante, on dilate ou on contracte verticalement le graphe (et on le réfléchit par rapport à l'axe des x si la constante est négative). Cette manipulation fait varier la pente de la courbe en chaque point. Si le graphe s'est dilaté, les *amplitudes* ont augmenté proportionnellement du même facteur alors que les *parcours* sont demeurés les mêmes. Les pentes ont toutes été augmentées du même facteur. Par contre, si le graphe a été rétréci, les pentes sont toutes réduites d'un même facteur. Si le graphe a été réfléchi par rapport à l'axe des x, les pentes voient leur signe inversé. En d'autres termes, si une fonction est multipliée par une constante c, il en est de même de sa dérivée.

Dérivée d'une fonction multipliée par une constante

Si f est une fonction dérivable et c est une constante, alors

$$\frac{d}{dx}\left[cf(x)\right] = cf'(x).$$

Ce résultat peut aussi être obtenu algébriquement :

$$\frac{d}{dx}\left[cf(x)\right] = \lim_{h \to 0} \frac{cf(x+h) - cf(x)}{h} = \lim_{h \to 0} c\frac{f(x+h) - f(x)}{h}$$

$$= c\lim_{h \to 0} \frac{f(x+h) - f(x)}{h} = cf'(x).$$

On pourrait se demander pourquoi c peut être reporté à côté du symbole de limite. La raison est que c est une constante. Si la valeur de la fonction se rapproche d'un certain nombre, alors c fois cette fonction se rapproche de c fois ce nombre. La fonction, dans ce cas, est $[f(x+h) - f(x)]/h$.

La dérivée d'une somme et d'une différence de fonctions

Le tableau 3.1 présente des valeurs prises par les fonctions f et g ainsi que par la fonction somme $f + g$.

TABLEAU 3.1 *Somme des fonctions*

x	$f(x)$	$g(x)$	$f(x) + g(x)$
0	100	0	100
1	110	0,2	110,2
2	130	0,4	130,4
3	160	0,6	160,6
4	200	0,8	200,8

On voit qu'en additionnant les incréments de $f(x)$ et ceux de $g(x)$, on obtient les incréments de $f(x) + g(x)$. Par exemple, lorsque x croît de 0 à 1, $f(x)$ croît de 10, $g(x)$ croît de 0,2, et $f(x) + g(x)$ croît de $110,2 - 100 = 10,2$. De la même façon, lorsque x croît de 3 à 4, $f(x)$ croît de 40, $g(x)$ de 0,2 et $f(x) + g(x)$ croît de $200,8 - 160,6 = 40,2$.

À partir de cet exemple, on constate que le taux de croissance de $f(x) + g(x)$ est obtenu par la somme des taux de croissance de $f(x)$ et de $g(x)$ respectivement. Le même raisonnement s'applique à la différence $f(x) - g(x)$. On arrive à la conclusion qu'en termes de dérivées :

Dérivée d'une somme et d'une différence de fonctions

Si f et g sont dérivables, alors

$$\frac{d}{dx}[f(x) + g(x)] = f'(x) + g'(x) \quad \text{et} \quad \frac{d}{dx}[f(x) - g(x)] = f'(x) - g'(x).$$

On peut justifier la règle de la somme en utilisant la définition de la dérivée :

$$\frac{d}{dx}[f(x) + g(x)] = \lim_{h \to 0} \frac{[f(x + h) + g(x + h)] - [f(x) + g(x)]}{h}$$

$$= \lim_{h \to 0} \left[\underbrace{\frac{f(x + h) - f(x)}{h}}_{\substack{\text{La limite de ce membre} \\ \text{est } f'(x).}} + \underbrace{\frac{g(x + h) - g(x)}{h}}_{\substack{\text{La limite de ce membre} \\ \text{est } g'(x).}} \right]$$

$$= f'(x) + g'(x).$$

Les puissances de x

Au chapitre 2, on a démontré que

$$f'(x) = \frac{d}{dx}(x^2) = 2x \quad \text{et que} \quad g'(x) = \frac{d}{dx}(x^3) = 3x^2.$$

Les graphes de $f(x) = x^2$, de $g(x) = x^3$ et de leurs dérivées sont illustrés aux figures 3.2 et 3.3 (page suivante). À noter que $f'(x) = 2x$ a le comportement attendu. La fonction f' est négative pour $x < 0$ (quand f décroît), elle est zéro pour $x = 0$ et elle est positive pour $x > 0$ (quand f croît). De la même façon, $g'(x) = 3x^2$ est zéro quand $x = 0$, mais elle est positive partout ailleurs puisque g est croissante partout ailleurs.

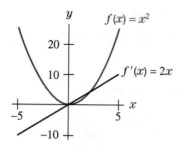

Figure 3.2 : Graphes de $f(x) = x^2$
et de sa dérivée $f'(x) = 2x$

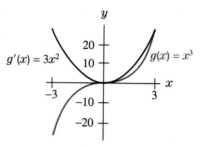

Figure 3.3 : Graphes de $g(x) = x^3$
et de sa dérivée $g'(x) = 3x^2$

Ces exemples sont des cas particuliers d'une règle qu'on peut généraliser pour toute valeur de n positive, comme on le démontrera un peu plus loin.

Dérivée d'une puissance

Pour tout nombre réel n,

$$\frac{d}{dx}(x^n) = nx^{n-1}.$$

Le problème 52 consistera à démontrer que cette règle se vérifie pour des puissances entières négatives. À la section 3.6, on montrera comment la justifier pour des puissances de la forme $1/n$.

Exemple 1   Calculez la dérivée de

a) $\dfrac{1}{x^3}$ b) $x^{1/2}$ c) $\dfrac{1}{\sqrt[3]{x}}$.

Solution   a)   Pour $n = -3$: $\dfrac{d}{dx}\left(\dfrac{1}{x^3}\right) = \dfrac{d}{dx}(x^{-3}) = -3x^{-3-1} = -3x^{-4} = -\dfrac{3}{x^4}$.

b)   Pour $n = 1/2$: $\dfrac{d}{dx}\left(x^{1/2}\right) = \dfrac{1}{2}x^{(1/2)-1} = \dfrac{1}{2}x^{-1/2} = \dfrac{1}{2\sqrt{x}}$.

c)   Pour $n = -1/3$: $\dfrac{d}{dx}\left(\dfrac{1}{\sqrt[3]{x}}\right) = \dfrac{d}{dx}\left(x^{-1/3}\right) = -\dfrac{1}{3}x^{(-1/3)-1} = -\dfrac{1}{3}x^{-4/3} = -\dfrac{1}{3x^{4/3}}$.

Exemple 2   Utilisez la définition de la dérivée pour vérifier que $\dfrac{d}{dx}(x^n) = nx^{n-1}$ pour $n = -2$. On veut démontrer que $\dfrac{d}{dx}(x^{-2}) = -2x^{-3}$.

Solution   Étant donné $x \neq 0$, on a

$$\frac{d}{dx}\left(x^{-2}\right) = \frac{d}{dx}\left(\frac{1}{x^2}\right) = \lim_{h \to 0}\left(\frac{\frac{1}{(x+h)^2} - \frac{1}{x^2}}{h}\right) = \lim_{h \to 0}\frac{1}{h}\left[\frac{x^2 - (x+h)^2}{(x+h)^2 x^2}\right] \quad \text{\scriptsize (En ramenant les fractions au même dénominateur)}$$

$$= \lim_{h \to 0}\frac{1}{h}\left[\frac{x^2 - (x^2 + 2xh + h^2)}{(x+h)^2 x^2}\right] \quad \text{\scriptsize (En développant au numérateur)}$$

$$= \lim_{h \to 0} \frac{-2xh - h^2}{h(x+h)^2 x^2} \quad \text{(En simplifiant le numérateur)}$$

$$= \lim_{h \to 0} \frac{-2x - h}{(x+h)^2 x^2} \quad \text{(En divisant le numérateur et le dénominateur par } h)$$

$$= \frac{-2x}{x^4} \quad \text{(En laissant tendre } h \to 0)$$

$$= -2x^{-3}.$$

Les graphes de x^{-2} et de sa dérivée $-2x^{-3}$ sont illustrés à la figure 3.4. Le graphe de la dérivée a-t-il les caractéristiques attendues ?

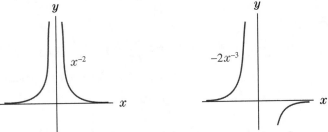

Figure 3.4 : Graphes de x^{-2} et de sa dérivée $-2x^{-3}$

La justification de $\dfrac{d}{dx}(x^n) = nx^{n-1}$ pour n, un nombre entier positif

Pour calculer les dérivées de x^2 et de x^3, on doit développer $(x+h)^2$ et $(x+h)^3$, soit

$$(x+h)^2 = x^2 + 2xh + h^2, \quad (x+h)^3 = x^3 + 3x^2h + 3xh^2 + h^3.$$

Pour calculer la dérivée de x^n, on doit développer $(x+h)^n$.

En appliquant le théorème du binôme présenté au chapitre 1, on obtient

$$(x+h)^n = x^n + nx^{n-1}h + \underbrace{\cdots + h^n}_{\substack{\text{Termes comprenant } h^2 \text{ et} \\ \text{les puissances supérieures de } h}}.$$

On peut maintenant trouver la dérivée

$$\frac{d}{dx}(x^n) = \lim_{h \to 0} \frac{(x+h)^n - x^n}{h}$$

$$= \lim_{h \to 0} \frac{(x^n + nx^{n-1}h + \cdots + h^n) - x^n}{h}$$

$$= \lim_{h \to 0} \frac{nx^{n-1}h + \overbrace{\cdots + h^n}^{\substack{\text{Termes comprenant } h^2 \text{ et} \\ \text{les puissances supérieures de } h}}}{h}.$$

En mettant h en évidence au numérateur et en le simplifiant avec le dénominateur, on obtient

$$\frac{d}{dx}(x^n) = \lim_{h \to 0} \frac{h(nx^{n-1} + \cdots + h^{n-1})}{h} = \lim_{h \to 0} (nx^{n-1} + \overbrace{\cdots + h^{n-1}}^{\substack{\text{Termes comprenant } h \text{ et} \\ \text{les puissances supérieures de } h}}).$$

Cependant, quand $h \to 0$, tous les termes contenant la valeur de h tendent vers zéro, de telle sorte que

$$\frac{d}{dx}(x^n) = \lim_{h \to 0} (nx^{n-1} + \underbrace{\cdots + h^{n-1}}_{\text{Ces termes tendent vers zéro.}}) = nx^{n-1}.$$

La dérivée des polynômes

Maintenant qu'on sait dériver une fonction puissance, une fonction multipliée par une constante et une somme de fonctions, on peut dériver n'importe quel polynôme.

Exemple 3   Recherchez les dérivées de   a) $5x^2 + 3x + 2$ b) $\sqrt{3}x^7 - \dfrac{x^5}{5} + \pi$.

Solution   a) $\dfrac{d}{dx}(5x^2 + 3x + 2) = 5\dfrac{d}{dx}(x^2) + 3\dfrac{d}{dx}(x) + \dfrac{d}{dx}(2)$

$\qquad\qquad\qquad\qquad\quad = 5 \cdot 2x + 3 \cdot 1 + 0$ (Puisque la dérivée d'une constante $\frac{d}{dx}$ (2) est zéro)

$\qquad\qquad\qquad\qquad\quad = 10x + 3.$

b) $\dfrac{d}{dx}\left(\sqrt{3}x^7 - \dfrac{x^5}{5} + \pi\right) = \sqrt{3}\,\dfrac{d}{dx}(x^7) - \dfrac{1}{5}\dfrac{d}{dx}(x^5) + \dfrac{d}{dx}(\pi)$

$\qquad\qquad\qquad\qquad\qquad\quad = \sqrt{3} \cdot 7x^6 - \dfrac{1}{5} \cdot 5x^4 + 0$ (Puisque π est une constante, $d\pi/dx = 0$)

$\qquad\qquad\qquad\qquad\qquad\quad = 7\sqrt{3}\,x^6 - x^4.$

On peut également appliquer les règles déjà étudiées pour dériver des expressions **qui ne sont pas des polynômes**.

Exemple 4   Calculez la dérivée de   a) $5\sqrt{x} - \dfrac{10}{x^2} + \dfrac{1}{2\sqrt{x}}$ b) $0,1x^3 + 2x^{\sqrt{2}}$.

Solution   a) $\dfrac{d}{dx}\left(5\sqrt{x} - \dfrac{10}{x^2} + \dfrac{1}{2\sqrt{x}}\right) = \dfrac{d}{dx}\left(5x^{1/2} - 10x^{-2} + \dfrac{1}{2}x^{-1/2}\right)$

$\qquad\qquad\qquad\qquad\qquad\qquad\qquad = 5 \cdot \dfrac{1}{2}x^{-1/2} - 10(-2)x^{-3} + \dfrac{1}{2}\left(-\dfrac{1}{2}\right)x^{-3/2}$

$\qquad\qquad\qquad\qquad\qquad\qquad\qquad = \dfrac{5}{2\sqrt{x}} + \dfrac{20}{x^3} - \dfrac{1}{4x^{3/2}}.$

b) $\dfrac{d}{dx}(0,1x^3 + 2x^{\sqrt{2}}) = 0,1\dfrac{d}{dx}(x^3) + 2\dfrac{d}{dx}(x^{\sqrt{2}}) = 0,3x^2 + 2\sqrt{2}x^{\sqrt{2}-1}.$

Exemple 5   Recherchez la dérivée seconde et donnez l'interprétation de son signe pour

     a) $f(x) = x^2$ b) $g(x) = x^3$ c) $k(x) = x^{1/2}$.

Solution   a)   Si $f(x) = x^2$, alors $f'(x) = 2x$, de telle sorte que $f''(x) = \dfrac{d}{dx}(2x) = 2$. Puisque f'' est

toujours positive, le graphe de f est concave vers le haut comme doit l'être une parabole ouverte vers le haut (voir la figure 3.5).

b) Si $g(x) = x^3$, alors $g'(x) = 3x^2$, de sorte que $g''(x) = \dfrac{d}{dx}(3x^2) = 3\dfrac{d}{dx}(x^2) = 3 \cdot 2x = 6x$.

Cette valeur est positive pour $x > 0$ et elle est négative pour $x < 0$. Cela signifie que x^3 est concave vers le haut pour $x > 0$ et concave vers le bas pour $x < 0$ (voir la figure 3.6).

c) Si $k(x) = x^{1/2}$, alors $k'(x) = \frac{1}{2}x^{(1/2)-1} = \frac{1}{2}x^{-1/2}$, de telle sorte que

$$k''(x) = \frac{d}{dx}\left(\frac{1}{2}x^{-1/2}\right) = \frac{1}{2} \cdot \left(-\frac{1}{2}\right)x^{-(1/2)-1} = -\frac{1}{4}x^{-3/2}.$$

On constate que k' et k'' ne sont définies que pour $x > 0$. Quand $x > 0$, on voit que $k''(x)$ est négative et que le graphe de k est concave vers le bas [voir la figure 3.7].

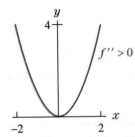

Figure 3.5 : $f(x) = x^2$ et
$f''(x) = 2$

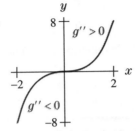

Figure 3.6 : $g(x) = x^3$ et
$g''(x) = 6x$

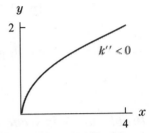

Figure 3.7 : $k(x) = x^{1/2}$ et
$k''(x) = -\frac{1}{4}x^{-3/2}$

Exemple 6 Si la position d'un corps (en mètres) est exprimée en fonction du temps t (en secondes) par l'équation suivante :

$$s = -4,9t^2 + 5t + 6,$$

quelles sont la vitesse et l'accélération de ce corps au temps t ?

Solution La vitesse v est la dérivée de la position

$$v = \frac{ds}{dt} = \frac{d}{dt}(-4,9t^2 + 5t + 6) = -9,8t + 5,$$

et l'accélération a est la dérivée de la vitesse

$$a = \frac{dv}{dt} = \frac{d}{dt}(-9,8t + 5) = -9,8.$$

On note que v est exprimée en mètres par seconde (m/s) et que a est exprimée en mètres par seconde au carré (m/s^2).

Exemple 7 La figure 3.8 illustre le graphe d'un polynôme cubique. Décrivez graphiquement et algébriquement le comportement de la dérivée de cette cubique.

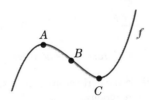

Figure 3.8 : Cubique
de l'exemple 7

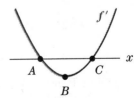

Figure 3.9 : Dérivée de la
cubique de l'exemple 7

Solution **Approche graphique :** on suppose qu'on se déplace le long de la courbe de la gauche vers la droite. À gauche du point A, la pente est positive ; elle est d'abord très positive et décroît jusqu'à ce que la courbe atteigne A. À ce point, la pente est zéro. Entre A et C, la pente est négative. Entre A et B, la pente décroît (c'est-à-dire qu'elle devient plus négative) ; au point B, elle est le plus négative possible. Entre B et C, la pente est négative, mais elle croît. Au point C, la pente est zéro. Après C, la pente est positive et croissante. Le graphe de la dérivée de cette fonction est illustré à la figure 3.9 (page précédente).

Approche algébrique : f est une fonction cubique qui tend vers $+\infty$ au fur et à mesure que $x \to +\infty$, de telle sorte que

$$f(x) = ax^3 + bx^2 + cx + d$$

avec $a > 0$. Donc,

$$f'(x) = 3ax^2 + 2bx + c,$$

dont le graphe est une parabole ouverte vers le haut, comme l'illustre la figure 3.9.

Problèmes de la section 3.1

1. Soit $f(x) = 7$. En utilisant la définition de la dérivée, montrez que $f'(x) = 0$ pour toutes les valeurs de x.

2. Soit $f(x) = -3x + 2$ et $g(x) = 2x + 1$.

   a) Si $k(x) = f(x) + g(x)$, trouvez une formule pour $k(x)$ et vérifiez la règle de la somme en comparant $k'(x)$ avec $f'(x) + g'(x)$.

   b) Si $j(x) = f(x) - g(x)$, trouvez une formule pour $j(x)$ et comparez $j'(x)$ avec $f'(x) - g'(x)$.

3. a) Si $f(x) = 5x - 3$ et $g(x) = -2x + 1$, trouvez la dérivée de $f(g(x))$.

   b) Reprenez votre réponse de la partie a) pour estimer la dérivée de la composition de deux fonctions linéaires. Expliquez pourquoi ce que vous affirmez est vrai pour toute paire de fonctions linéaires.

Pour les problèmes 4 à 24, trouvez la dérivée des fonctions ci-après.

4. $y = x^{11}$

5. $y = x^{12}$

6. $y = -x^{-11}$

7. $y = x^{3,2}$

8. $y = x^{-12}$

9. $y = x^{4/3}$

10. $y = x^{3/4}$

11. $y = x^{-3/4}$

12. $f(x) = \dfrac{1}{x^4}$

13. $f(x) = \sqrt[4]{x}$

14. $f(x) = x^e$

15. $y = 4x^{3/2} - 5x^{1/2}$

16. $y = 6x^3 + 4x^2 - 2x$

17. $y = -3x^4 - 4x^3 - 6x + 2$

18. $y = 3t^5 - 5\sqrt{t} + \dfrac{7}{t}$

19. $y = 3t^2 + \dfrac{12}{\sqrt{t}} - \dfrac{1}{t^2}$

20. $y = z^2 + \dfrac{1}{2z}$

21. $y = \dfrac{x^2 + 1}{x}$

22. $g(z) = \dfrac{z^7 + 5z^6 - z^3}{z^2}$

23. $f(t) = \dfrac{t^2 + t^3 - 1}{t^4}$

24. $y = \dfrac{\theta - 1}{\sqrt{\theta}}$

25. Quelles sont les fonctions des problèmes 4 à 15 qui ont des dérivées qui n'existent pas en $x = 0$?

Pour les problèmes 26 à 34, déterminez si les règles de dérivation de la présente section s'appliquent. Si c'est le cas, trouvez la dérivée. Sinon, justifiez votre réponse.

26. $y = \sqrt{x}$

27. $y = (x + 3)^{1/2}$

28. $y = 3x^2 + 4$

29. $y = \dfrac{1}{3z^2} + \dfrac{1}{4}$

30. $y = \dfrac{1}{3x^2 + 4}$

31. $y = 3^x$

32. $y = \dfrac{1}{3\sqrt{x}} + \dfrac{1}{4}$

33. $g(x) = 72\sqrt[6]{x} + \dfrac{27}{x^{2/3}}$

34. $g(x) = x^\pi - x^{-\pi}$

35. Si $f(t) = 2t^3 - 4t^2 + 3t - 1$, trouvez $f'(t)$ et $f''(t)$.

36. Si $f(x) = 4x^3 + 6x^2 - 23x + 7$, trouvez les intervalles sur lesquels $f'(x) \geq 1$.

37. Sur quels intervalles le graphe de $f(x) = x^4 - 4x^3$ est-il à la fois décroissant et concave vers le haut ?

38. Pour quelles valeurs de x le graphe de $y = x^5 - 5x$ est-il à la fois croissant et concave vers le haut ?

39. Si $f(x) = 13 - 8x + \sqrt{2}x^2$ et si $f'(r) = 4$, trouvez r.

40. a) Trouvez la dérivée *huitième* de $f(x) = x^7 + 5x^5 - 4x^3 + 6x - 7$. Réfléchissez bien !
    (La dérivée n-ième est obtenue en dérivant n fois la fonction originale.)
    b) Trouvez la dérivée *septième* de $f(x)$.

41. Trouvez l'équation de la droite tangente au graphe de la fonction f au point $(1, 1)$, où $f(x) = 2x^3 - 2x^2 + 1$.

42. Démontrez que, pour la fonction $f(x) = x^n$, on trouve $f'(1) = n$ pour tout n réel.

43. Étant donné une fonction puissance de la forme $f(x) = ax^n$ avec $f'(2) = 3$ et $f'(4) = 24$, trouvez n et a.

44. Existe-t-il une valeur de n qui fait de $y = x^n$ une solution de l'équation $13x\dfrac{dy}{dx} = y$? Si c'est le cas, quelle est cette valeur ?

45. En utilisant un graphe pour vous aider, trouvez l'équation des droites qui passent par l'origine et qui sont tangentes à la parabole

$$y = x^2 - 2x + 4.$$

Tracez ces droites sur le graphe.

46. Une balle est lâchée à partir du sommet de l'Empire State Building vers le sol. La hauteur y de la balle au-dessus du sol (en mètres) en fonction du temps t (en secondes) est donnée par

$$y = 380 - 5t^2.$$

   a) Trouvez la vitesse de la balle au temps t. Quel est le signe de la vitesse ? Pourquoi le signe était-il prévisible ?
   b) Démontrez que l'accélération de la balle est constante. Quels sont la valeur et le signe de cette constante ?
   c) À quel moment la balle touchera-t-elle le sol et quelle sera sa vitesse à ce moment-là ? Exprimez votre réponse en pieds par seconde et en milles par heure (1 m/s $= 18/5$ km/h).

47. L'attraction gravitationnelle F entre la Terre et un satellite de masse m à une distance r du centre de la Terre est donnée par

$$F = \frac{GMm}{r^2},$$

où M est la masse de la Terre et G est une constante. Trouvez le taux de variation de la force en fonction de la distance.

48. La période T d'un pendule est exprimée en fonction de sa longueur l par

$$T = 2\pi\sqrt{\frac{l}{g}},$$

où g est l'accélération due à la gravité (qui est une constante).

   a) Trouvez $\dfrac{dT}{dl}$.

b) Quel est le signe de $\dfrac{dT}{dl}$? Quelle information en tirez-vous à propos de la période d'un pendule ?

49. On sait que le graphe d'une droite tangente se confond de plus en plus avec le graphe de la fonction elle-même à proximité du point de tangence. Cependant, plus on s'éloigne du point de tangence, plus la distance entre le graphe de la fonction et la droite tangente s'accroît. On analyse maintenant la fonction définie par $f(x) = 1/x$. Trouvez la valeur de f en $x = 2$. Trouvez la droite tangente à la courbe en $x = 1$ et utilisez cette valeur pour estimer la valeur de f en $x = 2$. Maintenant, trouvez la tangente à la courbe en $x = 100$ et utilisez cette tangente pour estimer la valeur de f en $x = 2$. Quelle est la droite tangente qui se confond le plus avec la courbe en $x = 2$? Y a-t-il une contradiction avec votre idée initiale ? Justifiez votre réponse.

50. a) Utilisez la formule de l'aire d'un cercle de rayon r, soit $A = \pi r^2$, pour trouver $\dfrac{dA}{dr}$.

b) La réponse de la partie a) vous est familière. Que signifie $\dfrac{dA}{dr}$ du point de vue géométrique ? Faites un dessin.

c) Utilisez le taux moyen de variation pour expliquer l'observation que vous avez faite à la partie b).

51. Quelle est la formule pour $V(r)$, le volume d'une sphère de rayon r ? Trouvez $\dfrac{dV}{dr}$. Quelle est la signification, du point de vue géométrique, de $\dfrac{dV}{dr}$?

52. En utilisant la définition de la dérivée, justifiez la formule $\dfrac{d}{dx}(x^n) = nx^{n-1}$.

a) Pour $n = -1$; pour $n = -3$.   b) Pour tout nombre entier négatif n.

3.2 LA FONCTION EXPONENTIELLE

Quelle forme pourrait avoir un graphe de la dérivée de la fonction exponentielle $f(x) = a^x$? Le graphe de cette fonction exponentielle, pour $a > 1$, est illustré à la figure 3.10. La fonction croît doucement pour $x < 0$ et plus rapidement pour $x > 0$. Les valeurs de f' sont petites pour $x < 0$ et sont plus grandes pour $x > 0$. Puisque la fonction croît pour toutes les valeurs de x, le graphe de la dérivée se situera au-dessus de l'axe des x. En fait, on constate que le graphe de f' doit ressembler au graphe de f lui-même. On verra comment cette observation se confirme pour $f(x) = 2^x$ et $g(x) = 3^x$.

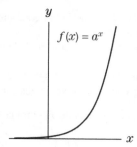

Figure 3.10 : $f(x) = a^x$ pour $a > 1$

Les dérivées de 2^x et de 3^x

Au chapitre 2, on a vu que la dérivée de $f(x) = 2^x$ en $x = 0$ est donnée par

$$f'(0) = \lim_{h \to 0} \frac{2^h - 2^0}{h} = \lim_{h \to 0} \frac{2^h - 1}{h} \approx 0{,}6931.$$

L'estimation de cette limite est obtenue en évaluant $(2^h - 1)/h$ pour les valeurs de h près de 0. De la même façon, on peut estimer la dérivée en $x = 1$ et en $x = 2$ comme suit :

$$f'(1) = \lim_{h \to 0} \frac{2^{1+h} - 2^1}{h} \approx 1{,}3863,$$

$$f'(2) = \lim_{h \to 0} \frac{2^{2+h} - 2^2}{h} \approx 2{,}7726.$$

Voyez-vous la relation entre ces valeurs de la dérivée ? Si on remarque que $1{,}3863 \approx 2(0{,}6931)$ et que $2{,}7726 \approx 4(0{,}6931)$, on voit que

$$f'(0) \approx 0{,}6931 = 0{,}6931 \cdot 2^0,$$
$$f'(1) \approx 1{,}3863 \approx 0{,}6931 \cdot 2^1,$$
$$f'(2) \approx 2{,}7726 \approx 0{,}6931 \cdot 2^2.$$

Il semble que $f'(x) \approx 0{,}6931 \cdot 2^x$, ce qui est vrai en réalité. Pour vérifier cette affirmation, on calcule la fonction dérivée.

$$f'(x) = \lim_{h \to 0} \left(\frac{2^{x+h} - 2^x}{h} \right) = \lim_{h \to 0} \left(\frac{2^x 2^h - 2^x}{h} \right) = \lim_{h \to 0} 2^x \left(\frac{2^h - 1}{h} \right)$$

$$= 2^x \lim_{h \to 0} \left(\frac{2^h - 1}{h} \right) \qquad \text{(Puisque } x \text{ et } 2^x \text{ sont des valeurs fixes pendant tout le calcul)}$$

$$= f'(0) 2^x.$$

On a déjà estimé $f'(0) \approx 0{,}6931$. Ainsi, on obtient

$$\boxed{\frac{d}{dx}(2^x) = f'(x) \approx (0{,}6931) 2^x.}$$

Les graphes de $f(x) = 2^x$ et de $f'(x) \approx (0{,}6931) 2^x$ sont illustrés à la figure 3.11. À remarquer qu'ils sont très similaires.

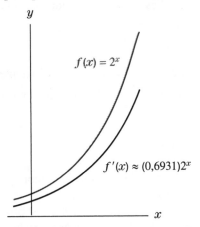

Figure 3.11 : Graphe de $f(x) = 2^x$ et de sa dérivée

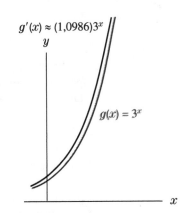

Figure 3.12 : Graphe de $g(x) = 3^x$ et de sa dérivée

Exemple 1 Trouvez la dérivée de $g(x) = 3^x$ et tracez g et g' sur le même système d'axes.

Solution Comme précédemment,

$$g'(x) = \lim_{h \to 0} \frac{3^{x+h} - 3^x}{h} = \lim_{h \to 0} \frac{3^x 3^h - 3^x}{h} = 3^x \lim_{h \to 0} \left(\frac{3^h - 1}{h} \right).$$

En utilisant une calculatrice, on obtient

$$\lim_{h \to 0} \left(\frac{3^h - 1}{h} \right) \approx 1{,}0986,$$

de telle sorte que

$$g'(x) \approx (1{,}0986)3^x.$$

Ces graphes sont illustrés à la figure 3.12 (page précédente).

On remarque que, pour $f(x) = 2^x$ et $g(x) = 3^x$, les *dérivées sont proportionnelles aux fonctions originales*. Pour $f(x) = 2^x$, on a $f'(x) \approx (0{,}6931)2^x$, de telle sorte que la constante de proportionnalité est inférieure à 1 et que le graphe de la dérivée est situé sous le graphe de la fonction originale. Pour $g(x) = 3^x$, on obtient $g'(x) \approx (1{,}0986)3^x$, de telle sorte que la constante de proportionnalité est plus grande que 1 et que le graphe de la dérivée est au-dessus de la fonction originale.

Une remarque sur les erreurs d'arrondissement et sur les limites

Si on essaie d'évaluer $(2^h - 1)/h$ à l'aide d'une calculatrice en prenant des valeurs de h de plus en plus près de 0, les valeurs de $(2^h - 1)/h$ seront d'abord très proches de 0,6931. Cependant, ces valeurs s'écarteront de la valeur exacte 0,6931... à cause de l'*erreur d'arrondissement* (c'est-à-dire les erreurs dues à la limite d'affichage de la calculatrice à un certain nombre de chiffres).

Au fur et à mesure qu'on essaie des valeurs de h de plus en plus près de 0, comment peut-on savoir à quel moment arrêter ? Malheureusement, il n'y a pas de règle à ce propos. Une calculatrice ne peut que suggérer la valeur d'une limite, mais elle ne peut jamais confirmer que cette valeur est correcte. Dans le cas précédent, il semble que la limite soit proche de 0,6931 parce que les valeurs de $(2^h - 1)/h$ oscillent autour de 0,6931 pendant un certain temps. Pour s'assurer que ce résultat est correct, on doit trouver la limite par des moyens théoriques.

La dérivée de a^x et la définition de e

Le calcul de la dérivée de $f(x) = a^x$ pour $a > 0$ est similaire à celui de 2^x et de 3^x. On a

$$f'(x) = \lim_{h \to 0} \frac{a^{x+h} - a^x}{h} = a^x \lim_{h \to 0} \frac{a^h - 1}{h}.$$

La quantité $\lim_{h \to 0} (a^h - 1)/h$ ne dépend pas de x et représente une constante pour toute valeur particulière de a. La dérivée est de nouveau proportionnelle à la fonction originale, où la constante de proportionnalité est

$$\lim_{h \to 0} \frac{a^h - 1}{h}.$$

On ne peut utiliser une calculatrice pour estimer cette limite sans connaître la valeur de a. Cependant, quand $a = 2$, on sait que la limite (0,6931) est plus petite que 1 et que la dérivée est plus petite que la fonction originale. Quand $a = 3$, la limite (1,0986) est plus grande que 1 et la dérivée est plus grande que la fonction originale. Par conséquent, existe-t-il un cas intermédiaire où la dérivée et la fonction se confondent exactement ? En d'autres mots,

$$\text{existe-t-il une valeur de } a \text{ qui rende } \frac{d}{dx}(a^x) = a^x ?$$

Si c'est le cas, on a trouvé une fonction ayant cette propriété remarquable d'être égale à sa propre dérivée.

On examine maintenant une telle valeur de a, c'est-à-dire qu'on recherche un a de telle sorte que

$$\lim_{h \to 0} \frac{a^h - 1}{h} = 1 \quad \text{ou, pour une valeur de } h \text{ près de } 0, \quad \frac{a^h - 1}{h} \approx 1.$$

En déterminant a, on est amené à calculer a de l'une des manières suivantes :

$$a^h - 1 \approx h \quad \text{ou} \quad a^h \approx 1 + h, \quad \text{de telle sorte que} \quad a \approx (1 + h)^{1/h}.$$

En prenant des valeurs de h près de 0, comme au tableau 3.2, on peut remarquer que $a \approx 2{,}718\ldots$, ce qui ressemble au nombre e présenté au chapitre 1.

TABLEAU 3.2

h	$(1 + h)^{1/h}$
0,001	2,716 923 9
0,0001	2,718 145 9
0,000 01	2,718 268 2

En fait, on peut démontrer que

$$e = \lim_{h \to 0} (1 + h)^{1/h} = 2{,}718\ldots \quad \text{et que} \quad \lim_{h \to 0} \frac{e^h - 1}{h} = 1.$$

Cela signifie que e^x est égal à sa propre dérivée, donc

$$\boxed{\frac{d}{dx}(e^x) = e^x.}$$

Il s'ensuit que les constantes présentes dans les dérivées de 2^x et de 3^x sont des logarithmes naturels. En fait, puisque $0{,}6931 \approx \ln 2$ et que $1{,}0986 \approx \ln 3$, on peut supposer à juste titre que

$$\frac{d}{dx}(2^x) = (\ln 2)2^x \quad \text{et que} \quad \frac{d}{dx}(3^x) = (\ln 3)3^x.$$

À la section 3.6, on démontrera qu'en général

$$\boxed{\frac{d}{dx}(a^x) = (\ln a)a^x.}$$

La figure 3.13 (page suivante) illustre le graphe de la dérivée de 2^x au-dessous du graphe de la fonction et le graphe de la dérivée de 3^x au-dessus du graphe de la fonction. Avec $e \approx 2{,}718$, la fonction e^x et sa dérivée sont identiques.

Puisque $\ln a$ est une constante, la dérivée de a^x est proportionnelle à a^x. Il existe plusieurs quantités qui ont des taux de variation proportionnels à elles-mêmes. Par exemple, le modèle le plus simple d'une croissance de population possède cette propriété. Le fait que la constante de proportionnalité soit égale à 1 quand $a = e$ fait de e une base fondamentale pour les fonctions exponentielles.

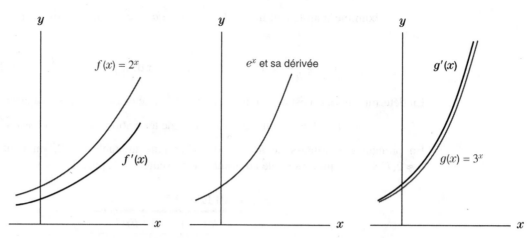

Figure 3.13 : Graphes des fonctions 2^x, e^x et 3^x et de leur dérivée

Exemple 2 Calculez la dérivée de $2 \cdot 3^x + 5e^x$.

Solution

$$\frac{d}{dx}(2 \cdot 3^x + 5e^x) = 2\frac{d}{dx}(3^x) + 5\frac{d}{dx}(e^x) = 2 \ln 3 \cdot 3^x + 5e^x \approx (2,1972)3^x + 5e^x.$$

Problèmes de la section 3.2

Trouvez les dérivées des fonctions des problèmes 1 à 21.

1. $f(x) = 2e^x + x^2$

2. $y = 5t^2 + 4e^t$

3. $y = 5^x + 2$

4. $f(x) = 2^x + 2 \cdot 3^x$

5. $y = 5x^2 + 2^x + 3$

6. $f(x) = 12e^x + 11^x$

7. $y = 4 \cdot 10^x - x^3$

8. $y = 3x - 2 \cdot 4^x$

9. $y = \dfrac{3^x}{3} + \dfrac{33}{\sqrt{x}}$

10. $f(x) = e^2 + x^e$

11. $f(x) = e^{1+x}$

12. $f(t) = e^{t+2}$

13. $y = e^{\theta - 1}$

14. $z = (\ln 4)e^x$

15. $z = (\ln 4)4^x$

16. $f(z) = (\ln 3)z^2 + (\ln 4)\, e^z$

17. $f(t) = (\ln 3)^t$

18. $f(x) = x^3 + 3^x$

19. $y = 5 \cdot 5^t + 6 \cdot 6^t$

20. $y = \pi^2 + \pi^x$

21. $f(x) = x^{\pi^2} + (\pi^2)^x$

Parmi les fonctions des problèmes 22 à 30, lesquelles peuvent être dérivées en utilisant les règles qu'on a déterminées jusqu'à maintenant ? Effectuez la dérivation si vous le pouvez. Dans le cas contraire, indiquez pourquoi les règles en question ne s'appliquent pas.

22. $y = x^2 + 2^x$

23. $y = \sqrt{x} - \left(\frac{1}{2}\right)^x$

24. $y = x^2 \cdot 2^x$

25. $y = \dfrac{2^x}{x}$

26. $y = e^{x+5}$

27. $y = e^{5x}$

28. $y = 4^{(x^2)}$

29. $f(z) = (\sqrt{4})^z$

30. $f(\theta) = 4^{\sqrt{\theta}}$

31. Depuis le 1er janvier 1960, la population de la localité de Slim Chance a été décrite par la formule suivante :

$$P = 35\,000(0{,}98)^t,$$

où P est la population de la localité, t années après le début de 1960. À quel taux la population variait-elle le 1er janvier 1983 ?

32. Avec un taux d'inflation annuel de 5 %, les prix sont définis par l'expression

$$P = P_0(1{,}05)^t,$$

où P_0 est le prix (en dollars) quand $t = 0$, et t est le temps (en années). Supposez que $P_0 = 1$. À quelle vitesse (en cents par année) les prix augmentent-ils quand $t = 10$?

33. Le prix de certaines pièces de mobilier antique a augmenté très rapidement au cours des décennies 1970 et 1980. Par exemple, la valeur d'une chaise berçante est estimée correctement par :

$$V = 75(1{,}35)^t,$$

où V est le prix (en dollars) et t est le temps écoulé (en années) depuis 1975. Trouvez le taux de croissance des prix, en dollars par année.

34. La valeur d'une automobile achetée en 1997 est estimée par la fonction $V(t) = 25(0{,}85)^t$, où t est le temps écoulé (en années) à partir de la date d'achat et V est la valeur du véhicule (en milliers de dollars).

    a) Évaluez et interprétez $V(4)$.
    b) Trouvez une expression pour $V'(t)$ et précisez les unités.
    c) Estimez et interprétez $V'(4)$.
    d) Utilisez $V(t)$, $V'(t)$ et toute autre considération pertinente pour rédiger une argumentation qui permettra d'affirmer ou de contredire l'énoncé suivant : « D'un point de vue strictement financier, il est préférable de garder le véhicule aussi longtemps que possible. »

35. a) Trouvez la pente du graphe de $f(x) = 1 - e^x$ au point d'intersection avec l'axe des x.
    b) Trouvez l'équation de la droite tangente à la courbe en ce point.
    c) Trouvez l'équation de la droite perpendiculaire à la droite tangente en ce point. (Cette droite est appelée droite *normale*.)

36. Trouvez la valeur de c à la figure 3.14, où la droite l tangente au graphe de $y = 2^x$ en $(0, 1)$ rencontre l'axe des x.

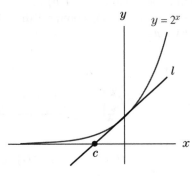

Figure 3.14

37. Trouvez le polynôme quadratique $g(x) = ax^2 + bx + c$ qui représente le mieux la fonction $f(x) = e^x$ en $x = 0$, c'est-à-dire tel que

$$g(0) = f(0), \quad g'(0) = f'(0) \quad \text{et} \quad g''(0) = f''(0).$$

À l'aide d'un ordinateur ou d'une calculatrice, tracez les graphes de f et de g sur le même système d'axes. Que remarquez-vous ?

38. En utilisant l'équation de la droite tangente au graphe de e^x en $x = 0$, démontrez que

$$e^x \geq 1 + x$$

pour toutes les valeurs de x. Un graphe vous sera utile.

39. Trouvez toutes les solutions de l'équation

$$2^x = 2x.$$

Comment pouvez-vous être certain d'avoir trouvé toutes les solutions ?

3.3   LES RÈGLES DU PRODUIT ET DU QUOTIENT

On sait comment obtenir la dérivée des fonctions puissance et des fonctions exponentielles ainsi que la dérivée de la somme de fonctions et d'une fonction multipliée par une constante. Cette section montre comment trouver la dérivée d'un produit et d'un quotient de fonctions.

L'utilisation de la notation Δ

Pour exprimer le taux moyen de variation d'une fonction, on introduit une nouvelle notation. On l'appelle Δf, qui se lit « delta f » et qui sert à représenter une petite variation de la valeur de f,

$$\Delta f = f(x + h) - f(x).$$

Dans cette notation, la dérivée est la limite du rapport $\Delta f / h$:

$$f'(x) = \lim_{h \to 0} \frac{\Delta f}{h}.$$

La règle du produit

On suppose que l'on connaît la dérivée de $f(x)$ et de $g(x)$ et qu'on désire calculer la dérivée du produit $f(x)g(x)$. La dérivée du produit s'obtient en prenant la limite, autrement dit

$$\frac{d[f(x)g(x)]}{dx} = \lim_{h \to 0} \frac{f(x + h)g(x + h) - f(x)g(x)}{h}.$$

Pour représenter la quantité $f(x + h)g(x + h) - f(x)g(x)$, on imagine un rectangle ayant les côtés $f(x + h)$ et $g(x + h)$, comme l'illustre la figure 3.15, où $\Delta f = f(x + h) - f(x)$ et $\Delta g = g(x + h) - g(x)$.

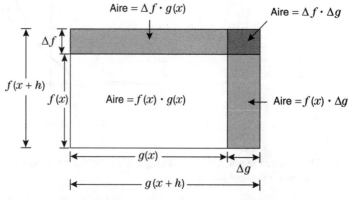

Figure 3.15 : Illustration de la règle du produit (avec Δf et Δg positifs)

Alors,

$$f(x+h)g(x+h) - f(x)g(x) = \text{(Aire du rectangle complet)} - \text{(Aire non ombrée)}$$
$$= \text{Aire des trois rectangles ombrés}$$
$$= \Delta f \cdot g(x) + f(x) \cdot \Delta g + \Delta f \cdot \Delta g.$$

Si on divise maintenant par h, on obtient

$$\frac{f(x+h)g(x+h) - f(x)g(x)}{h} = \frac{\Delta f}{h} \cdot g(x) + f(x) \cdot \frac{\Delta g}{h} + \frac{\Delta f \cdot \Delta g}{h}.$$

Pour évaluer la limite quand $h \to 0$, on examine séparément les trois termes du membre de droite de l'équation. On remarque que

$$\lim_{h \to 0} \frac{\Delta f}{h} \cdot g(x) = f'(x)g(x) \quad \text{et que} \quad \lim_{h \to 0} f(x) \cdot \frac{\Delta g}{h} = f(x)g'(x).$$

Dans le troisième terme, on multiplie le dénominateur et le numérateur par h pour obtenir $\frac{\Delta f}{h} \cdot \frac{\Delta g}{h} \cdot h$. D'où

$$\lim_{h \to 0} \frac{\Delta f \cdot \Delta g}{h} = \lim_{h \to 0} \frac{\Delta f}{h} \cdot \frac{\Delta g}{h} \cdot h = \lim_{h \to 0} \frac{\Delta f}{h} \cdot \lim_{h \to 0} \frac{\Delta g}{h} \cdot \lim_{h \to 0} h = f'(x) \cdot g'(x) \cdot 0 = 0.$$

On obtient alors

$$\lim_{h \to 0} \frac{f(x+h)g(x+h) - f(x)g(x)}{h} = \lim_{h \to 0} \left(\frac{\Delta f}{h} \cdot g(x) + f(x) \cdot \frac{\Delta g}{h} + \frac{\Delta f \cdot \Delta g}{h} \right)$$
$$= \lim_{h \to 0} \frac{\Delta f}{h} \cdot g(x) + \lim_{h \to 0} f(x) \cdot \frac{\Delta g}{h} + \lim_{h \to 0} \frac{\Delta f \cdot \Delta g}{h}$$
$$= f'(x)g(x) + f(x)g'(x).$$

On peut donc en déduire la règle suivante :

Règle du produit

Si $u = f(x)$ et $v = g(x)$ sont des fonctions dérivables, alors

$$(fg)' = f'g + fg'.$$

La règle du produit peut également s'écrire

$$\frac{d(uv)}{dx} = \frac{du}{dx} \cdot v + u \cdot \frac{dv}{dx}.$$

En d'autres termes, la dérivée d'un produit de deux fonctions est égale à la dérivée de la première fonction multipliée par la seconde fonction, plus la première fonction multipliée par la dérivée de la seconde fonction.

On trouvera une autre justification de la règle du produit dans le problème 23 de la section 3.8.

Exemple 1   On veut dériver :   a) $x^2 e^x$ b) $(3x^2 + 5x)e^x$ c) $\dfrac{e^x}{x^2}$.

Solution   a) $\dfrac{d(x^2 e^x)}{dx} = \left(\dfrac{d(x^2)}{dx} \right) e^x + x^2 \dfrac{d(e^x)}{dx} = 2x e^x + x^2 e^x = (2x + x^2)e^x.$

b) $\dfrac{d((3x^2 + 5x)e^x)}{dx} = \left(\dfrac{d(3x^2 + 5x)}{dx}\right)e^x + (3x^2 + 5x)\dfrac{d(e^x)}{dx}$

$\qquad\qquad\qquad = (6x + 5)e^x + (3x^2 + 5x)e^x = (3x^2 + 11x + 5)e^x.$

c) Il faut d'abord écrire $\dfrac{e^x}{x^2}$ comme le produit $x^{-2}e^x$:

$\dfrac{d}{dx}\left(\dfrac{e^x}{x^2}\right) = \dfrac{d(x^{-2}e^x)}{dx} = \left(\dfrac{d(x^{-2})}{dx}\right)e^x + x^{-2}\dfrac{d(e^x)}{dx}$

$\qquad\qquad = -2x^{-3}e^x + x^{-2}e^x = (-2x^{-3} + x^{-2})e^x.$

La règle du quotient

On veut dériver une fonction de la forme $Q(x) = f(x)/g(x)$ [bien sûr, en évitant les points où $g(x) = 0$]. On recherche une formule pour Q' en termes de f' et de g'.

On suppose que $Q(x)$ est dérivable[1]. On peut appliquer la règle du produit à $f(x) = Q(x)g(x)$:

$$f'(x) = Q'(x)g(x) + Q(x)g'(x)$$

$$= Q'(x)g(x) + \dfrac{f(x)}{g(x)}g'(x).$$

En résolvant cette équation pour déterminer $Q'(x)$, on obtient

$$Q'(x) = \dfrac{f'(x) - \dfrac{f(x)}{g(x)}g'(x)}{g(x)}.$$

En multipliant le numérateur et le dénominateur de cette fonction par $g(x)$, on simplifie et on obtient

$$\left(\dfrac{f(x)}{g(x)}\right)' = \dfrac{f'(x)g(x) - f(x)g'(x)}{(g(x))^2},$$

de telle sorte qu'on obtient la règle suivante :

Règle du quotient

Si $u = f(x)$ et $v = g(x)$ sont des fonctions dérivables, alors

$$\left(\dfrac{f}{g}\right)' = \dfrac{f'g - fg'}{g^2}$$

ou, de manière équivalente,

$$\dfrac{d}{dx}\left(\dfrac{u}{v}\right) = \dfrac{\dfrac{du}{dx}\cdot v - u\cdot\dfrac{dv}{dx}}{v^2}.$$

En d'autres termes, la dérivée d'un quotient de fonctions est égale à la dérivée du numérateur multipliée par le dénominateur, moins le numérateur multiplié par la dérivée du dénominateur, le tout sur le dénominateur au carré.

---

1. On peut se servir de la méthode de l'exemple 6 de la section 3.4 pour expliquer pourquoi $Q(x)$ doit être dérivable.

Exemple 2 Dérivez les fonctions suivantes : a) $\dfrac{5x^2}{x^3 + 1}$ b) $\dfrac{1}{1 + e^x}$ c) $\dfrac{e^x}{x^2}$.

Solution   a) $\dfrac{d}{dx}\left(\dfrac{5x^2}{x^3 + 1}\right) = \dfrac{\left(\dfrac{d}{dx}(5x^2)\right)(x^3 + 1) - 5x^2 \dfrac{d}{dx}(x^3 + 1)}{(x^3 + 1)^2} = \dfrac{10x(x^3 + 1) - 5x^2(3x^2)}{(x^3 + 1)^2}.$

$$= \dfrac{-5x^4 + 10x}{(x^3 + 1)^2} = \dfrac{5x(2 - x^3)}{(x^3 + 1)^2}.$$

b) $\dfrac{d}{dx}\left(\dfrac{1}{1 + e^x}\right) = \dfrac{\left(\dfrac{d}{dx}(1)\right)(1 + e^x) - 1 \dfrac{d}{dx}(1 + e^x)}{(1 + e^x)^2} = \dfrac{0(1 + e^x) - 1(0 + e^x)}{(1 + e^x)^2}$

$$= \dfrac{-e^x}{(1 + e^x)^2}.$$

c) Cette question est identique à la partie c) de l'exemple 1, mais on appliquera cette fois la règle du quotient. On a

$$\dfrac{d}{dx}\left(\dfrac{e^x}{x^2}\right) = \dfrac{\left(\dfrac{d(e^x)}{dx}\right)x^2 - e^x\left(\dfrac{d(x^2)}{dx}\right)}{(x^2)^2} = \dfrac{e^x x^2 - e^x(2x)}{x^4}$$

$$= e^x\left(\dfrac{x^2 - 2x}{x^4}\right) = e^x\left(\dfrac{x - 2}{x^3}\right).$$

De fait, on obtient la même réponse qu'auparavant, même si elle semble différente. Est-il possible de démontrer qu'il s'agit de la même ?

Problèmes de la section 3.3

1. Si $f(x) = x^2(x^3 + 5)$, trouvez $f'(x)$ de deux façons : d'abord en appliquant la règle du produit, puis en effectuant la multiplication avant de trouver la dérivée. Obtenez-vous le même résultat les deux fois ? Devriez-vous avoir le même résultat ?

2. Si $f(x) = 2^x \cdot 3^x$, trouvez $f'(x)$ de deux façons : d'abord en appliquant la règle du produit, puis en vous basant sur le fait que $2^x \cdot 3^x = 6^x$. Obtenez-vous le même résultat ?

Dans les problèmes 3 à 23, trouvez la dérivée. Dans certains cas, il sera plus facile de simplifier d'abord.

3. $f(x) = xe^x$ 4. $y = x \cdot 2^x$ 5. $y = \sqrt{x} \cdot 2^x$

6. $f(x) = (x^2 - \sqrt{x})3^x$ 7. $z = (s^2 - \sqrt{s})(s^2 + \sqrt{s})$ 8. $y = (t^2 + 3)e^t$

9. $w = (t^3 + 5t)(t^2 - 7t + 2)$ 10. $y = (t^3 - 7t^2 + 1)e^t$ 11. $f(x) = \dfrac{x}{e^x}$

12. $g(x) = \dfrac{25x^2}{e^x}$ 13. $g(w) = \dfrac{w^{3,2}}{5^w}$ 14. $h(t) = \dfrac{t + 4}{t - 4}$

15. $z = \dfrac{3t + 1}{5t + 2}$

16. $z = \dfrac{t^2 + 5t + 2}{t + 3}$

17. $f(x) = \dfrac{x^2 + 3}{x}$

18. $w = \dfrac{y^3 - 6y^2 + 7y}{y}$

19. $y = \dfrac{\sqrt{t}}{t^2 + 1}$

20. $f(z) = \dfrac{3z^2}{5z^2 + 7z}$

21. $w(x) = \dfrac{17e^x}{2^x}$

22. $h(p) = \dfrac{1 + p^2}{3 + 2p^2}$

23. $f(x) = \dfrac{1 + x}{2 + 3x + 4x^2}$

24. Si $f(x) = (3x + 8)(2x - 5)$, trouvez $f'(x)$ et $f''(x)$.

25. Pour quels intervalles le graphe de $f(x) = xe^{-x}$ est-il concave vers le bas ?

26. Pour quels intervalles le graphe de $g(x) = \dfrac{1}{x^2 + 1}$ est-il concave vers le bas ?

27. Dérivez $f(t) = e^{-t}$ en la représentant par $f(t) = \dfrac{1}{e^t}$.

28. Dérivez $f(x) = e^{2x}$ en la représentant par $f(x) = e^x \cdot e^x$.

29. Dérivez $f(x) = e^{3x}$ en la représentant par $f(x) = e^x \cdot e^{2x}$ et en utilisant le résultat du problème 28.

30. En vous basant sur les réponses aux problèmes 28 et 29, devinez quelle sera la dérivée de e^{4x}.

31. a) Dérivez $y = \dfrac{e^x}{x}$, $\quad y = \dfrac{e^x}{x^2}$ $\quad$ et $\quad y = \dfrac{e^x}{x^3}$.

    b) Quelle serait, selon vous, la dérivée de $y = \dfrac{e^x}{x^n}$? Confirmez votre hypothèse.

32. En appliquant la règle du produit et en considérant le fait que $\dfrac{d(x)}{dx} = 1$, démontrez que $\dfrac{d(x^2)}{dx} = 2x$ et $\dfrac{d(x^3)}{dx} = 3x^2$.

33. En appliquant la règle du produit, démontrez que $\dfrac{d}{dx}(x^{1/2}) = \dfrac{1}{2x^{1/2}}$. [Conseil : représentez x par $x = x^{1/2}x^{1/2}$.]

34. Supposez que f et g sont des fonctions dérivables ayant les valeurs indiquées dans le tableau suivant. Pour chacune des fonctions h suivantes, trouvez $h'(2)$.

    a) $h(x) = f(x) + g(x)$ $\qquad$ b) $h(x) = f(x)g(x)$ $\qquad$ c) $h(x) = \dfrac{f(x)}{g(x)}$

x	$f(x)$	$g(x)$	$f'(x)$	$g'(x)$
2	3	4	5	–2

35. En considérant $\begin{cases} H(3) = 1 & F(3) = 5 \\ H'(3) = 3 & F'(3) = 4 \end{cases}$ trouvez $\begin{cases} \text{a)} \ G'(3) & \text{si } G(z) = F(z) \cdot H(z) \\ \text{b)} \ G'(3) & \text{si } G(w) = F(w)/H(w) \end{cases}$.

36. Trouvez une formule possible pour la fonction $y = f(x)$ telle que $f'(x) = 10x^9 e^x + x^{10} e^x$.

37. La quantité q de planches à roulettes vendues est une fonction du prix de vente p (en dollars), $q = f(p)$. On a $f(140) = 15\,000$ et $f'(140) = -100$.

    a) Qu'est-ce que $f(140) = 15\,000$ et $f'(140) = -100$ vous révèlent en ce qui concerne la vente de planches à roulettes ?

    b) Le revenu total R, obtenu grâce à la vente des planches à roulettes, est donné par $R = pq$. Trouvez $\dfrac{dR}{dp}\bigg|_{p = 140}$.

    c) Quel est le signe de $\dfrac{dR}{dp}\bigg|_{p = 140}$ si les planches à roulettes sont actuellement vendues 140 \$ l'unité ? Quel sera l'effet sur le revenu d'une augmentation du prix, qui passerait à 141 \$?

38. Quand un courant électrique traverse deux résistances de valeur r_1 et r_2 connectées en parallèle, la résistance combinée R peut être calculée à partir de l'équation

$$\frac{1}{R} = \frac{1}{r_1} + \frac{1}{r_2}.$$

Trouvez le taux de variation de la résistance totale en fonction des variations de r_1. Supposez que r_2 demeure constante.

39. Un musée a décidé de vendre l'une de ses toiles et d'en investir le revenu. Si la peinture se vend entre les années 2000 et 2020 et que le revenu de la vente est investi à la banque à un taux d'intérêt de 5 % composé une fois par année, alors $B(t)$, soit le solde du compte en l'an 2020, dépend de l'année t où la peinture a été vendue et de son prix de vente $P(t)$. Si t est mesurée à partir de l'an 2000 de telle sorte que $0 < t < 20$, alors

$$B(t) = P(t)\,(1{,}05)^{20-t}.$$

a) Expliquez pourquoi $B(t)$ est obtenu grâce à cette formule.
b) Démontrez que la formule de $B(t)$ est équivalente à

$$B(t) = (1{,}05)^{20}\,\frac{P(t)}{(1{,}05)^{t}}.$$

c) Trouvez $B'(10)$ en considérant que $P(10) = 150\,000$ et que $P'(10) = 5000$.

40. Soit $f(v)$ la consommation d'essence (en litres par kilomètre) d'une voiture allant à la vitesse v (en kilomètres par heure). En d'autres termes, $f(v)$ indique le nombre de litres d'essence que le véhicule consomme quand il parcourt 1 km et roule à la vitesse v. On a

$$f(80) = 0{,}05 \text{ et } f'(80) = 0{,}0005.$$

a) Soit $g(v)$ la distance que cette voiture parcourt avec un litre d'essence à la vitesse v. Quelle est la relation entre $f(v)$ et $g(v)$? Trouvez $g(80)$ et $g'(80)$.
b) Soit $h(v)$ la consommation d'essence (en litres par heure). En d'autres termes, $h(v)$ indique combien de litres d'essence la voiture consomme en une heure quand elle roule à la vitesse v. Quelle est la relation entre $h(v)$ et $f(v)$? Trouvez $h(80)$ et $h'(80)$.
c) Comment expliquez-vous la signification pratique des valeurs de ces fonctions et de leurs dérivées à un conducteur qui ne comprend rien au calcul différentiel ?

41. La fonction

$$f(x) = e^{x}$$

a les propriétés suivantes :

$$f'(x) = f(x) \text{ et } f(0) = 1.$$

Expliquez pourquoi $f(x)$ est la seule fonction qui a ces deux propriétés à la fois.
[Conseil : supposez que $g'(x) = g(x)$ et que $g(0) = 1$ pour certaines fonctions $g(x)$. Définissez $h(x) = g(x)/e^{x}$ et calculez $h'(x)$. Puis, considérez le fait qu'une fonction ayant une dérivée de zéro doit être une fonction constante.]

42. Trouvez $f'(x)$ pour les fonctions suivantes en appliquant la règle du produit plutôt qu'en les développant.

a) $f(x) = (x - 1)(x - 2)$
b) $f(x) = (x - 1)(x - 2)(x - 3)$
c) $f(x) = (x - 1)(x - 2)(x - 3)(x - 4)$

43. Utilisez la réponse du problème 42 pour exprimer $f'(x)$ dans le cas de la fonction suivante :

$$f(x) = (x - r_1)(x - r_2)(x - r_3) \cdots (x - r_n),$$

où $r_1, r_2, \ldots, r_n$ sont des nombres réels quelconques.

44. a) Étant donné une analogie tridimensionnelle avec la démonstration géométrique de la formule servant à calculer la dérivée d'un produit (voir la figure 3.15, page précédente), trouvez maintenant une formule pour la dérivée de $F(x) \cdot G(x) \cdot H(x)$ en observant la figure 3.16.

b) Vérifiez vos résultats en écrivant $F(x) \cdot G(x) \cdot H(x)$ sous la forme $[F(x) \cdot G(x)] \cdot H(x)$ et utilisez la règle du produit deux fois.

c) Généralisez vos résultats à n fonctions. Quelle est la dérivée de

$$f_1(x) \cdot f_2(x) \cdot f_3(x) \cdots f_n(x)\,?$$

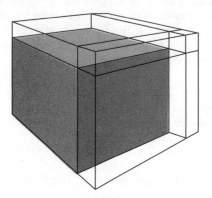

Figure 3.16 : Représentation graphique à trois dimensions de la règle du produit

3.4   LA RÈGLE DE DÉRIVATION EN CHAÎNE

Les fonctions composées telles que $\sin(3t)$ ou e^{-x^2} se retrouvent fréquemment dans la pratique. Dans cette section, on verra comment dériver de telles fonctions.

La dérivée d'une composition de fonctions

On suppose une fonction composée $f(g(x))$ avec f comme fonction externe et g comme fonction interne. On écrit

$$z = g(x) \quad \text{et} \quad y = f(z). \quad \text{Donc, } y = f(g(x)).$$

Une petite variation de x, appelée Δx, engendre une petite variation de z appelée Δz. À son tour, Δz engendre une petite variation de y, appelée Δy. En supposant que Δx et Δz sont différentes de zéro, on peut dire que

$$\frac{\Delta y}{\Delta x} = \frac{\Delta y}{\Delta z} \cdot \frac{\Delta z}{\Delta x}.$$

Puisque $\dfrac{dy}{dx} = \lim\limits_{\Delta x \to 0} \dfrac{\Delta y}{\Delta x}$, cela laisse supposer que, dans la limite, lorsque Δx, Δy et Δz diminuent, la règle suivante s'applique :

> ### Règle de dérivation en chaîne
>
> $$\frac{dy}{dx} = \frac{dy}{dz} \cdot \frac{dz}{dx}.$$

Puisque $\dfrac{dy}{dz} = f'(z)$ et $\dfrac{dz}{dx} = g'(x)$, on peut également écrire

$$\frac{d}{dx} f(g(x)) = f'(z) \cdot g'(x).$$

En posant $z = g(x)$, cette égalité devient la

Règle de dérivation en chaîne

$$\frac{d}{dx}\, f(g(x)) = f'(g(x)) \cdot g'(x).$$

En d'autres termes, la dérivée d'une fonction composée est le produit des dérivées des fonctions externe et interne. La dérivée de la fonction externe doit être évaluée en la fonction interne.

On trouvera une justification de la règle de dérivation en chaîne au problème 24 de la section 3.8.

Exemple 1   On suppose que la longueur L (en centimètres) d'une barre d'acier dépend de la température de l'air H (en °C) et que H dépend du temps t (en heures). Si la longueur croît de 2 cm pour chaque accroissement de température de 1 °C et que la température croît de 3 °C/h, quel est le taux de croissance de la longueur de la barre par rapport au temps ? Quelles sont les unités de la réponse ?

Solution   On s'attend à ce que le taux de croissance soit exprimé en centimètres par heure. On dispose des éléments suivants :

Le taux d'accroissement de la longueur en fonction de la température $= \dfrac{dL}{dH} = 2\ \text{cm/°C}$;

Le taux d'accroissement de la température en fonction du temps $= \dfrac{dH}{dt} = 3\ \text{°C/h}$.

On veut calculer le taux de croissance en fonction du temps, soit dL/dt. On exprime L comme une fonction de H et H comme une fonction de t. En appliquant la règle de dérivation en chaîne, on sait que

$$\frac{dL}{dt} = \frac{dL}{dH} \cdot \frac{dH}{dt} = \left(2\,\frac{\text{cm}}{\text{°C}}\right) \cdot \left(3\,\frac{\text{°C}}{\text{h}}\right) = 6\ \text{cm/h}.$$

Donc, la longueur de la barre s'accroît au taux de 6 cm/h.

L'exemple 1 a démontré comment interpréter la règle de dérivation en chaîne en termes simples. Les exemples suivants montrent comment cette règle permet de calculer la dérivée d'une fonction donnée par une formule.

Exemple 2   Trouvez la dérivée des fonctions   a) $(4x^2 + 1)^7$ b) e^{3x}.

Solution   a)   Ici $z = g(x) = 4x^2 + 1$ est la fonction interne ; $y = f(z) = z^7$ est la fonction externe. Puisque $g'(x) = 8x$ et que $f'(z) = 7z^6$, on a

$$\frac{dy}{dx} = \frac{dy}{dz} \cdot \frac{dz}{dx} = 7z^6 \cdot 8x = 7(4x^2 + 1)^6 \cdot 8x = 56x(4x^2 + 1)^6.$$

b)   Soit $z = g(x) = 3x$ et $y = f(z) = e^z$. Alors, $g'(x) = 3$ et $f'(z) = e^z$, de telle sorte que

$$\frac{d}{dx}(e^{3x})\, \frac{dy}{dz} \cdot \frac{dz}{dx} = e^z \cdot 3 = 3e^{3x}.$$

Exemple 3   Dérivez

a) $(x^2 + 1)^{100}$ b) $\sqrt{3x^2 + 5x - 2}$ c) $\dfrac{1}{x^2 + x^4}$ d) $\sqrt{e^x + 1}$ e) e^{x^2}.

Solution   a)   Ici $z = g(x) = x^2 + 1$ est la fonction interne et $y = f(z) = z^{100}$ est la fonction externe. On a donc $g'(x) = 2x$ et $f'(z) = 100z^{99}$, de telle sorte que

$$\frac{d[(x^2 + 1)^{100}]}{dx} = 100z^{99} \cdot 2x = 100(x^2 + 1)^{99} \cdot 2x = 200x\,(x^2 + 1)^{99}.$$

b)   Ici $z = g(x) = 3x^2 + 5x - 2$ et $y = f(z) = \sqrt{z}$, de telle sorte que $g'(x) = 6x + 5$ et que $f'(z) = \dfrac{1}{2\sqrt{z}}$. D'où

$$\frac{d(\sqrt{3x^2 + 5x - 2})}{dx} = \frac{1}{2\sqrt{z}} \cdot (6x + 5) = \frac{1}{2\sqrt{3x^2 + 5x - 2}} \cdot (6x + 5).$$

c)   Soit $z = g(x) = x^2 + x^4$ et $y = f(z) = 1/z$, de telle sorte que $g'(x) = 2x + 4x^3$ et que $f'(z) = -z^{-2} = -\dfrac{1}{z^2}$. Alors,

$$\frac{d}{dx}\left(\frac{1}{x^2 + x^4}\right) = -\frac{1}{z^2}(2x + 4x^3) = -\frac{2x + 4x^3}{(x^2 + x^4)^2} = -\frac{2(2x^2 + 1)}{x^3(x^2 + 1)^2}.$$

On aurait pu résoudre ce problème en appliquant la règle du quotient.

d)   Soit $z = g(x) = e^x + 1$ et $y = f(z) = \sqrt{z}$. On a $g'(x) = e^x$ et $f'(z) = \dfrac{1}{2\sqrt{z}}$. On obtient

$$\frac{d(\sqrt{e^x + 1})}{dx} = \frac{1}{2\sqrt{z}}e^x = \frac{e^x}{2\sqrt{e^x + 1}}.$$

e)   Si on veut déterminer quelle est la fonction interne et quelle est la fonction externe, on note que, pour estimer e^{x^2}, on doit d'abord estimer x^2 puis prendre e à cette puissance. Cela indique que la fonction interne est $z = g(x) = x^2$ et que la fonction externe est $y = f(z) = e^z$. On a $g'(x) = 2x$ et $f'(z) = e^z$, ce qui donne

$$\frac{d(e^{x^2})}{dx} = e^z \cdot 2x = e^{x^2} \cdot 2x = 2xe^{x^2}.$$

Exemple 4   Trouvez la dérivée de e^{2x} de deux façons : en appliquant la règle de dérivation en chaîne ; en appliquant la règle du produit.

Solution   **Règle de dérivation en chaîne :** soit la fonction interne $z = g(x) = 2x$ et la fonction externe $f(z) = e^z$. Alors,

$$\frac{d(e^{2x})}{dx} = f'(g(x)) \cdot g'(x) = e^{2x} \cdot (2x)' = e^{2x} \cdot 2 = 2e^{2x}.$$

Règle du produit : on écrit $e^{2x} = e^x \cdot e^x$. Alors,

$$\frac{d(e^{2x})}{dx} = \frac{d(e^x e^x)}{dx} = \left(\frac{d(e^x)}{dx}\right)e^x + e^x\left(\frac{d(e^x)}{dx}\right) = e^x \cdot e^x + e^x \cdot e^x = 2e^{2x}.$$

La règle de dérivation en chaîne sert souvent à calculer des taux de variation, comme le démontre l'exemple 5.

Exemple 5   Un déversement de pétrole se répand en nappe circulaire. Si le rayon de la nappe croît de 0,2 km/h quand le rayon est de 3 km, trouvez le taux auquel l'aire s'accroît à ce moment-là. Précisez les unités de votre réponse.

Solution   Si A est l'aire de la nappe de pétrole (en kilomètres carrés) et que r est le rayon (en kilomètres), alors

$$A = \pi r^2.$$

En appliquant la règle de dérivation en chaîne, on obtient

$$\frac{dA}{dt} = \frac{dA}{dr} \cdot \frac{dr}{dt} = 2\pi r \cdot \frac{dr}{dt}.$$

On sait que $dr/dt = 0{,}2$ km/h quand $r = 3$ km, de telle sorte que

$$\frac{dA}{dt} = (2\pi \cdot 3\,\text{km})(0{,}2\ \text{km/h}) = 1{,}2\pi \approx 3{,}77\ \text{km}^2/\text{h}.$$

À noter que les unités de dA/dt sont des $(\text{km})(\text{km/h}) = \text{km}^2/\text{h}$, ce qui représente une aire par unité de temps, comme on pouvait s'y attendre.

L'application des règles du produit et de dérivation en chaîne pour dériver un quotient

Si on préfère, on peut dériver un quotient en appliquant les règles du produit et de dérivation en chaîne, au lieu de la règle du quotient. Les formules résultantes peuvent paraître différentes, mais elles sont équivalentes.

Exemple 6   Trouvez $k'(x)$ si $k(x) = \dfrac{x}{x^2 + 1}$.

Solution   Une première façon de procéder est d'appliquer la règle du quotient. On a

$$k'(x) = \frac{1 \cdot (x^2 + 1) - x \cdot (2x)}{(x^2 + 1)^2}$$

$$= \frac{1 - x^2}{(x^2 + 1)^2}.$$

Une autre manière consiste à écrire la fonction comme un produit,

$$k(x) = x\frac{1}{x^2 + 1} = x \cdot (x^2 + 1)^{-1},$$

et à appliquer la règle du produit. On a alors

$$k'(x) = 1 \cdot (x^2 + 1)^{-1} + x \cdot \frac{d}{dx}\left[(x^2 + 1)^{-1}\right].$$

Enfin, on utilise la règle de dérivation en chaîne pour dériver $(x^2 + 1)^{-1}$. Soit $z = x^2 + 1$ et $y = f(z) = z^{-1}$, de telle sorte que

$$\frac{d}{dx}\left[(x^2 + 1)^{-1}\right] = -z^{-2} \cdot 2x = -(x^2 + 1)^{-2} \cdot 2x = \frac{-2x}{(x^2 + 1)^2},$$

ce qui donne

$$k'(x) = \frac{1}{x^2 + 1} + x \cdot \frac{-2x}{(x^2 + 1)^2} = \frac{1}{x^2 + 1} - \frac{2x^2}{(x^2 + 1)^2}.$$

Si on réduit ces deux fractions au même dénominateur, on obtient la même réponse qu'avec la règle du quotient.

Problèmes de la section 3.4

Trouvez les dérivées des fonctions des problèmes 1 à 30.

1. $f(x) = (x + 1)^{99}$

2. $f(x) = \sqrt{1 - x^2}$

3. $w = (t^2 + 1)^{100}$

4. $w = (t^3 + 1)^{100}$

5. $w = (\sqrt{t} + 1)^{100}$

6. $f(t) = e^{3t}$

7. $f(x) = 2^{(x + 2)}$

8. $g(x) = 3^{(2x + 7)}$

9. $k(x) = (x^3 + e^x)^4$

10. $z(x) = \sqrt[3]{2^x + 5}$

11. $y = \frac{\sqrt{z}}{2^z}$

12. $w = \sqrt{(x^2 \cdot 5^x)^3}$

13. $y = e^{3w/2}$

14. $y = e^{-4t}$

15. $y = \sqrt{s^3 + 1}$

16. $w = e^{\sqrt{s}}$

17. $y = te^{-t^2}$

18. $f(z) = \sqrt{z}\, e^{-z}$

19. $f(z) = \frac{\sqrt{z}}{e^z}$

20. $z = 2^{5t - 3}$

21. $f(t) = te^{5 - 2t}$

22. $f(z) = \frac{1}{(e^z + 1)^2}$

23. $f(\theta) = \frac{1}{1 + e^{-\theta}}$

24. $f(x) = 6e^{5x} + e^{-x^2}$

25. $f(w) = (5w^2 + 3)e^{w^2}$

26. $w = (t^2 + 3t)(1 - e^{-2t})$

27. $f(y) = \sqrt{10^{(5 - y)}}$

28. $f(x) = e^{-(x - 1)^2}$

29. $f(y) = e^{e^{(y^2)}}$

30. $f(t) = 2 \cdot e^{-2e^{2t}}$

31. Trouvez l'équation de la droite tangente à $y = f(x)$ au point $x = 1$, où $f(x)$ est la fonction du problème 24.

32. Pour quelles valeurs de x le graphe de $y = e^{-x^2}$ est-il concave vers le bas ?

33. Supposez que $f(x) = (2x + 1)^{10}(3x - 1)^7$. Trouvez une formule pour $f'(x)$. Déterminez ensuite la manière raisonnable de simplifier le résultat, puis trouvez une formule pour $f''(x)$.

34. Étant donné $\left\{\begin{array}{ll} F(2) = 1 & G(4) = 2 \\ F(4) = 3 & G(3) = 4 \\ F'(2) = 5 & G'(4) = 6 \\ F''(4) = 7 & G'(3) = 8 \end{array}\right\}$ trouvez $\left\{\begin{array}{ll} \text{a)} & H(4) \quad \text{si } H(x) = F(G(x)) \\ \text{b)} & H'(4) \quad \text{si } H(x) = F(G(x)) \\ \text{c)} & H(4) \quad \text{si } H(x) = G(F(x)) \\ \text{d)} & H'(4) \quad \text{si } H(x) = G(F(x)) \\ \text{e)} & H'(4) \quad \text{si } H(x) = F(x)/G(x) \end{array}\right\}$

35. Supposez que f et g sont des fonctions dérivables ayant les valeurs données dans le tableau ci-dessous. Pour chacune des fonctions h suivantes, trouvez $h'(2)$.

a) $h(x) = f(g(x))$

b) $h(x) = g(f(x))$

c) $h(x) = f(f(x))$

x	$f(x)$	$g(x)$	$f'(x)$	$g'(x)$
2	5	5	e	$\sqrt{2}$
5	2	8	π	7

36. Si la dérivée de $y = k(x)$ est égale à 2 quand $x = 1$, quelle est la dérivée de

    a) $k(2x)$ quand $x = \frac{1}{2}$?   b) $k(x + 1)$ quand $x = 0$?   c) $k\left(\frac{1}{4}x\right)$ quand $x = 4$?

37. Soit $y = f(x)$ avec $f(1) = 4$ et $f'(1) = 3$; trouvez

    a) $g'(1)$ si $g(x) = \sqrt{f(x)}$;   b) $h'(1)$ si $h(x) = f(\sqrt{x})$.

38. La fonction $x = \sqrt[3]{2t + 5}$ est-elle une solution à l'équation $3x^2\dfrac{dx}{dt} = 2$? Justifiez votre réponse.

39. Trouvez une formule possible pour une fonction $m(x)$, de telle sorte que $m'(x) = x^5 \cdot e^{(x^6)}$.

40. Supposez que la population de moules zébrées dans une certaine zone du fleuve Saint-Laurent est donnée par $P(t) = 10e^{0,6t}$, où t représente le nombre de mois écoulés depuis que les moules zébrées sont arrivées pour la première fois dans cette zone. Calculez les quantités suivantes :

    a) $P(12)$ b) $P'(12)$.

    Précisez les unités de votre réponse et expliquez ce que chaque quantité représente dans le contexte.

41. Un gramme de carbone 14 radioactif se décompose selon la formule suivante :

    $$Q = e^{-0,000\,121t},$$

    où Q est le nombre de grammes de carbone 14 qui reste après t années.

    a) Trouvez le taux auquel le carbone 14 se décompose (en grammes par année) en fonction du temps.
    b) Tracez le graphe du taux que vous avez trouvé à la partie a) en fonction du temps.

42. La température H (en degrés Celsius) d'une canette de boisson gazeuse placée dans un réfrigérateur est donnée en fonction du temps t (en heures) par :

    $$H = 4 + 1be^{-2t.}$$

    a) Trouvez le taux de variation de la température de cette canette (en degrés Celsius par heure).
    b) Quel est le signe de $\dfrac{dH}{dt}$? Pourquoi la dérivée doit-elle avoir ce signe ?
    c) À quel instant, pour $t \geq 0$, la valeur absolue de $\dfrac{dH}{dt}$ est-elle le plus grande ? Si vous appliquez ce résultat à la canette de boisson gazeuse, qu'est-ce que cela signifie ?

43. Si vous investissez P \$ dans un compte bancaire à un taux d'intérêt annuel de r %, après t années, vous aurez accumulé une somme de B \$, où

    $$B = P\left(1 + \frac{r}{100}\right)^t.$$

    a) Trouvez dB/dt en supposant que P et r sont des constantes. En termes financiers, que signifie dB/dt ?
    b) Trouvez dB/dr en supposant que P et t sont des constantes. En termes financiers, que signifie dB/dr ?

44. Supposez qu'on jette un caillou dans une mare d'eau tranquille. Le caillou provoque des ondes circulaires dont le rayon croît à un taux constant de 10 cm/s. Trouvez une formule qui permet de trouver la mesure de la surface circonscrite par l'onde en fonction du temps. Quand le rayon est de 20 cm, à quelle vitesse cette aire s'accroît-elle ?

45. La théorie de la relativité prédit qu'un objet dont la masse est m_0 quand il est au repos semble plus lourd lorsqu'il se déplace à une vitesse proche de la vitesse de la lumière. Quand cet objet se déplace à la vitesse v, sa masse m est donnée par la formule suivante :

    $$m = \frac{m_0}{\sqrt{1 - (v^2/c^2)}}, \qquad \text{où } c \text{ est la vitesse de la lumière.}$$

    a) Trouvez $\dfrac{dm}{dv}$.   b) En termes physiques, que signifie $\dfrac{dm}{dv}$?

46. La charge Q d'un condensateur qui commence à se décharger au temps $t = 0$ est donnée par

$$Q = \begin{cases} Q_0 & \text{pour } t \leq 0 \\ Q_0 e^{-t/(RC)} & \text{pour } t > 0, \end{cases}$$

où R et C sont des constantes positives dépendantes du circuit et Q_0 est la charge en $t = 0$ avec $Q_0 \neq 0$. Le courant I qui circule dans le circuit est donné par $I = dQ/dt$.

a) Trouvez le courant I pour $t < 0$ et pour $t > 0$.
b) Est-il possible de définir I en $t = 0$?
c) La fonction Q est-elle dérivable en $t = 0$?

47. Une charge électrique décroît de manière exponentielle selon la formule

$$Q = Q_0 e^{-t/(RC)}.$$

Démontrez que la charge Q et le courant électrique $I = dQ/dt$ ont la même constante de temps. (Cette constante est le temps requis pour que la charge soit rendue à $1/e$ fois la valeur initiale.)

48. Une fonction f est considérée comme ayant un *zéro de multiplicité* m en $x = a$ si

$$f(x) = (x - a)^m h(x), \quad \text{avec } h(a) \neq 0.$$

Expliquez pourquoi une fonction qui a un zéro de multiplicité m en $x = a$ satisfait à $f^{(p)}(a) = 0$ pour $p = 1, 2, \ldots, m - 1$. Notez que $f^{(p)}(a)$ désigne la dérivée d'ordre p de f en a.

3.5 LES FONCTIONS TRIGONOMÉTRIQUES

La dérivée des fonctions sinus et cosinus

Puisque les fonctions sinus et cosinus sont périodiques, leurs dérivées doivent également être périodiques. (Pourquoi ?) On considère le graphe de $f(x) = \sin x$ à la figure 3.17 et on estime graphiquement la fonction dérivée.

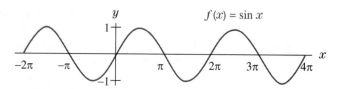

Figure 3.17 : Fonction sinus

Premièrement, on doit se demander en quel point la dérivée est zéro (en $x = \pm\pi/2$, $\pm 3\pi/2$, $\pm 5\pi/2$, etc.). Puis, on doit se demander dans quelle région la dérivée est positive et dans quelle région elle est négative (positive pour $-\pi/2 < x < \pi/2$, négative pour $\pi/2 < x < 3\pi/2$, etc.). Puisque les pentes positives les plus grandes sont en $x = 0$, en 2π, etc., et que les pentes négatives les plus grandes sont en $x = \pi$, en 3π, etc., on obtient un graphe similaire à celui de la figure 3.18.

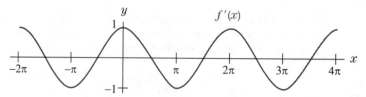

Figure 3.18 : Dérivée de $f(x) = \sin x$

Le graphe présenté à la figure 3.18 ressemble en réalité beaucoup au graphe de la fonction cosinus. Cela conduit à la supposition, certainement correcte, voulant que la dérivée du sinus serait égale au cosinus.

Bien sûr, ce n'est pas seulement à partir de l'observation des graphes qu'on peut le confirmer. Cependant, on présumera pour le moment que la dérivée du sinus est le cosinus en attendant de confirmer ce résultat à la fin de cette section.

La première vérification qu'on peut faire est de mesurer l'amplitude de la fonction présentée à la figure 3.18. On trouve une amplitude de 1, comme on pouvait s'y attendre si elle est égale au cosinus. Cela signifie qu'il faut se convaincre que la dérivée de $f(x) = \sin x$ est de 1 quand $x = 0$. L'exemple 1 suggère la preuve de cette affirmation quand x est en radians.

Exemple 1   En utilisant une calculatrice, estimez la dérivée de $f(x) = \sin x$ en $x = 0$, la calculatrice étant réglée en radians.

Solution   Puisque $f(x) = \sin x$,

$$f'(0) = \lim_{h \to 0} \frac{\sin(0 + h) - \sin 0}{h} = \lim_{h \to 0} \frac{\sin h}{h}.$$

Le tableau 3.3 présente les valeurs de $(\sin h)/h$, ce qui laisse penser que cette limite est 1. Ainsi, on estime

$$f'(0) = \lim_{h \to 0} \frac{\sin h}{h} = 1.$$

TABLEAU 3.3

h (rad)	$-0,1$	$-0,01$	$-0,001$	$-0,0001$	$0,0001$	$0,001$	$0,01$	$0,1$
$(\sin h)/h$	0,998 33	0,999 98	1,0000	1,0000	1,0000	1,0000	0,999 98	0,998 33

Attention : il est important de remarquer que, dans l'exemple précédent, h est exprimé en radians ; toute conclusion concernant la dérivée de $\sin x$ n'est correcte que si x est mesuré en radians.

Exemple 2   Étant donné le graphe de la fonction cosinus, tracez le graphe de sa dérivée.

Solution   Le graphe de $g(x) = \cos x$ est illustré à la figure 3.19 a). Sa dérivée est zéro en $x = 0$, $\pm\pi$, $\pm 2\pi$, etc. Elle est positive pour $-\pi < x < 0$, $\pi < x < 2\pi$, etc. et elle est négative pour $0 < x < \pi$, $2\pi < x < 3\pi$, etc. La dérivée est illustrée par la fonction de la figure 3.19 b).

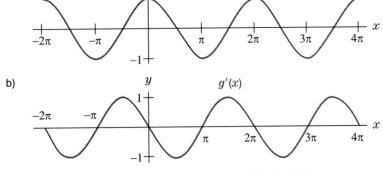

Figure 3.19 : $g(x) = \cos x$ et sa dérivée $g'(x)$

Comme on l'a fait pour le sinus, on utilise ces deux graphes pour établir une supposition. Le graphe de la dérivée du cosinus de la figure 3.19 b) est similaire au graphe du sinus, sauf que la dérivée est réfléchie par rapport à l'axe des x. Mais comment peut-on être sûr que la dérivée est égale à $-\sin x$?

Exemple 3   Utilisons la relation $\dfrac{d}{dx}(\sin x) = \cos x$ pour démontrer que $\dfrac{d}{dx}(\cos x) = -\sin x$.

Solution   Puisque la fonction cosinus est égale à la fonction sinus décalée vers la gauche de $\pi/2$, on peut s'attendre à ce que la dérivée du cosinus soit égale à la dérivée du sinus décalée également de $\pi/2$ vers la gauche. Puisque

$$\cos x = \sin\left(x + \frac{\pi}{2}\right),$$

on peut appliquer la règle de dérivation en chaîne. On a

$$\frac{d}{dx}(\cos x) = \frac{d}{dx}\left(\sin\left(x + \frac{\pi}{2}\right)\right) = \cos\left(x + \frac{\pi}{2}\right).$$

Cependant, $\cos(x + \pi/2)$ est le cosinus décalé vers la gauche de $\pi/2$, c'est-à-dire le sinus réfléchi par rapport à l'axe des x. Ainsi, on obtient

$$\frac{d}{dx}(\cos x) = \cos\left(x + \frac{\pi}{2}\right) = -\sin x.$$

Pour x en radians, $\dfrac{d}{dx}(\sin x) = \cos x$ et $\dfrac{d}{dx}(\cos x) = -\sin x$.

Exemple 4   Calculez la dérivée de   a) $2\sin(3\theta)$ b) $\cos^2 x$ c) $\cos(x^2)$ d) $e^{-\sin t}$.

Solution   En utilisant la règle de dérivation en chaîne, on obtient

a) $\dfrac{d}{d\theta}(2\sin(3\theta)) = 2\dfrac{d}{d\theta}(\sin(3\theta)) = 2(\cos(3\theta))\dfrac{d}{d\theta}(3\theta) = 2(\cos(3\theta))3 = 6\cos(3\theta)$.

b) $\dfrac{d}{dx}(\cos^2 x) = \dfrac{d}{dx}((\cos x)^2) = 2(\cos x)\cdot\dfrac{d}{dx}(\cos x) = 2(\cos x)(-\sin x) = -2\cos x \sin x$.

c) $\dfrac{d}{dx}(\cos(x^2)) = -\sin(x^2)\cdot\dfrac{d}{dx}(x^2) = -2x\sin(x^2)$.

d) $\dfrac{d}{dt}(e^{-\sin t}) = e^{-\sin t}\dfrac{d}{dt}(-\sin t) = -(\cos t)e^{-\sin t}$.

La dérivée de la fonction tangente

Puisque $\tan x = \sin x / \cos x$, on dérive $\tan x$ en appliquant la règle du quotient. En écrivant $(\sin x)'$ pour $d(\sin x)/dx$, on obtient

$$\frac{d}{dx}(\tan x) = \frac{d}{dx}\left(\frac{\sin x}{\cos x}\right) = \frac{(\sin x)'(\cos x) - (\sin x)(\cos x)'}{\cos^2 x} = \frac{\cos^2 x + \sin^2 x}{\cos^2 x} = \frac{1}{\cos^2 x}.$$

$$\boxed{\text{Pour } x \text{ (en radians)}, \qquad \frac{d}{dx}(\tan x) = \frac{1}{\cos^2 x}.}$$

Les graphes de $f(x) = \tan x$ et de $f'(x) = 1/\cos^2 x$ sont illustrés à la figure 3.20. Est-il raisonnable que la fonction f' soit toujours positive ? Les asymptotes de f' sont-elles celles auxquelles on s'attend ?

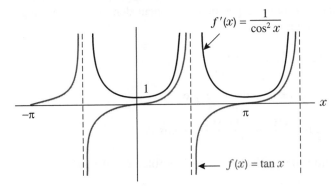

Figure 3.20 : Fonction $\tan x$ et sa dérivée

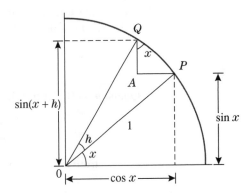

Figure 3.21 : Cercle unité montrant $\sin(x+h)$ et $\sin x$

Exemple 5   Dérivez   a) $2\tan(3t)$ b) $\tan(1 - \theta)$ c) $\dfrac{1 + \tan t}{1 - \tan t}$.

Solution   a)   En appliquant la règle de dérivation en chaîne, on a

$$\frac{d}{dt}(2\tan(3t)) = 2\frac{1}{\cos^2(3t)}\frac{d}{dt}(3t) = \frac{6}{\cos^2(3t)}.$$

b)   En appliquant la règle de dérivation en chaîne, on a

$$\frac{d}{d\theta}(\tan(1 - \theta)) = \frac{1}{\cos^2(1 - \theta)} \cdot \frac{d}{d\theta}(1 - \theta) = \frac{-1}{\cos^2(1 - \theta)}.$$

c)   En appliquant la règle du quotient, on a

$$\frac{d}{dt}\left(\frac{1 + \tan t}{1 - \tan t}\right) = \frac{\left(\dfrac{d(1 + \tan t)}{dt}\right)(1 - \tan t) - (1 + \tan t)\dfrac{d(1 - \tan t)}{dt}}{(1 - \tan t)^2}$$

$$= \frac{\dfrac{1}{\cos^2 t}(1 - \tan t) - (1 + \tan t)\left(-\dfrac{1}{\cos^2 t}\right)}{(1 - \tan t)^2}$$

$$= \frac{2}{\cos^2 t \cdot (1 - \tan t)^2}.$$

La justification informelle de $\dfrac{d}{dx}(\sin x) = \cos x$

On considère le cercle unité de la figure 3.21 (page précédente). Pour trouver la dérivée de $\sin x$, il faut estimer

$$\frac{\sin(x+h) - \sin x}{h}.$$

À la figure 3.21, la quantité $\sin(x+h) - \sin x$ est représentée par la longueur QA. L'arc QP est de longueur h, de telle sorte que

$$\frac{\sin(x+h) - \sin x}{h} = \frac{QA}{\text{Arc } QP}.$$

Maintenant, si h est petit, QAP est approximativement un triangle rectangle parce que l'arc QP est presque une ligne droite. Par application de la géométrie, on peut démontrer que l'angle $AQP \approx x$. Pour de petites valeurs de h, on a

$$\frac{\sin(x+h) - \sin x}{h} = \frac{QA}{\text{Arc } QP} \approx \cos x.$$

Quand $h \to 0$, l'approximation est meilleure, de telle sorte que

$$\frac{d}{dx}(\sin x) = \lim_{h \to 0} \frac{\sin(x+h) - \sin x}{h} = \cos x.$$

On trouvera d'autres démonstrations de ce résultat dans les problèmes 39 et 40.

Problèmes de la section 3.5

1. Construisez une table des valeurs de $\cos x$ pour $x = 0$, $0{,}1$, $0{,}2$, ..., $0{,}6$. En utilisant le taux moyen de variation, estimez la dérivée en chacun de ces points (utilisez $h = 0{,}001$) et comparez-la avec $(-\sin x)$.

Trouvez les dérivées des fonctions des problèmes 2 à 29.

2. $r(\theta) = \sin \theta + \cos \theta$

3. $s(\theta) = \cos \theta \sin \theta$

4. $t(\theta) = \dfrac{\cos \theta}{\sin \theta}$

5. $z = \cos(4\theta)$

6. $f(x) = \sin(3x)$

7. $w = \sin(e^t)$

8. $f(x) = x^2 \cos x$

9. $f(x) = e^{\cos x}$

10. $f(y) = e^{\sin y}$

11. $f(x) = \sqrt{1 - \cos x}$

12. $f(x) = \cos(\sin x)$

13. $f(x) = \tan(\sin x)$

14. $k(x) = \sqrt{(\sin(2x))^3}$

15. $h(x) = 2^{\sin x}$

16. $w = 2^{2\sin x + e^x}$

17. $z = \theta e^{\cos \theta}$

18. $f(x) = 2x \sin(3x)$

19. $f(x) = \sin(2x) \cdot \sin(3x)$

20. $y = e^\theta \sin(2\theta)$

21. $f(x) = e^{-2x} \cdot \sin x$

22. $z = \sqrt{\sin t}$

23. $y = \sin^5 \theta$

24. $g(z) = \tan(e^z)$

25. $z = \tan(e^{-3\theta})$

26. $w = e^{-\sin \theta}$

27. $h(t) = t \cos t + \tan t$

28. $f(\alpha) = \cos \alpha + 3 \sin \alpha$

29. $f(\theta) = \theta^2 \sin \theta + 2\theta \cos \theta - 2 \sin \theta$

30. Trouvez la dérivée *cinquantième* de $y = \cos x$.

31. Trouvez une formule possible pour la fonction $q(x)$, de telle sorte que

$$q'(x) = \frac{e^x \cdot \sin x - e^x \cdot \cos x}{(\sin x)^2}.$$

32. Un bateau ancré est agité de haut en bas par le mouvement des vagues. La distance verticale y (en mètres) entre le niveau de la mer et le bateau est une fonction du temps (en minutes) exprimée par

$$y = 5 + \sin(2\pi t).$$

a) Trouvez la vitesse verticale v au temps t.

b) Tracez une esquisse des graphes de y et de v en fonction de t.

33. Dans l'exemple 3 de la section 1.9 (au chapitre 1), le niveau y de la mer dans le port de Boston est donné par la formule

$$y = 1{,}51 + 1{,}5 \cos\left(\frac{\pi}{6}t\right),$$

où t est le nombre d'heures à partir de 00 heure.

a) Trouvez $\dfrac{dy}{dt}$. Que représente $\dfrac{dy}{dt}$?

b) Pour $0 \le t \le 24$, quand $\dfrac{dy}{dt}$ est-elle égale à zéro ? [Conseil : référez-vous à la figure 1.73]. Expliquez ce que cela signifie (en ce qui concerne le niveau de la mer) lorsque $\dfrac{dy}{dt}$ est égal à zéro.

34. La tension V (en volts) d'un appareil électrique est donnée en fonction du temps t (en secondes) par $V = 156 \cos(120\pi t)$.

a) Donnez une expression permettant de calculer le taux de variation de la tension en fonction du temps.

b) Le taux de variation est-il parfois zéro ? Justifiez votre réponse.

c) Quelle est la valeur maximale du taux de variation ?

35. La fonction $y = A \sin\left(\sqrt{\dfrac{k}{m}}\,t\right)$ représente les oscillations d'une masse m attachée à l'extrémité d'un ressort. La constante k mesure l'élasticité du ressort.

a) Trouvez le temps où la masse est le plus éloignée de sa position d'équilibre. Trouvez le temps où la masse a la plus grande vitesse. Trouvez le temps où la masse a la plus grande accélération.

b) Quelle est la période T de l'oscillation ?

c) Trouvez dT/dm. Que signifie le signe de dT/dm ?

36. Trouvez l'équation de chacune des droites tangentes au graphe de $f(x) = \sin x$ aux points $x = 0$ et $x = \pi/3$. Utilisez chaque droite tangente pour estimer $\sin(\pi/6)$. Pouvez-vous espérer que ces résultats aient la même précision, puisqu'ils sont pris à une même distance de $x = \pi/6$ mais de part et d'autre ? Si la précision est différente, pouvez-vous compenser cette différence ?

37. Un phare situé à 2 km d'une côte rectiligne est représenté à la figure 3.22. Trouvez le taux de variation de la distance entre le point d'éclairage et le point O en fonction de l'angle θ.

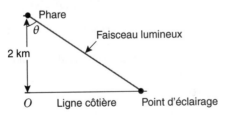

Figure 3.22

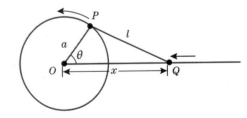

Figure 3.23

38. La barre de métal de longueur l illustrée à la figure 3.23 a une extrémité fixée au point P d'un cercle de rayon a. L'autre extrémité de la barre, soit le point Q, effectue un mouvement de va-et-vient le long de l'axe des x.

a) Trouvez x en tant que fonction de θ.

b) Supposez que les longueurs sont exprimées en centimètres et que la variation de l'angle ($d\theta/dt$) est de 2 rad/s dans le sens contraire aux aiguilles d'une montre. Trouvez la vitesse à laquelle le point Q se déplace lorsque

   i) $\theta = \pi/2$ ii) $\theta = \pi/4$.

39. Utilisez les identités suivantes pour calculer les dérivées de $\sin x$ et de $\cos x$:

$$\sin(a + b) = \sin a \cos b + \sin b \cos a$$
$$\cos(a + b) = \cos a \cos b - \sin a \sin b.$$

  a) Utilisez la définition de la dérivée pour démontrer que, si $f(x) = \sin x$,

$$f'(x) = \sin x \lim_{h \to 0} \frac{\cos h - 1}{h} + \cos x \lim_{h \to 0} \frac{\sin h}{h}.$$

  b) Estimez les limites à la partie a) à l'aide d'une calculatrice pour expliquer pourquoi $f'(x) = \cos x$.

  c) Si $g(x) = \cos x$, utilisez la définition de la dérivée pour démontrer que $g'(x) = -\sin x$.

40. Dans ce problème, vous calculerez la dérivée de $\tan \theta$ de manière rigoureuse (sans vous servir des dérivées de $\sin \theta$ ou de $\cos \theta$). Utilisez ensuite vos résultats pour $\tan \theta$ afin de calculer les dérivées de $\sin \theta$ et de $\cos \theta$. La figure 3.24 montre $\tan \theta$ et $\Delta(\tan \theta)$, qui est la variation de $\tan \theta$, c'est-à-dire $\tan(\theta + \Delta\theta) - \tan \theta$.

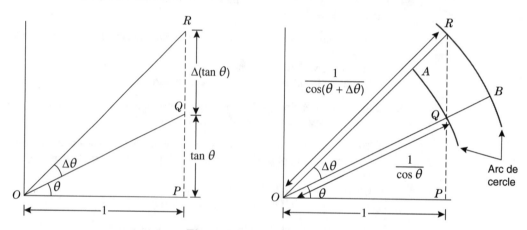

Figure 3.24 : $\tan \theta$ et $\Delta(\tan \theta)$

  a) En examinant attentivement les relations entre ces deux figures et en considérant le fait que

      Aire du secteur OAQ ≤ Aire du triangle OQR ≤ Aire du secteur OBR,

  expliquez pourquoi

$$\frac{\Delta\theta}{2\pi} \cdot \pi \left(\frac{1}{\cos\theta}\right)^2 \le \frac{1}{2} \cdot 1 \cdot \Delta(\tan\theta) \le \frac{\Delta\theta}{2\pi} \cdot \pi \left(\frac{1}{\cos(\theta + \Delta\theta)}\right)^2.$$

  [Conseil : un secteur de cercle d'angle α au centre a une aire égale à $\alpha/(2\pi)$ fois l'aire du cercle complet.]

  b) Utilisez la réponse de la partie a) pour démontrer que, quand $\Delta\theta \to 0$, alors

$$\frac{\Delta \tan\theta}{\Delta\theta} \to \left(\frac{1}{\cos\theta}\right)^2,$$

  et que, par conséquent, $\dfrac{d(\tan\theta)}{d\theta} = \left(\dfrac{1}{\cos\theta}\right)^2.$

  c) Déduisez l'identité $(\tan\theta)^2 + 1 = \left(\dfrac{1}{\cos\theta}\right)^2$. Puis, dérivez les deux membres de cette identité en fonction de θ en utilisant la règle de dérivation en chaîne et le résultat de la partie b) pour démontrer que $\dfrac{d}{d\theta}(\cos\theta) = -\sin\theta$.

  d) Dérivez les deux membres de l'identité $(\sin\theta)^2 + (\cos\theta)^2 = 1$ et servez-vous du résultat de la partie c) pour démontrer que $\dfrac{d}{d\theta}(\sin\theta) = \cos\theta$.

3.6 LES APPLICATIONS DE LA RÈGLE DE DÉRIVATION EN CHAÎNE

Dans cette section, on utilisera la règle de dérivation en chaîne pour calculer la dérivée des fonctions de puissances fractionnaires, des fonctions logarithmiques, des fonctions exponentielles et des fonctions réciproques des fonctions trigonométriques[2].

La dérivée de $x^{1/2}$

On a précédemment montré que $\dfrac{d}{dx}(x^n) = nx^{n-1}$ pour un nombre entier n, mais on a aussi utilisé cette règle pour des valeurs de n non entières. On voudrait maintenant justifier cette règle pour $n = 1/2$ en calculant la dérivée de $f(x) = x^{1/2}$. On applique la règle de dérivation en chaîne. Puisque

$$[f(x)]^2 = x,$$

la dérivée de $[f(x)]^2$ et la dérivée de x doivent être égales, de telle sorte que

$$\frac{d}{dx}[f(x)]^2 = \frac{d}{dx}(x).$$

On peut utiliser la règle de dérivation en chaîne avec $f(x)$ en tant que fonction interne pour obtenir

$$\frac{d}{dx}[f(x)]^2 = 2f(x) \cdot f'(x) = 1.$$

En isolant $f'(x)$, on obtient

$$f'(x) = \frac{1}{2f(x)} = \frac{1}{2x^{1/2}},$$

c'est-à-dire

$$\frac{d}{dx}(x^{1/2}) = \frac{1}{2x^{1/2}} = \frac{1}{2}x^{-1/2}.$$

Un calcul similaire aurait permis d'obtenir la dérivée de $x^{1/n}$, où n est un nombre entier positif.

La dérivée de $\ln x$

On utilisera la règle de dérivation en chaîne pour dériver une identité comprenant $\ln x$. Puisque $e^{\ln x} = x$, on a

$$\frac{d}{dx}(e^{\ln x}) = \frac{d}{dx}(x),$$

$$e^{\ln x} \cdot \frac{d}{dx}(\ln x) = 1. \qquad \text{(Puisque } e^x \text{ est une fonction externe et que } \ln x \text{ est une fonction interne)}$$

En isolant $d(\ln x)/dx$, on obtient

$$\frac{d}{dx}(\ln x) = \frac{1}{e^{\ln x}} = \frac{1}{x},$$

de sorte que

$$\boxed{\frac{d}{dx}(\ln x) = \frac{1}{x}.}$$

---

2. Le fait que ces fonctions soient dérivables exige une justification distincte qui n'est pas incluse dans le présent ouvrage.

Exemple 1   Dérivez   a) $\ln(x^2 + 1)$ b) $t^2 \ln t$ c) $\sqrt{1 + \ln(1 - y)}$.

Solution   a) En appliquant la règle de dérivation en chaîne, on obtient

$$\frac{d}{dx}\left(\ln(x^2 + 1)\right) = \frac{1}{x^2 + 1}\, \frac{d}{dx}\,(x^2 + 1) = \frac{2x}{x^2 + 1}\,.$$

b) En appliquant la règle du produit, on obtient

$$\frac{d}{dt}\,(t^2 \ln t) = \frac{d}{dt}\,(t^2) \cdot \ln t + t^2 \frac{d}{dt}\,(\ln t) = 2t \ln t + t^2 \cdot \frac{1}{t} = 2t \ln t + t.$$

c) En appliquant de nouveau la règle de dérivation en chaîne, on obtient

$$\frac{d}{dy}\left(\sqrt{1 + \ln(1 - y)}\right) = \frac{d}{dy}\,(1 + \ln(1 - y))^{1/2}$$

$$= \frac{1}{2}\,(1 + \ln(1 - y))^{-1/2} \cdot \frac{d}{dy}\,(1 + \ln(1 - y)) \quad \text{(En appliquant la règle de dérivation en chaîne)}$$

$$= \frac{1}{2\sqrt{1 + \ln(1 - y)}} \cdot \frac{1}{1 - y} \cdot \frac{d}{dy}\,(1 - y) \quad \text{(En appliquant encore la règle de dérivation en chaîne)}$$

$$= \frac{-1}{2(1 - y)\sqrt{1 + \ln(1 - y)}}\,.$$

La dérivée de a^x

On a déjà démontré que la dérivée de a^x est proportionnelle à a^x. On veut maintenant démontrer que la constante de proportionnalité est $\ln a$. On utilise l'identité

$$\ln(a^x) = x \ln a.$$

On dérive en utilisant $\frac{d}{dx}\,(\ln x) = \frac{1}{x}$ et la règle de dérivation en chaîne (il faut se rappeler que $\ln a$ est une constante). On obtient

$$\frac{d}{dx}\,(\ln a^x) = \frac{1}{a^x} \cdot \frac{d}{dx}\,(a^x) = \ln a.$$

La résolution de cette équation donne le résultat suggéré à la section 3.2, soit

$$\boxed{\frac{d}{dx}\,(a^x) = (\ln a)a^x.}$$

La dérivée des fonctions réciproques des fonctions trigonométriques

À la section 1.9, on a défini arcsin x comme étant l'angle entre $-\pi/2$ et $\pi/2$ (inclusivement) dont le sinus est x. De la même façon, la fonction arctan x est définie comme étant l'angle strict entre $-\pi/2$ et $\pi/2$ dont la tangente est x. Pour trouver $\frac{d}{dx}\,(\arctan x)$, on utilise l'identité $\tan(\arctan x) = x$. On dérive en appliquant la règle de dérivation en chaîne et on obtient

$$\frac{1}{\cos^2(\arctan x)} \cdot \frac{d}{dx}(\arctan x) = 1,$$

de sorte que

$$\frac{d}{dx}(\arctan x) = \cos^2(\arctan x).$$

En utilisant l'identité $1 + \tan^2 \theta = \dfrac{1}{\cos^2 \theta}$ et en remplaçant θ par arctan x, on obtient l'expression

$$\cos^2(\arctan x) = \frac{1}{1 + \tan^2(\arctan x)} = \frac{1}{1 + x^2}.$$

Donc, on a

$$\boxed{\frac{d}{dx}(\arctan x) = \frac{1}{1 + x^2}.}$$

De la même façon, on obtiendrait

$$\boxed{\frac{d}{dx}(\arcsin x) = \frac{1}{\sqrt{1 - x^2}}.}$$

Exemple 2   Dérivez   a) $\arctan(t^2)$ b) $\arcsin(\tan \theta)$.

Solution   En appliquant la règle de dérivation en chaîne, on obtient :

a) $\dfrac{d}{dt}(\arctan(t^2)) = \dfrac{1}{1 + (t^2)^2} \cdot \dfrac{d}{dt}(t^2) = \dfrac{2t}{1 + t^4}.$

b) $\dfrac{d}{dt}(\arcsin(\tan \theta)) = \dfrac{1}{\sqrt{1 - (\tan \theta)^2}} \cdot \dfrac{d}{d\theta}(\tan \theta) = \dfrac{1}{\sqrt{1 - \tan^2 \theta}} \cdot \dfrac{1}{\cos^2 \theta}.$

Exemple 3   Un avion vole à 450 km/h à une altitude constante de 5000 m. Il s'approche d'une caméra vidéo placée au sol. Soit θ l'angle d'inclinaison de cette caméra (voir la figure 3.25). Quand $\theta = \pi/3$, à quelle vitesse la caméra doit-elle effectuer une rotation de manière à continuer à fixer l'avion ?

Solution   On suppose que l'avion est juste au-dessus du point B. Soit x la distance entre B et C. Le fait que l'avion se déplace vers C à une vitesse de 450 km/h signifie que x décroît et que $dx/dt = -450$ km/h. En examinant la figure 3.25, on constate que $\tan \theta = 5/x$.

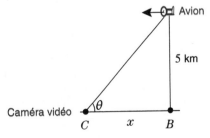

Figure 3.25 : Avion en vol s'approchant de la caméra vidéo placée au point C

En dérivant $\tan \theta = 5/x$ en fonction de t et en appliquant la règle de dérivation en chaîne, on obtient

$$\frac{1}{\cos^2 \theta} \frac{d\theta}{dt} = -5x^{-2}\frac{dx}{dt}.$$

On désire évaluer $d\theta/dt$ quand $\theta = \pi/3$. À ce moment, $\cos \theta = 1/2$ et $\tan \theta = \sqrt{3}$, de telle sorte que $x = 5/\sqrt{3}$. En faisant les substitutions, on obtient

$$\frac{d\theta}{dt} = -5\left(\frac{5}{\sqrt{3}}\right)^{-2} \cdot (-450)$$

$$\frac{d\theta}{dt} = 67{,}5 \text{ rad/h}.$$

Cette réponse indique que la caméra doit effectuer une rotation d'environ 1 rad/min pour continuer à fixer l'avion.

Problèmes de la section 3.6

Pour les problèmes 1 à 22, trouvez la dérivée de chaque fonction. Dans certains cas, il pourra être préférable de simplifier avant de commencer à dériver.

1. $f(t) = \ln(t^2 + 1)$

2. $f(x) = \ln(1 - x)$

3. $f(x) = \ln(e^{2x})$

4. $f(x) = e^{\ln(e^{2x^2 + 3})}$

5. $f(z) = \dfrac{1}{\ln z}$

6. $f(\theta) = \ln(\cos \theta)$

7. $f(x) = \ln(1 - e^{-x})$

8. $f(\alpha) = \ln(\sin \alpha)$

9. $f(x) = \ln(e^x + 1)$

10. $f(t) = \ln(\ln t) + \ln(\ln 2)$

11. $f(x) = \ln(e^{7x})$

12. $f(x) = e^{(\ln x) + 1}$

13. $f(w) = \ln(\cos(w - 1))$

14. $f(t) = \ln(e^{\ln t})$

15. $f(y) = \arcsin(y^2)$

16. $g(t) = \arctan(3t - 4)$

17. $g(\alpha) = \sin(\arcsin \alpha)$

18. $g(t) = e^{\arctan(3t^2)}$

19. $g(t) = \cos(\ln t)$

20. $h(z) = z^{\ln 2}$

21. $h(w) = w \arcsin w$

22. $f(x) = \cos(\arcsin(x + 1))$

23. Sur quels intervalles la fonction $\ln(x^2 + 1)$ est-elle concave vers le haut ?

24. En appliquant la règle de dérivation en chaîne, trouvez $\dfrac{d}{dx}(\arcsin x)$.

25. En appliquant la règle de dérivation en chaîne, trouvez $\dfrac{d}{dx}(\log x)$. [Conseil : il faut se rappeler que $\log x = \log_{10} x$.]

26. Afin de comparer l'acidité de solutions différentes, les chimistes mesurent leur facteur pH (qui est un nombre unique et non le produit de p et de H). Le pH représente un taux de concentration x d'ions d'hydrogène dans la solution, de telle sorte que

$$\text{pH} = -\log x.$$

Trouvez le taux de variation du pH en fonction de la concentration en ions d'hydrogène quand le pH est égal à 2. [Conseil : servez-vous du résultat du problème 25.]

27. La Hongrie est l'un des rares pays du monde où la population est en décroissance, au taux actuel de 0,2 % par année. En conséquence, si t représente le nombre d'années écoulées depuis 1990, la population P de la Hongrie (en millions) peut être représentée par

$$P = 10{,}8 (0{,}998)^t.$$

a) Quelle conclusion ce modèle permet-il de tirer quant à la population de la Hongrie en l'an 2000 ?

b) À quelle rapidité (en termes de personnes par année) s'effectuera la décroissance de la population de la Hongrie en l'an 2000 ?

28. Imaginez que vous faites un zoom sur le graphe de chacune des fonctions suivantes à proximité de l'origine.

$$y = x \qquad y = \sqrt{x} \qquad y = x^2 \qquad y = \sin x$$

$$y = x \sin x \qquad y = \tan x \qquad y = \sqrt{x/(x+1)} \qquad y = x^3$$

$$y = \ln(x+1) \qquad y = \tfrac{1}{2}\ln(x^2+1) \qquad y = 1 - \cos x \qquad y = \sqrt{2x - x^2}$$

Quelles sont les fonctions qui se ressembleront ? Groupez les fonctions que vous ne pouvez plus distinguer et donnez l'équation de chaque droite à laquelle elles s'assimileront.

29. a) Pour $x > 0$, trouvez la dérivée de $f(x) = \arctan x + \arctan(1/x)$ et simplifiez.

b) Que signifie ce résultat à propos de f ?

30. a) Trouvez l'équation de la droite tangente à $y = \ln x$ en $x = 1$.

b) Utilisez ce résultat pour calculer la valeur approximative de $\ln(1,1)$ et de $\ln(2)$.

c) Au moyen d'un graphe, expliquez la raison pour laquelle les valeurs approximatives calculées ci-dessus sont plus petites ou plus grandes que les valeurs véritables. Ces résultats seraient-ils encore valables si vous aviez utilisé la droite tangente pour estimer $\ln(0,9)$ et $\ln(0,5)$? Justifiez votre réponse.

31. a) Trouvez l'équation de la meilleure approximation quadratique pour $y = \ln x$ en $x = 1$. La meilleure approximation quadratique a la même dérivée première et la même dérivée seconde que $y = \ln x$ en $x = 1$.

b) À l'aide d'un ordinateur ou d'une calculatrice, tracez l'approximation et $y = \ln x$ sur le même système d'axes. Que remarquez-vous ?

c) Utilisez l'approximation quadratique pour calculer les valeurs approximatives de $\ln(1,1)$ et de $\ln(2)$.

32. La force gravitationnelle F s'exerçant sur une fusée à une distance r du centre de la Terre est donnée par

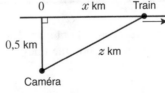

où $k = 10^{13} \ \text{N} \cdot \text{km}^2$. (Le newton (N) est une unité de force.) Quand la fusée est à 10^4 km du centre de la Terre, elle se déplace à une vitesse de 0,2 km/s. Quel est le taux de variation de la force gravitationnelle à ce moment ? Donnez les unités.

33. Un train se déplace à la vitesse de 0,8 km/min le long d'une voie rectiligne, dans la direction illustrée à la figure 3.26. Une caméra vidéo, placée à 0,5 km de la voie ferrée, fixe le train.

```
    0        x km      Train
    ┌─────────────────●────▶
    │               ╱
0,5 km           ╱ z km
    │         ╱
 Caméra ●
```

Figure 3.26

a) Exprimez z, la distance entre la caméra vidéo et le train, comme une fonction de x.

b) Quel est le taux de variation de la distance entre la caméra et le train quand le train est à 1 km de la caméra ? Précisez les unités de votre réponse.

c) Quel est le taux de variation de la rotation de la caméra (en radians par minute) au moment où le train est à 1 km de la caméra ?

34. Le rayon d'un ballon sphérique croît à raison de 2 cm/s. À quel taux l'air est-il soufflé à l'intérieur du ballon au moment où le rayon est de 10 cm ? Précisez les unités de votre réponse.

35. Les coroners estiment le moment du décès à partir de la température du corps en utilisant la simple règle empirique voulant qu'un corps se refroidit de 1 °C dans la première heure qui suit le décès et d'environ 0,5 °C/h ensuite. (La température est mesurée en utilisant une petite sonde insérée dans le foie, qui est l'organe vasculaire du corps qui maintient sa température le plus longtemps.)

En supposant que la température de l'air extérieur est de 20 °C et que la température d'un corps vivant est de 37 °C, la température du corps $T(t)$ [en degrés Fahrenheit] est donnée par

$$T(t) = 20 + 17e^{-kt},$$

où $t = 0$ à l'instant de la mort.

a) Pour quelle valeur de k le corps se refroidit-il de 1 °C au cours de la première heure ?

b) En utilisant cette valeur de k, après combien d'heures la température du corps décroît-elle à un taux de 0,5 °C/h ?

c) En utilisant la valeur de k de la partie a), démontrez que, 24 h après la mort, la règle appliquée par les coroners donne approximativement la même température que la formule.

36. Pour le plaisir de leurs hôtes, certains hôtels ont installé des ascenseurs panoramiques à l'extérieur du bâtiment. Supposez qu'un tel hôtel a une hauteur de 100 m. Vous êtes à une fenêtre située à 30 m au-dessus du sol et à 50 m de distance de l'hôtel et l'ascenseur descend à une vitesse constante de 10 m/s. Vous commencez à calculer le temps à $t = 0$, où t est exprimé en secondes. Soit l'angle θ entre la ligne de l'horizon et votre ligne de vision de l'ascenseur (voir figure 3.27).

a) Trouvez une formule pour $h(t)$, qui représente la hauteur de l'ascenseur au-dessus du sol au fur et à mesure qu'il descend à partir du sommet de l'hôtel.

b) En vous servant de cette réponse, exprimez θ comme une fonction du temps t et trouvez le taux de variation de θ en fonction de t.

c) Si le taux de variation de θ mesure la vitesse à laquelle l'ascenseur vous apparaît se déplacer, à quelle hauteur sera l'ascenseur quand il vous semblera se déplacer le plus vite ?

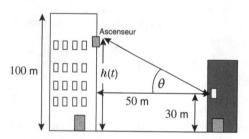

Figure 3.27 : Ascenseur en descente

3.7 LES FONCTIONS IMPLICITES

Dans les chapitres précédents, la plupart des fonctions ont été écrites sous la forme $y = f(x)$. Dans ces cas, y était traitée comme une *fonction explicite* de x. On étudiera maintenant des équations telles

$$x^2 + y^2 = 4,$$

appelées fonctions *implicites* de x. Le graphe d'une telle équation est un cercle, comme l'illustre la figure 3.28. Dans ce cas, il existe des valeurs de x qui correspondent à deux valeurs de y et y n'est pas une fonction de x sur la totalité du cercle. En résolvant l'équation ci-dessus, on obtient

$$y = \pm\sqrt{4 - x^2},$$

où $y = \sqrt{4 - x^2}$ représente la moitié supérieure du cercle et $y = -\sqrt{4 - x^2}$ la moitié inférieure du cercle. Ainsi, y est une première fonction de x dans la moitié supérieure et y est une deuxième fonction de x (différente) dans la moitié inférieure.

Si on considère le cercle comme un tout, l'équation représente une courbe qui a une droite tangente en chaque point. La pente de cette tangente peut être calculée en dérivant l'équation du cercle en fonction de x de la manière suivante :

$$\frac{d}{dx}(x^2) + \frac{d}{dx}(y^2) = \frac{d}{dx}(4).$$

Si on considère que y est une fonction de x et qu'on applique la règle de dérivation en chaîne, on obtient

$$2x + 2y\frac{dy}{dx} = 0.$$

La résolution donne, si $y \neq 0$,

$$\frac{dy}{dx} = -\frac{x}{y}.$$

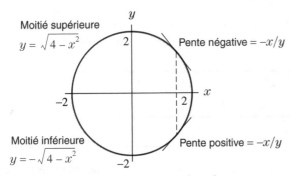

Figure 3.28 : Graphe de $x^2 + y^2 = 4$

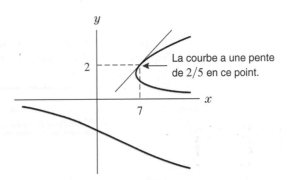

Figure 3.29 : Graphe de $y^3 - xy = -6$
et sa droite tangente au point (7, 2)

La dérivée dépend donc ici à la fois de x et de y (et non simplement de x) parce que, pour chaque valeur de x (excepté pour $x = \pm 2$), il existe deux valeurs de y et que la courbe a une pente différente pour chacune d'elles. La figure 3.28 montre que, pour x et y tous deux positifs, on est situé dans le premier quadrant et la pente est négative (comme la formule le prédisait). Pour x positif et y négatif, on est situé dans le quatrième quadrant et la pente est positive (comme la formule le prédisait). En dérivant l'équation du cercle, on obtient la pente de la courbe en tous les points excepté en (2, 0) et en (−2, 0), où la tangente est verticale. En général, ce procédé de *dérivation implicite* conduit à une dérivée qui existe à condition que le dénominateur de la dérivée soit différent de 0.

Exemple 1   Construisez une table des valeurs de x et des valeurs obtenues par approximation linéaire de y pour l'équation $y^3 - xy = -6$ à proximité de $x = 7$ et de $y = 2$. Votre tableau doit inclure les valeurs de x suivantes : 6,8, 6,9, 7,0, 7,1 et 7,2.

Solution   On désire résoudre ce problème pour y en termes de x, mais on ne peut isoler y par la mise en facteurs. Il existe une formule pour les cubes qui ressemble à la formule quadratique, mais qui est trop compliquée dans ce cas. Par contre, $x = 7$ et $y = 2$ confirment bien cette équation. (Montrez-le !) On trouve dy/dx par dérivation implicite :

$$\frac{d}{dx}(y^3) - \frac{d}{dx}(xy) = \frac{d}{dx}(-6)$$

$$3y^2 \frac{dy}{dx} - 1 \cdot y - x \frac{dy}{dx} = 0 \qquad \text{(Dérivation par rapport à } x\text{)}$$

$$3y^2 \frac{dy}{dx} - x \frac{dy}{dx} = y$$

$$(3y^2 - x) \frac{dy}{dx} = y \qquad \text{(Mise en évidence de } \frac{dy}{dx} \text{)}$$

$$\frac{dy}{dx} = \frac{y}{3y^2 - x} \text{ à condition que } 3y^2 - x \neq 0.$$

Quand $x = 7$ et $y = 2$, on obtient

$$\frac{dy}{dx} = \frac{2}{12 - 7} = \frac{2}{5}$$

(voir la figure 3.29, page précédente). L'équation de la droite tangente au point $(7, 2)$ est donc

$$y - 2 = \frac{2}{5}(x - 7)$$

ou

$$y = 0{,}4x - 0{,}8.$$

Puisque la tangente est très proche de la courbe à proximité du point $(7, 2)$, on utilise l'équation de la droite tangente pour calculer les valeurs approximatives de y suivantes :

x	6,8	6,9	7,0	7,1	7,2
Valeurs approximatives de y	1,92	1,96	2,00	2,04	2,08

Bien que l'équation $y^3 - xy = -6$ donne une courbe difficile à traiter de manière algébrique, il convient de noter qu'elle ressemble localement à une droite.

Exemple 2   Trouvez tous les points où la droite tangente à $y^3 - xy = -6$ est soit horizontale, soit verticale.

Solution   À partir de l'exemple précédent, on a $\dfrac{dy}{dx} = \dfrac{y}{3y^2 - x}$. La tangente est horizontale quand le numérateur de dy/dx est égal à zéro, de telle sorte que $y = 0$. Puisqu'on doit aussi respecter la relation $y^3 - xy = -6$, on obtient $0^3 - x \cdot 0 = -6$, ce qui est impossible, quel que soit x. On en conclut qu'il n'existe pas de point sur la courbe où la droite tangente est horizontale.

La tangente est verticale quand le dénominateur de dy/dx est égal à zéro, ce qui donne $3y^2 - x = 0$. D'où $x = 3y^2$ en tous les points qui ont une tangente verticale. De nouveau, on doit respecter la relation $y^3 - xy = -6$, de telle sorte que

$$y^3 - (3y^2)y = -6$$

$$-2y^3 = -6$$

$$y = \sqrt[3]{3} \approx 1{,}442.$$

On peut alors trouver x en posant $y = \sqrt[3]{3}$ dans $y^3 - xy = -6$. On obtient $3 - x(\sqrt[3]{3}) = -6$, de telle sorte que $x = 9/(\sqrt[3]{3}) \approx 6{,}240$. Ainsi, la droite tangente est verticale au point $(6{,}240, 1{,}442)$.

L'obtention, par dérivation implicite, de l'expression de dy/dx pour localiser les points où la droite tangente est verticale ou horizontale, comme dans l'exemple précédent, constitue une première étape pour obtenir une vision globale de la courbe $y^3 - xy = -6$. Cependant, il sera difficile de compléter le reste du graphe, même de façon grossière, en se servant du signe de dy/dx pour indiquer les endroits où la courbe est croissante ou décroissante.

Problèmes de la section 3.7

Pour les problèmes 1 à 12, trouvez dy/dx.

1. $x^2 + y^2 = \sqrt{7}$

2. $x^2 + xy - y^3 = xy^2$

3. $\sqrt{x} = 5\sqrt{y}$

4. $\sqrt{x} + \sqrt{y} = 25$

5. $\ln x + \ln(y^2) = 3$

6. $e^{x^2} + \ln y = 0$

7. $\arctan(x^2 y) = xy^2$

8. $x \ln y + y^3 = \ln x$

9. $\sin(xy) = 2x + 5$

10. $x^{2/3} + y^{2/3} = a^{2/3}$ (a est une constante)

11. $e^{\cos y} = x^3 \arctan y$

12. $\cos^2 y + \sin^2 y = y + 2$

Pour les problèmes 13 à 16, trouvez l'équation de la droite tangente à chacune des courbes suivantes aux points indiqués.

13. $xy^2 = 1$ en $(1, -1)$

14. $\ln(xy) = 2x$ en $(1, e^2)$

15. $y^2 = \dfrac{x^2}{xy - 4}$ en $(4, 2)$

16. $x^{2/3} + y^{2/3} = a^{2/3}$ en $(a, 0)$

17. Démontrez que la règle de dérivation de puissance s'applique aux puissances rationnelles de la forme $y = x^{m/n}$. (Élevez les deux membres de l'équation à la puissance n-ième et appliquez la dérivation implicite.)

18. a) Trouvez les équations des droites tangentes au cercle $x^2 + y^2 = 25$ aux points où $x = 4$.
    b) Trouvez les équations des droites normales à ce cercle en ces points. (La droite normale à une courbe en un point est perpendiculaire à la droite tangente en ce point.)
    c) En quel point les deux droites normales vont-elles se couper ?

19. a) Trouvez la pente de la droite tangente à l'ellipse $\dfrac{x^2}{25} + \dfrac{y^2}{9} = 1$ au point (x, y).
    b) Existe-t-il des points où la pente de la tangente n'existe pas ?

20. Considérez l'équation $x^3 + y^3 - xy^2 = 5$.

    a) Trouvez dy/dx par dérivation implicite.
    b) Donnez un tableau des approximations linéaires de y à proximité du point $(1, 2)$ pour $x = 0{,}96$, $0{,}98$, 1, $1{,}02$ et $1{,}04$.
    c) Trouvez la valeur de y pour $x = 0{,}96$ en posant $x = 0{,}96$ dans l'équation et en la résolvant pour déterminer y à l'aide d'une calculatrice ou d'un ordinateur. Comparez ce résultat avec votre réponse à la partie b).
    d) Trouvez tous les points où la droite tangente est horizontale ou verticale.

21. Trouvez l'équation de la droite tangente à la courbe $y = x^2$ au point $x = 1$. Démontrez que cette droite est également tangente à un cercle dont le centre est le point $(8, 0)$ et trouvez l'équation de ce cercle.

22. Tracez les cercles $y^2 + x^2 = 1$ et $y^2 + (x - 3)^2 = 4$. Il existe une droite ayant une pente positive qui est tangente aux deux cercles. Déterminez les points de contact de cette droite tangente avec chacun des cercles.

3.8   LES APPROXIMATIONS LINÉAIRES ET LES LIMITES

L'approximation par la droite tangente

Puisque le graphe d'une fonction et sa droite tangente ont la même pente au point de tangence, la droite tangente demeure proche du graphe de la fonction à proximité de ce point. On peut estimer les valeurs de la fonction par les valeurs de la droite tangente (voir la figure 3.30). Ainsi, la pente de la droite tangente au graphe de $y = f(x)$ au point $x = a$ est $f'(a)$, de telle sorte que l'équation de la droite tangente est

$$y = f(a) + f'(a)(x - a).$$

On peut maintenant estimer la valeur de f par les valeurs de y prises sur la droite tangente, ce qui donne le résultat suivant :

> **Approximation par la droite tangente**
>
> Si f est dérivable en a, alors pour des valeurs de x proches de a,
>
> $$f(x) \approx f(a) + f'(a)(x - a).$$
>
> On considère que a est fixe, de telle sorte que $f(a)$ et $f'(a)$ sont constantes.

L'expression $f(a) + f'(a)(x - a)$ est une fonction linéaire qui donne une approximation juste de $f(x)$ à proximité de a. On l'appelle la *linéarisation locale* de f à proximité de $x = a$.

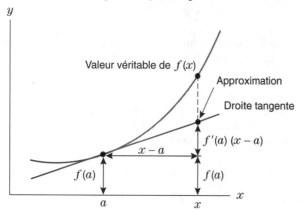

Figure 3.30 : Linéarisation locale : approximation par la droite tangente

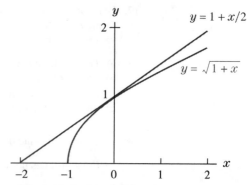

Figure 3.31 : Approximation par la droite tangente de $\sqrt{1 + x}$ à proximité de $x = 0$

Exemple 1   Trouvez l'approximation par la droite tangente de $\sqrt{1 + x}$ à proximité de $x = 0$.

Solution   Avec $f(x) = \sqrt{1 + x}$, la règle de dérivation en chaîne donne $f'(x) = 1/(2\sqrt{1 + x})$, de telle sorte que $f(0) = 1$ et que $f'(0) = 1/2$. L'approximation par la droite tangente de f à proximité de $x = 0$ est

$$f(x) \approx f(0) + f'(0)(x - 0),$$

ce qui devient

$$\sqrt{1 + x} \approx 1 + \frac{x}{2}.$$

Cela signifie qu'à proximité de $x = 0$, la fonction $\sqrt{1 + x}$ peut être représentée par sa droite tangente $y = 1 + x/2$ (voir la figure 3.31).

Exemple 2   Trouvez la linéarisation locale de e^{kx} à proximité de $x = 0$.

Solution   Si $f(x) = e^{kx}$, alors $f(0) = 1$. On applique la règle de dérivation en chaîne et $f'(x) = ke^{kx}$, de sorte que $f'(0) = ke^{k \cdot 0} = k$. Ainsi,

$$f(x) \approx f(0) + f'(0)(x - 0),$$

ce qui devient

$$e^{kx} \approx 1 + kx.$$

Cette équation est l'approximation par la droite tangente de e^{kx} à proximité de $x = 0$. En d'autres termes, si on fait un zoom sur les graphes de la fonction $f(x) = e^{kx}$ et de $y = 1 + kx$ à proximité de l'origine, on sera incapable de les distinguer.

L'utilisation de la linéarité locale pour trouver les limites

On désire calculer la valeur exacte de la limite

$$\lim_{x \to 0} \frac{e^{2x} - 1}{x}.$$

Si on pose $x = 0$, l'expression devient $0/0$, ce qui représente une valeur indéterminée

$$\frac{e^{2(0)} - 1}{0} = \frac{1 - 1}{0} = \frac{0}{0}.$$

En remplaçant x par des valeurs à proximité de zéro, on obtient une approximation de la limite.

Cependant, on peut calculer exactement la limite en utilisant la linéarité locale. On considère $f(x)$ comme numérateur, de sorte que $f(x) = e^{2x} - 1$, et $g(x)$ comme dénominateur, de sorte que $g(x) = x$. Alors, $f(0) = 0$ et $f'(x) = 2e^{2x}$ et, ainsi, $f'(0) = 2$. Quand on fait un zoom sur le graphe de $f(x) = e^{2x} - 1$ à proximité de l'origine, on voit la droite tangente $y = 2x$ illustrée à la figure 3.32. On s'intéresse au rapport $(e^{2x} - 1)/x = f(x)/g(x)$, qui a pour approximation le rapport des valeurs de y illustré à la figure 3.32. Ce rapport des valeurs de y est simplement le rapport des pentes des droites, de telle sorte que

$$\frac{f(x)}{g(x)} = \frac{e^{2x} - 1}{x} \approx \frac{2}{1} = \frac{f'(0)}{g'(0)}.$$

Au fur et à mesure que $x \to 0$, cette approximation devient de plus en plus proche de la réalité et on a

$$\lim_{x \to 0} \frac{e^{2x} - 1}{x} = 2.$$

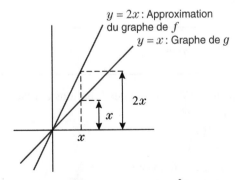

Figure 3.32 : Le rapport de $(e^{2x} - 1)/x$ a pour approximation le rapport des pentes au fur et à mesure qu'on fait un zoom sur le graphe à proximité de l'origine.

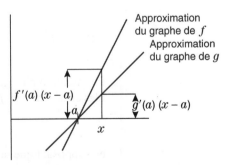

Figure 3.33 : Le rapport de $f(x)/g(x)$ a pour approximation le rapport des pentes $f'(a)/g'(a)$ au fur et à mesure qu'on fait un zoom sur le graphe à proximité de a.

La règle de L'Hospital

Si $f(a) = g(a) = 0$, on peut utiliser la même méthode pour calculer les limites de la forme

$$\lim_{x \to a} \frac{f(x)}{g(x)}.$$

Comme dans le cas précédent, on fait un zoom sur les graphes de $f(x)$ et de $g(x)$. La figure 3.33 (voir page précédente) montre que ces deux graphes coupent l'axe des x au point $x = a$, ce qui suggère que la limite de $f(x)/g(x)$ quand $x \to a$ est le rapport des pentes ; on obtient alors le résultat suivant :

> **Règle de L'Hospital :** si f et g sont des fonctions dérivables en $x = a$, si $f(a) = g(a) = 0$ et si $g'(a) \neq 0$, alors
>
> $$\lim_{x \to a} \frac{f(x)}{g(x)} = \frac{f'(a)}{g'(a)}$$

Pour justifier ce résultat, on suppose que $g'(a) \neq 0$ et on considère la quantité $f'(a)/g'(a)$. En utilisant la définition de la dérivée et en considérant le fait que $f(a) = g(a) = 0$, on obtient

$$\frac{f'(a)}{g'(a)} = \frac{\displaystyle\lim_{h \to 0} \frac{f(a + h) - f(a)}{h}}{\displaystyle\lim_{h \to 0} \frac{g(a + h) - g(a)}{h}}$$

$$= \frac{\displaystyle\lim_{h \to 0} (f(a + h)/h)}{\displaystyle\lim_{h \to 0} (g(a + h)/h)}$$

$$= \lim_{h \to 0} \frac{f(a + h)}{g(a + h)} = \lim_{x \to a} \frac{f(x)}{g(x)}.$$

À noter que, si $f'(a) \neq 0$ et si $g'(a) = 0$, la limite de $f(x)/g(x)$ n'existe pas pour x tendant vers a.

Exemple 3   Utilisez la règle de L'Hospital pour confirmer que $\displaystyle\lim_{x \to 0} \frac{\sin x}{x} = 1$.

Solution   Soit $f(x) = \sin x$ et $g(x) = x$. Alors, $f(0) = g(0) = 0$ et $f'(x) = \cos x$ et $g'(x) = 1$. Donc,

$$\lim_{x \to 0} \frac{\sin x}{x} = \frac{\cos 0}{1} = 1.$$

Si on a $f'(a) = g'(a) = 0$, alors on déduit le résultat suivant :

> Formulation plus générale de la **règle de L'Hospital :** si f et g sont des fonctions dérivables en $x = a$ et si $f(a) = g(a) = 0$, on a alors
>
> $$\lim_{x \to a} \frac{f(x)}{g(x)} = \lim_{x \to a} \frac{f'(x)}{g'(x)}$$
>
> en supposant que la limite du quotient des dérivées de droite existe.

Exemple 4   Calculez $\displaystyle\lim_{t \to 0} \frac{e^t - 1 - t}{t^2}$.

Solution   Soit $f(t) = e^t - 1 - t$ et $g(t) = t^2$. Alors, $f(0) = e^0 - 1 - 0 = 0$ et $g(0) = 0$ et $f'(t) = e^t - 1$ et $g'(t) = 2t$, de telle sorte que

$$\lim_{t \to 0} \frac{e^t - 1 - t}{t^2} = \lim_{t \to 0} \frac{e^t - 1}{2t}.$$

Puisque $f'(0) = g'(0) = 0$, le rapport $f'(0)/g'(0)$ est indéterminé et on utilise la règle de L'Hospital de nouveau. On a

$$\lim_{t \to 0} \frac{e^t - 1 - t}{t^2} = \lim_{t \to 0} \frac{e^t - 1}{2t} = \lim_{t \to 0} \frac{e^t}{2} = \frac{1}{2}.$$

Les formulations suivantes de la règle de L'Hospital s'appliquent aux limites comprenant l'infini.

La règle de L'Hospital s'applique également

- quand $\lim_{x \to a} f(x) = \pm\infty$ et $\lim_{x \to a} g(x) = \pm\infty$

ou

- quand $a = \pm\infty$.

On peut démontrer que, dans ces circonstances,

$$\lim_{x \to a} \frac{f(x)}{g(x)} = \lim_{x \to a} \frac{f'(x)}{g'(x)},$$

(où a peut être $\pm\infty$), en supposant que la limite du quotient des dérivées existe.

À noter qu'on ne peut pas toujours estimer $f'(x)/g'(x)$ numériquement quand $a = \pm\infty$. L'exemple 5 montre comment utiliser cette version de la règle de L'Hospital.

Exemple 5   Calculez $\lim_{x \to \infty} \dfrac{5x + e^{-x}}{7x}$.

Solution   Soit $f(x) = 5x + e^{-x}$ et $g(x) = 7x$. Alors, $\lim_{x \to \infty} f(x) = \lim_{x \to \infty} g(x) = \infty$ et $f'(x) = 5 - e^{-x}$ et $g'(x) = 7$, de sorte que

$$\lim_{x \to \infty} \frac{5x + e^{-x}}{7x} = \lim_{x \to \infty} \frac{5 - e^{-x}}{7} = \frac{5}{7}.$$

La règle de L'Hospital s'applique aussi au calcul de certaines limites de la forme $\lim_{x \to \infty} f(x)g(x)$; il faudra les réécrire sous forme d'un quotient approprié.

Exemple 6   Calculez $\lim_{x \to \infty} xe^{-x}$.

Solution   Puisque $\lim_{x \to \infty} x = \infty$ et que $\lim_{x \to \infty} e^{-x} = 0$, on voit que

$$xe^{-x} \to 0 \cdot \infty \qquad \text{quand } x \to \infty.$$

Puisque $0 \cdot \infty$ est une valeur indéterminée, on réécrit la fonction xe^{-x} sous la forme d'un quotient

$$xe^{-x} = \frac{x}{e^x}.$$

On utilise maintenant la règle de L'Hospital. Puisque

$$xe^{-x} = \frac{x}{e^x} \to \frac{\infty}{\infty} \qquad \text{quand } x \to \infty,$$

en prenant $f(x) = x$ et $g(x) = e^x$, on obtient $f'(x) = 1$ et $g'(x) = e^x$, de sorte que

$$\lim_{x \to \infty} xe^{-x} = \lim_{x \to \infty} \frac{x}{e^x} = \lim_{x \to \infty} \frac{1}{e^x} = 0.$$

La dominance : les puissances, les polynômes, les exponentielles et les logarithmes

Au chapitre 1, on a vu que certaines fonctions étaient beaucoup plus grandes que d'autres quand $x \to \infty$. On dit que g *domine* f quand $x \to \infty$ si $\lim\limits_{x \to \infty} \dfrac{f(x)}{g(x)} = 0$. La règle de L'Hospital fournit une manière facile de le vérifier.

Exemple 7   Démontrez que $x^{1/2}$ domine $\ln x$ quand $x \to \infty$.

Solution   Puisque, quand $x \to \infty$, $\ln x \to \infty$ et $x^{1/2} \to \infty$ et que $\ln x$ et $x^{1/2}$ sont dérivables, alors on peut appliquer la règle de L'Hospital à $(\ln x)/x^{1/2}$; on obtient

$$\lim_{x \to \infty} \frac{\ln x}{x^{1/2}} = \lim_{x \to \infty} \frac{1/x}{\frac{1}{2}x^{-1/2}}.$$

Pour évaluer cette limite, on simplifie et on obtient

$$\lim_{x \to \infty} \frac{1/x}{\frac{1}{2}x^{-1/2}} = \lim_{x \to \infty} \frac{2x^{1/2}}{x} = \lim_{x \to \infty} \frac{2}{x^{1/2}} = 0.$$

On vient donc de démontrer que

$$\lim_{x \to \infty} \frac{\ln x}{x^{1/2}} = 0,$$

ce qui indique que $x^{1/2}$ domine $\ln x$ quand $x \to \infty$.

Exemple 8   Démontrez que toute fonction exponentielle de la forme e^{kx} (avec $k > 0$) domine toute fonction puissance de la forme Ax^p (avec A et p positifs) quand $x \to \infty$.

Solution   En appliquant la règle de L'Hospital de façon répétitive à Ax^p/e^{kx}, on obtient

$$\lim_{x \to \infty} \frac{Ax^p}{e^{kx}} = \lim_{x \to \infty} \frac{Apx^{p-1}}{ke^{kx}} = \lim_{x \to \infty} \frac{Ap(p-1)x^{p-2}}{k^2 e^{kx}} = \cdots$$

On continue d'appliquer la règle de L'Hospital jusqu'à ce que la puissance de x ne soit plus positive. Alors, la limite du numérateur doit être un nombre fini tandis que la limite du dénominateur doit être infinie. D'où

$$\lim_{x \to \infty} \frac{Ax^p}{e^{kx}} = 0,$$

de sorte que e^{kx} domine Ax^p.

Problèmes de la section 3.8

1. Quelle est l'approximation de $1/x$ par la droite tangente à proximité de $x = 1$?

2. Démontrez que $1 - x/2$ est l'approximation de $1/\sqrt{1 + x}$ par la droite tangente à proximité de $x = 0$.

3. Démontrez que $e^{-x} \approx 1 - x$ à proximité de $x = 0$.

4. Interprétez l'approximation linéaire $e^{rt} \approx 1 + rt$ dans le contexte des intérêts bancaires où r est le taux d'intérêt annuel continu et t est le temps exprimé en années.

5. a) Démontrez que $1 + kx$ est la linéarisation locale de $(1 + x)^k$ à proximité de $x = 0$.
   b) On a calculé que la racine carrée de 1,1 est approximativement 1,05. Sans utiliser une calculatrice, pensez-vous que cette approximation est proche de la valeur exacte ?
   c) Est-ce que la valeur véritable est au-dessus ou en dessous de 1,05 ?

Pour les problèmes 6 à 9, trouvez le signe de $\lim\limits_{x \to a} \dfrac{f(x)}{g(x)}$ à partir des graphes représentés.

6.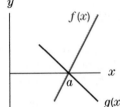

7.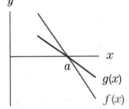

8.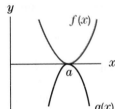

9.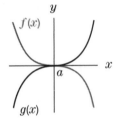

10. Calculez $\lim\limits_{x \to 0^+} x \ln x$. [Conseil : écrivez $x \ln x = \dfrac{\ln x}{1/x}$.]

11. En vous basant sur votre connaissance des comportements du numérateur et du dénominateur, prédisez d'abord la valeur des limites suivantes, puis, trouvez chacune de ces limites au moyen de la règle de L'Hospital.

   a) $\lim\limits_{x \to 0} \dfrac{\sin x}{x^2}$ b) $\lim\limits_{x \to 0} \dfrac{\sin^2 x}{x}$ c) $\lim\limits_{x \to 0} \dfrac{\sin x}{x^{1/3}}$ d) $\lim\limits_{x \to 0} \dfrac{(\sin x)^{1/3}}{x}$

12. a) Quelle est la pente de $f(x) = \sin(3x)$ au point $x = 0$?
    b) Quelle est la pente de $g(x) = 5x$ au point $x = 0$?
    c) Utilisez les réponses des parties a) et b) pour calculer $\lim\limits_{x \to 0} \dfrac{\sin (3x)}{5x}$.

Dans les problèmes 13 à 16, utilisez la règle de L'Hospital pour déterminer quelle fonction domine quand $x \to \infty$.

13. x^5 ou $0{,}1x^7$

14. $0{,}01x^3$ ou $50x^2$

15. $\ln(x + 3)$ ou $x^{0{,}2}$

16. x^{10} ou $e^{0{,}1x}$

17. Les fonctions f et g et leur droite tangente au point $(4, 0)$ sont illustrées à la figure 3.34 (page suivante). Trouvez $\lim\limits_{x \to 4} \dfrac{f(x)}{g(x)}$.

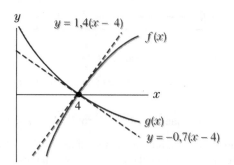

Figure 3.34

18. Expliquez pourquoi la règle de L'Hospital ne peut s'appliquer pour le calcul de chacune des limites suivantes. Puis, estimez la limite, si elle existe.

   a) $\lim_{x \to 1} \dfrac{\sin(2x)}{x}$ b) $\lim_{x \to 0} \dfrac{\cos x}{x}$ c) $\lim_{x \to \infty} \dfrac{e^{-x}}{\sin x}$

19. Trouvez l'asymptote horizontale de $f(x) = \dfrac{2x^3 + 5x^2}{3x^3 - 1}$.

20. Multipliez la linéarisation locale de e^x à proximité de $x = 0$ par elle-même pour obtenir l'approximation de e^{2x}. Comparez ces deux résultats à la linéarisation locale réelle de e^{2x}. Expliquez pourquoi ces deux approximations sont cohérentes et précisez laquelle est la plus exacte.

21. a) Montrez que $1 - x$ est la linéarisation locale de $\dfrac{1}{1 + x}$ à proximité de $x = 0$.

   b) À partir de votre réponse de la partie a), démontrez que, à proximité de $x = 0$,

$$\frac{1}{1 + x^2} \approx 1 - x^2.$$

   c) Sans calculer la dérivée, que pensez-vous de la dérivée de $\dfrac{1}{1 + x^2}$ en $x = 0$?

22. À partir de la linéarisation locale de e^x et de $\sin x$ à proximité de $x = 0$, écrivez la linéarisation locale de la fonction $e^x \sin x$. À partir de ce résultat, écrivez la dérivée de $e^x \sin x$ en $x = 0$. En utilisant cette technique, écrivez la dérivée de $e^x \sin x/(1 + x)$ en $x = 0$.

23. Utilisez la linéarisation locale pour déduire la règle du produit

$$[f(x)g(x)]' = f'(x)g(x) + f(x)g'(x).$$

   [Conseil : utilisez la définition de la dérivée et la linéarisation locale $f(x + h) \approx f(x) + f'(x)h$ et $g(x + h) \approx g(x) + g'(x)h$.]

24. Déduisez la règle de dérivation en chaîne au moyen de la linéarisation locale. [Conseil : en d'autres termes, dérivez $f(g(x))$ en utilisant $g(x + h) \approx g(x) + g'(x)h$ et $f(z + k) \approx f(z) + f'(z)k$.]

SOMMAIRE DU CHAPITRE

- **Dérivées des fonctions élémentaires**
  Puissances, polynômes, fonctions rationnelles, fonctions exponentielles, fonctions logarithmiques, fonctions trigonométriques, réciproque des fonctions trigonométriques.

- **Dérivées des sommes, des différences et des multiples de fonctions**

- **Règle du produit et règle du quotient**

- **Règle de dérivation en chaîne**
  Dérivation des fonctions définies implicitement et des fonctions réciproques.

- **Utilisation de la dérivée**
  Approximation par la droite tangente, linéarité locale, règle de L'Hospital.

PROBLÈMES DE RÉVISION DU CHAPITRE TROIS

1. Trouvez la pente de la courbe $x^2 + 3y^2 = 7$ au point $(2, -1)$.

2. Supposez que y est une fonction de x dérivable et que $y + \sin y + x^2 = 9$. Trouvez dy/dx au point $(3, 0)$.

3. En vous référant aux données du tableau suivant à propos des fonctions f et g et de leurs dérivées, trouvez les valeurs ci-après.

   a) $h(4)$ si $h(x) = f(g(x))$

   b) $h'(4)$ si $h(x) = f(g(x))$

   c) $h(4)$ si $h(x) = g(f(x))$

   d) $h'(4)$ si $h(x) = g(f(x))$

   e) $h'(4)$ si $h(x) = g(x)/f(x)$

   f) $h'(4)$ si $h(x) = f(x)g(x)$

x	1	2	3	4
$f(x)$	3	2	1	4
$f'(x)$	1	4	2	3
$g(x)$	2	1	4	3
$g'(x)$	4	2	3	1

4. Étant donné $r(2) = 4$, $s(2) = 1$, $s(4) = 2$, $r'(2) = -1$, $s'(2) = 3$ et $s'(4) = 3$, calculez les dérivées ou indiquez de quelle information additionnelle vous auriez besoin pour pouvoir calculer les dérivées ci-après.

   a) $H'(2)$ si $H(x) = r(x) \cdot s(x)$

   b) $H'(2)$ si $H(x) = r(s(x))$

   c) $H'(2)$ si $H(x) = \sqrt{r(x)}$

   d) $H'(2)$ si $H(x) = s(r(x))$

5. Imaginez que vous faites un zoom sur les graphes des fonctions suivantes à proximité de l'origine.

   $y = \arcsin x$ $y = \sin x - \tan x$ $y = x - \sin x$ $y = \arctan x$

   $y = \dfrac{\sin x}{1 + \sin x}$ $y = \dfrac{x^2}{x^2 + 1}$ $y = \dfrac{1 - \cos x}{\cos x}$ $y = \dfrac{x}{x^2 + 1}$

   $y = \dfrac{\sin x}{x} - 1$ $y = -x \ln x$ $y = e^x - 1$ $y = x^{10} + \sqrt[10]{x}$

   $y = \dfrac{x}{x + 1}$

   Quels sont les graphes qui se ressembleront? Groupez les fonctions que vous ne pouvez plus distinguer et donnez l'équation de la droite à laquelle elles s'assimileront. [Remarque : $(\sin x)/x - 1$ et $-x \ln x$ ne sont pas définies à l'origine.]

6. Les graphes de $\sin x$ et de $\cos x$ se coupent une fois entre 0 et $\pi/2$. Quel est l'angle entre les deux courbes au point d'intersection? (Vous devez réfléchir à propos de la manière de définir l'angle entre deux courbes.)

7. L'accélération due à la gravité g, à la distance r du centre de la Terre, est donnée par

$$g = \frac{GM}{r^2},$$

où M est la masse de la Terre et G une constante.

   a) Trouvez $\dfrac{dg}{dr}$.

   b) Quelle est l'interprétation pratique (en termes d'accélération) de $\dfrac{dg}{dr}$? Vous attendez-vous à ce qu'elle soit négative?

   c) On vous dit que $M = 6 \times 10^{24}$ et $G = 6{,}67 \times 10^{-20}$, où M est en kilogrammes et r en kilomètres. Quelle est la valeur de $\dfrac{dg}{dr}$ à la surface de la Terre si $r = 6400$ km?

   d) Quelle indication en tirez-vous pour déterminer s'il est ou non raisonnable d'estimer que g est constante à proximité de la surface de la Terre?

8. En 1990, la population du Mexique était d'environ 84 millions avec une croissance annuelle de 2,6 % tandis que la population des États-Unis était d'environ 250 millions avec une croissance annuelle de 0,7 %. Quelle est la population qui croissait le plus vite si vous mesurez le taux de croissance en termes de personnes par année ? Justifiez votre réponse.

9. Supposez que la distance s par rapport à un corps se déplaçant à partir d'un point fixe soit donnée en fonction du temps t par $s = 20e^{t/2}$.

a) Trouvez la vitesse v du corps en fonction du temps t.

b) Trouvez une relation entre v et s, puis démontrez que s constitue une preuve de l'équation différentielle $s' = \frac{1}{2} s$.

10. La pression de l'air au niveau de la mer est de 76 cm de mercure. À une altitude de h m au-dessus du niveau de la mer, la pression atmosphérique P (en cm de mercure) est donnée par

$$P = 76e^{-1,06 \times 10^{-4} h}.$$

a) Tracez un graphe approximatif de P en fonction de h.

b) Trouvez l'équation de la droite tangente au graphe au point où $h = 0$.

c) Une règle empirique indique que la pression atmosphérique chute d'environ 0,8 cm par 100 m d'altitude au-dessus du niveau de la mer. Écrivez une formule approximative pour calculer la pression atmosphérique à partir de cette règle empirique.

d) Quelle est la relation entre vos réponses aux parties b) et c) ? Expliquez pourquoi cette règle empirique est valable.

e) Les prédictions obtenues avec la règle empirique sont-elles trop grandes ou trop petites ? Justifiez votre réponse.

11. Supposez que la profondeur de l'eau y (en mètres) dans la baie de Fundy est exprimée en fonction du temps t (en heures) après minuit par

$$y = 10 + 7,5 \cos(0,507t).$$

À quelle vitesse la marée monte-t-elle ou descend-elle (en mètres par heure) à chacune des heures suivantes ?

a) 6 h   b) 9 h   c) 12 h   d) 18 h

12. Un plat de pommes de terre est placé dans un four chaud qui est maintenu à une température constante de 200 °C. Supposez qu'au temps $t = 30$ min, la température T des pommes de terre soit de 120 °C et augmente à un taux (instantané) de 2 °C/min. La loi sur le refroidissement de Newton (ou, dans ce cas, le réchauffement) implique que la température au temps t est donnée par une formule de la forme

$$T(t) = 200 - ae^{-bt}.$$

Trouvez a et b.

13. Un objet est accroché à l'extrémité d'un ressort. Sa position (en centimètres) relativement à un point fixe est donnée en fonction du temps t (en secondes) par :

$$y = y_0 \cos(2\pi\omega t), \quad \text{avec } \omega \text{ qui est une constante.}$$

a) Trouvez une expression pour la vitesse et pour l'accélération de cet objet en oscillation.

b) Comparez les amplitudes de la position, de la vitesse et de l'accélération. Comparez les périodes de ces fonctions.

c) Démontrez que la fonction y vérifie l'équation différentielle

$$\frac{d^2y}{dt^2} + 4\pi^2\omega^2 y = 0.$$

14. Supposez que le nombre total de personnes N qui ont contracté une maladie au temps t (en jours) après sa déclaration est donné par

$$N = \frac{1\ 000\ 000}{1 + 5\ 000e^{-0,1t}}.$$

a) À long terme, combien de gens auront contracté cette maladie ?

b) Y a-t-il un jour durant lequel plus de un million de personnes contracteront cette maladie ? un demi-million ? un quart de million ? [Conseil : n'essayez pas de trouver quel jour ces événements se produisent.]

15. Une cellule sphérique croît à un taux constant de 400 μm^3/jour (1 μm = 10^{-6} m). À quel taux son rayon croît-il quand il est égal à 10 μm ?

16. Quand la croissance d'une cellule sphérique dépend du flux de nutriments passant au travers de sa surface, il est raisonnable de supposer que le taux de croissance dV/dt est proportionnel à la surface S. On suppose que, pour une cellule particulière, $dV/dt = \frac{1}{3} \cdot S$. À quel taux son rayon r va-t-il croître ?

17. Dans le poste de pilotage d'un avion, un système de radionavigation donne une lecture de la distance s (en kilomètres) entre une station fixe au sol et l'avion. Le système donne aussi une lecture du taux de variation instantané ds/dt de cette distance (en kilomètres par heure). Un avion en vol rectiligne à une altitude constante de 4 km est passé juste au-dessus de la station au sol et il continue sa route. Quelle est la vitesse de cet avion à altitude constante quand la lecture est de $s = 8$ km et que $ds/dt = 400$ km/h ?

Les problèmes 18 et 19 portent sur la loi de Boyle qui établit que, pour une quantité fixe de gaz à une température constante, la pression P et le volume V sont inversement proportionnels. Ainsi, pour une constante quelconque k,

$$PV = k.$$

18. Supposez qu'une quantité fixe de gaz se répand à une température constante. Trouvez le taux de variation de la pression en fonction du volume.

19. Supposez qu'une certaine quantité de gaz occupe un volume de 10 cm^3 à la pression de 2 atm (atmosphères) et que la pression croît, pendant que la température demeure constante.

a) Le volume va-t-il croître ou décroître ?

b) Si la pression croît à un taux de 0,05 atm/min au moment où la pression est égale à 2 atm, trouvez le taux de variation du volume à ce moment-là. Quelles sont les unités de votre réponse ?

20. Trouvez la dérivée n-ième de chacune des fonctions ci-après.

a) $\ln x$ b) xe^x c) $e^x \cos x$

GROS PLAN SUR LA PRATIQUE

LA DÉRIVATION

Trouvez les dérivées des fonctions des problèmes 1 à 114. Supposez que a, b, c et k sont des constantes.

1. $f(t) = 3t^2 - 4t + 1$

2. $y = 17x + 24x^{1/2}$

3. $g(x) = -\frac{1}{2}(x^5 + 2x - 9)$

4. $g(t) = \dfrac{t^3 + k}{t}$

5. $f(x) = 5x^4 + \dfrac{1}{x^2}$

6. $z = \dfrac{t^2 + 3t + 1}{t + 1}$

7. $y = \dfrac{e^{2x}}{x^2 + 1}$

8. $f(x) = \dfrac{x^2 + 3x + 2}{x + 1}$

9. $y = \left(\dfrac{x^2 + 2}{3}\right)^2$

10. $g(\theta) = \sin^2(2\theta) - \pi\theta$

11. $g(x) = \sin(2 - 3x)$

12. $R(x) = 10 - 3\cos(\pi x)$

13. $f(z) = \dfrac{z^2 + 1}{3z}$

14. $q(r) = \dfrac{3r}{5r + 2}$

15. $h(z) = \sqrt{\dfrac{\sin(2z)}{\cos(2z)}}$

16. $y = x\ln x - x + 2$

17. $j(x) = \ln(e^{ax} + b)$

18. $y = 2x(\ln x + \ln 2) - 2x + e$

19. $g(\theta) = \sin(\tan\theta)$

20. $w(x) = \tan(x^2)$

21. $f(x) = \sin(\sin x + \cos x)$

22. $j(x) = \cos(\sin^{-1} x)$

23. $k(\alpha) = \sin^5 \alpha \cos^3 \alpha$

24. $f(w) = \cos^2 w + \cos(w^2)$

25. $g(t) = \dfrac{4}{3 + \sqrt{t}}$

26. $g(t) = \dfrac{t - 4}{t + 4}$

27. $y = \dfrac{1}{e^{3x} + x^2}$

28. $h(w) = (w^4 - 2w)^5$

29. $q(\theta) = \sqrt{4\theta^2 - \sin^2(2\theta)}$

30. $g(t) = (t\cos t + \tan^3(t^5))^4$

31. $h(w) = w^3 \ln(10w)$

32. $f(x) = \ln(\sin x + \cos x)$

33. $g(x) = \arcsin(\sin \pi x)$

34. $r(t) = \arcsin(2t)$

35. $w(r) = \sqrt{r^4 + 1}$

36. $h(w) = -2w^{-3} + 3\sqrt{w}$

37. $h(x) = \sqrt{\dfrac{x^2 + 9}{x + 3}}$

38. $f(x) = \sqrt{\dfrac{1 - \sin x}{1 - \cos x}}$

39. $T(u) = \arctan\left(\dfrac{u}{1 + u}\right)$

40. $w = 2^{-4z}\sin(\pi z)$

41. $v(t) = t^2 e^{-ct}$

42. $f(x) = \pi^x + x^\pi$

43. $f(x) = \dfrac{x}{1 + \ln x}$

44. $G(x) = \dfrac{\sin^2 x + 1}{\cos^2 x + 1}$

45. $a(t) = \ln\left(\dfrac{1 - \cos t}{1 + \cos t}\right)^4$

46. $f(x) = e^{\ln(kx)}$

47. $R(\theta) = e^{\sin(3\theta)}$

48. $f(x) = e^\pi + \pi^x$

49. $y = \pi^{(x + 2)}$

50. $g(x) = e^{\pi x}$

51. $g(\theta) = e^{\sin\theta}$

52. $f(\theta) = 2^{-\theta}$

53. $f(x) = e^{2x}(x^2 + 5^x)$

54. $h(x) = 2^{e^{3x}}$

55. $h(t) = \dfrac{4 - t}{4 + t}$

56. $r(y) = \dfrac{y}{\cos y + a}$

57. $h(z) = \left(\dfrac{b}{a + z^2}\right)^4$

58. $p(t) = e^{4t + 2}$

59. $h(z) = (\ln 2)^z$

60. $j(x) = \dfrac{x^3}{a} + \dfrac{a}{b}x^2 - cx + k$

61. $f(x) = \cos(\arctan 3x)$

62. $f(x) = (3x^2 + \pi)(e^x - 4)$

63. $g(t) = e^{(1 + 3t)^2}$

64. $f(z) = \dfrac{z^2 + 1}{\sqrt{z}}$

65. $h(r) = \dfrac{r^2}{2r + 1}$

66. $g(x) = 2x - \dfrac{1}{\sqrt[3]{x}} + 3^x - e$

67. $f(t) = 2te^t - \dfrac{1}{\sqrt{t}}$

68. $w = \dfrac{5 - 3z}{5 + 3z}$

69. $g(w) = \dfrac{1}{2^w + e^w}$

70. $f(y) = \ln\left(\ln\left(2y^3\right)\right)$

71. $f(x) = \dfrac{x^3}{9}\left(3\ln x - 1\right)$

72. $g(x) = x^k + k^x$

73. $r(\theta) = \sin\left((3\theta - \pi)^2\right)$

74. $s(\theta) = \sin^2(3\theta - \pi)$

75. $h(t) = \ln\left(e^{-t} - t\right)$

76. $p(\theta) = \dfrac{\sin(5 - \theta)}{\theta^2}$

77. $w(\theta) = \dfrac{\theta}{\sin^2\theta}$

78. $g(x) = \dfrac{x^2 + \sqrt{x} + 1}{x^{3/2}}$

79. $s(x) = \arctan(2 - x)$

80. $r(\theta) = e^{(e^\theta + e^{-\theta})}$

81. $m(n) = \sin(e^n)$

82. $k(\alpha) = e^{\tan(\sin\alpha)}$

83. $g(t) = t\cos\left(\sqrt{t}\,e^t\right)$

84. $f(r) = (\tan 2 + \tan r)^e$

85. $y = e^{-\pi} + \pi^{-e}$

86. $y = (x^2 + 5)^3\left(3x^3 - 2\right)^2$

87. $h(x) = xe^{\tan x}$

88. $y = e^{2x}\sin^2(3x)$

89. $g(x) = \tan^{-1}\left(3x^2 + 1\right)$

90. $y = 2^{\sin x}\cos x$

91. $h(x) = \ln e^{ax}$

92. $k(x) = \ln e^{ax} + \ln b$

93. $f(\theta) = e^{k\theta} - 1$

94. $N(\theta) = \tan(\arctan(k\theta))$

95. $f(t) = e^{-4kt}\sin t$

96. $f(x) = a^{5x}$

97. $f(x) = \dfrac{a^2 - x^2}{a^2 + x^2}$

98. $w(r) = \dfrac{ar^2}{b + r^3}$

99. $f(s) = \dfrac{a^2 - s^2}{\sqrt{a^2 + s^2}}$

100. $h(t) = e^{kt}(\sin at + \cos bt)$

101. $H(t) = (at^2 + b)e^{-ct}$

102. $g(\theta) = \sqrt{a^2 - \sin^2\theta}$

103. $y = \arctan\left(\dfrac{2}{x}\right)$

104. $r(t) = \ln\left(\sin\left(\dfrac{t}{k}\right)\right)$

105. $g(u) = \dfrac{e^{au}}{a^2 + b^2}$

106. $g(w) = \dfrac{5}{\left(a^2 - w^2\right)^2}$

107. $y = \dfrac{e^x - e^{-x}}{e^x + e^{-x}}$

108. $y = \dfrac{e^{ax} - e^{-ax}}{e^{ax} + e^{-ax}}$

109. $f(x) = (2 - 4x - 3x^2)(6x^e - 3\pi)$

110. $f(t) = (\sin(2t) - \cos(3t))^4$

111. $s(y) = \sqrt[3]{\left(\cos^2 y + 3 + \sin^2 y\right)}$

112. $f(x) = (4 - x^2 + 2x^3)(6 - 4x + x^7)$

113. $h(x) = \left(\dfrac{1}{x} - \dfrac{1}{x^2}\right)(2x^3 + 4)$

114. $f(z) = \sqrt{5z} + 5\sqrt{z} + \dfrac{5}{\sqrt{z}} - \sqrt{\dfrac{5}{z}} + \sqrt{5}$

115. Si $g(2) = 3$ et $g'(2) = -4$, trouvez $f'(2)$ pour les fonctions suivantes :

   a) $f(x) = x^2 - 4g(x)$

   b) $f(x) = \dfrac{x}{g(x)}$

   c) $f(x) = x^2 g(x)$

   d) $f(x) = (g(x))^2$

   e) $f(x) = x\sin(g(x))$

   f) $f(x) = x^2\ln(g(x))$

116. Pour les parties a) à f) du problème 115, déterminez l'équation de la droite tangente à f au point $x = 2$.

Pour les problèmes 117 à 122, supposez que y est une fonction de x dérivable et trouvez dy/dx.

117. $xy - x - 3y - 4 = 0$

118. $6x^2 + 4y^2 = 36$

119. $ax^2 - by^2 = c^2$

120. $x^2 y - 2y + 5 = 0$

121. $x^3 + y^3 - 4x^2 y = 0$

122. $\sin(ay) + \cos(bx) = xy$

CHAPITRE QUATRE

L'UTILISATION DE LA DÉRIVÉE

Au chapitre 2, on a présenté la dérivée et certaines de ses interprétations. Au chapitre 3, on a dérivé toutes les fonctions de base, notamment les fonctions puissance, les fonctions exponentielles, les fonctions logarithmiques et les fonctions trigonométriques. On utilisera maintenant la dérivée première et la dérivée seconde pour analyser le comportement des familles de fonctions et pour résoudre des problèmes d'optimisation.

4.1   L'UTILISATION DE LA DÉRIVÉE PREMIÈRE ET DE LA DÉRIVÉE SECONDE

Ce qu'indiquent les dérivées au sujet d'une fonction et de son graphe

Comme on l'a vu au chapitre 2, le lien qui existe entre les dérivées d'une fonction et la fonction elle-même peut être exprimé de la manière suivante :

- si $f' > 0$ sur un intervalle, alors f est croissante sur cet intervalle ;
- si $f' < 0$ sur un intervalle, alors f est décroissante sur cet intervalle ;
- si $f'' > 0$ sur un intervalle, alors le graphe de f est concave vers le haut sur cet intervalle ;
- si $f'' < 0$ sur un intervalle, alors le graphe de f est concave vers le bas sur cet intervalle.

Ces principes offrent de nouvelles possibilités, car on dispose maintenant de formules pour les dérivées des fonctions élémentaires.

Lorsqu'on trace le graphe d'une fonction à l'aide d'un ordinateur ou d'une calculatrice, on ne voit souvent qu'une partie de l'illustration. Les renseignements que fournissent la dérivée première et la dérivée seconde peuvent aider à identifier les régions qui présentent des comportements intéressants.

Exemple 1   À l'aide d'un ordinateur ou d'une calculatrice, tracez un graphe significatif de la fonction $f(x) = x^3 - 9x^2 - 48x + 52$.

Solution   Puisque f est un polynôme cubique, on s'attend à ce que le graphe ait approximativement la forme d'un S. En traçant le graphe de cette fonction pour $-10 \le x \le 10$ et $-10 \le y \le 10$, on obtient les deux droites presque verticales de la figure 4.1. On constate que ce résultat est peu concluant et qu'il faudrait procéder autrement.

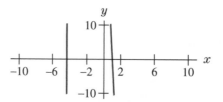

Figure 4.1 : Graphe peu concluant de
$$f(x) = x^3 - 9x^2 - 48x + 52$$

Pour y arriver, on utilise la dérivée afin de déterminer les endroits où la fonction est croissante et les endroits où elle est décroissante. La dérivée de f est

$$f'(x) = 3x^2 - 18x - 48.$$

Pour trouver les endroits où $f' > 0$ ou $f' < 0$, on doit d'abord trouver les endroits où $f' = 0$. Autrement dit, on cherche les endroits où $3x^2 - 18x - 48 = 0$. En factorisant, on obtient $3(x - 8)(x + 2) = 0$. Donc, on a $f'(x) = 0$ pour $x = -2$ ou $x = 8$. Puisque $f' = 0$ *seulement* en $x = -2$ et en $x = 8$ et que f' est continue, f' ne peut changer de signe sur aucun des trois intervalles suivants : $x < -2$, $-2 < x < 8$, $8 < x$. Comment peut-on connaître le signe de f' sur chacun de ces intervalles ? La manière la plus simple consiste à choisir une valeur arbitraire de x et à la substituer dans f'. Par exemple, puisque $f'(-3) = 33 > 0$, on sait que f' est positive pour $x < -2$. Donc, f est croissante pour $x < -2$. De même, puisque $f'(0) = -48$ et que $f'(10) = 72$, on sait que f décroît entre $x = -2$ et $x = 8$ et qu'elle s'accroît pour $x > 8$. En bref,

	$x = -2$		$x = 8$	
f croissante $\nearrow$		f décroissante $\searrow$		f croissante $\nearrow$
$f' > 0$	$f' = 0$	$f' < 0$	$f' = 0$	$f' > 0$

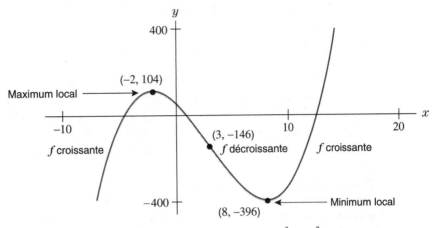

Figure 4.2 : Graphe significatif de $f(x) = x^3 - 9x^2 - 48x + 52$

On trouve que $f(-2) = 104$ et que $f(8) = -396$. Ainsi, sur l'intervalle $-2 < x < 8$, la fonction décroît en partant d'une valeur élevée, 104, jusqu'à une valeur faible, -396. (On comprend maintenant pourquoi le premier graphe obtenu n'était pas très révélateur.) Un point supplémentaire sur le graphe est facile à obtenir : l'intersection avec l'axe des y, $f(0) = 52$. Avec ces trois points seulement, on peut obtenir un graphe beaucoup plus significatif. En fixant la fenêtre graphique à $-10 \le x \le 20$ et à $-400 \le y \le 400$, on obtient la figure 4.2, qui donne un meilleur aperçu du comportement de $f(x)$ que le graphe de la figure 4.1.

À la figure 4.2, on voit qu'une partie du graphe est concave vers le haut et qu'une partie de celui-ci est concave vers le bas. On peut utiliser la dérivée seconde pour analyser la concavité. On obtient

$$f''(x) = 6x - 18.$$

Donc, $f''(x) < 0$ quand $x < 3$ et $f''(x) > 0$ quand $x > 3$. Donc, le graphe de f est concave vers le bas pour $x < 3$ et concave vers le haut pour $x > 3$. En $x = 3$, on obtient $f''(x) = 0$. En résumé,

$$f \text{ concave vers le bas } \cap \quad \overset{x = 3}{\underset{}{\big|}} \quad f \text{ concave vers le haut } \cup$$

$$\overline{\phantom{f \text{ concave vers le bas}} \quad f'' < 0 \qquad f'' = 0 \qquad f'' > 0 }$$

Le maximum local et le minimum local

On s'intéresse souvent à des points comme ceux qui sont identifiés comme étant le maximum local et le minimum local sur la figure 4.2. Soit les définitions suivantes :

> On suppose que p est un point qui appartient au domaine de f:
> - f a un **minimum local** en p si $f(p)$ est inférieure ou égale aux valeurs de f pour les points qui sont proches de p ;
> - f a un **maximum local** en p si $f(p)$ est supérieure ou égale aux valeurs de f pour les points qui sont proches de p.

On utilise l'adjectif *local* parce que la description ne porte que sur ce qu'on peut observer à proximité de p.

Comment trouver un maximum local ou un minimum local ?

Dans l'exemple précédent, les valeurs $x = -2$ et $x = 8$, où $f'(x) = 0$, jouent un rôle clé pour le calcul d'un maximum local ou d'un minimum local. On donne à ces valeurs un nom particulier :

> Pour toute fonction f, une valeur p appartenant au domaine de f telle que $f'(p) = 0$ ou $f'(p)$ n'existe pas s'appelle une **valeur critique** de la fonction. De plus, le point $\big(p, f(p)\big)$ sur le graphe de f s'appelle point critique.

Géométriquement, en un point critique où $f'(p) = 0$, la droite tangente au graphe de f est horizontale. En un point critique où $f'(p)$ n'existe pas, il n'y a aucune tangente horizontale au graphe — il y a soit une tangente verticale, soit aucune tangente. (Par exemple, $x = 0$ est une valeur critique pour la fonction valeur absolue $f(x) = |x|$.) Cependant, la plupart des fonctions qui seront examinées seront différentiables partout et, par conséquent, la plupart des valeurs critiques seront telles que $f'(p) = 0$.

Les valeurs critiques divisent le domaine de f en intervalles sur chacun desquels le signe de la dérivée demeure le même, soit positif ou négatif. Donc, si f est définie sur l'intervalle entre deux valeurs critiques successives, son graphe ne peut changer de direction sur cet intervalle ; il est soit croissant, soit décroissant. On obtient le résultat suivant, lequel est équivalent au théorème démontré à la section « Gros plan sur la théorie » à la fin de ce chapitre.

> **Théorème :** si une fonction continue f atteint un maximum local ou un minimum local en p, et si p n'est pas un point à la frontière du domaine, alors p est une valeur critique.

Avertissement ! Le signe de f' *peut ne pas* changer en une valeur critique. Par exemple, $f(x) = x^3$ a une valeur critique en $x = 0$ (voir la figure 4.3), et pourtant la dérivée $f'(x) = 3x^2$ est positive des deux côtés de $x = 0$. Donc, f augmente des deux côtés de $x = 0$ et il n'y a ni maximum local ni minimum local en $x = 0$. En d'autres mots, tous les points critiques ne donnent pas nécessairement lieu à un maximum local ou à un minimum local.

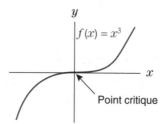

Figure 4.3 : Point critique qui n'est pas un maximum local ni un minimum local

Le test du maximum local ou du minimum local

Si f' a des signes différents d'un côté et de l'autre d'une valeur critique p, alors le graphe change de direction en p et ressemble à ceux de la figure 4.4. On dispose donc des critères suivants.

Test de la dérivée première pour un maximum local et un minimum local

On suppose que p est une valeur critique d'une fonction continue f.

- Si f' passe du négatif au positif en p, alors f atteint un minimum local en p.
- Si f' passe du positif au négatif en p, alors f atteint un maximum local en p.

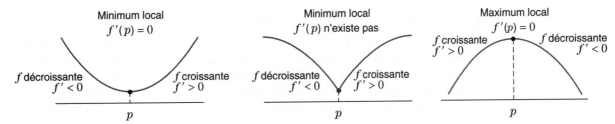

Figure 4.4 : Changements de direction en un point critique : minimum local et maximum local

---

Exemple 2   Utilisez le graphe de la fonction $f(x) = \dfrac{1}{x(x-1)}$ (voir la figure 4.5) pour observer son maximum local et son minimum local. Expliquez votre observation de manière analytique.

Solution   Le graphe de la figure 4.5 suggère que cette fonction n'atteint pas de minimum local, mais qu'elle atteint un maximum local en $x = \frac{1}{2}$. Pour confirmer ce résultat de manière analytique, on utilise les formules de dérivation. Puisque $f(x) = (x^2 - x)^{-1}$, on obtient

$$f'(x) = -1(x^2 - x)^{-2}(2x - 1) = -\frac{2x - 1}{(x^2 - x)^2}.$$

D'où $f'(x) = 0$ pour $2x - 1 = 0$. Ainsi, le seul point critique du domaine de f est $x = \frac{1}{2}$.

De plus, $f'(x) > 0$ pour $0 < x < 1/2$, et $f'(x) < 0$ pour $1/2 < x < 1$. Ainsi, f croît pour $0 < x < 1/2$ et décroît pour $1/2 < x < 1$. Selon le test de la dérivée première, f atteint un maximum local en $x = 1/2$.

Pour $-\infty < x < 0$ ou $1 < x < \infty$, il n'y a pas de points critiques ni aucun maximum local ou minimum local. Bien que $1/(x(x-1)) \to 0$ lorsque $x \to \infty$ et lorsque $x \to -\infty$, on ne dit pas que f possède un minimum local parce que $1/(x(x-1))$ *n'égale jamais* zéro.

Bien que $f' > 0$ partout où elle est définie pour $x < \frac{1}{2}$, la fonction f n'est pas croissante partout sur cet intervalle. Le problème est que f et f' ne sont pas définies en $x = 0$. On ne peut donc pas conclure que f est croissante quand $x < 1/2$.

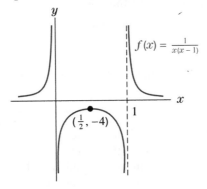

Figure 4.5 : Trouver le maximum local et le minimum local

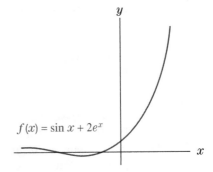

Figure 4.6 : Expliquer l'absence de maximum local et de minimum local pour $x \geq 0$

Exemple 3   Le graphe de $f(x) = \sin x + 2e^x$ se trouve à la figure 4.6 (page précédente). En utilisant la dérivée, expliquez pourquoi il n'y a pas de maximum ni de minimum local pour $x \geq 0$.

Solution   Les maximums et les minimums locaux peuvent être atteints en des points critiques. On a $f'(x) = \cos x + 2e^x$, qui est définie sur les réels. On sait que $\cos x$ se situe toujours entre -1 et 1 et que $2e^x \geq 2$ pour $x \geq 0$. Donc, $f'(x)$ ne peut être zéro, quel que soit $x \geq 0$. Par conséquent, il n'y a pas de maximum local ni de minimum local pour $x \geq 0$.

Le test de la dérivée seconde pour un maximum local et un minimum local

Le fait de connaître la concavité d'une fonction peut être utile pour vérifier si un point critique est un maximum local ou un minimum local. On suppose que p est une valeur critique de f telle que $f'(p) = 0$, de sorte que le graphe de f a une droite tangente horizontale en p. Si le graphe est concave vers le haut en p, alors f atteint un minimum local en p. De même, si le graphe est concave vers le bas, f a un maximum local (voir la figure 4.7). Cela permet de suggérer que

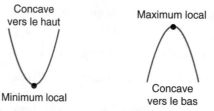

Figure 4.7 : Maximum local, minimum local et concavité

Test de la dérivée seconde pour un maximum local et un minimum local

- Si $f'(p) = 0$ et si $f''(p) > 0$, alors f a un minimum local en p.
- Si $f'(p) = 0$ et si $f''(p) < 0$, alors f a un maximum local en p.
- Si $f'(p) = 0$ et si $f''(p) = 0$ ou si $f''(p)$ n'existe pas, alors le test ne révèle rien.

Exemple 4   Classez comme maximum local ou minimum local les points critiques de $f(x) = x^3 - 9x^2 - 48x + 52$.

Solution   Comme on l'a vu dans l'exemple 1,

$$f'(x) = 3x^2 - 18x - 48,$$

et les valeurs critiques de f sont $x = -2$ et $x = 8$. De plus, on a

$$f''(x) = 6x - 18.$$

Ainsi, puisque $f''(8) = 30 > 0$, f a un minimum local en $x = 8$; puisque $f''(-2) = -30 < 0$, f a un maximum local en $x = -2$.

Avertissement ! Le test de la dérivée seconde ne révèle rien si $f'(p) = 0$ et si $f''(p) = 0$. Par exemple, si $f(x) = x^3$ et si $g(x) = x^4$, $f'(0) = g'(0) = 0$ et $f''(0) = g''(0) = 0$. En $x = 0$, on a un minimum de g, mais on n'a ni un maximum ni un minimum de f. Le test de la dérivée première doit alors être utilisé ; g' change de signe, passant du négatif au positif en $x = 0$. Donc, on sait que g atteint un minimum local en ce point. Le test de la dérivée seconde ne révèle rien non plus si $f'(p) = 0$ et si $f''(p)$ n'existe pas. C'est le cas, par exemple, si $f(x) = x^{5/3}$ et si $g(x) = x^{4/3}$. Vérifiez-le.

La concavité et le point d'inflexion

On a étudié des points où la pente de f change de signe, ce qui a amené la notion de point critique. On examine maintenant des points où la concavité change de sens.

> Un point sur un graphe où la concavité d'une fonction change de sens s'appelle un **point d'inflexion** de f.

Comment trouver les points d'inflexion ?

Puisque la concavité change de sens en un point d'inflexion, le signe de f'' change. Il est positif d'un côté du point d'inflexion et négatif de l'autre. Donc, au point d'inflexion, f'' est nulle ou n'existe pas (voir la figure 4.8).

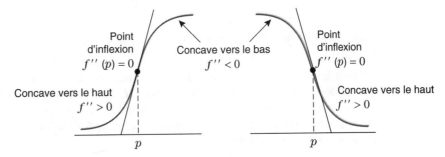

Figure 4.8 : Changement de concavité en p : les points d'inflexion sont les maximums locaux ou les minimums locaux de f'.

Exemple 5   Trouvez les points critiques et les points d'inflexion de $g(x) = xe^{-x}$ et tracez le graphe de g pour $x \geq 0$.

Solution   En calculant les dérivées et en simplifiant, on obtient

$$g'(x) = (1-x)e^{-x} \quad \text{et} \quad g''(x) = (x-2)e^{-x}.$$

Donc, $x = 1$ est une valeur critique de g ; $g' > 0$ pour $x < 1$ et $g' < 0$ pour $x > 1$. Ainsi, g croît pour atteindre un maximum local en $x = 1$ et décroît par la suite. De plus, $g(x) \to 0$ quand $x \to \infty$. Il y a un point d'inflexion en $x = 2$ puisque $g'' < 0$ pour $x < 2$ et que $g'' > 0$ pour $x > 2$. Le graphe est tracé à la figure 4.9.

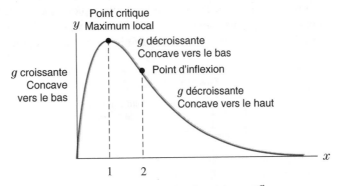

Figure 4.9 : Graphe de $g(x) = xe^{-x}$

Avertissement ! Tous les points tels que $f''(x) = 0$ ou tels que $f''(x)$ n'existe pas ne sont pas nécessairement des points d'inflexion (comme tous les points tels que $f'(x) = 0$ ou tels que $f'(x)$ n'existe pas ne sont pas nécessairement des maximums locaux ou des minimums locaux). Par exemple, si $f(x) = x^4$, alors $f''(x) = 12x^2$. Donc, $f''(0) = 0$, mais $f''(x) > 0$ quand $x > 0$ et quand $x < 0$. Par conséquent, il n'y a pas de changement de concavité en $x = 0$ (voir la figure 4.10).

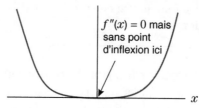

Figure 4.10 : Graphe de $f(x) = x^4$

Les points d'inflexion et le maximum local ou le minimum local de la dérivée première

On peut interpréter les points d'inflexion en fonction de la dérivée première. Rappelons que le graphe de f est concave vers le haut lorsque f' est croissante et qu'il est concave vers le bas lorsque f' est décroissante. Ainsi, la concavité change au point où f' passe de croissante à décroissante ou de décroissante à croissante, c'est-à-dire lorsque f' possède un maximum local ou un minimum local.

Une fonction f ayant une dérivée continue possède un point d'inflexion en p si l'une ou l'autre des conditions suivantes s'applique :

- f' a un minimum local ou un maximum local en p ;
- f'' change de signe en p.

Exemple 6   Tracez le graphe de $f(x) = x + \sin x$ et déterminez les points où f croît le plus rapidement et le moins rapidement.

Solution   Le graphe de f est présenté à la figure 4.11 et le graphe de $f'(x) = 1 + \cos x$, à la figure 4.12.

Où f croît-elle le plus rapidement ? Aux points où $x = \ldots, -2\pi, 0, 2\pi, 4\pi, 6\pi, \ldots$, car ces points sont des maximums locaux pour f', et f' a la même valeur en chacun de ces points. De même, f connaît sa croissance la moins rapide aux points où $x = \ldots, -3\pi, -\pi, \pi, 3\pi, 5\pi, \ldots$, puisque ces points sont des minimums locaux pour f'. À noter que les points où f croît le plus rapidement et les points où elle croît le moins rapidement sont les points d'inflexion de f.

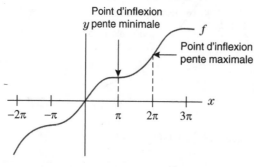

Figure 4.11 : Graphe de $f(x) = x + \sin x$

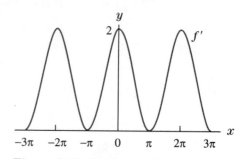

Figure 4.12 : Graphe de $f'(x) = 1 + \cos x$

Exemple 7   Supposez qu'on verse de l'eau dans le vase de la figure 4.13 à un débit constant, mesuré en volume par unité de temps. Le graphe de $y = f(t)$ illustre la profondeur de l'eau en fonction du temps t. Expliquez la concavité et indiquez les points d'inflexion.

Solution   Au départ, le niveau de l'eau y monte plutôt lentement parce que la base du vase est large. Donc, il faut beaucoup d'eau pour que le niveau augmente. Cependant, au fur et à mesure que le vase devient plus étroit, on observe une augmentation de la vitesse à laquelle l'eau monte. Cela signifie que, au départ, y augmente à un taux croissant et que le graphe est concave vers le haut. Le taux de croissance du niveau d'eau atteint son maximum lorsque l'eau atteint le milieu du vase, où le diamètre est le plus petit ; il s'agit d'un point d'inflexion. Après cela, le taux auquel y augmente commence à diminuer. Donc, le graphe est concave vers le bas (voir la figure 4.14).

Figure 4.13 : Vase

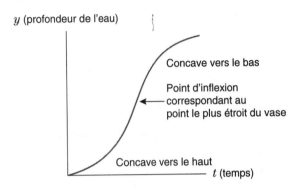

Figure 4.14 : Graphe de la profondeur de l'eau y dans un vase en fonction du temps t

Problèmes de la section 4.1

1. Indiquez tous les points critiques de f sur le graphe de la figure 4.15. Déterminez lesquels correspondent à des maximums locaux de f ou à des minimums locaux de f et lesquels ne correspondent ni à l'un ni à l'autre.

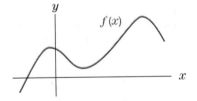

Figure 4.15

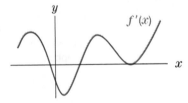

Figure 4.16

2. Indiquez sur le graphe de la fonction dérivée f' de la figure 4.16 les valeurs de x qui sont des points critiques de la fonction f. À quels points critiques f a-t-elle des maximums locaux, des minimums locaux ou ni l'un ni l'autre ?

3. Supposez que f a une dérivée continue dont les valeurs sont données dans le tableau ci-après.

x	0	1	2	3	4	5	6	7	8	9	10
$f'(x)$	5	2	1	−2	−5	−3	−1	2	3	1	−1

a) Estimez les abscisses x des points critiques de f pour $0 \le x \le 10$.

b) Pour chaque point critique, indiquez s'il s'agit d'un maximum local de f, d'un minimum local ou de ni l'un ni l'autre.

4. Tracez les graphes de deux fonctions continues f et g. Chacune a exactement cinq points critiques (les points A à E de la figure 4.17) et satisfait aux conditions ci-après.

a) $\lim_{x \to -\infty} f(x) = \infty$ et

$\lim_{x \to \infty} f(x) = \infty$

b) $\lim_{x \to -\infty} g(x) = -\infty$ et

$\lim_{x \to \infty} g(x) = 0$

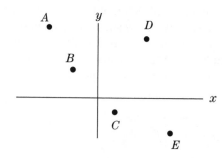

Figure 4.17

5. Sur le graphe de la dérivée f' de la figure 4.18, indiquez les valeurs de x qui correspondent à des points d'inflexion de la fonction f.

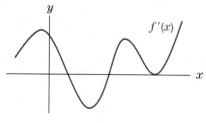

Figure 4.18

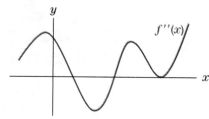

Figure 4.19

6. Sur le graphe de la dérivée seconde f'' de la figure 4.19, indiquez les valeurs de x qui correspondent à des points d'inflexion de la fonction f.

7. Trouvez les points d'inflexion de $f(x) = x^4 + x^3 - 3x^2 + 2$.

À l'aide d'une calculatrice ou d'un ordinateur, tracez le graphe de chacune des fonctions des problèmes 8 à 15. Décrivez en quelques mots les caractéristiques intéressantes du graphe, incluant les points critiques et les intervalles où la fonction est croissante ou décroissante. Puis, utilisez f' pour expliquer la forme du graphe.

8. $f(x) = x^3 - 6x + 1$

9. $f(x) = x^3 + 6x + 1$

10. $f(x) = 3x^5 - 5x^3$

11. $f(x) = x + 2 \sin x$

12. $f(x) = e^x - 10x$

13. $f(x) = e^x + \sin x$

14. $f(x) = xe^{-x^2}$

15. $f(x) = x \ln x, \quad x > 0$

16. Utilisez les graphes que vous avez tracés aux problèmes 8 à 15 pour décrire en quelques mots la concavité de chaque graphe et préciser la valeur de x des coordonnées approximatives de tous les points d'inflexion. Puis, utilisez f'' pour expliquer ce que vous observez.

17. Vous pourriez penser que le graphe de $f(x) = x^2 + \cos x$ devrait ressembler à une parabole avec des vagues. Tracez le graphe véritable de $f(x)$ en utilisant une calculatrice ou un ordinateur. Expliquez ce que vous observez en utilisant f''.

18. Trouvez les valeurs de a et de b faisant en sorte que la fonction $f(x) = x^2 + ax + b$ ait un minimum local au point $(6, -5)$.

19. Trouvez la valeur de a faisant en sorte que la fonction $f(x) = xe^{ax}$ ait un point critique en $x = 3$.

20. Choisissez les constantes a et b dans la fonction

$$f(x) = axe^{bx}$$

de manière que $f\left(\frac{1}{3}\right) = 1$ et que la fonction ait un maximum local en $x = \frac{1}{3}$.

21. Supposez que la fonction f est différentiable partout et qu'elle n'a qu'un seul point critique, en $x = 3$. Dans les parties a) à d), on ajoute des conditions supplémentaires. Pour chaque cas, déterminez si en $x = 3$ on a un maximum local, un minimum local ou ni l'un ni l'autre. Justifiez votre réponse. De plus, tracez des graphes possibles pour les quatre cas.

a) $f'(1) = 3$ et $f'(5) = -1$

b) $\lim\limits_{x \to \infty} f(x) = \infty$ et $\lim\limits_{x \to -\infty} f(x) = \infty$

c) $f(1) = 1, f(2) = 2, f(4) = 4, f(5) = 5$

d) $f'(2) = -1, f(3) = 1, \lim\limits_{x \to \infty} f(x) = 3$

22. Supposez que le polynôme f a exactement deux maximums locaux et un minimum local, et que ce sont les seuls points critiques de f.

a) Tracez un graphe possible de f.
b) Quel est le plus grand nombre de zéros que f pourrait posséder ?
c) Quel est le plus petit nombre de zéros que f pourrait posséder ?
d) Quel est le plus petit nombre de points d'inflexion que f pourrait posséder ?
e) Quel est le plus petit degré que f pourrait avoir ?
f) Trouvez une formule possible pour $f(x)$.

23. a) De l'eau coule à un débit constant dans un cylindre vertical. Esquissez le graphe montrant la profondeur de l'eau en fonction du temps.
    b) De l'eau coule à un débit constant dans un gobelet en forme de cône. Tracez le graphe montrant la profondeur de l'eau en fonction du temps.

24. Si l'eau coule à un débit constant (c'est-à-dire que le volume est constant pour chaque unité de temps) dans l'urne grecque présentée à la figure 4.20, esquissez le graphe montrant la profondeur de l'eau en fonction du temps. Indiquez sur le graphe le temps auquel l'eau atteint le point où l'urne est le plus large.

Figure 4.20

Figure 4.21

25. Si l'eau coule à un débit constant (c'est-à-dire que le volume est constant pour chaque unité de temps) dans le vase présenté à la figure 4.21, esquissez le graphe montrant la profondeur de l'eau en fonction du temps. Indiquez sur le graphe le temps auquel l'eau atteint le coin du vase.

26. La population de lapins sur une petite île du Pacifique est donnée approximativement par

$$P(t) = \frac{2000}{1 + e^{(5,3 - 0,4t)}}$$

avec t mesuré en années depuis 1774, année où le capitaine James Cook a laissé 10 lapins sur l'île. Utilisez une calculatrice ou un ordinateur.

a) Tracez le graphe de P. La population finit-elle par se stabiliser ?
b) Estimez le moment auquel la population de lapins s'est accrue le plus rapidement. Quelle était la population à ce moment-là ?
c) Quelles causes naturelles pourraient expliquer la forme du graphe de P ?

Pour les problèmes 27 à 32, tracez un graphe de $y = f(x)$ en utilisant les informations données sur les dérivées $y' = f'(x)$ et $y'' = f''(x)$. Supposez que la fonction est définie et continue pour tous les x réels.

27.

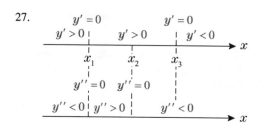

28.

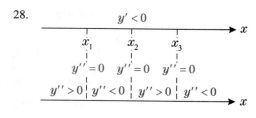

29.

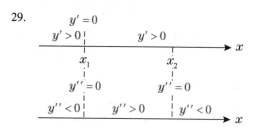

30.

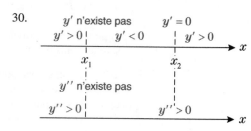

31.

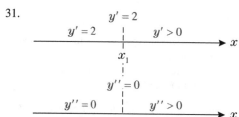

32.

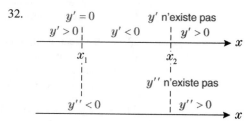

33. Soit f une fonction avec $f(x) > 0$ pour tout x. Considérons $g = 1/f$.

   a) Si f est croissante sur un intervalle autour de x_0, qu'en est-il de g ?

   b) Si f a un maximum local en x_1, qu'en est-il de g ?

   c) Si f est concave vers le bas en x_2, qu'en est-il de g ?

34. Qu'advient-il de la concavité lorsqu'on additionne des fonctions ?

   a) Si $f(x)$ et $g(x)$ sont concaves vers le haut pour tout x, $f(x) + g(x)$ est-il concave vers le haut pour tout x ?

   b) Si $f(x)$ est concave vers le haut pour tout x et si $g(x)$ est concave vers le bas pour tout x, que pouvez-vous dire de la concavité de $f(x) + g(x)$? Par exemple, que se passe-t-il si $f(x)$ et $g(x)$ sont toutes les deux des fonctions polynomiales de degré 2 ?

   c) Si $f(x)$ est concave vers le haut pour tout x et si $g(x)$ est concave vers le bas pour tout x, est-il possible pour $f(x) + g(x)$ de changer de concavité une infinité de fois ?

4.2   LES FAMILLES DE COURBES : UNE ÉTUDE QUALITATIVE

On a vu au chapitre 1 que la connaissance d'une fonction peut fournir des données sur les graphes de bon nombre d'autres fonctions. La forme du graphe de $y = x^2$ donne ainsi, indirectement, des renseignements sur les graphes de $y = x^2 + 2$, $y = (x + 2)^2$, $y = 2x^2$. On dit que toutes les fonctions de la forme $y = a(x + b)^2 + c$ forment une *famille de fonctions* ; leurs graphes sont semblables à celui de $y = x^2$, sauf pour les translations et les dilatations déterminées par les valeurs de a, de b et de c. Les constantes a, b et c sont appelées des *paramètres*. Différentes valeurs pour les paramètres donnent différents membres de la famille.

L'une des raisons pour lesquelles on étudie les familles de fonctions est leur utilisation dans la modélisation mathématique. Puisqu'il faut résoudre des problèmes de modélisation de certains phénomènes, une première étape cruciale pour construire un modèle consiste à reconnaître les familles de fonctions qui peuvent concorder avec les données disponibles.

Le mouvement soumis à la gravité $y = -4{,}9t^2 + v_0 t + y_0$

La position, par rapport au sol, d'un objet se déplaçant verticalement sous l'influence de la gravité, peut être décrite par une fonction de la famille à deux paramètres suivante :

$$y = -4{,}9t^2 + v_0 t + y_0,$$

où t est le temps (en secondes) et y la distance (en mètres) au-dessus du sol. Pourquoi a-t-on besoin des paramètres v_0 et y_0 pour décrire ce type de mouvement ? Il convient de noter que, au temps $t = 0$, on a $y = y_0$. Ainsi, le paramètre y_0 donne la hauteur au-dessus du sol de l'objet au temps $t = 0$. Puisque $dy/dt = -9{,}8\,t + v_0$, le paramètre v_0 donne la vitesse de l'objet au temps $t = 0$.

Les courbes de la forme $y = A\,\sin(Bx)$

Cette famille est utilisée pour modéliser une onde. On a vu dans la section 1.9 que $|A|$ est l'amplitude de l'onde et que $2\pi/|B|$ est sa période. Les figures 4.22 et 4.23 illustrent ces faits.

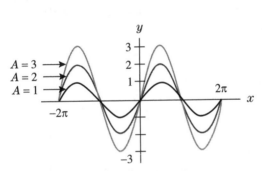

Figure 4.22 : Famille $y = A \sin x$
(avec $B = 1$)

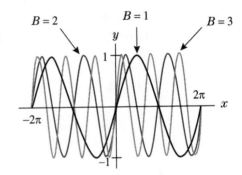

Figure 4.23 : Famille $y = \sin(Bx)$
(avec $A = 1$)

Les courbes de la forme $y = e^{-(x-a)^2}$

Le rôle du paramètre a de cette famille consiste à décaler ou à translater le graphe de $y = e^{-x^2}$ vers la droite ou vers la gauche. À noter que la valeur de y est toujours positive. Puisque $y \to 0$ quand $x \to \pm\infty$, l'axe des x est une asymptote horizontale. Ainsi, $y = e^{-(x-a)^2}$ est la famille de courbes translatées horizontalement de la courbe en forme de cloche présentée à la figure 4.24.

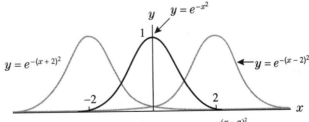

Figure 4.24 : Famille $y = e^{-(x-a)^2}$

Les courbes de la forme $y = e^{-(x-a)^2/b}$

Cette famille est reliée à la fonction de densité de *la loi normale* qu'on utilise en probabilités et en statistiques[1]. On suppose que $b > 0$. Le graphe d'un membre typique de la famille est une courbe en forme de cloche, comme celui qui apparaît à la figure 4.24 (page précédente). On sait que le paramètre a déplace le graphe horizontalement. On considère maintenant le rôle du paramètre b en étudiant la famille ayant $a = 0$. On a

$$y = e^{-x^2/b}.$$

Pour déterminer les points critiques et les points d'inflexion, on calcule

$$\frac{dy}{dx} = -\frac{2x}{b} e^{-x^2/b}$$

et, en appliquant la règle du produit, on obtient

$$\frac{d^2y}{dx^2} = -\frac{2}{b} e^{-x^2/b} - \frac{2x}{b}\left(-\frac{2x}{b} e^{-x^2/b}\right) = \frac{2}{b}\left(\frac{2x^2}{b} - 1\right) e^{-x^2/b}.$$

Il y a un point critique où $dy/dx = 0$, autrement dit où

$$\frac{dy}{dx} = -\frac{2x}{b} e^{-x^2/b} = 0.$$

Puisque $e^{-x^2/b}$ n'est jamais zéro, la seule valeur critique est $x = 0$. Pour $x = 0$, $y = 1$ et $d^2y/dx^2 < 0$. Ainsi, selon le test de la dérivée seconde, il y a un maximum local en $x = 0$.

Les points d'inflexion sont atteints lorsque la dérivée seconde change de signe. Ainsi, commençons par trouver les valeurs de x pour lesquelles $d^2y/dx^2 = 0$. Puisque $e^{-x^2/b}$ n'est jamais zéro, $d^2y/dx^2 = 0$ quand

$$\frac{2x^2}{b} - 1 = 0.$$

En isolant x, on obtient

$$x = \pm\sqrt{\frac{b}{2}}.$$

Si on observe l'expression pour d^2y/dx^2, on constate que d^2y/dx^2 est négative pour $-\sqrt{b/2} < x < \sqrt{b/2}$ et positive pour $x < -\sqrt{b/2}$ ou $x > \sqrt{b/2}$. Donc, la concavité change en $x = -\sqrt{b/2}$ et en $x = \sqrt{b/2}$. Par conséquent, on a des points d'inflexion à ces endroits. En retournant à la famille à deux paramètres $y = e^{-(x-a)^2/b}$, on conclut qu'il y a un maximum en $x = a$, qu'on obtient en décalant horizontalement le maximum en $x = 0$ de $y = e^{-x^2/b}$ de a unités. Il y a des points d'inflexion en $x = a \pm \sqrt{b/2}$ qu'on a obtenus en déplaçant les points d'inflexion d'abscisses $x = \pm\sqrt{b/2}$ de a unités (voir la figure 4.25). En ces points, $y = e^{-1/2} \approx 0{,}6$.

À l'aide de ces données, on peut observer l'effet des paramètres. Le paramètre a détermine l'emplacement du centre de la cloche et le paramètre b détermine l'étroitesse ou la largeur de la cloche (voir la figure 4.26). Si b est petit, alors les points d'inflexion se rapprochent de a et la cloche est plus étroite près de a ; si b est grand, les points d'inflexion sont plus loin de a et la cloche est plus large.

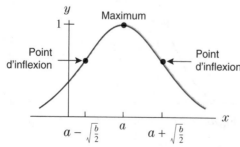

Figure 4.25 : Graphe de $y = e^{-(x-a)^2/b}$: courbe en forme de cloche avec un sommet en $x = a$

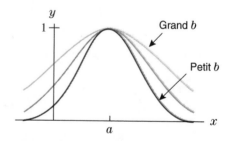

Figure 4.26 : Graphe de $y = e^{-(x-a)^2/b}$ pour un a fixe et divers b

---

1. Les probabilistes divisent la fonction par une constante $\sqrt{\pi b}$ pour obtenir la densité de la loi normale.

Les courbes de la forme $y = a(1 - e^{-bx})$

Il s'agit d'une famille à deux paramètres. On considère seulement a, $b > 0$. Le graphe d'un membre, avec $a = 2$ et $b = 1$, se trouve à la figure 4.27. Ce graphe représente une quantité qui est croissante mais qui finit par se stabiliser. Par exemple, la vitesse d'un corps qu'on laisse tomber dans un liquide épais accélère au départ, mais finit par se stabiliser lorsque le corps s'approche de sa vitesse terminale. De même, si un polluant donné qui est versé dans un lac s'accumule pour atteindre un niveau de saturation, sa concentration peut être décrite ainsi. Le graphe peut également représenter la température d'un objet placé dans un four.

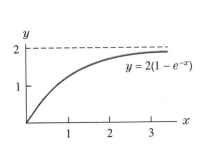

Figure 4.27 : Membre de la famille $y = a(1 - e^{-bx})$ avec $a = 2$

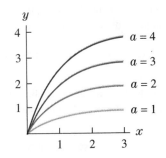

Figure 4.28 : Si $b = 1$, on obtient $y = a(1 - e^{-x})$, tracé pour divers a.

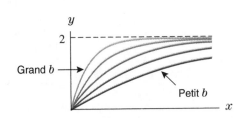

Figure 4.29 : Si $a = 2$, on obtient $y = 2(1 - e^{-bx})$, tracé pour divers b.

On examine quel effet la variation de a aura sur le graphe. Considérons b comme un nombre positif quelconque, soit $b = 1$. On prête différentes valeurs à a et on examine les graphes de la figure 4.28. On constate que, lorsque x devient plus grand, y s'approche de a par en dessous, car $e^{-bx} \to 0$ quand $x \to \infty$. Physiquement, la valeur de a représente la vitesse terminale d'un corps qui chute ou le niveau de saturation du polluant dans le lac.

On examine maintenant l'effet de la variation de b sur le graphe. Considérons a comme un nombre positif quelconque, soit $a = 2$. On prête différentes valeurs à b et on examine les graphes de la figure 4.29. Le paramètre b détermine à quel point la courbe monte abruptement et à quelle vitesse elle se rapproche de la droite $y = a$.

On confirme cette dernière observation de manière analytique. Pour $y = a(1 - e^{-bx})$, on obtient $dy/dx = abe^{-bx}$. Alors, la pente de la tangente à la courbe en $x = 0$ est ab. Pour un plus grand b, la courbe monte plus rapidement en $x = 0$. De combien x doit-il augmenter à partir de $x = 0$ pour que la courbe atteigne $y = a/2$? Quand $y = a/2$, on obtient

$$a(1 - e^{-bx}) = \frac{a}{2}, \qquad \text{ce qui entraîne le fait que} \qquad x = \frac{\ln 2}{b}.$$

Si b est grand, alors $(\ln 2)/b$ est petit. Donc, en une courte distance horizontale, la courbe se trouve déjà en $y = a/2$. Si b est petit, alors $(\ln 2)/b$ est grand et il faut parcourir une grande distance pour se rendre en $a/2$ (voir la figure 4.30).

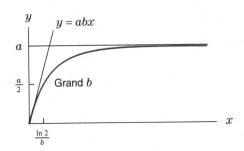

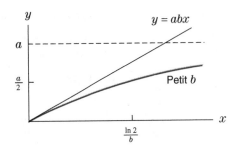

Figure 4.30 : Tangente à $y = a(1 - e^{-bx})$ en $x = 0$, avec un a fixe, un grand b et un petit b

Problèmes de la section 4.2

1. Considérez la fonction $p(x) = x^3 - ax$, où a est une constante.

   a) Si $a < 0$, montrez que $p(x)$ est toujours croissante.
   b) Si $a > 0$, montrez que $p(x)$ a un maximum local et un minimum local.
   c) Tracez les graphes typiques pour les cas où $a < 0$ et $a > 0$, puis identifiez-les.

2. Considérez la fonction $p(x) = x^3 - ax$, où a est une constante et $a > 0$.

   a) Trouvez le maximum local et le minimum local de la fonction p.
   b) Quel effet l'augmentation de la valeur de a a-t-elle sur la position du maximum et du minimum ?
   c) Sur un système d'axes, tracez les graphes de la fonction p pour trois valeurs positives de a, puis identifiez-les.

3. Quel effet l'augmentation de la valeur de a a-t-elle sur le graphe de $f(x) = x^2 + 2ax$? Considérez les zéros, les maximums et les minimums en prenant les valeurs positives et négatives de a.

4. Le nombre N de personnes ayant entendu une rumeur propagée par les médias est modélisé par la fonction suivante, où t est le temps mesuré en jours :

$$N(t) = a(1 - e^{-kt}).$$

   Supposez qu'il y a 200 000 personnes qui finissent par entendre la rumeur. Si 10 % de ces personnes l'ont entendue la première journée, trouvez a et k.

5. Supposez que la température T d'une pomme de terre mise dans un four maintenu à 200 °C est donnée en fonction du temps t par

$$T = a(1 - e^{-kt}) + b,$$

   où T est en degrés Celsius et t en minutes.

   a) Si la température initiale de la pomme de terre est de 20 °C, trouvez a et b.
   b) Si la température de la pomme de terre augmente au départ de 2 °C/min, trouvez k.

6. Considérez la famille de fonctions $y = f(x) = x - k\sqrt{x}$, avec k comme constante positive et $x \geq 0$. Montrez que le graphe de $f(x)$ a un minimum local au point dont l'abscisse x est 1/4 de la distance entre les intersections du graphe de f avec l'axe des x.

7. a) Trouvez tous les points critiques de $f(x) = x^4 + ax^2 + b$.
   b) Sous quelles conditions inhérentes à a et b cette fonction aura-t-elle exactement un point critique ? Quel est ce point critique ? Est-ce un maximum local, un minimum local ou ni l'un ni l'autre ?
   c) Sous quelles conditions inhérentes à a et b cette fonction aura-t-elle exactement trois points critiques ? Quels sont-ils et quels sont les maximums locaux ? les minimums locaux ?
   d) Cette fonction peut-elle avoir deux points critiques ? aucun point critique ? plus de trois points critiques ? Justifiez chacune de vos réponses.

8. Tracez le graphe de différents membres de la famille $y = e^{-ax} \sin bx$ pour $b = 1$ et expliquez la signification graphique du paramètre a.

9. Tracez le graphe de différents membres de la famille $e^{-ax} \sin bx$ pour $a = 1$ et expliquez la signification du paramètre b.

10. Tracez les graphes de $y = xe^{-bx}$ pour $b = 1, 2, 3, 4$. Analysez l'effet de la variation de b sur le graphe.

11. Trouvez les coordonnées du point critique de $y = xe^{-bx}$ et utilisez-les pour confirmer votre réponse au problème 10. (Considérez que $b > 0$.)

12. Si $a > 0$ et si $b > 0$, confirmez analytiquement que $f(x) = a(1 - e^{-bx})$ est partout croissante et partout concave vers le bas.

13. Considérez la famille de courbes
$$y = Ae^{-Bx^2} \qquad \text{pour} \qquad A \text{ et } B \text{ positifs.}$$

Analysez l'effet de la variation de A et de B sur la forme de la courbe. Illustrez votre réponse à l'aide de graphes.

14. Considérez la fonction
$$y = axe^{-bx} \qquad \text{pour} \qquad a \text{ et } b \text{ positifs.}$$

a) Trouvez le maximum local, le minimum local et les points d'inflexion.
b) Comment la variation de a et de b modifie-t-elle la forme du graphe ?
c) Sur un même système d'axes, tracez le graphe de cette fonction pour différentes valeurs de a et de b.

15. Considérez la famille de fonctions $f(x) = x^2 + \cos(kx)$, $k > 0$.

a) À l'aide d'une calculatrice ou d'un ordinateur, tracez le graphe de f pour $k = 0,5$, 1, 3 et 5. Tentez de trouver le plus petit nombre k pour lequel vous voyez les points d'inflexion du graphe de f.
b) Expliquez pourquoi le graphe de f n'a pas de points d'inflexion si $k \leq \sqrt{2}$ et a un nombre infini de points d'inflexion si $k > \sqrt{2}$.
c) Expliquez pourquoi f n'a qu'un nombre fini de points critiques, peu importe la valeur de k.

16. Considérez la famille de fonctions de la forme $f(x) = e^x - kx$ pour $k > 0$.

a) À l'aide d'une calculatrice ou d'un ordinateur, tracez le graphe de f pour $k = 1/4$, $1/2$, 1, 2 et 4. Décrivez ce qui se produit quand k change.
b) Montrez que f a un minimum local en $x = \ln k$.
c) Trouvez la valeur de k pour laquelle le minimum local est le plus grand.

17. Considérez la famille de courbes
$$y = \frac{A}{x + B}.$$

a) Si $B = 0$, quel est l'effet de la variation de A sur le graphe ?
b) Si $A = 1$, quel est l'effet de la variation de B sur le graphe ?
c) Sur un même système d'axes, tracez le graphe de la fonction pour différentes valeurs de A et de B.

18. L'énergie potentielle U d'une particule se déplaçant le long de l'axe des x est donnée par
$$U = b\left(\frac{a^2}{x^2} - \frac{a}{x} \right),$$

où a et b sont des constantes positives. Considérez le graphe de U en fonction de x pour $x > 0$.

a) Trouvez les intersections avec les axes de coordonnées et les asymptotes.
b) Déterminez le maximum local et le minimum local.
c) Tracez le graphe.

19. La force F agissant sur une particule qui possède une énergie potentielle U est donnée par
$$F = -\frac{dU}{dx}.$$

En utilisant l'expression pour U donnée dans le problème 18, tracez les graphes de F et de U sur un même système d'axes. Identifiez les intersections avec les axes ainsi que le maximum local et le minimum local.

20. Supposez que la force entre deux atomes d'une molécule est donnée en fonction de la distance r entre les atomes par
$$f(r) = -\frac{A}{r^2} + \frac{B}{r^3}, \quad r > 0,$$

où A et B sont des constantes positives.

a) Quels sont les zéros et les asymptotes de f ?
b) Trouvez les coordonnées des points critiques et des points d'inflexion de f.

c) Tracez le graphe de f.

d) En illustrant vos réponses à l'aide d'un graphe, décrivez l'effet sur le graphe de f :

    i) de l'accroissement de B, si A est maintenue constante ;

    ii) de l'accroissement de A, si B est maintenue constante.

4.3 L'OPTIMISATION

Souvent, il est important de trouver la valeur la plus grande ou la plus petite d'une quantité donnée. Par exemple, les ingénieurs de l'industrie automobile veulent construire une voiture qui consomme le moins de carburant possible ; les scientifiques veulent déterminer la longueur d'onde qui transmet la radiation maximale à une température donnée ; les urbanistes veulent concevoir des modèles de circulation routière pour minimiser les ralentissements. Les techniques de résolution de tels problèmes appartiennent au champ des mathématiques appelé l'*optimisation*. Les trois prochaines sections montrent comment la dérivée fournit une méthode efficace de résolution pour de nombreux problèmes d'optimisation.

Le maximum absolu et le minimum absolu

L'unique valeur la plus grande (ou la plus petite) d'une fonction f dans un domaine spécifié s'appelle le *maximum* (ou le *minimum*) *absolu* de f. On se souviendra que le maximum local et le minimum local indiquent respectivement les endroits où une fonction est localement le plus grande ou le plus petite. On cherche maintenant à déterminer les endroits où la fonction est absolument le plus grande ou le plus petite dans un domaine donné.

> - f a un **minimum absolu** en p si $f(p)$ est inférieure ou égale à toutes les valeurs de f.
> - f a un **maximum absolu** en p si $f(p)$ est supérieure ou égale à toutes les valeurs de f.

Comment trouver un maximum et un minimum absolus ?

Si f est une fonction continue définie sur un intervalle fermé $a \leq x \leq b$ (autrement dit, un intervalle contenant ses extrémités), la figure 4.31 montre que le maximum absolu ou le minimum absolu de f est atteint soit à un maximum local ou à un minimum local, soit à l'un des points situés aux extrémités de l'intervalle, $x = a$ ou $x = b$.

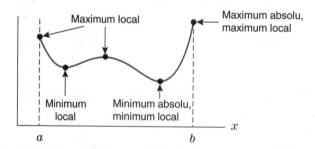

Figure 4.31 : Maximum absolu et minimum absolu sur un intervalle fermé $a \leq x \leq b$

> **Pour trouver le maximum absolu et le minimum absolu d'une fonction continue sur un intervalle fermé :**
> Comparer les valeurs de la fonction à toutes les valeurs critiques à l'intérieur de l'intervalle et aux extrémités de l'intervalle.

Qu'arrive-t-il si la fonction est définie sur un intervalle ouvert $a < x < b$ (autrement dit, un intervalle qui ne comprend pas ses extrémités) ou sur l'ensemble des nombres réels ? Dans ces cas, il peut y avoir ou non un maximum absolu ou un minimum absolu. Par exemple, il n'y a pas de maximum absolu à la figure 4.32, car la fonction n'a pas véritablement une valeur qui soit la plus grande. Le minimum absolu illustré à la figure 4.32 correspond au minimum local. Il y a un minimum absolu, mais pas de maximum absolu à la figure 4.33.

> **Pour trouver le maximum absolu et le minimum absolu d'une fonction continue sur un intervalle ouvert ou sur l'ensemble des nombres réels :**
> Trouver la valeur de la fonction à tous les points critiques et tracer un graphe. Comparer les valeurs de la fonction quand x tend vers les extrémités de l'intervalle ou vers $\pm\infty$, selon le cas.

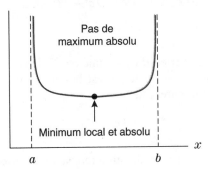

Figure 4.32 : Minimum absolu
sur $a < x < b$

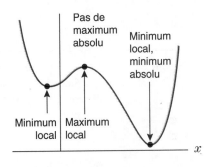

Figure 4.33 : Minimum absolu quand
le domaine est constitué de
l'ensemble des nombres réels

Exemple 1 Trouvez, s'il y a lieu, le maximum absolu et le minimum absolu de $f(x) = x^3 - 9x^2 - 48x + 52$ sur les intervalles :

    a) $-5 \leq x \leq 12$ b) $-5 \leq x \leq 14$ c) $-5 \leq x < \infty$.

Solution a) On a obtenu les valeurs critiques $x = -2$ et $x = 8$ en utilisant

$$f'(x) = 3x^2 - 18x - 48 = 3(x + 2)(x - 8).$$

On évalue f aux valeurs critiques ainsi qu'aux extrémités de l'intervalle

$$f(-5) = (-5)^3 - 9(-5)^2 - 48(-5) + 52 = -58$$
$$f(-2) = 104$$
$$f(8) = -396$$
$$f(12) = -92.$$

En comparant ces valeurs de la fonction, on voit que le maximum absolu sur $[-5, 12]$ est 104 et qu'il est atteint en $x = -2$, et que le minimum absolu sur $[-5, 12]$ est -396 et qu'il est atteint en $x = 8$.

b) Pour l'intervalle $[-5, 14]$, on compare

$$f(-5) = -58, \quad f(-2) = 104, \quad f(8) = -396, \quad f(14) = 360.$$

Le maximum absolu est maintenant 360 et est atteint en $x = 14$, et le minimum absolu est encore -396 et est atteint en $x = 8$. On note que, puisque la fonction est croissante pour $x > 8$, en changeant l'extrémité droite de l'intervalle de $x = 12$ à $x = 14$, on modifie le maximum absolu, mais pas le minimum absolu (voir la figure 4.34, page suivante).

c) La figure 4.34 montre que, pour $-5 \le x < \infty$, il n'y a pas de maximum absolu, car on peut rendre $f(x)$ aussi grande qu'on le veut en choisissant un x suffisamment grand. Le minimum absolu demeure égal à -396 en $x = 8$.

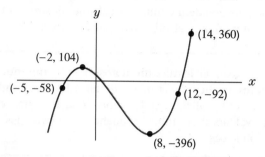

Figure 4.34 : Graphe de $f(x) = x^3 - 9x^2 - 48x + 52$

Exemple 2

Lorsqu'on tire une flèche dans les airs, sa portée R est définie par la distance horizontale entre l'archer et le point où la flèche touche le sol. Si le sol est horizontal et qu'on ne tient pas compte de la résistance de l'air, on peut montrer que

$$R = \frac{v_0^2 \sin(2\theta)}{g},$$

où v_0 est la vitesse initiale de la flèche, g est l'accélération (constante) causée par la gravité et θ est l'angle au-dessus de la droite horizontale tel que $0 \le \theta \le \pi/2$ (voir la figure 4.35). Quel angle initial maximise R ?

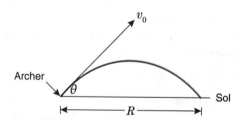

Figure 4.35 : Parcours d'une flèche

Solution

On peut trouver le maximum absolu de cette fonction sans utiliser le calcul différentiel. La valeur maximale de R est atteinte quand $\sin(2\theta) = 1$. Donc, $\theta = \arcsin(1)/2 = \pi/4$, ce qui donne $R = v_0^2/g$.

On résout maintenant le même problème avec le calcul différentiel. On veut trouver le maximum absolu de R pour $0 \le \theta \le \pi/2$. D'abord, on recherche des points critiques :

$$\frac{dR}{d\theta} = 2\frac{v_0^2 \cos(2\theta)}{g}.$$

En posant $dR/d\theta$ égal à zéro, on obtient

$$0 = \cos(2\theta), \quad \text{ou} \quad 2\theta = \pm\frac{\pi}{2}, \pm\frac{3\pi}{2}, \pm\frac{5\pi}{2}, \ldots$$

$\pi/4$ est le seul point critique sur l'intervalle $0 < \theta < \pi/2$. La portée, lorsque $\theta = \pi/4$, est $R = v_0^2/g$.

Puisque $R = 0$ aux extrémités de l'intervalle, le point critique $\theta = \pi/4$ donne un maximum local et un maximum absolu sur $0 \le \theta \le \pi/2$. Ainsi, la flèche atteint sa portée maximale quand elle est tirée à un angle de $\pi/4$ ou 45°.

Un exemple graphique : la minimisation de la consommation de carburant

Dans l'exemple suivant, la fonction est donnée graphiquement et les valeurs optimales sont lues sur un graphe. On sait déjà comment estimer les valeurs optimales de $f(x)$ à partir d'un graphe de $f(x)$ — il suffit d'identifier la valeur la plus grande et la valeur la plus petite. Dans cet exemple, on verra comment estimer la valeur optimale de la quantité $f(x)/x$ à partir d'un graphe de $f(x)$ en fonction de x.

La question à laquelle on doit répondre exige d'établir les vitesses qui maximisent l'efficacité du carburant[2]. On suppose que la consommation de carburant g (en litres par heure) est fonction de la vitesse v (en kilomètres par heure), comme on peut le voir à la figure 4.36. On veut minimiser la consommation de carburant par *kilomètre* et non pas la consommation de carburant par heure. Soit $G = g/v$ la consommation moyenne de carburant par kilomètre. (Les unités de G sont en litres par kilomètre.)

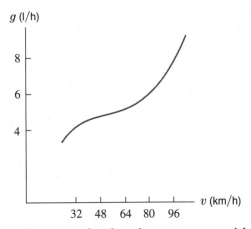

Figure 4.36 : Consommation de carburant par rapport à la vitesse

Exemple 3   À l'aide de la figure 4.36, estimez la vitesse qui minimise G.

Solution   On veut trouver la valeur minimale de $G = g/v$ quand g et v sont reliées comme l'indique le graphe de la figure 4.36. On peut utiliser la figure 4.36 pour tracer le graphe de G par rapport à v et estimer un point critique. Cependant, il existe une manière plus simple d'y arriver.

La figure 4.37 (page suivante) montre que g/v est la pente de la droite passant par l'origine et se rendant jusqu'au point P. Où P doit-il se trouver sur la courbe pour que la pente soit minimale ? À partir des positions possibles de la droite présentée à la figure 4.37, on voit que la pente de la droite est à la fois un minimum absolu et un minimum local lorsque la droite est tangente par rapport à la courbe. À partir de la figure 4.38 (page suivante), on constate que la vitesse en ce point correspond environ à 80 km/h. Ainsi, pour minimiser la consommation d'essence par kilomètre, on doit conduire la voiture à environ 80 km/h.

2. Adapté de TAYLOR, Peter D., *Calculus : The Analysis of Functions*, Toronto, Wall & Emerson, 1992.

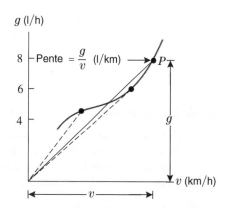

Figure 4.37 : Représentation graphique de la consommation de carburant par kilomètre, $G = \dfrac{g}{v}$

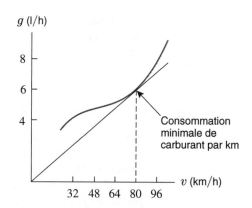

Figure 4.38 : Vitesse permettant l'efficacité maximale du carburant

La recherche des majorants et des minorants

Un problème étroitement relié à la recherche du maximum et du minimum consiste à trouver les *bornes* d'une fonction. Dans l'exemple 1, les valeurs de $f(x)$ sur l'intervalle [−5, 12] sont comprises entre −396 et 104. Ainsi,

$$-396 \leq f(x) \leq 104$$

et on dit que la fonction f est *minorée* par −396 et *majorée* par 104 sur [−5, 12]. Bien entendu, on pourrait également dire que

$$-400 \leq f(x) \leq 150,$$

donc, f est aussi minorée par −400 et majorée par 150 sur [−5, 12]. Cependant, on considère que −396 et 104 sont les *meilleures bornes possible,* car elles décrivent plus précisément comment la fonction $f(x)$ se comporte sur [−5, 12]. (Les bornes d'une fonction sont examinées plus en détail à l'annexe A.)

Exemple 4   Supposez qu'un objet fixé à un ressort oscille autour de sa position d'équilibre, en $y = 0$. Sa distance par rapport à la position d'équilibre est donnée en fonction du temps t par

$$y = e^{-t} \cos t.$$

Trouvez la plus grande distance que parcourt l'objet au-dessus et au-dessous de la position d'équilibre pour $t \geq 0$.

Solution   On cherche à trouver les bornes de la fonction. À quoi ressemble le graphe de la fonction ? On peut l'imaginer comme la courbe d'un cosinus ayant une amplitude décroissante de e^{-t}; en d'autres mots, c'est une courbe de cosinus comprimée entre les graphes de $y = e^{-t}$ et de $y = -e^{-t}$, qui forme une onde ayant des sommets de plus en plus bas et des creux de moins en moins profonds (voir la figure 4.39).

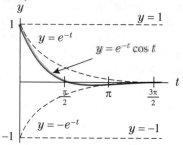

Figure 4.39 : $f(t) = e^{-t} \cos t$ pour $t \geq 0$

À partir du graphe, on peut voir que, pour $t \geq 0$, le graphe se situe entre les droites horizontales $y = -1$ et $y = 1$. Cela signifie que -1 et 1 sont des bornes :

$$-1 \leq e^{-t} \cos t \leq 1.$$

La droite $y = 1$ est le meilleur majorant possible, car le graphe monte très haut (en $t = 0$). Cependant, on peut trouver un meilleur minorant si on trouve la valeur minimale de f pour $t \geq 0$; ce minimum absolu est atteint dans le premier creux situé entre $t = \pi/2$ et $t = 3\pi/2$ car, plus tard, les creux sont comprimés plus près de l'axe des t. Au minimum, $dy/dt = 0$. La règle du produit donne

$$\frac{dy}{dt} = (-e^{-t}) \cos t + e^{-t} (-\sin t) = -e^{-t} (\cos t + \sin t) = 0.$$

Puisque e^{-t} n'est jamais zéro, on doit avoir

$$\cos t + \sin t = 0, \quad \text{donc} \ \frac{\sin t}{\cos t} = -1.$$

Ainsi,

$$\tan t = -1, \quad \text{ce qui donne} \quad t = \frac{3\pi}{4}.$$

Le minimum absolu qu'on voit sur le graphe est atteint en $t = 3\pi/4$. La valeur de y à ce point est

$$y = e^{-3\pi/4} \cos \left(\frac{3\pi}{4} \right) \approx -0,067.$$

En arrondissant de telle sorte que les inégalités s'appliquent toujours pour tout $t \geq 0$, on obtient

$$-0,07 < e^{-t} \cos t \leq 1.$$

On remarque que la valeur absolue du minorant est de beaucoup inférieure à celle du majorant. Cela reflète la vitesse à laquelle le facteur e^{-t} arrête l'oscillation.

Problèmes de la section 4.3

Pour les problèmes 1 et 2, indiquez tous les points critiques sur le graphe donné. Déterminez lesquels correspondent à un minimum local, à un maximum local, à un minimum absolu, à un maximum absolu ou à aucun de ceux-ci.

1.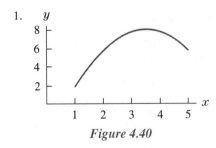

Figure 4.40

2.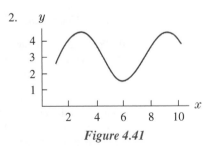

Figure 4.41

3. Pour $y = f(x) = x^{10} - 10x$ où $0 \leq x \leq 2$, trouvez la ou les valeurs de x dans chacune des situations suivantes.

a) $f(x)$ atteint un maximum local ou un minimum local. Indiquez lesquels sont des maximums locaux ou des minimums locaux.

b) $f(x)$ atteint un maximum absolu ou un minimum absolu.

4. Pour $f(x) = x - \ln x$ où $0,1 \leq x \leq 2$, trouvez la ou les valeurs de x dans chacune des situations suivantes.

   a) $f(x)$ atteint un maximum local ou un minimum local. Indiquez lesquels sont des maximums locaux ou des minimums locaux.
   b) $f(x)$ atteint un maximum absolu ou un minimum absolu.

5. Pour $f(x) = \sin^2 x - \cos x$ où $0 \leq x \leq \pi$, trouvez, à deux décimales près, la ou les valeurs de x dans chacune des situations suivantes.

   a) $f(x)$ atteint un maximum local ou un minimum local. Indiquez lesquels sont des maximums locaux ou des minimums locaux.
   b) $f(x)$ atteint un maximum absolu ou un minimum absolu.

6. La fonction $y = t(x)$ est positive et continue avec un maximum absolu au point $(3, 3)$. Tracez un graphe possible de $t(x)$ si $t'(x)$ et $t''(x)$ ont le même signe pour $x < 3$, mais des signes opposés pour $x > 3$.

7. La fonction $y = g(x)$ a une dérivée qui est donnée à la figure 4.42 pour $-2 \leq x \leq 2$.

   a) Décrivez en quelques lignes le comportement de $g(x)$ sur cet intervalle.
   b) Le graphe de $g(x)$ a-t-il des points d'inflexion ? Si oui, donnez la valeur approximative de l'abscisse de ces points. Justifiez votre réponse.
   c) Quels sont le maximum absolu et le minimum absolu de g sur $[-2, 2]$?
   d) Si $g(-2) = 5$, que savez-vous de $g(0)$ et de $g(2)$? Justifiez votre réponse.

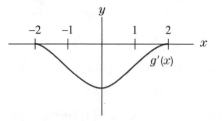

Figure 4.42

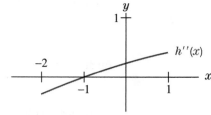

Figure 4.43

8. Une fonction $y = h(x)$ a une dérivée seconde qui est présentée à la figure 4.43 pour $-2 \leq x \leq 1$. Supposez que $h'(-1) = 0$ et que $h(-1) = 2$.

   a) Expliquez pourquoi $h'(x)$ n'est jamais négative sur cet intervalle.
   b) Expliquez pourquoi $h(x)$ doit avoir un maximum absolu en $x = 1$.
   c) Tracez un graphe possible de $h(x)$ pour $-2 \leq x \leq 1$.

9. Un pamplemousse est lancé dans les airs à une vitesse initiale de 14 m/s. Le pamplemousse se trouve à 2 m au-dessus du sol lorsqu'il est lancé. Sa hauteur au temps t est donnée par

$$y = -4,9t^2 + 14t + 2.$$

En utilisant le calcul différentiel, trouvez la hauteur maximale atteinte par le pamplemousse.

10. Pour une constante positive donnée C, la variation de la température T chez un patient, produite par une dose D d'un médicament, est donnée par

$$T = \left(\frac{C}{2} - \frac{D}{3} \right) D^2.$$

   a) Quel dosage maximise la variation de la température ?
   b) Avec un dosage D, la sensibilité du corps au médicament est définie par dT/dD. Quel dosage maximise la sensibilité ?

11. Lorsque vous toussez, votre trachée se contracte. La vitesse v à laquelle l'air est expulsé est une fonction du rayon r de la trachée. Si R est le rayon normal (au repos) de votre trachée, alors, pour $r \leq R$, la vitesse est donnée par

$$v = a(R - r)r^2,$$

où a est une constante positive. Quelle valeur de r maximise la vitesse ?

12. Le moment de flexion M d'une poutre soutenue à une extrémité, à une distance x du support, est donné par

$$M = \tfrac{1}{2}\,wLx - \tfrac{1}{2}\,wx^2,$$

où L est la longueur de la poutre et w, la charge uniformément répartie par unité de longueur. Trouvez le point sur la poutre où le moment est maximal.

13. L'efficacité d'une vis E est donnée par

$$E = \frac{(\theta - \mu\theta^2)}{\mu + \theta}, \quad \theta > 0,$$

où θ est l'angle du pas de filetage et μ, le coefficient de friction du matériau, une constante positive. Quelle valeur de θ maximise E ?

14. Une femme tire un traîneau qui, combiné à sa charge, a une masse de m kg. Si son bras forme un angle θ avec son corps (vertical) et que le coefficient de friction (une constante positive) est μ, la force F qu'elle doit exercer pour déplacer le traîneau est donnée par

$$F = \frac{mg\mu}{\sin\theta + \mu\cos\theta}.$$

Si $\mu = 0{,}15$, trouvez les valeurs maximale et minimale de F pour $0 \le \theta \le \pi/2$. Donnez vos réponses sous forme de multiples de mg.

15. Un fil de fer circulaire de rayon r_0 est étendu sur un plan perpendiculaire à l'axe des x et centré par rapport à l'origine. Le fil a une charge électrique positive répartie uniformément. Le champ électrique E circulant dans la direction de l'axe des x est donné au point d'abscisse x par

$$E = \frac{kx}{\left(x^2 + r_0^2\right)^{3/2}} \quad \text{pour} \quad k > 0.$$

À quel point sur l'axe des x le champ est-il le plus grand ? le plus petit ?

16. Un courant électrique I (en ampères) est donné par

$$I = \cos(wt) + \sqrt{3}\,\sin(wt),$$

où $w \ne 0$ est une constante. Quelles sont les valeurs maximale et minimale de I ?

17. a) Montrez que $x > 2\ln x$ pour tout $x > 0$. [Conseil : trouvez le minimum de $f(x) = x - 2\ln x$.]
    b) Utilisez le résultat ci-dessus pour montrer que $e^x > x^2$ pour tout x positif.
    c) Est-ce que $x > 3\ln x$ pour tout x positif ?

Trouvez les meilleures bornes possible pour chacune des fonctions des problèmes 18 à 22.

18. e^{-x^2} pour $|x| \le 0{,}3$

19. $\ln(1 + x)$ pour $x \ge 0$

20. $\ln(1 + x^2)$ pour $-1 \le x \le 2$

21. $x^3 - 4x^2 + 4x$ pour $0 \le x \le 4$

22. $x + \sin x$ pour $0 \le x \le 2\pi$

23. Lorsque les oiseaux pondent des œufs, ils le font en couvées de plusieurs œufs à la fois. Lorsque les œufs éclosent, chaque couvée donne lieu à une nichée d'oisillons. On cherche à déterminer la taille de la couvée qui maximisera le nombre d'oisillons qui survivent par nichée. Si la couvée est petite, il n'y a pas assez d'oisillons dans la nichée ; si la couvée est grosse, il y a trop d'oisillons à nourrir et la plupart des oisillons meurent de faim. Le nombre d'oisillons qui survivent par nichée en fonction de la taille de la couvée est représenté par la courbe de bénéfice à la figure 4.44[3] (page suivante).

    a) Estimez la taille de la couvée qui maximisera le nombre de survivants par nichée.
    b) De plus, supposez qu'il y a un coût biologique relatif à de grosses couvées : le taux de survie de la femelle diminue. Ce coût est représenté par la ligne pointillée à la figure 4.44. En tenant compte du coût et en supposant que la taille de la couvée optimale maximise en réalité la distance verticale entre les courbes, quelle est la nouvelle taille de la couvée optimale ?

---

3. Données tirées de C. M. Perrins et D. Lack, rapportées par KREBS, J. R. et N. B. DAVIES, *An Introduction to Behavioural Ecology*, Oxford, Blackwell, 1987.

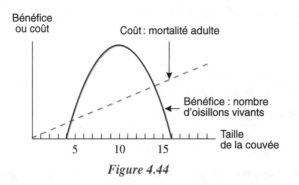

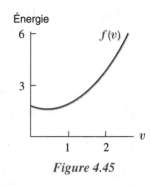

Figure 4.44

Figure 4.45

24. Soit $f(v)$ la quantité d'énergie consommée par un oiseau qui vole, mesurée en joules par seconde (un joule est une unité de mesure d'énergie), en fonction de sa vitesse v (en mètres par seconde) [voir la figure 4.45].

   a) Suggérez une raison pour laquelle le graphe a cette forme (en fonction de la manière dont volent les oiseaux).

   À présent, soit $a(v)$ la quantité d'énergie consommée par ce même oiseau, mesurée en joules *par mètre*.

   b) Quelle est la relation entre $f(v)$ et $a(v)$?
   c) Où $a(v)$ est-elle minimale ?
   d) L'oiseau devrait-il tenter de minimiser $f(v)$ ou $a(v)$ lorsqu'il vole ? Pourquoi ?

25. Le mouvement d'un avion qui vole en palier est réduit par deux types de forces, soit la *traînée induite* et la *traînée parasite*. La traînée induite est une conséquence de la déflexion de l'air vers le bas lorsque les ailes engendrent la portance. La traînée parasite provient de la friction de l'air sur la surface entière de l'avion. La traînée induite est inversement proportionnelle au carré de la vitesse tandis que la traînée parasite est directement proportionnelle au carré de la vitesse. La somme de la traînée induite et de la traînée parasite est appelée traînée totale. Le graphe de la figure 4.46 montre les fonctions de traînée induite et de traînée parasite d'un avion.

   a) Tracez le graphe de la traînée totale en fonction de la vitesse aérodynamique.
   b) Estimez deux différentes vitesses aérodynamiques qui donnent lieu à une traînée totale de 5000 newtons (5000 N). La fonction de traînée totale a-t-elle une réciproque ? Qu'en est-il des fonctions de traînée induite et de traînée parasite ?
   c) La consommation de carburant (en litres par heure) est approximativement proportionnelle à la traînée totale. Supposez que vous manquez de carburant et que la tour de contrôle vous demande d'effectuer un circuit d'attente circulaire d'une durée indéfinie à cause d'une tempête. À quelle vitesse aérodynamique devriez-vous faire voler l'avion dans ce circuit d'attente ? Pourquoi ?

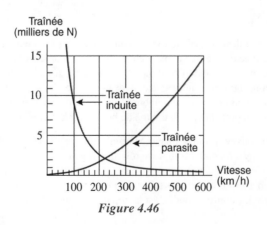

Figure 4.46

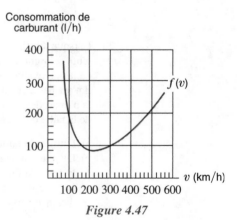

Figure 4.47

26. Soit $f(v)$ la consommation de carburant d'un avion, mesurée en litres par heure, en fonction de sa vitesse v donnée en kilomètres par heure. Un graphe de $f(v)$ est présenté à la figure 4.47.

   a) Soit $g(v)$ la consommation de carburant du même avion mesurée en litres par kilomètre plutôt qu'en litres par heure. Quelle est la relation entre $f(v)$ et $g(v)$?
   b) Avec quelle valeur de v la consommation de carburant $f(v)$ est-elle minimisée ?
   c) Avec quelle valeur de v la consommation de carburant $g(v)$ est-elle minimisée ?
   d) Un pilote devrait-il tenter de minimiser $f(v)$ ou $g(v)$?

4.4 LES APPLICATIONS CONCERNANT LA MARGINALITÉ

Les dirigeants d'une entreprise ont souvent pour objectif de maximiser leur profit. Dans la présente section, on verra comment la dérivée peut servir à cette fin. Le profit dépend à la fois du coût de production et du revenu provenant des ventes. On commence par analyser les fonctions de coût et de revenu.

> La **fonction de coût** $C(q)$ donne le coût total de production d'une quantité q d'un bien donné.

Quel sera le type de la fonction C ? Plus la quantité de biens fabriqués est élevée, plus le coût total le sera. Donc, C est une fonction croissante. En fait, les fonctions de coût ont la forme générale présentée à la figure 4.48. L'intersection avec l'axe des C représente le *coût fixe* qui est engagé même si rien n'est produit. (Cela englobe, par exemple, la machinerie nécessaire à l'exploitation.)

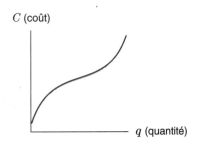

Figure 4.48 : Coût en fonction de la quantité

La fonction de coût augmente rapidement au départ, puis plus lentement par la suite, car la production de grandes quantités d'un bien est normalement plus efficace que la production de petites quantités de ce même bien — il s'agit de l'*économie d'échelle*. À des niveaux de production encore plus élevés, la fonction de coût commence à augmenter plus rapidement au fur et à mesure qu'il y a rareté des ressources et des augmentations importantes peuvent survenir lorsqu'il faut construire de nouvelles usines. Ainsi, le graphe de $C(q)$ commence à être concave vers le bas, puis devient concave vers le haut.

> La **fonction de revenu** $R(q)$ donne le revenu total qu'une entreprise obtient de la vente d'une quantité q d'un bien donné.

Le revenu provient des ventes. Si le prix par article est p et si la quantité vendue est q, alors

$$\text{Revenu} = \text{Prix} \times \text{Quantité}. \quad \text{Donc,} \quad R = pq.$$

Si le prix par article ne dépend pas de la quantité vendue, alors le graphe de $R(q)$ est une droite qui passe par l'origine et a une pente égale au prix p (voir la figure 4.49). En pratique, pour les grandes valeurs de q, le marché peut devenir saturé, ce qui cause une chute des prix et donne à $R(q)$ la forme de la figure 4.50.

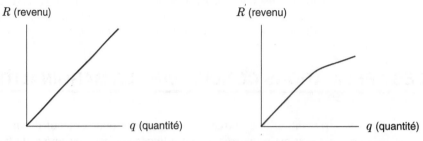

Figure 4.49 : Revenu : prix constant   *Figure 4.50 :* Revenu : prix décroissant

Le profit est usuellement noté π (pour le distinguer du prix p ; ce π n'a rien à voir avec l'aire d'un cercle et représente simplement l'équivalent grec de la lettre « p »). Le profit découlant de la production et de la vente de q articles est défini par

$$\text{Profit} = \text{Revenu} - \text{Coût}. \quad \text{Donc}, \quad \pi(q) = R(q) - C(q).$$

Exemple 1   Si les graphes du coût C et du revenu R sont donnés à la figure 4.51, avec quelle quantité produite q l'entreprise fait-elle un profit ? Quel niveau de production approximatif permet d'obtenir un profit maximal ?

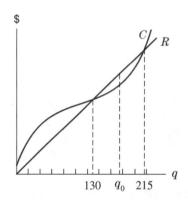

Figure 4.51 : Coût et revenu pour l'exemple 1

Solution   L'entreprise réalise un profit quand son revenu est supérieur au coût, autrement dit, quand $R > C$. Le graphe de R se trouve au-dessus du graphe de C quand $130 < q < 215$ environ. La production comprise entre $q = 130$ unités et $q = 215$ unités entraînera un profit. C'est en q_0 que la distance verticale entre les courbes de coût et de revenu est le plus grande. Donc, la production de q_0 unités entraîne un profit maximal pour l'entreprise.

L'analyse marginale

Plusieurs décisions économiques sont basées sur une analyse de coût et de revenu « à la marge ». On étudiera cette notion à l'aide d'un exemple.

Le directeur d'une compagnie aérienne tente de déterminer s'il doit offrir un vol supplémentaire. Comment peut-il éclairer sa décision ? On suppose que la décision doit être prise strictement sur une base financière : on offrira ce vol seulement s'il permet à l'entreprise de faire un profit. Évidemment, il faut considérer le coût et le revenu. Puisqu'il faut décider d'offrir ou non ce vol, la question cruciale consiste à savoir si le *coût supplémentaire* engagé est supérieur ou inférieur au *revenu supplémentaire* que ce vol permettra de faire. Ce coût et ce revenu additionnels s'appellent respectivement le *coût marginal* et le *revenu marginal*.

On suppose que $C(q)$ est la fonction qui donne le coût total permettant d'offrir q vols. Si la compagnie aérienne avait initialement prévu offrir 100 vols, ce coût serait de $C(100)$. Avec le vol supplémentaire, ce coût s'élève à $C(101)$. Donc,

$$\text{Coût marginal} = C(101) - C(100).$$

Or,

$$C(101) - C(100) = \frac{C(101) - C(100)}{101 - 100},$$

qui est le taux moyen de variation du coût entre 100 et 101 vols. À la figure 4.52, le taux moyen de variation est la pente de la droite sécante qui relie les points d'ordonnées $C(100)$ et $C(101)$ sur le graphe. Si le graphe de la fonction de coût ne se recourbe pas trop rapidement près du point, la pente de cette droite se rapproche de la pente de la droite tangente. Donc, le taux moyen de variation se rapproche du taux de variation instantané. Puisque ces taux de variation ne sont pas très différents, plusieurs économistes choisissent de définir le coût marginal CM comme le taux de variation instantané du coût par rapport à la quantité :

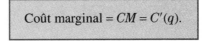

$$\text{Coût marginal} = CM = C'(q).$$

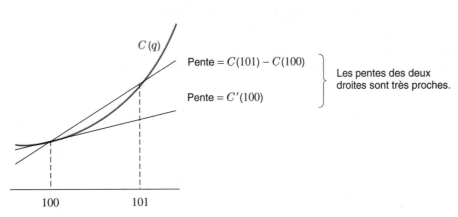

Figure 4.52 : Coût marginal : pente de l'une de ces droites

De même, le revenu produit par q vols est $R(q)$ et le revenu supplémentaire obtenu en faisant passer le nombre de vols de 100 à 101 est

$$\text{Revenu marginal} = R(101) - R(100).$$

$R(101) - R(100)$ est le taux moyen de variation du revenu entre 100 et 101 vols. Sachant que le taux moyen de variation est presque égal au taux de variation instantané, les économistes définissent souvent le revenu marginal comme suit.

$$\text{Revenu marginal} = RM = R'(q).$$

On fait souvent référence au coût total et au revenu total pour les distinguer du coût marginal et du revenu marginal. Si les mots *coût* et *revenu* sont utilisés seuls, ils signifient le coût total et le revenu total.

Exemple 2   Si $C(q)$ et $R(q)$ pour la compagnie aérienne sont données à la figure 4.53, la compagnie devrait-elle ajouter le 101e vol ?

Solution   Le revenu marginal est la pente de la courbe de revenu et le coût marginal est la pente de la courbe de coût lorsque $q = 100$. À partir de la figure 4.53, on constate que la pente au point A est plus petite que la pente au point B. Donc, $CM < RM$. Cela signifie que le revenu supplémentaire sera supérieur au coût supplémentaire si la compagnie offre un autre vol ; elle devrait donc offrir à ses clients le 101e vol.

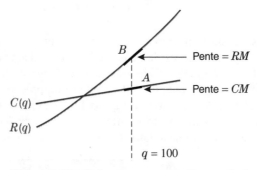

Figure 4.53 : Coût et revenu pour l'exemple 2

Puisque CM et RM sont des fonctions dérivées, on peut les estimer à partir des graphes du coût total et du revenu total.

Exemple 3   Si R et C sont données par les graphes de la figure 4.54, tracez les graphes de $RM = R'(q)$ et de $CM = C'(q)$.

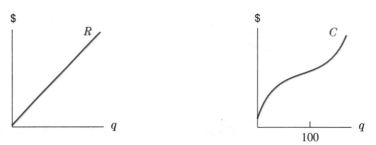

Figure 4.54 : Revenu total et coût total pour l'exemple 3

Solution   Le graphe du revenu est une droite qui passe par l'origine dont l'équation est

$$R = pq,$$

où p est le prix, qui est constant. D'où,

$$RM = R'(q) = p.$$

Le coût total étant croissant, le coût marginal est donc toujours positif (au-dessus de l'axe des q). Pour de petites valeurs de q, la courbe de coût total est concave vers le bas et le coût marginal est décroissant. Pour de plus grandes valeurs de q, soit $q > 100$, la courbe de coût total est concave vers le haut et le coût marginal est croissant. Ainsi, le coût marginal a un minimum à environ $q = 100$ (voir la figure 4.55).

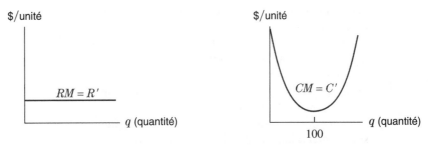

Figure 4.55 : Revenu marginal et coût marginal pour l'exemple 3

La maximisation du profit

On apprendra maintenant comment maximiser le profit et ce, à l'aide des fonctions de revenu total et de coût total.

Exemple 4   Trouvez le profit maximal si le revenu total et le coût total sont donnés, pour $0 \leq q \leq 200$, par les courbes R et C de la figure 4.56.

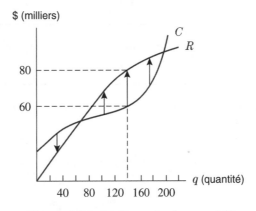

Figure 4.56 : Profit maximal en $q = 140$

Solution   Le profit est représenté par la différence verticale entre les courbes et est identifié par les flèches verticales sur le graphe. Lorsque le revenu est inférieur au coût, l'entreprise subit une perte ; lorsque le revenu est supérieur au coût, l'entreprise réalise un profit. On peut voir que le profit est maximisé environ en $q = 140$. C'est donc le niveau de production qu'il faut trouver. Pour s'assurer que le maximum local est un maximum absolu, il faut vérifier les profits aux extrémités. En $q = 0$ et en $q = 200$, le profit est négatif et le profit maximum absolu est donc en $q = 140$.

Pour trouver le profit maximal, on doit estimer la distance verticale entre les courbes en $q = 140$. Ainsi, on obtient un profit maximal de 80 000 \$ – 60 000 \$ = 20 000 \$.

Si on veut trouver le profit minimal absolu dans cet exemple, il faut observer les profits aux extrémités quand $q = 0$ ou quand $q = 200$. On voit que le profit minimal absolu est négatif (une perte) et il est atteint en $q = 0$.

Profit maximal atteint là où $RM = CM$

Dans l'exemple 4, on peut observer que, en $q = 140$, les pentes des deux courbes de la figure 4.56 sont égales. À la gauche de $q = 140$, la courbe de revenu a une pente plus grande que la courbe de coût et le profit augmente quand q augmente. L'entreprise fera plus de profit en produisant plus d'unités. Donc, la production devrait augmenter à proximité de $q = 140$. À la droite de $q = 140$, la pente de la courbe de revenu est inférieure à la pente de la courbe de coût et le profit diminue. L'entreprise fera plus de profit en produisant moins d'unités, de telle sorte que la production devrait diminuer à proximité de $q = 140$. Au point où les pentes sont égales, le profit a un maximum local. Puisque les pentes sont égales en $q = 140$, on a $RM = CM$.

On considère maintenant une situation générale. Pour maximiser ou minimiser le profit sur un intervalle, on optimise le profit π, où

$$\pi(q) = R(q) - C(q).$$

On sait que le maximum absolu et le minimum absolu ne peuvent être atteints qu'en des valeurs critiques. Pour trouver les valeurs critiques de π, il faut rechercher d'abord les zéros de la dérivée :

$$\pi'(q) = R'(q) - C'(q) = 0.$$

Donc,

$$R'(q) = C'(q).$$

Autrement dit, les pentes des courbes de revenu et de coût sont égales. Il s'agit de la même observation qu'à l'exemple précédent. Sur le plan économique,

> Le profit maximal (ou minimal) peut être atteint là où
> Coût marginal = Revenu marginal.

Bien sûr, le profit maximal ou le profit minimal *ne sont pas* nécessairement atteints là où $RM = CM$; il faut aussi tenir compte des extrémités du domaine.

Exemple 5   Trouvez la quantité q qui maximise le profit si le revenu total et le coût total sont donnés par

$$R(q) = 5q - 0{,}003q^2,$$
$$C(q) = 300 + 1{,}1q,$$

où $0 \leq q \leq 800$ unités et $R(q)$ et $C(q)$ sont en dollars. Quel niveau de production donne le profit minimal ?

Solution   On recherche le niveau de production où le revenu marginal égale le coût marginal :

$$RM = R'(q) = 5 - 0{,}006q,$$
$$CM = C'(q) = 1{,}1.$$

D'où

$$5 - 0{,}006q = 1{,}1$$

$$q = 3{,}9/0{,}006 = 650 \text{ unités.}$$

En cette valeur de q, obtient-on un maximum local ou un minimum local de π ? On peut le savoir en considérant les niveaux de production de 649 unités et de 651 unités. Quand $q = 649$, on a $RM = 1{,}106$ \$, ce qui est supérieur au coût marginal (constant) de $1{,}1$ \$. Cela signifie que la production d'une unité de plus engendrera plus de revenu que son coût, et que le profit augmentera. Quand $q = 651$, $RM = 1{,}094$ \$, ce qui est *inférieur* à CM. Donc, il n'est pas profitable de produire la 651$^\text{e}$ unité. On conclut que $q = 650$ est un maximum local pour la fonction profit π. Le profit généré par la production et la vente de cette quantité est $\pi(650) = R(650) - C(650) = 967{,}50$ \$.

Pour déterminer le maximum absolu, il faut comparer les profits aux extrémités. Si $q = 0$, le seul coût est de 300 \$ (le coût fixe) et il n'y a pas de revenu. D'où $\pi(0) = -300$. En $q = 800$, on a $\pi(800) = 900$ \$. Donc, le profit maximal est au niveau de production de 650 unités, où $RM = CM$. Le profit minimal (une perte) se retrouve quand $q = 0$, où il n'y aucune production.

Problèmes de la section 4.4

1. Un fabricant vous informe des fonctions de coût et de revenu présentées à la figure 4.57. Tracez le graphe, en fonction de la quantité de chacun des éléments ci-après.

   a) Le profit total ;   b) Le coût marginal ;   c) Le revenu marginal.

   Identifiez les points q_1 et q_2 sur les graphes.

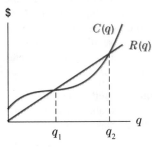

Figure 4.57

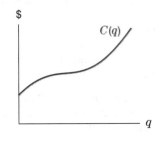

Figure 4.58

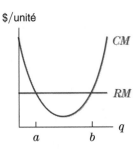

Figure 4.59

2. Le coût de production d'un article pour un fabricant est donné par le graphe de $C(q)$ présenté à la figure 4.57. Sachant que le fabricant vend l'article à un prix p pour chaque unité (peu importe la quantité vendue), le revenu total résultant de la vente d'une quantité q est $R(q) = pq$.

   a) La fonction $\pi(q) = R(q) - C(q)$ est le profit total. Avec quelle quantité q_0 le profit est-il maximal ? Inscrivez votre réponse sur le graphe.
   b) Quelle est la relation entre p et $C'(q_0)$? Expliquez le résultat graphiquement et de manière analytique. Qu'est-ce que cela signifie sur le plan économique ? (Notez que p est la pente de la droite $R(q) = pq$. Remarquez aussi que $\pi(q)$ a un maximum en $q = q_0$ tel que $\pi'(q_0) = 0$.)
   c) Tracez le graphe de $C'(q)$ et de p (comme droite horizontale) sur le même système d'axes. Identifiez q_0 sur l'axe des q.

3. Soit $C(q)$ le coût total de production d'une quantité q d'un article donné (voir la figure 4.58).

   a) Quelle est la signification de $C(0)$?
   b) Décrivez brièvement comment varie le coût marginal au fur et à mesure que la quantité produite augmente.
   c) Expliquez la concavité du graphe (sur le plan économique).
   d) Expliquez la signification, du point de vue économique, (en fonction du coût marginal) du point où change la concavité.
   e) Selon vous, le graphe de $C(q)$ aurait-il cette forme pour tous les types d'articles ?

4. Les graphes du revenu marginal et du coût marginal d'un article donné sont tracés à la figure 4.59. Les quantités suivantes maximisent-elles le revenu de l'entreprise ? Justifiez votre réponse.

   a) $q = a$ b) $q = b$

5. Supposez que le coût total $C(q)$ de production de q articles est donné par

$$C(q) = 0{,}01q^3 - 0{,}6q^2 + 13q.$$

a) Quel est le coût fixe ?

b) Quel est le profit maximal si chaque article se vend 7 $? (Supposez que vous vendez toute votre production.)

c) Supposez que la production s'élève exactement à 34 articles. Ces derniers se vendent tous lorsque leur prix est de 7 $, mais pour chaque hausse de prix de 1 $, on vend 2 articles de moins. Devez-vous augmenter le prix ? Le cas échéant, de combien ?

6. Supposez qu'une entreprise fabrique un seul produit. La quantité q de ce produit fabriquée chaque mois est fonction du capital K investi (c'est-à-dire le nombre de machines que possède l'entreprise, la taille de ses édifices, et ainsi de suite) et de la main-d'œuvre L disponible chaque mois. On suppose souvent que q peut être exprimée en fonction de K et de L par la *fonction de production de Cobb-Douglas* :

$$q = cK^{\alpha}L^{\beta}$$

où c, α, β sont des constantes positives avec $0 < \alpha < 1$ et $0 < \beta < 1$.

Dans ce problème, on montrera comment le gouvernement de la Russie pourrait utiliser une fonction de Cobb-Douglas pour estimer le nombre de personnes qu'une nouvelle industrie privatisée pourrait embaucher. Une entreprise exploitée dans cette industrie ne disposerait que d'un capital limité et devrait l'utiliser entièrement ; K est donc fixe. Supposez que L est mesurée en heures-personnes par mois et que chaque heure de main-d'œuvre coûte à l'entreprise w roubles (le rouble est l'unité monétaire russe). Supposez que l'entreprise n'a pas d'autres coûts outre la main-d'œuvre et que chaque unité du produit se vend à un prix fixe de p roubles. Combien d'heures-personnes par mois l'entreprise devrait-elle prévoir afin de maximiser son profit ?

7. Un travailleur agricole de l'Ouganda veut planter du trèfle pour accroître le nombre d'abeilles ouvrières dans la région. Normalement, on compte 100 abeilles dans la région ; on s'attend à ce que chaque nouvelle acre de trèfle attire 20 abeilles de plus.

a) Tracez le graphe du nombre total $N(x)$ d'abeilles en fonction de x, qui est le nombre d'acres consacré au trèfle.

b) Expliquez géométriquement et de manière algébrique la forme des graphes ci-après.

   i) Le taux marginal d'augmentation du nombre d'abeilles selon le nombre d'acres de trèfle $N'(x)$.

   ii) Le nombre moyen d'abeilles par acre de trèfle $N(x)/x$.

8. Vous investissez x $ dans un projet donné et votre rendement est de $R(x)$. Supposez que vous voulez choisir x pour maximiser votre rendement par dollar investi[4], lequel est

$$r(x) = \frac{R(x)}{x}.$$

a) Supposez que le graphe de $R(x)$ a la forme de la figure 4.60, avec $R(0) = 0$. Illustrez sur une copie de ce graphe que la valeur maximale de $r(x)$ s'obtient en un point sur le graphe de $R(x)$ où la droite partant de l'origine et allant à ce point est tangente au graphe.

b) Est-il également vrai que le maximum de $r(x)$ doit être atteint au point où la pente du graphe de $r(x)$ est zéro ? Sur le même système d'axes qu'à la partie a), dessinez un graphe approximatif de $r(x)$ correspondant à votre graphe de R et démontrez que le maximum est atteint là où la pente est zéro.

c) Montrez, en prenant la dérivée de la formule précédente pour $r(x)$, que les conditions de la partie a) et celles de la partie b) sont équivalentes : le point où la droite partant de l'origine est tangente au graphe de R est le point où le graphe de r a une pente nulle.

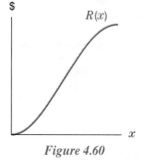

Figure 4.60

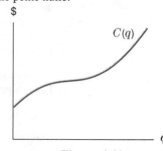

Figure 4.61

---

4. Tiré de TAYLOR, Peter D., *Calculus : The Analysis of Functions*, Toronto, Wall & Emerson, 1992.

Les problèmes 9 à 11 font intervenir le *coût moyen* de production d'une quantité q d'un article, qui est défini par

$$a(q) = \frac{C(q)}{q}.$$

9. La figure 4.61 montre le coût de production $C(q)$ en fonction de la quantité produite q.

   a) Pour une certaine valeur q_0, tracez une droite dont la pente est le coût marginal CM en ce point.
   b) Pour le même q_0, expliquez pourquoi le coût moyen $a(q_0)$ peut être représenté par la pente de la droite reliant ce point de la courbe à l'origine.
   c) En utilisant la méthode de l'exemple 3, expliquez pourquoi le coût moyen et le coût marginal sont égaux quand q a la valeur qui minimise $a(q)$.

10. Supposez qu'une entreprise produit une quantité q d'un article donné et que le coût moyen par article est donné par

$$a(q) = 0{,}01q^2 - 0{,}6q + 13 \quad \text{pour} \quad q > 0.$$

   a) Quel est le coût total $C(q)$ de production de q articles ?
   b) Quel est le coût marginal minimal ? Quelles sont les interprétations pratiques de ce résultat ?
   c) À quel niveau de production le coût moyen est-il à son minimum ? Quel est le coût moyen le plus bas ?
   d) Calculez le coût marginal en $q = 30$. Comment ce résultat est-il relié à votre réponse de la partie c) ? Expliquez cette relation de manière analytique et en langage courant.

11. Un modèle raisonnablement réaliste de coût pour une entreprise est donné par la *courbe de coût de Cobb-Douglas à court terme,* soit

$$C(q) = Kq^{1/a} + F,$$

où a est une constante positive, F est le coût fixe et K mesure le degré de technologie de l'entreprise.

   a) Montrez que C est concave vers le bas si $a > 1$.
   b) En supposant que le coût moyen est réduit au minimum lorsqu'il est égal au coût marginal, trouvez quelle valeur de q minimise le coût moyen.

4.5 L'OPTIMISATION : INTRODUCTION À LA MODÉLISATION

Il est beaucoup plus facile de trouver les maximums et les minimums absolus si on dispose d'une formule pour maximiser ou minimiser la fonction. Le processus de la traduction d'un problème en une fonction exprimée par une formule s'appelle la *modélisation mathématique.* En étudiant les exemples suivants, on aura un avant-goût de certains types de modélisation.

Exemple 1   Quelles sont les dimensions d'une boîte de conserve en aluminium qui contient 650 cm^3 de jus et qui utilise le moins de matériau possible (ici l'aluminium) ? Supposons que la boîte est cylindrique et qu'elle est fermée aux deux extrémités.

Solution   Souvent, il est avantageux de penser à un problème en termes généraux avant d'essayer de le résoudre. Puisqu'on tente d'utiliser le moins d'aluminium possible, pourquoi ne pas réduire la taille de la boîte au minimum, soit de la grosseur d'une arachide ? Bien sûr, ce n'est pas possible puisqu'elle doit contenir 650 cm^3 de jus. Si on peut rétrécir la boîte afin d'utiliser le moins d'aluminium possible sur la surface latérale, il faudra l'élargir pour qu'elle puisse contenir 650 cm^3 de liquide. En utilisant moins d'aluminium sur la surface latérale, on devra peut-être utiliser plus d'aluminium pour les extrémités de la boîte, étant donné sa forme courte et large (voir la figure 4.62 a), page suivante).

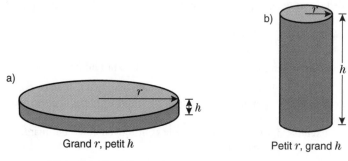

Grand r, petit h Petit r, grand h

Figure 4.62 : Diverses boîtes de forme cylindrique

TABLEAU 4.1 *Quantité de matériau M utilisé pour la boîte selon différents choix de rayon r et de hauteur h*

r (cm)	h (cm)	M (cm^2)
0,5	827,61	2601,57
2,5	33,1	559,27
5,0	8,28	417,08
7,5	3,68	526,76
10,0	2,07	758,32
25,0	0,33	3978,99

Si on tente d'utiliser moins d'aluminium en réduisant les extrémités, on devra allonger la surface latérale pour que la boîte contienne 650 cm^3 de jus. Donc, si on utilise moins d'aluminium pour les extrémités, on doit en utiliser plus pour la surface latérale (voir la figure 4.62 b)). On peut vérifier ce raisonnement en observant le tableau 4.1.

Le tableau donne la quantité de matériau utilisé pour la boîte selon certains choix de rayon r et de hauteur h. On peut constater que r et h changent dans des directions opposées et qu'on utilise plus d'aluminium pour les extrémités (très grands ou très petits r et h) que pour la surface latérale. En observant le tableau, on dirait que le rayon optimal de la boîte se trouve quelque part entre $2,5 \leq r \leq 7,5$. Si on considère la quantité de matériau utilisé M en fonction du rayon r, un graphe de cette fonction ressemble à celui de la figure 4.63. Le graphe montre que le minimum absolu dont on a besoin est atteint à un point critique.

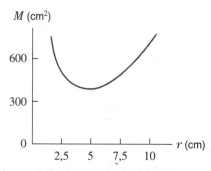

Figure 4.63 : Quantité totale M de matériau utilisé pour la boîte en fonction du rayon r

Le tableau et le graphe ont été obtenus à partir d'un modèle mathématique, lequel, dans ce cas, est une formule de la quantité de matériau utilisé afin de fabriquer la boîte. Pour trouver cette formule, il faut connaître la géométrie d'un cylindre, plus précisément son aire et son volume. On a

M = Quantité de matériau utilisé pour la boîte =

Quantité aux extrémités + Quantité sur la surface latérale,

où

Quantité aux extrémités = 2 · Aire d'un cercle de rayon r = $2 \cdot \pi r^2$,

Quantité sur la surface latérale = Aire du cylindre de hauteur h et de rayon r = $2\pi rh$.

Cependant, h n'est pas indépendant de r. En effet, si r augmente, h diminue, et inversement. Pour trouver la relation, on considère le fait que le volume du cylindre $\pi r^2 h$ est égal à la constante 650 cm^3, soit

$$\pi r^2 h = 650, \quad \text{qui donne} \quad h = \frac{650}{\pi r^2}.$$

Cela signifie que

$$\text{Quantité sur la surface latérale} = 2\pi r h = 2\pi r \frac{650}{\pi r^2} = \frac{1300}{r}.$$

Ainsi, on obtient la formule pour la quantité totale de matériau utilisé pour une boîte de rayon r, soit

$$M(r) = 2\pi r^2 + \frac{1300}{r}.$$

Le domaine de cette fonction est tout $r > 0$.

On utilise maintenant le calcul différentiel pour trouver le minimum de M. On recherche les points critiques de M. On a :

$$\frac{dM}{dr} = 4\pi r - \frac{1300}{r^2} = 0. \quad \text{D'où} \quad 4\pi r = \frac{1300}{r^2} \quad \text{et} \quad \pi r^3 = 325.$$

Ainsi,

$$r = \left(\frac{325}{\pi}\right)^{1/3} \approx 4,69 \text{ cm},$$

ce qui concorde avec le graphe. Puisque $\dfrac{d^2M}{dr^2} = 4\pi + \dfrac{2600}{r^3} > 0$ pour $r = (325/\pi)^{1/3}$, on peut conclure, selon le test de la dérivée seconde, que l'on a un minimum local. Comme il s'agit du seul minimum local, on peut affirmer que c'est le minimum absolu. On obtient aussi

$$h = \frac{650}{\pi r^2} \approx \frac{650}{\pi (4,69)^2} \approx 9,41 \text{ cm}.$$

Ainsi, la quantité de matériau utilisé $M(4,69)$ est d'environ 415,39 cm^2.

En conclusion, la boîte doit avoir un rayon d'environ 4,69 cm et une hauteur d'environ 9,41 cm si on veut minimiser la quantité totale de matériau nécessaire à sa fabrication.

Conseils pratiques pour modéliser des problèmes d'optimisation

1. S'assurer de connaître la quantité ou la fonction à optimiser.

2. Si possible, faire différents croquis montrant la relation entre les éléments qui varient. Identifier les croquis clairement en attribuant des variables aux quantités qui varient.

3. Tenter d'obtenir une formule pour la fonction à optimiser en fonction des variables identifiées à l'étape précédente. Au besoin, éliminer de cette formule toutes les variables, sauf une. Identifier le domaine dans lequel cette variable varie.

4. Trouver les valeurs critiques et identifier, à l'aide d'un test approprié, le maximum local ou le minimum local, puis évaluer la fonction en ces points et aux extrémités du domaine pour déterminer le maximum absolu ou le minimum absolu.

L'exemple 2, qui est un autre problème de géométrie, illustre cette approche.

Exemple 2　　Hélène veut se rendre à l'arrêt d'autobus le plus rapidement possible. L'arrêt d'autobus se trouve de l'autre côté d'un parc gazonné, soit à 600 m à l'ouest et à 200 m au nord de sa position de départ. Hélène peut marcher vers l'ouest en longeant le parc sur le trottoir à une vitesse de 2 m/s. Elle peut également traverser le parc à pied, mais à une vitesse de 1 m/s seulement (le parc étant un lieu de prédilection pour promener les chiens, elle doit bien regarder où elle pose les pieds). Quel chemin lui permettra d'arriver le plus rapidement à l'arrêt d'autobus ?

Solution

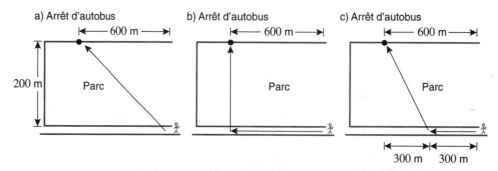

Figure 4.64 : Trois chemins possibles pour se rendre à l'arrêt d'autobus

On pourrait être tenté de croire que, au départ, il serait préférable qu'elle emprunte le chemin le plus court. Malheureusement, le chemin le plus court pour se rendre à l'arrêt d'autobus est celui qui consiste à traverser le parc et la vitesse d'Hélène est alors moindre (voir la figure 4.64 a)). La distance à franchir pour traverser le parc est $\sqrt{200^2 + 600^2} \approx 632$ m, ce qui lui prendrait environ 632 s. Elle pourrait par contre emprunter le chemin de 600 m sur le trottoir ; il lui resterait seulement 200 m vers le nord à parcourir en passant par le parc (voir la figure 4.64 b)). Cet itinéraire lui prendrait $600/2 + 200/1 \approx 500$ s au total.

Mais peut-elle faire mieux encore ? Il est possible qu'une autre combinaison de parcours (par le trottoir et le parc) lui permette de se rendre plus rapidement à l'arrêt. Par exemple, quel est le temps du parcours si elle marche 300 m vers l'ouest en empruntant le trottoir et qu'elle parcourt le reste du chemin en traversant le parc ? (Voir la figure 4.64 c).) La réponse est d'environ 511 s.

Afin d'établir un modèle pour ce problème, on identifie par x la distance qu'Hélène parcourt vers l'ouest en empruntant le trottoir et par y la distance qu'elle franchit en traversant le parc (voir la figure 4.65). Alors, le temps t du parcours sera

$$t = t_{\text{trottoir}} + t_{\text{parc}}.$$

Puisque

$$\text{Temps} = \text{Distance/Vitesse},$$

et qu'elle peut parcourir 2 m/s sur le trottoir et 1 m/s en traversant le parc, on obtient

$$t = \frac{x}{2} + \frac{y}{1}.$$

À présent, selon le théorème de Pythagore, $y = \sqrt{(600 - x)^2 + 200^2}$. Donc,

$$t = \frac{x}{2} + \frac{\sqrt{(600 - x)^2 + 200^2}}{1}.$$

Le domaine de t est $0 \leq x \leq 600$. On peut trouver les points critiques de cette fonction tels que $t' = 0$, algébriquement (voir le problème 1, un peu plus loin). Par ailleurs, on peut tracer le graphe de la fonction à l'aide d'une calculatrice et estimer le point critique, qui est $x \approx 485$ m. Puisque la valeur de t aux extrémités du domaine est supérieure à celle qui est évaluée au point critique, on en conclut qu'Hélène devra parcourir environ 485 m sur le trottoir et traverser ensuite le parc afin de minimiser le temps de son parcours, qui sera d'environ 473 s.

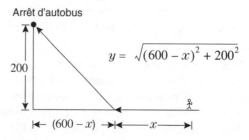

Figure 4.65 : Modélisation du temps nécessaire pour se rendre à l'arrêt d'autobus

Exemple 3   Deux corridors, respectivement d'une largeur de 1,25 m et de 2,5 m, se rejoignent pour former un angle droit (voir la figure 4.66). Quelle est la longueur de l'échelle la plus longue qu'on peut faire passer horizontalement par le coin ?

Solution   On suppose que l'échelle est transportée latéralement et on ne tient pas compte de sa largeur. Si on a l'échelle la plus longue possible, il faut la faire passer par le coin de telle sorte qu'elle frôle les deux murs (en A et en C) et qu'elle frôle le coin en B. Il faut dessiner des segments de droite pour observer les résultats (voir la figure 4.66). La longueur du segment $\overline{ABC}$ diminue lorsqu'on passe le coin, puis elle augmente. Cette longueur minimale est la longueur de l'échelle la plus longue pouvant passer le coin. Une échelle plus petite serait également appropriée (si elle touche A, B et C simultanément), mais une échelle plus longue ne passerait pas le coin.

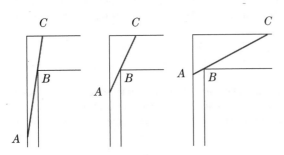

Figure 4.66 : Différentes échelles qui frôlent les murs et le coin

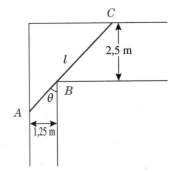

Figure 4.67 : Échelle et corridor

Il faut donc trouver la *plus petite* longueur du segment $\overline{ABC}$. On exprimera la longueur l en fonction de θ, qui est l'angle entre le segment et le mur du corridor étroit (voir la figure 4.67).
    On obtient

$$l = \overline{AB} + \overline{BC} \ .$$

On constate que $\overline{AB} = 1{,}25/\sin\theta$ et $\overline{BC} = 2{,}5/\cos\theta$. Donc,

$$l = \frac{1{,}25}{\sin\theta} + \frac{2{,}5}{\cos\theta} \ .$$

Ici le domaine de l est $0 < \theta < \pi/2$.
    Maintenant, on dérive l par rapport à θ.

$$\frac{dl}{d\theta} = -\frac{1{,}25}{(\sin\theta)^2}(\cos\theta) - \frac{2{,}5}{(\cos\theta)^2}(-\sin\theta).$$

Pour minimiser l, on résout $dl/d\theta = 0$:

$$-1{,}25\frac{\cos\theta}{(\sin\theta)^2} + 2{,}5\frac{\sin\theta}{(\cos\theta)^2} = 0.$$

D'où

$$2{,}5(\sin\theta)^3 = 1{,}25(\cos\theta)^3, \quad \text{ou} \quad \frac{(\sin\theta)^3}{(\cos\theta)^3} = \frac{1{,}25}{2{,}5} \ .$$

Cela signifie que

$$\tan\theta = \sqrt[3]{0{,}5} \approx 0{,}79. \quad \text{Donc,} \quad \theta \approx 0{,}67 \text{ rad.}$$

Ainsi, $\theta \approx 0,67$ est la seule valeur critique de l. Si on examine l pour des valeurs de θ près de zéro et pour des valeurs de θ près de $\pi/2$, on peut conclure que l atteint un minimum absolu en $\theta = 0,67$. L'analyse de la fonction l à l'aide du test de la dérivée première ou du test de la dérivée seconde nous conduirait à la même conclusion. La valeur minimale de l est donc

$$l = \frac{1,25}{\sin(0,67)} + \frac{2,5}{\cos(0,67)} \approx 5,2 \text{ m}.$$

Donc, l'échelle peut mesurer au plus 5,2 m de long et tout de même passer le coin.

Problèmes de la section 4.5

1. Trouvez analytiquement le point critique (tel que $t' = 0$) exact de la fonction qui représente le temps t nécessaire pour se rendre à pied à l'arrêt d'autobus de l'exemple 2. N'oubliez pas que t est donnée par

$$t = \frac{x}{2} + \frac{\sqrt{(600 - x)^2 + 200^2}}{1}.$$

2. Les dépôts contenus dans la fumée rejetée par une cheminée s'accumulent au sol dans une concentration inversement proportionnelle au carré de la distance par rapport à la cheminée. Si deux cheminées se trouvent à 20 km l'une de l'autre, la concentration combinée des dépôts à une distance x d'une cheminée est donnée par

$$S = \frac{k_1}{x^2} + \frac{k_2}{(20 - x)^2},$$

où k_1 et k_2 sont des constantes positives qui dépendent de la quantité de fumée émise par chaque cheminée. Si $k_1 = 7k_2$, trouvez, sur la droite qui relie les cheminées, le point où la concentration des dépôts atteint un minimum.

3. Une onde d'une longueur λ voyageant en eau profonde a une vitesse v donnée par

$$v = k\sqrt{\frac{\lambda}{c} + \frac{c}{\lambda}},$$

où c et k sont des constantes positives. Quand λ varie, l'onde atteint-elle une vitesse maximale ou minimale ? Quelle est cette vitesse ? Justifiez votre réponse.

4. Si vous avez 100 m de clôture et que vous désirez entourer un terrain rectangulaire longeant un long mur droit, quelle est la mesure de la plus grande surface que vous pouvez clôturer ?

5. Une boîte fermée a une surface fixe A et une base carrée de côté x.
   a) Trouvez une formule pour son volume V en fonction de x.
   b) Tracez le graphe de V en fonction de x.
   c) Trouvez la valeur maximale de V.

6. Une architecte paysagiste prévoit clôturer 300 m² d'une portion rectangulaire du jardin botanique. Sur trois côtés, elle prévoit planter des arbustes qui coûtent 75 \$/m et, sur le quatrième côté, elle désire installer une clôture qui coûte 30 \$/m. Trouvez le coût minimal.

7. Vous projetez de construire une piscine rectangulaire d'une superficie de 150 m². Le propriétaire souhaite que vous installiez des plates-formes de 2 m de largeur le long des côtés de la piscine et des plates-formes de 3 m de largeur le long des deux extrémités. Trouvez les dimensions de la surface la plus petite sur laquelle la piscine pourrait être construite en respectant ces conditions.

8. Supposez que vous devez découper une poutre rectangulaire dans un billot de bois cylindrique ayant un rayon de 30 cm. La force d'une poutre de largeur w et de hauteur h est proportionnelle à wh^2 (voir la figure 4.68). Trouvez la largeur et la hauteur de la poutre de force maximale.

9. Une ampoule est suspendue à une hauteur h au-dessus du plancher (voir la figure 4.69). La quantité de lumière au point P est inversement proportionnelle au carré de la distance entre le point P et l'ampoule et est proportionnelle au cosinus de l'angle θ. À quelle distance du plancher l'ampoule doit-elle se trouver pour maximiser la quantité de lumière au point P ?

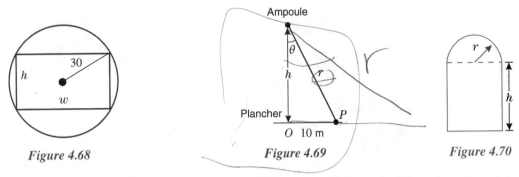

Figure 4.68   *Figure 4.69*   *Figure 4.70*

10. La section transversale d'un tunnel est un rectangle de hauteur h surmonté d'un toit semi-circulaire de rayon r (voir la figure 4.70). Si l'aire de la section transversale est A, déterminez les dimensions de la section transversale qui minimisent le périmètre.

11. Quel point sur la parabole $y = x^2$ se trouve le plus près de $(1, 0)$? Trouvez les coordonnées à deux décimales près. [Conseil : minimisez le carré de la distance, ce qui permettra d'éliminer la racine carrée.]

12. Trouvez les coordonnées du point sur la parabole $y = x^2$ qui est le plus proche du point $(3, 0)$.

13. Parmi tous les rectangles ayant une aire A, lequel a les diagonales les plus courtes ?

14. Supposez que vous êtes dirigeant d'une petite entreprise d'ameublement. Votre adjoint conclut un accord avec un client pour lui livrer jusqu'à 400 chaises, le nombre exact devant être déterminé ultérieurement par le client. Le prix est établi à 90 $ par chaise pour toute quantité inférieure à 300 chaises, et sera réduit de 0,25 $ par chaise sur une commande ferme de plus de 300 chaises. Quel est le revenu le plus élevé et quel est le revenu le plus faible pour l'entreprise dans le cadre de cet accord ?

15. Le coût de la consommation de carburant d'un bateau (en dollars par heure) est proportionnel au cube de sa vitesse. Un traversier consomme 100 $ de carburant par heure lorsqu'il navigue à 10 km/h. Mis à part le carburant, le coût d'exploitation du traversier (la main-d'œuvre, l'entretien, etc.) s'élève à 675 $/h. À quelle vitesse devrait-il voyager afin de minimiser le coût *par kilomètre* parcouru ?

16. a) Pour quel nombre positif x $x^{1/x}$ est-il le plus grand ? Justifiez votre réponse.
    [Conseil : vous pouvez écrire $x^{1/x} = e^{\ln(x^{1/x})}$.]
    b) Pour quel entier positif n $n^{1/n}$ est-il le plus grand ? Justifiez votre réponse.
    c) Utilisez la réponse des parties a) et b) pour déterminer lequel est le plus grand : $3^{1/3}$ ou $\pi^{1/\pi}$.

17. La *moyenne arithmétique* de deux nombres a et b est définie par $(a + b)/2$; la *moyenne géométrique* de deux nombres positifs a et b est définie par $\sqrt{ab}$.

    a) Pour deux nombres positifs, laquelle des deux moyennes est la plus grande ? Justifiez votre réponse.
    [Conseil : définissez $f(x) = (a + x)/2 - \sqrt{ax}$ pour un a fixe.]
    b) Pour trois nombres positifs a, b et c, la moyenne arithmétique et la moyenne géométrique sont respectivement $(a + b + c)/3$ et $\sqrt[3]{abc}$. Laquelle des deux moyennes est la plus grande ? [Conseil : redéfinissez $f(x)$ pour a et b fixes.]

18. Deux villes situées sur le même côté d'une rivière veulent construire une station de pompage S pour s'approvisionner en eau. La station devra se situer sur le bord de la rivière et les conduites devront se rendre directement dans les deux villes. Les distances sont présentées à la figure 4.71 (page suivante). Où devrait se trouver la station de pompage pour minimiser la longueur totale des conduites ?

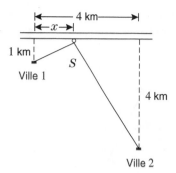

Figure 4.71

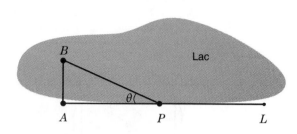

Figure 4.72

19. Supposez qu'on lâche un pigeon à partir d'un bateau (point B de la figure 4.72) ancré au fond d'un lac. À cause de l'air descendant sur l'eau fraîche, l'énergie (en joules par mètre) dont l'oiseau a besoin pour voler à 1 m au-dessus du niveau du lac correspond au double de l'énergie e requise pour voler au-dessus de la berge ($e = 3$ J/m). Pour minimiser l'énergie requise pour voler du point B au pigeonnier L, le pigeon se dirige vers un point P sur la berge et vole le long de la berge jusqu'au point L. La distance $\overline{AL}$ correspond à 2000 m, et la distance $\overline{AB}$ est de 500 m.

a) Exprimez l'énergie requise pour voler de B à L en passant par P en fonction de l'angle θ (l'angle BPA).

b) Quel est l'angle θ optimal ?

c) Votre réponse change-t-elle si $\overline{AL}$, $\overline{AB}$ et e ont différentes valeurs numériques ?

20. Pour mieux voir la statue de la Liberté, illustrée à la figure 4.73, vous devez vous trouver à la position où θ atteint un maximum. Si la statue a 92 m de hauteur incluant sa base (laquelle mesure 46 m de hauteur), à quelle distance par rapport à la base de la statue devriez-vous vous trouver ? [Conseil : trouvez une formule pour θ en fonction de votre distance par rapport à la base. Utilisez cette fonction pour maximiser θ, en notant que $0 \leq \theta \leq \pi/2$.]

Figure 4.73

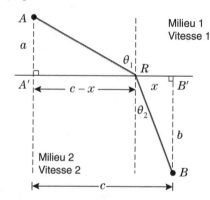

Figure 4.74

21. Lorsqu'un rayon de lumière se propage d'un milieu à l'autre (par exemple de l'air à l'eau), il change de direction. Ce phénomène s'appelle la *réfraction*. À la figure 4.74, la lumière passe de A à B. La réfraction est fonction des vitesses v_1 et v_2 de la lumière dans les deux milieux et obéit au *principe de Fermat*, qui énonce que le temps de propagation de la lumière T de A à B est réduit au minimum.

a) Trouvez une expression pour T en fonction de x et des constantes a, b, v_1, v_2 et c.

b) Montrez que, si R est choisi de telle sorte que le temps de propagation est réduit au minimum, alors

$$\frac{\sin \theta_1}{\sin \theta_2} = \frac{v_1}{v_2}.$$

Ce résultat s'appelle la *loi de Snell* et le rapport v_1/v_2 s'appelle l'*indice de réfraction* du deuxième milieu par rapport au premier.

22. Montrez que, quand la valeur de x (voir la figure 4.74) est choisie selon la loi de Snell, le temps pris par le rayon de lumière est réduit au minimum.

4.6 LES FONCTIONS HYPERBOLIQUES

Les combinaisons de e^x et de e^{-x} sont si souvent utilisées en ingénierie qu'on leur a donné un nom. Il s'agit du *sinus hyperbolique,* qui s'abrège en sinh, et du *cosinus hyperbolique,* qui s'abrège en cosh. Ils se définissent comme suit :

> **Fonctions hyperboliques**
>
> $$\cosh x = \frac{e^x + e^{-x}}{2} \qquad \sinh x = \frac{e^x - e^{-x}}{2}$$

Les propriétés des fonctions hyperboliques

Les graphes de cosh x et de sinh x sont donnés aux figures 4.75 et 4.76 avec les graphes des multiples de e^x et de e^{-x}. Le graphe de cosh x est appelé *caténaire* (ou chaînette) ; il a la forme d'un câble suspendu.

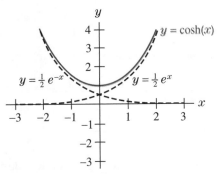

Figure 4.75 : Graphe de $y = \cosh x$

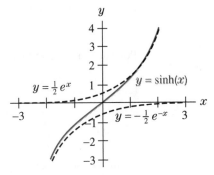

Figure 4.76 : Graphe de $y = \sinh x$

Le graphe suggère que les résultats suivants s'appliquent :

> $$\cosh 0 = 1 \qquad \sinh 0 = 0$$
>
> $$\cosh(-x) = \cosh x \qquad \sinh(-x) = -\sinh x$$

Pour démontrer que les fonctions hyperboliques ont véritablement ces propriétés, on utilise leur formule.

Exemple 1 Montrez que : a) $\cosh(0) = 1$; b) $\cosh(-x) = \cosh x$.

Solution a) En posant $x = 0$ dans la formule de cosh x, on obtient

$$\cosh 0 = \frac{e^0 + e^{-0}}{2} = \frac{1 + 1}{2} = 1.$$

b) En substituant $-x$ à x, on obtient

$$\cosh(-x) = \frac{e^{-x} + e^{-(-x)}}{2} = \frac{e^{-x} + e^x}{2} = \cosh x.$$

Ainsi, on sait que cosh x est une fonction paire.

Exemple 2   Décrivez et expliquez le comportement de $\cosh x$ quand $x \to \infty$ et quand $x \to -\infty$.

Solution   À partir de la figure 4.75 (page précédente), il semble que, quand $x \to \infty$, le graphe de $\cosh x$ ressemble au graphe de $\frac{1}{2}e^x$. De même, quand $x \to -\infty$, le graphe de $\cosh x$ ressemble au graphe de $\frac{1}{2}e^{-x}$. Ce comportement s'explique en utilisant la formule pour $\cosh x$ et par le fait que $e^{-x} \to 0$ quand $x \to \infty$ et $e^x \to 0$ quand $x \to -\infty$:

$$\text{Quand } x \to \infty, \qquad \cosh x = \frac{e^x + e^{-x}}{2} \to \frac{1}{2}e^x.$$

$$\text{Quand } x \to -\infty, \qquad \cosh x = \frac{e^x + e^{-x}}{2} \to \frac{1}{2}e^{-x}.$$

Les identités comprenant cosh x et sinh x

Les fonctions hyperboliques ont des noms qui rappellent les fonctions trigonométriques parce qu'elles partagent certaines propriétés similaires. Une identité familière pour les fonctions trigonométriques est

$$(\cos x)^2 + (\sin x)^2 = 1.$$

Pour découvrir une identité analogue reliant $(\cosh x)^2$ et $(\sinh x)^2$, on calcule d'abord

$$(\cosh x)^2 = \left(\frac{e^x + e^{-x}}{2}\right)^2 = \frac{e^{2x} + 2e^x e^{-x} + e^{-2x}}{4} = \frac{e^{2x} + 2 + e^{-2x}}{4},$$

$$(\sinh x)^2 = \left(\frac{e^x - e^{-x}}{2}\right)^2 = \frac{e^{2x} - 2e^x e^{-x} + e^{-2x}}{4} = \frac{e^{2x} - 2 + e^{-2x}}{4}.$$

Si on additionne ces expressions, le côté droit qui résulte contient des termes comprenant à la fois e^{2x} et e^{-2x}. Cependant, si on soustrait les expressions pour $(\cosh x)^2$ et $(\sinh x)^2$, on obtient un résultat simple, soit

$$(\cosh x)^2 - (\sinh x)^2 = \frac{e^{2x} + 2 + e^{-2x}}{4} - \frac{e^{2x} - 2 + e^{-2x}}{4} = \frac{4}{4} = 1.$$

Ainsi, en écrivant $\cosh^2 x$ pour $(\cosh x)^2$ et $\sinh^2 x$ pour $(\sinh x)^2$, on obtient l'identité

$$\boxed{\cosh^2 x - \sinh^2 x = 1}$$

La tangente hyperbolique

Par analogie, en ce qui concerne les fonctions trigonométriques, on peut définir

$$\boxed{\tanh x = \frac{\sinh x}{\cosh x}}$$

Les dérivées des fonctions hyperboliques

On calcule les dérivées en considérant le fait que $\frac{d}{dx}(e^x) = e^x$. Les résultats rappellent de nouveau les fonctions trigonométriques. Par exemple,

$$\frac{d}{dx}(\cosh x) = \frac{d}{dx}\left(\frac{e^x + e^{-x}}{2}\right) = \frac{e^x - e^{-x}}{2} = \sinh x.$$

On trouve $\dfrac{d}{dx}(\sinh x)$ de la même façon, ce qui donne les résultats suivants :

$$\frac{d}{dx}(\cosh x) = \sinh x \qquad \frac{d}{dx}(\sinh x) = \cosh x$$

Exemple 3   Calculez la dérivée de $\tanh x$.

Solution   En utilisant la règle du quotient, on obtient

$$\frac{d}{dx}(\tanh x) = \frac{d}{dx}\left(\frac{\sinh x}{\cosh x}\right) = \frac{(\cosh x)^2 - (\sinh x)^2}{(\cosh x)^2} = \frac{1}{\cosh^2 x}.$$

Problèmes de la section 4.6

1. Montrez que $\sinh 0 = 0$.

2. Montrez que $\sinh(-x) = -\sinh(x)$.

3. Décrivez et expliquez le comportement de $\sinh x$ quand $x \to \infty$ et quand $x \to -\infty$.

4. Y a-t-il une identité similaire à $\sin(2x) = 2\sin x \cos x$ pour les fonctions hyperboliques ? Justifiez votre réponse.

5. Y a-t-il une identité similaire à $\cos(2x) = \cos^2 x - \sin^2 x$ pour les fonctions hyperboliques ? Justifiez votre réponse.

6. Montrez que $\dfrac{d}{dx}(\sinh x) = \cosh x$.

Trouvez les dérivées des fonctions pour les problèmes 7 à 11.

7. $y = \cosh(2x)$ 8. $y = \sinh(3z + 5)$ 9. $f(t) = \cosh\left(e^{t^2}\right)$

10. $f(y) = \sinh(\sinh(3y))$ 11. $g(\theta) = \ln(\cosh(1 + \theta))$

12. Considérez la famille de fonctions $y = a\cosh(x/a)$ pour $a > 0$. Tracez des graphes pour $a = 1, 2, 3$. Décrivez en langage courant l'effet de l'augmentation de a.

13. a) À l'aide d'une calculatrice ou d'un ordinateur, tracez le graphe de $y = 2e^x + 5e^{-x}$ pour $-3 \leq x \leq 3$, $0 \leq y \leq 20$. Observez sa ressemblance avec le graphe de $y = \cosh x$. Où se trouve approximativement son minimum ?

    b) Montrez algébriquement que $y = 2e^x + 5e^{-x}$ peut s'écrire sous la forme $y = A\cosh(x - c)$. Calculez les valeurs de A et de c. Expliquez ce que cela vous apprend au sujet du graphe de la partie a).

14. Ce problème étant une généralisation du problème 13, montrez que toute fonction de la forme

$$y = Ae^x + Be^{-x}, \quad A > 0, B > 0$$

peut s'écrire, pour un K et un c, sous la forme

$$y = K\cosh(x - c).$$

Qu'est-ce que cela vous apprend au sujet du graphe de $y = Ae^x + Be^{-x}$?

15. Considérez la famille de fonctions de la forme $y = Ae^x + Be^{-x}$ pour des constantes quelconques A et B.

   a) Tracez le graphe de la fonction pour les constantes ci-après.

   i) $A = 1, B = 1$ ii) $A = 1, B = -1$ iii) $A = 2, B = 1$
   iv) $A = 2, B = -1$ v) $A = -2, B = -1$ vi) $A = -2, B = 1$

   b) Décrivez en langage courant la forme générale du graphe si A et B ont le même signe. Quel effet le signe de A a-t-il sur le graphe ?

   c) Décrivez en langage courant la forme générale du graphe si A et B ont différents signes. Quel effet le signe de A a-t-il sur le graphe ?

   d) À quelles valeurs de A et de B la fonction atteint-elle un maximum local ? un minimum local ? Justifiez votre réponse en utilisant des dérivées.

16. Le câble entre deux tours d'un pont suspendu prend la forme de la courbe

$$y = \frac{T}{w} \cosh\left(\frac{wx}{T}\right),$$

où T est la tension dans le câble à son point le plus bas et w est le poids du câble par unité de longueur. La courbe s'appelle une *caténaire*.

   a) Supposez que le câble s'étire entre les points $x = -T/w$ et $x = T/w$. Trouvez une expression pour la courbure du câble. (Autrement dit, trouvez la différence de hauteur entre le point le plus élevé et le point le plus bas du câble.)

   b) Montrez que la forme du câble satisfait à l'équation différentielle

$$\frac{d^2y}{dx^2} = \frac{w}{T}\sqrt{1 + \left(\frac{dy}{dx}\right)^2}.$$

17. L'arche Saint-Louis peut être modélisée approximativement avec une fonction de la forme $y = b - a \cosh(x/a)$. En plaçant l'origine sur le sol, au centre de l'arc, et l'axe des y vers le haut, trouvez une équation approximative pour l'arche, étant donné les dimensions présentées à la figure 4.77. (En d'autres mots, trouvez a et b.)

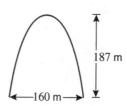

187 m
160 m

Figure 4.77

SOMMAIRE DU CHAPITRE

- **Extremums locaux**
  Maximum, minimum, point critique, valeur critique, tests pour le maximum local et le minimum local.

- **Utilisation de la dérivée seconde**
  Concavité, point d'inflexion.

- **Familles de courbes**

- **Optimisation**
  Extremum absolu, problèmes de modélisation, optimisation graphique, majorant et minorant.

- **Marginalité**
  Fonctions de coût et de revenu, fonctions de revenu marginal et de coût marginal.

- **Fonctions hyperboliques**

PROBLÈMES DE RÉVISION DU CHAPITRE QUATRE

Pour les problèmes 1 et 2, indiquez tous les points critiques sur les graphes donnés. Identifiez les minimums locaux, les maximums locaux, les maximums absolus, les minimums absolus. (Notez que les graphes sont définis sur des intervalles fermés.)

1.

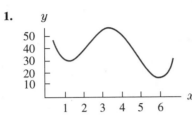

Figure 4.78

2.

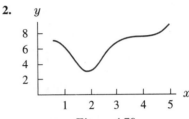

Figure 4.79

Pour les graphes de f' des problèmes 3 à 6, déterminez :

    a) Sur quels intervalles f est croissante et sur quels intervalles f est décroissante.

    b) Si f a des maximums ou des minimums locaux ou absolus. Le cas échéant, identifiez-les et situez-les.

3. 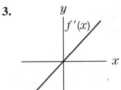   **4.** 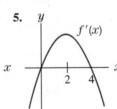   **5.**   **6.**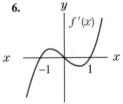

Pour chacune des fonctions des problèmes 7 à 10 :

    a) Trouvez f' et f''.

    b) Trouvez les points critiques de f.

    c) Trouvez les points d'inflexion.

    d) Évaluez f aux points critiques et aux extrémités de l'intervalle. Identifiez le maximum absolu et le minimum absolu de f.

    e) Tracez le graphe de f. Indiquez clairement où f est croissante ou décroissante et précisez sa concavité.

7. $f(x) = x^3 - 3x^2$ $(-1 \leq x \leq 3)$ **8.** $f(x) = x + \sin x$ $(0 \leq x \leq 2\pi)$

9. $f(x) = e^{-x} \sin x$ $(0 \leq x \leq 2\pi)$ **10.** $f(x) = x^{-2/3} + x^{1/3}$ $(1,2 \leq x \leq 3,5)$

Pour chacune des fonctions des problèmes 11 à 13, trouvez les limites quand x tend vers $+\infty$ et vers $-\infty$ puis procédez comme pour les problèmes 7 à 10. (Autrement dit, trouvez f', etc.)

11. $f(x) = 2x^3 - 9x^2 + 12x + 1$ **12.** $f(x) = \dfrac{4x^2}{x^2 + 1}$ **13.** $f(x) = xe^{-x}$

14. Déterminez les maximums locaux et les minimums locaux ainsi que les points d'inflexion de $e^{-x^2/2}$. Tracez un graphe.

Pour chacune des fonctions des problèmes 15 à 20, utilisez la dérivée pour identifier les maximums locaux et les minimums locaux ainsi que les points d'inflexion. Confirmez vos réponses en utilisant une calculatrice ou un ordinateur.

15. $f(x) = x^3 + 3x^2 - 9x - 15$ **16.** $f(x) = x^5 - 15x^3 + 10$ **17.** $f(x) = x - 2\ln x$ pour $x > 0$

18. $f(x) = x^2 e^{5x}$ **19.** $f(x) = e^{-x^2}$ **20.** $f(x) = \dfrac{x^2}{x^2 + 1}$

21. Sur le graphe de la fonction dérivée f' de la figure 4.80, indiquez les valeurs de x qui sont des points critiques de la fonction f. S'agit-il de maximums locaux, de minimums locaux ou de ni l'un ni l'autre ?

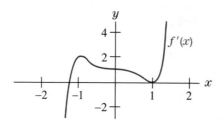

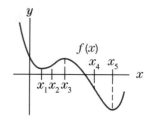

Figure 4.80 : Graphe de f' *Figure 4.81*

22. Pour la fonction f du graphe de la figure 4.81 :

    a) Tracez le graphe de $f'(x)$.
    b) Où $f'(x)$ change-t-elle de signe ?
    c) Où $f'(x)$ atteint-elle des maximums locaux ou des minimums locaux ?

23. En vous basant sur votre réponse au problème 22, décrivez brièvement (à l'aide de phrases complètes) les relations entre les caractéristiques suivantes d'une fonction f :

    a) Les maximums locaux et les minimums locaux de f.
    b) Les points où le graphe de f change de concavité.
    c) Les changements de signe de f'.
    d) Les maximums locaux et les minimums locaux de f'.

24. Une boîte fermée de base carrée a un volume fixe V. Quelles dimensions minimisent la surface ?

25. Une boîte ouverte de base carrée a un volume fixe V. Quelles dimensions minimisent la surface ?

Trouvez les meilleures bornes possible pour les fonctions des problèmes 26 et 27.

26. $e^{-x} \sin x$ pour $x \geq 0$ **27.** $x \sin x$ pour $0 \leq x \leq 2\pi$

28. Tracez plusieurs membres de la famille $y = x^3 - ax^2$ sur le même système d'axes. Montrez que les points critiques se trouvent sur la courbe $y = -\frac{1}{2}x^3$.

29. Supposez que $g(t) = (\ln t)/t$ pour $t > 0$.

    a) La fonction g a-t-elle un maximum absolu ou un minimum absolu sur $0 < t < \infty$? Le cas échéant, situez-les et déterminez quelles sont leurs coordonnées.
    b) Que vous apprennent les réponses à la partie a) au sujet du nombre de solutions de l'équation

$$\frac{\ln x}{x} = \frac{\ln 5}{5} \, ?$$

    (Remarque : il existe plusieurs façons de trouver le nombre de solutions à cette équation. On vous demande de tirer une conclusion à partir de la réponse à la partie a).)
    c) Estimez la ou les solutions.

30. Des populations à croissance limitée ont été modélisées à l'aide de la famille de courbes logistiques

$$y = \frac{A}{1 + Be^{-Cx}} \quad \text{pour} -\infty < x < \infty \quad \text{et} \quad A, B, C > 0.$$

    a) Tracez un graphe de $g(x) = A/(1 + e^{-Cx})$. Quelle est la signification du paramètre A ?
    b) Montrez que $g(-x) + g(x) = A$. Que signifie ce résultat par rapport aux graphes de $g(x)$ et de $g(-x)$?

c) Qu'advient-il du graphe de g si A est maintenu constant et si la valeur de C est augmentée ?

d) Montrez que la courbe de $y = A/(1 + Be^{-Cx})$ est une translation horizontale du graphe de g.

31. Pour $a > 0$, la droite

$$a(a^2 + 1)y = a - x$$

forme un triangle dans le premier quadrant avec les axes des x et des y.

a) Trouvez, en fonction de a, les intersections de la droite avec les axes des x et des y.

b) Trouvez l'aire du triangle en fonction de a.

c) Trouvez la valeur de a qui permet à l'aire d'atteindre un maximum.

d) Quelle est l'aire la plus grande ?

e) Si vous souhaitez que le triangle ait une aire de $1/5$, de quels choix disposez-vous pour a ?

32. Un bateau navigue à 12 nœuds en direction nord (1 nœud = 1,85 km/h) et aperçoit à 3 km au nord-ouest un énorme pétrolier qui file à une vitesse de 15 nœuds vers l'est. Pour des raisons de sécurité, les bateaux doivent maintenir une distance minimale de 100 m entre eux. Utilisez une calculatrice ou un ordinateur pour déterminer la distance la plus courte qui va les séparer s'ils continuent à naviguer dans leur direction respective, puis déterminez s'ils doivent changer de cap.

33. Considérez le vase présenté à la figure 4.82. Supposez qu'on remplit ce vase d'eau à un débit constant (c'est-à-dire à un volume constant par unité de temps).

a) Tracez le graphe de $y = f(t)$, soit la profondeur de l'eau, en fonction du temps t. Montrez sur votre graphe les points où la concavité change.

b) À quelle profondeur $y = f(t)$ croît-elle le plus rapidement ? le plus lentement ? Estimez le rapport entre les taux de croissance de ces deux profondeurs.

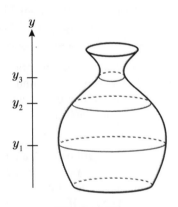

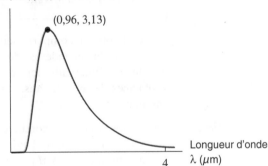

Figure 4.82   *Figure 4.83*

34. Tout corps irradie de l'énergie de différentes longueurs d'onde. La puissance de la radiation (par mètre carré de surface) et la distribution de la radiation parmi les longueurs d'onde varient avec la température (en kelvins).

La fonction du graphe tracé à la figure 4.83 représente l'intensité de la radiation d'un corps noir à une température $T = 3000$ K en fonction de la longueur d'onde. L'intensité de la radiation est à son niveau le plus élevé dans la gamme infrarouge, autrement dit, à des longueurs d'onde plus longues que celles de la lumière visible ($0,4 - 0,7$ μm). Selon la loi de la radiation de Max Planck émise par la Berlin Physical Society le 19 octobre 1900,

$$r(\lambda) = \frac{a}{\lambda^5(e^{b/\lambda} - 1)},$$

où a et b sont des constantes empiriques choisies pour mieux correspondre aux données expérimentales. Trouvez a et b de telle sorte que la formule corresponde au graphe.

(Plus tard en 1900, Planck a été capable de dériver sa loi de la radiation entièrement à partir de la théorie. Il a prouvé que $a = 2\pi c^2 h$ et que $b = \frac{hc}{Tk}$, où $c =$ la vitesse de la lumière, $h =$ la constante de Planck et $k =$ la constante de Boltzmann.)

GROS PLAN SUR LA THÉORIE

THÉORÈMES SUR LES FONCTIONS CONTINUES ET DIFFÉRENTIABLES

Dans ce chapitre, on a utilisé des faits élémentaires sans les appuyer par des preuves. Par exemple, on a dit qu'une fonction continue a un maximum sur un intervalle fermé et borné, ou qu'une fonction dont la dérivée est positive sur un intervalle est croissante sur cet intervalle.

D'un point de vue géométrique, ces faits semblent évidents. Si on trace le graphe d'une fonction continue, en commençant par une extrémité d'un intervalle borné et fermé en allant à l'autre extrémité, il semble évident qu'on doit passer par le point le plus élevé. Et si la dérivée d'une fonction est positive, alors son graphe doit aller en montant et la fonction doit donc être croissante.

Cependant, ce type de raisonnement graphique ne constitue pas une preuve rigoureuse pour deux raisons. Premièrement, peu importe les représentations qu'on s'en fait, on ne peut être sûr d'avoir pensé à toutes les possibilités. Deuxièmement, ces représentations dépendent souvent des théorèmes qu'on tente de prouver.

Une fonction continue sur un intervalle fermé a un maximum

> **Théorème de la valeur extrême**
> Si f est continue sur l'intervalle $[a, b]$, alors f a un maximum absolu et un minimum absolu sur cet intervalle.

Cette preuve comporte deux parties : la première consiste à démontrer que f a un majorant sur $[a, b]$; la seconde est de démontrer que, si f a un majorant, alors elle a un maximum absolu sur l'intervalle. Ici on prouve la seconde partie ; la première partie est démontrée aux problèmes 16 et 17. Puis, au problème 5, on applique les résultats d'un maximum à un minimum.

Preuve   On suppose que f est continue et a un majorant sur l'intervalle $[a, b]$. Cela signifie que f a un supremum M sur $[a, b]$. Divisez $[a, b]$ en deux moitiés. Sur l'une des moitiés, on constate que le supremum de f est M puisque, s'il était inférieur à M sur les deux moitiés, il sera inférieur à M sur tout l'intervalle. Choisissez une moitié sur laquelle le supremum est égal à M. Continuez de le diviser en deux parties égales et à chaque étape, choisissez le demi-intervalle où le supremum de f est M (voir la figure 4.84). Cela donne une série d'intervalles imbriqués (ou emboîtés). Selon le théorème sur les intervalles emboîtés présenté au chapitre 1, il y a un nombre c dans $[a, b]$ qui est contenu dans tous ces intervalles.

Puisque M est le supremum de f, on a $f(c) \leq M$. Il n'est pas possible que $f(c) < M$. En effet, si $f(c) < M$, alors $f(c) < M_0$ pour certains nombres $M_0 < M$. (Par exemple, on peut prendre M_0 pour qu'il se trouve à mi-chemin entre M et $f(c)$.) Mais, puisque f est continue, il y aura un $\delta > 0$ de telle sorte que $f(x) < M_0$ pour tout x dans $[a, b]$ avec $c - \delta < x < c + \delta$ (voir le problème 15). Puisque les intervalles imbriqués qu'on a construits ci-dessus ont une largeur qui tend vers zéro, l'un d'eux serait contenu dans l'intervalle $c - \delta < x < c + \delta$. Ainsi, f serait bornée au-dessus par M_0 sur l'un des intervalles emboîtés. Cependant, on a choisi chaque intervalle emboîté de manière que le supremum de f soit M. Il s'agit d'une contradiction de $M_0 < M$.

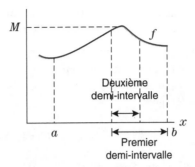

Figure 4.84 : Choisir successivement le demi-intervalle où le supremum de f est M

Donc, il n'est pas possible que $f(c) < M$; on doit avoir $f(c) = M$. Ainsi, M est le maximum absolu de f sur $[a, b]$, ce qu'on souhaitait démontrer.

Le théorème de la valeur extrême garantit la présence d'un maximum (et d'un minimum) absolu sur un intervalle. Pour trouver le maximum absolu, on doit observer tous les maximums locaux. Le théorème suivant indique que, sur un intervalle, les maximums locaux se situent seulement aux points critiques où la dérivée est zéro ou n'existe pas.

> **Théorème : extremums locaux et points critiques**
> On suppose que f est définie sur un intervalle et qu'elle a un maximum ou un minimum local au point $x = a$, lequel n'est pas une extrémité de l'intervalle. Si f est différentiable en $x = a$, alors $f'(a) = 0$.

Preuve On commence par la définition de la dérivée :

$$f'(a) = \lim_{h \to 0} \frac{f(a + h) - f(a)}{h}.$$

Il faut se souvenir qu'il s'agit d'une limite bilatérale :

$$f'(a) = \lim_{h \to 0^-} \frac{f(a + h) - f(a)}{h} = \lim_{h \to 0^+} \frac{f(a + h) - f(a)}{h}.$$

On suppose que f a un maximum local en $x = a$. Selon la définition du maximum local, $f(a + h) \leq f(a)$ pour tout h suffisamment proche de 0. Ainsi, $f(a + h) - f(a) \leq 0$. Le dénominateur h est positif quand on prend la limite à partir de la droite, et il est négatif quand on prend la limite à partir de la gauche.
D'où

$$\lim_{h \to 0^-} \frac{f(a + h) - f(a)}{h} \geq 0 \quad \text{et} \quad \lim_{h \to 0^+} \frac{f(a + h) - f(a)}{h} \leq 0.$$

Puisque ces deux limites sont égales à $f'(a)$, on a $f'(a) \geq 0$ et $f'(a) \leq 0$; on doit donc avoir $f'(a) = 0$.

La relation entre l'information locale et l'information globale : le théorème de la valeur moyenne (ou des accroissements finis)

On veut souvent tirer une conclusion globale (par exemple, f est croissante sur un intervalle) à partir d'une information locale (f' est positive). Le théorème suivant met en relation le taux moyen de variation d'une fonction sur un intervalle (information globale) et le taux de variation instantané en un point de l'intervalle (information locale).

Théorème de la valeur moyenne

Si f est continue sur $[a, b]$ et différentiable sur $]a, b[$, alors il existe un nombre c où $a < c < b$ tel que

$$f'(c) = \frac{f(b) - f(a)}{b - a}.$$

En d'autres mots, $f(b) - f(a) = f'(c)(b - a)$.

Pour comprendre ce théorème d'un point de vue géométrique, on considère le graphe de la figure 4.85. Sur la courbe où $x = a$ et $x = b$, on relie les points par une ligne et on constate que la pente de cette droite sécante AB est donnée par

$$m = \frac{f(b) - f(a)}{b - a}.$$

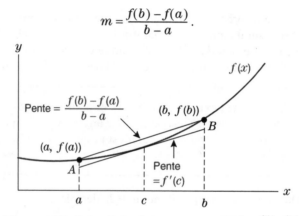

Figure 4.85 : Point d'abscisse $x = c$ avec $f'(c) = \frac{f(b) - f(a)}{b - a}$

On considère maintenant chacune des droites tangentes au graphe tracées aux points d'abscisses et comprises entre $x = a$ et $x = b$. Généralement, ces droites auront des pentes différentes. Pour la courbe illustrée à la figure 4.85, la droite tangente en $x = a$ est moins inclinée que la droite sécante AB. De même, la droite tangente en $x = b$ est plus abrupte que la droite sécante. Cependant, il y a au moins un point entre A et B où la pente de la droite tangente à la courbe est précisément la même que celle de la droite sécante. On suppose que cette situation se produit en $x = c$. Alors,

$$f'(c) = m = \frac{f(b) - f(a)}{b - a}.$$

Le théorème de la valeur moyenne indique que le point d'abscisse $x = c$ existe, mais il ne précise pas comment trouver c (pour trouver c, il faut résoudre une équation).

Les problèmes 18 et 19 démontrent comment le théorème de la valeur moyenne peut être déduit du théorème de la valeur extrême.

Le théorème de la fonction croissante

On dit qu'une fonction f est croissante sur un intervalle si, pour deux nombres x_1 et x_2 sur l'intervalle tel que $x_1 < x_2$, on a $f(x_1) < f(x_2)$. Si, à la place, on a $f(x_1) \leq f(x_2)$, on dit que f est *non décroissante*.

> **Théorème de la fonction croissante**
> On suppose que f est continue sur $[a, b]$ et différentiable sur $]a, b[$.
> - Si $f'(x) > 0$ sur $]a, b[$, alors f est croissante sur $[a, b]$.
> - Si $f'(x) \geq 0$ sur $]a, b[$, alors f est non décroissante sur $[a, b]$.

Preuve On suppose que $a \leq x_1 < x_2 \leq b$. Selon le théorème de la valeur moyenne, il y a un nombre c avec $x_1 < c < x_2$, de telle sorte que

$$f(x_2) - f(x_1) = f'(c)(x_2 - x_1).$$

Si $f'(c) > 0$, on a $f(x_2) - f(x_1) > 0$, ce qui signifie que f est croissante.
Si $f'(c) \geq 0$, on a $f(x_2) - f(x_1) \geq 0$, ce qui signifie que f est non décroissante.

On pourrait croire qu'un énoncé aussi simple que le théorème de la fonction croissante devrait découler directement de la définition de la dérivée et que l'utilisation du théorème de la valeur moyenne pour le prouver est surprenante. Une preuve plus directe et indépendante est fournie au problème 11, mais cette preuve comporte également certaines subtilités.

Le théorème de la fonction constante

Si f est constante sur un intervalle, alors on sait que $f'(x) = 0$ sur l'intervalle. Le théorème suivant est la réciproque du précédent.

> **Théorème de la fonction constante**
> On suppose que f est continue sur $[a, b]$ et différentiable sur $]a, b[$. Si $f'(x) = 0$ sur $]a, b[$, alors f est constante sur $[a, b]$.

Preuve La preuve est la même que celle du théorème de la fonction croissante, mais dans ce cas $f'(c) = 0$. D'où $f(x_2) - f(x_1) = 0$ et $f(x_2) = f(x_1)$ pour $a \leq x_1 < x_2 \leq b$. Donc, f est constante.

Les problèmes 6 et 8 fournissent une preuve du théorème de la fonction constante qui utilise le théorème de la fonction croissante.

Le principe de l'hippodrome

> **Principe de l'hippodrome**[5]
> On suppose que g et h sont continues sur $[a, b]$ et différentiables sur $]a, b[$, et que $g'(x) \leq h'(x)$ pour $a < x < b$.
> - Si $g(a) = h(a)$, alors $g(x) \leq h(x)$ pour $a \leq x \leq b$.
> - Si $g(b) = h(b)$, alors $g(x) \geq h(x)$ pour $a \leq x \leq b$.

Le principe de l'hippodrome a la signification suivante. On peut penser à $g(x)$ et à $h(x)$ comme étant les positions de deux chevaux de course au temps x, et que le cheval h se déplace toujours plus vite que le cheval g. S'ils partent en même temps, le cheval h mène durant toute la course. S'ils arrivent en même temps, le cheval g a mené durant toute la course.

---

5. Basé sur le principe de l'hippodrome du volume de DAVIS, William, Horacio PORTA et Jerry UHL, *Calculus & Mathematica* (Reading : Addison Wesley, 1994).

Preuve   Considérez la fonction $f(x) = h(x) - g(x)$. Puisque $f'(x) = h'(x) - g'(x) \geq 0$, on sait que f est non décroissante selon le théorème de la fonction croissante. D'où $f(x) \geq f(a) = h(a) - g(a) = 0$. Donc, $g(x) \leq h(x)$ pour $a \leq x \leq b$, ce qui prouve la première partie du principe de l'hippodrome. La preuve de la deuxième partie est demandée au problème 7.

Exemple 1   À l'aide d'un graphe, expliquez pourquoi $e^x \geq 1 + x$ pour toutes les valeurs de x. Puis, utilisez le principe de l'hippodrome pour prouver l'inégalité.

Solution   Le graphe de la fonction $f(x) = e^x$ est concave vers le haut partout et l'équation de sa droite tangente au point $(0, 1)$ est $y = x + 1$ (voir la figure 4.86). Puisque le graphe se trouve toujours au-dessus de sa tangente, on a l'inégalité

$$e^x \geq 1 + x.$$

Maintenant, on doit démontrer l'inégalité en utilisant le principe de l'hippodrome. Soit $g(x) = 1 + x$ et $h(x) = e^x$. On a $g(0) = h(0) = 1$. De plus, $g'(x) = 1$ et $h'(x) = e^x$. Ainsi, $g'(x) \leq h'(x)$ pour $x \geq 0$. Donc, selon le principe de l'hippodrome, avec $a = 0$, on a $g(x) \leq h(x)$, ce qui signifie que $1 + x \leq e^x$.

Pour $x \leq 0$, on a $h'(x) \leq g'(x)$. Donc, selon le principe de l'hippodrome, avec $b = 0$, on a $g(x) \leq h(x)$, ce qui signifie que $1 + x \leq e^x$.

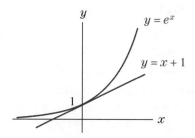

Figure 4.86 : Graphe démontrant que $e^x \geq 1 + x$

Problèmes sur les théorèmes concernant les fonctions continues et différentiables

1. Utilisez le principe de l'hippodrome et considérez le fait que $\sin 0 = 0$ pour démontrer que $\sin x \leq x$ pour tout $x \geq 0$.

2. Utilisez le principe de l'hippodrome pour démontrer que $\ln x \leq x - 1$.

3. Considérez le fait que $\ln x$ et e^x sont des fonctions réciproques pour démontrer que les inégalités $e^x \geq 1 + x$ et $\ln x \leq x - 1$ sont équivalentes pour $x > 0$.

4. Supposez que la position d'une particule qui se déplace le long de l'axe des x est donnée par $s = f(t)$, et que la position et la vitesse initiales de la particule sont $f(0) = 3$ et $f'(0) = 4$. Supposez aussi que l'accélération est bornée par $5 \leq f''(t) \leq 7$ pour $0 \leq t \leq 2$. Que pouvez-vous dire de la position $f(2)$ de la particule en $t = 2$?

5. Démontrez que, si chaque fonction continue sur un intervalle $[a, b]$ a un maximum absolu, alors chaque fonction continue a aussi un minimum absolu. [Conseil : considérez $-f$.]

6. Énoncez un théorème de la fonction décroissante semblable au théorème de la fonction croissante. Déduisez votre théorème du théorème de la fonction croissante. [Conseil : appliquez le théorème de la fonction croissante à $-f$.]

7. Supposez que g et h sont continues sur $[a, b]$ et différentiables sur $]a, b[$. Prouvez que, si $g'(x) \leq h'(x)$ pour $a < x < b$ et si $g(b) = h(b)$, alors $h(x) \leq g(x)$ pour $a \leq x \leq b$.

8. Déduisez le théorème de la fonction constante du théorème de la fonction croissante et du théorème de la fonction décroissante (voir le problème 6).

9. Prouvez que, si $f'(x) = g'(x)$ pour tout x dans $]a, b[$, alors il y a une constante C telle que $f(x) = g(x) + C$ sur $]a, b[$. [Conseil : appliquez le théorème de la fonction constante à $h(x) = f(x) - g(x)$.]

10. Supposez que $f'(x) = f(x)$ pour tout x. Prouvez que $f(x) = Ce^x$ pour une constante C. [Conseil : considérez la fonction $f(x)/e^x$.]

11. Dans ce problème, on donne une preuve du théorème de la fonction croissante qui n'utilise pas le théorème de la valeur moyenne. Supposez que f est continue sur $[a, b]$ et différentiable sur $]a, b[$, et que $f'(x) \geq 0$ pour tout x dans $]a, b[$.

   a) On écrit Pente (c, d) pour noter la pente entre $(c, f(c))$ et $(d, f(d))$, alors

   $$\text{Pente } (c, d) = \frac{f(d) - f(c)}{d - c}.$$

   Démontrez que, si $c < e < d$, alors

   $$\text{Pente } (c, d) = \left(\frac{e - c}{d - c}\right) \cdot \text{Pente } (c, e) + \left(\frac{d - e}{d - c}\right) \cdot \text{Pente } (e, d).$$

   Utilisez cette équation pour démontrer que Pente (c, d) se trouve entre Pente (c, e) et Pente (e, d).

   b) Premièrement, on démontre que f est non décroissante sur $]a, b[$, c'est-à-dire que, si $a < a_1 < b_1 < b$, alors $f(a_1) \leq f(b_1)$. Supposez que, contrairement à ce qu'on veut, $f(a_1) > f(b_1)$, de telle sorte que Pente (a_1, b_1) soit négative. Démontrez qu'il y a une suite d'intervalles emboîtés $[a_n, b_n]$, chacun étant la moitié du précédent, de telle sorte que Pente $(a_n, b_n) \leq$ Pente (a_1, b_1) pour tout n.

   c) Selon le théorème des intervalles emboîtés, il y a un nombre c dans $]a, b[$ qui est contenu sur tous les intervalles $[a_n, b_n]$. Démontrez que, pour tout n, Pente (a_n, c) ou Pente (c, b_n) est inférieure ou égale à Pente (a_1, b_1).

   d) En utilisant $\lim_{x \to c}$ Pente $(x, c) = \lim_{x \to c}$ Pente $(c, x) = f'(c) \geq 0$, démontrez que, pour un n suffisamment grand, Pente (a_n, c) et Pente (c, b_n) sont supérieures à Pente (a_1, b_1), ce qui contredit la partie c).

   e) La contradiction de la partie d) prouve que l'hypothèse $f(a_1) > f(b_1)$ de la partie b) doit être fausse. Par conséquent, $f(a_1) \leq f(b_1)$. Puisque cela est vrai pour tout a_1 et tout b_1 tels que $a < a_1 < b_1 < b$, on a démontré que f est non décroissante sur $]a, b[$. Utilisez la continuité de f pour déduire que f est non décroissante sur $[a, b]$.

   f) Maintenant, supposez que $f'(x) > 0$ sur $]a, b[$. Démontrez que, si $a \leq a_1 < b_1 \leq b$, et si $f(a_1) = f(b_1)$, alors f est constante sur $[a_1, b_1]$ et $f'(x) = 0$ sur $[a_1, b_1]$. Cela contredit $f'(x) > 0$. Alors, il n'est pas possible que $f(a_1) = f(b_1)$ et on doit avoir $f(a_1) < f(b_1)$. Donc, f est croissante sur $[a, b]$.

12. Supposez que f est continue sur $[a, b]$ et différentiable sur $]a, b[$ et que $m \leq f'(x) \leq M$ sur $]a, b[$. Utilisez le principe de l'hippodrome pour prouver que $f(x) - f(a) \leq M(x - a)$ pour tout x dans $[a, b]$, et que $m(x - a) \leq f(x) - f(a)$ pour tout x dans $[a, b]$. Concluez que $m \leq (f(b) - f(a))/(b - a) \leq M$. C'est ce qu'on appelle l'inégalité de la valeur moyenne. En d'autres mots, si le taux de variation instantané de f se situe entre m et M sur un intervalle, alors il en est de même pour le taux moyen de variation de f sur l'intervalle.

13. Supposez que $f''(x) \geq 0$ pour tout x dans $]a, b[$. On démontrera que le graphe de f se situe au-dessus de la droite tangente au point $(c, f(c))$ pour tout c avec $a < c < b$.

   a) Appliquez le théorème de la fonction croissante pour prouver que $f'(c) \leq f'(x)$ pour $c \leq x < b$ et que $f'(x) \leq f'(c)$ pour $a < x \leq c$.

   b) Utilisez a) et le principe de l'hippodrome pour conclure que $f(c) + f'(c)(x - c) \leq f(x)$ pour $a < x < b$.

14. Soit F une fonction dérivable telle que sa dérivée f est continue. Soit $[a, b]$ un intervalle contenu dans le domaine de f et

$$a = x_0 < x_1 < \cdots < x_{n-1} < x_n = b$$

une subdivision de $[a, b]$. Montrez qu'il existe des nombres $Z_1, Z_2, \ldots, Z_n$ tels que

$$x_{i-1} < Z_1 < x_i \quad i = 1, 2, \ldots, n$$

et tels que

$$\sum_{i=1}^{n} f(Z_i)\,(x_i - x_{i-1}) = F(b) - F(a).$$

[Conseil : appliquez le théorème de la valeur moyenne à

$$F(b) - F(a) = (F(b) - F(x_{n-1})) + (F(x_{n-1}) - F(x_{n-2})) + \cdots + (F(x_1) - F(a)).]$$

15. Supposez que f est continue sur $[a, b]$ et que c se situe dans $[a, b]$. Démontrez que, si $f(c) < M$, alors il y a un δ tel que $f(x) < M$ pour tout x dans $[a, b]$ tel que $c - \delta < x < c + \delta$. [Conseil : soit $\epsilon = M - f(c)$. Choisissez δ de telle sorte que $|f(x) - f(c)| < \epsilon$ si $|x - c| < \delta$.]

Précédemment, on a démontré qu'une fonction continue f a un maximum absolu sur l'intervalle $[a, b]$ en partant de l'hypothèse que f a un majorant sur $[a, b]$. On prouve cette affirmation aux problèmes 16 et 17.

16. a) Supposez que f n'a pas de majorant sur $[a, b]$. Divisez $[a, b]$ en deux moitiés. Déduisez que f n'a pas de majorant sur au moins l'une des moitiés. Appelez cette moitié $[a_1, b_1]$.
    b) Continuez de subdiviser en deux pour qu'à la n-ième étape, vous obteniez un intervalle $[a_n, b_n]$ sur lequel f n'a pas de majorant. Selon le théorème de l'intervalle emboîté du chapitre 1, il y a un point c dans tous les intervalles $[a_n, b_n]$.
    c) Utilisez la continuité de f en c pour déduire que f a un majorant sur $[a_n, b_n]$ pour un n suffisamment grand. Cela contredit la supposition originale. Donc, f doit avoir un majorant sur $[a, b]$.

17. a) Démontrez que, si $y \geq 0$, alors $y/(1 + y) < 1$.
    b) Supposez que f est continue sur $[a, b]$ et que $f(x) \geq 0$ sur $[a, b]$. Définissez une fonction g par $g(x) = f(x)/(1 + f(x))$. Démontrez que g est continue et bornée sur $[a, b]$. Il découle de la preuve partielle du théorème de la valeur extrême déjà cité que g a un maximum absolu sur $[a, b]$ en un point $x = c$.
    c) Supposez que $y_1 \geq 0$ et $y_2 \geq 0$, et que $y_1/(1 + y_1) \leq y_2/(1 + y_2)$. Démontrez que $y_1 \leq y_2$.
    d) Utilisez les parties c) et d) pour démontrer que f a un maximum absolu en $x = c$.
    e) On a démontré que, si f est continue et non négative sur $[a, b]$, alors elle est majorée sur $[a, b]$. Maintenant, supposez que f est continue, mais pas nécessairement non négative. En appliquant l'argument à $|f|$, déduisez que f est aussi majorée.

18. Dans ce problème, on démontre un exemple spécial du théorème de la valeur moyenne où $f(a) = f(b) = 0$. Ce cas spécial est appelé le théorème de Rolle. Si f est continue sur $[a, b]$ et différentiable sur $]a, b[$, et si $f(a) = f(b) = 0$, alors il y a un nombre c avec $a < c < b$ tel que

$$f'(c) = 0.$$

Selon le théorème de la valeur extrême, f a un maximum absolu et un minimum absolu sur $[a, b]$.

   a) Prouvez le théorème de Rolle dans le cas où le maximum absolu et le minimum absolu sont tous deux à des extrémités de $[a, b]$. [Conseil : $f(x)$ doit être une fonction très simple dans ce cas.]
   b) Prouvez le théorème de Rolle dans le cas où le maximum absolu ou le minimum absolu n'est pas à une extrémité de l'intervalle. [Conseil : pensez aux maximums et aux minimums locaux.]

19. Appliquez le théorème de Rolle pour prouver le théorème de la valeur moyenne. Supposez que $f(x)$ est continue sur $[a, b]$ et différentiable sur $]a, b[$.

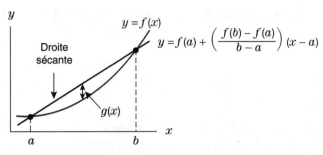

Figure 4.87 : $g(x)$ est la différence entre la droite sécante
et le graphe de $f(x)$.

a) Soit $g(x)$ la différence entre $f(x)$ et la valeur de y de la droite sécante reliant $(a, f(a))$ à $(b, f(b))$ [voir la figure 4.87]. Démontrez que

$$g(x) = f(x) - f(a) - \frac{f(b) - f(a)}{b - a}(x - a).$$

b) Appliquez le théorème de Rolle pour démontrer qu'il doit y avoir un point c dans $]a, b[$ tel que $g'(c) = 0$.

c) Démontrez que, si c est le point dans la partie b), alors

$$f'(c) = \frac{f(b) - f(a)}{b - a}.$$

ANNEXE A   LES RACINES, LA PRÉCISION ET LES BORNES

Souvent, il est nécessaire de trouver les zéros d'un polynôme ou les points d'intersection de deux courbes. Jusqu'à maintenant, on a utilisé des méthodes algébriques, comme la formule quadratique, pour résoudre de tels problèmes. Malheureusement, les recherches de solutions similaires pour des équations plus compliquées n'ont pas toujours été très fructueuses. Les formules pour résoudre les équations de degré 3 et de degré 4 sont tellement compliquées qu'on préférerait ne jamais devoir les utiliser. Au début du XIXe siècle, on a prouvé qu'il n'existait pas de formule algébrique pour résoudre les équations de degré 5 et plus. La plupart des équations non polynomiales ne peuvent être résolues au moyen d'une formule.

Cependant, on peut encore trouver des racines d'équations, à la condition d'utiliser des méthodes d'approximation et non des formules. Dans la présente section, on discutera trois manières de trouver des racines : algébrique, graphique et numérique. Parmi celles-ci, seule la méthode algébrique donne des solutions exactes.

Premièrement, on définit clairement la terminologie. Soit l'équation $x^2 = 4$. On appelle $x = -2$ et $x = 2$ les *racines* ou *solutions de l'équation*. Si on a la fonction $f(x) = x^2 - 4$, alors on appelle -2 et 2 les *zéros de la fonction* ; ainsi, les zéros de la fonction f sont les racines de l'équation $f(x) = 0$.

Le point de vue algébrique : trouver les racines grâce à la factorisation

Si le produit de deux nombres est zéro, alors l'un ou l'autre ou les deux doivent être zéro. Autrement dit, si $AB = 0$, alors $A = 0$ ou $B = 0$. Cette observation est à la base de la recherche de racines à l'aide de la factorisation. Peut-être que le lecteur a déjà passé beaucoup de temps à factoriser les polynômes. Ici il faut encore factoriser des expressions comportant des fonctions trigonométriques et exponentielles.

Exemple 1   Trouvez les racines de $x^2 - 7x = 8$.

Solution   On réécrit l'équation comme suit : $x^2 - 7x - 8 = 0$. Puis, on factorise le côté gauche : $(x + 1)(x - 8) = 0$. Selon l'observation qu'on peut faire sur les produits, soit $x + 1 = 0$ ou $x - 8 = 0$. Donc, les racines sont $x = -1$ et $x = 8$.

Exemple 2   Trouvez les racines de $\dfrac{1}{x} - \dfrac{x}{(x+2)} = 0$.

Solution   On réécrit le côté gauche avec un dénominateur commun :

$$\frac{x + 2 - x^2}{x(x+2)} = 0.$$

Quand une fraction est zéro, le numérateur doit être zéro. Par conséquent, on doit obtenir

$$x + 2 - x^2 = (-1)(x^2 - x - 2) = (-1)(x - 2)(x + 1) = 0.$$

On conclut que $x - 2 = 0$ ou que $x + 1 = 0$. Donc, 2 et -1 sont les racines. On peut le vérifier par substitution.

Exemple 3   Trouvez les racines de $e^{-x} \sin x - e^{-x} \cos x = 0$.

Solution   On factorise le côté gauche : $e^{-x}(\sin x - \cos x) = 0$. Le facteur e^{-x} n'est jamais zéro. Il est impossible d'élever e à une puissance et d'obtenir zéro. Par conséquent, la seule possibilité est que $\sin x - \cos x = 0$. Cette équation est équivalente à $\sin x = \cos x$. Si on divise les deux côtés par $\cos x$, on obtient

$$\frac{\sin x}{\cos x} = \frac{\cos x}{\cos x}, \quad \text{alors} \quad \tan x = 1.$$

Les racines de cette équation sont

$$\ldots, \frac{-7\pi}{4}, \frac{-3\pi}{4}, \frac{\pi}{4}, \frac{5\pi}{4}, \frac{9\pi}{4}, \frac{13\pi}{4}, \ldots$$

Avertissement : la factorisation permet de résoudre une équation seulement quand un côté de l'équation est zéro. Il est faux que, par exemple, si $AB = 7$, alors $A = 7$ ou $B = 7$. On *ne peut pas* résoudre $x^2 - 4x = 2$ en factorisant $x(x - 4) = 2$, puis en supposant que $x = 2$ ou que $x - 4 = 2$.

Le problème avec la factorisation est que les facteurs ne sont pas faciles à trouver. Par exemple, le côté gauche de l'équation quadratique $x^2 - 4x - 2 = 0$ ne se factorise pas, du moins pas en facteurs simples avec des coefficients entiers. Pour l'équation quadratique générale

$$ax^2 + bx + c = 0,$$

on a la formule quadratique pour les racines, soit

$$x = \frac{-b \pm \sqrt{b^2 - 4ac}}{2a}.$$

Par conséquent, les racines de $x^2 - 4x - 2 = 0$ sont $(4 \pm \sqrt{24})/2$ ou $2 + \sqrt{6}$ et $2 - \sqrt{6}$.

À noter que dans chacun de ces exemples, on a trouvé les racines de façon exacte.

Le point de vue graphique : trouver les racines par agrandissement

Pour trouver les racines d'une équation $f(x) = 0$, il peut être utile de tracer le graphe de f. Les racines de l'équation, soit les zéros de f, sont *les valeurs de x où le graphe de f croise l'axe des x*. Même un graphe très approximatif peut être utile pour déterminer le nombre de zéros et leur valeur approximative. À l'aide d'une calculatrice ou d'un ordinateur, la méthode la plus facile consiste à trouver la solution au moyen d'un graphe, notamment si on utilise la fonction d'agrandissement. Cependant, un graphe ne peut jamais révéler la valeur exacte de la racine, seulement une approximation de celle-ci.

Exemple 4   Trouvez les racines de $x^3 - 4x - 2 = 0$.

Solution   Si on essaie de factoriser le côté gauche avec des coefficients entiers, on constatera que ce n'est pas possible. Donc, on ne peut trouver facilement les racines avec l'algèbre. On sait que le graphe de $f(x) = x^3 - 4x - 2$ aura la forme cubique habituelle (voir la figure A.1, page suivante).

On trouve exactement trois racines : une entre $x = -2$ et $x = -1$, une autre entre $x = -1$ et $x = 0$ et une troisième entre $x = 2$ et $x = 3$. En agrandissant la plus grosse racine à l'aide d'une calculatrice ou d'un ordinateur graphique, on voit qu'elle se trouve sur l'intervalle

$$2,213 < x < 2,215.$$

Par conséquent, la racine est $x = 2,21$, avec deux décimales exactes. En agrandissant les deux autres racines, on constate que $x = -1,68$ et que $x = -0,54$, avec deux décimales exactes.

Conseil pratique : on suppose qu'on veut résoudre graphiquement l'équation $\sin x - \cos x = 0$. Plutôt que de tracer le graphe de $f(x) = \sin x - \cos x$ et de rechercher les zéros, il sera plus facile de réécrire l'équation sous la forme $\sin x = \cos x$ et de tracer le graphe de $g(x) = \sin x$ et celui de $h(x) = \cos x$. (Après tout, on sait déjà à quoi ressemblent ces deux graphes [voir la figure A.2, page suivante].) Les racines de l'équation originale sont alors précisément les abscisses des points d'intersection des graphes de $g(x)$ et de $h(x)$.

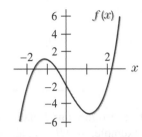

Figure A.1 : Fonction cubique
$f(x) = x^3 - 4x - 2$

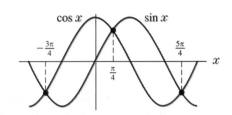

Figure A.2 : Recherche des racines
de $\sin x - \cos x = 0$

Exemple 5   Trouvez les racines de $2 \sin x - x = 0$.

Solution   On réécrit l'équation comme suit : $2 \sin x = x$. Puis, on trace le graphe des deux côtés de l'équation. Puisque $g(x) = 2 \sin x$ est toujours située entre -2 et 2, il n'y a pas de racine de $2 \sin x = x$ pour $x > 2$ ni pour $x < -2$. On doit considérer seulement les graphes entre -2 et 2 (ou entre $-\pi$ et π, ce qui facilite le tracé de la fonction sinus). La figure A.3 montre ces graphes. Il y a trois points d'intersection : un semble être en $x = 0$, un autre entre $x = \pi/2$ et $x = \pi$ et un troisième entre $x = -\pi/2$ et $x = -\pi$. On peut dire que $x = 0$ est la valeur exacte d'une racine, car il satisfait exactement à l'équation d'origine. En agrandissant, on voit qu'il y a une deuxième racine en $x \approx 1,9$, et la troisième racine est en $x \approx -1,9$ par symétrie.

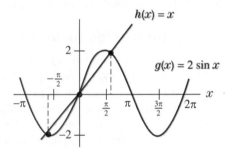

Figure A.3 : Recherche des racines de $2 \sin x - x = 0$

Le point de vue numérique : trouver les racines par la bissection

On analyse maintenant une méthode numérique d'approximation des solutions d'une équation. Cette méthode relève de l'idée que, si la valeur d'une fonction $f(x)$ change de signe sur un intervalle et si on croit qu'il n'y a pas de cassure dans le graphe de cette fonction, alors il y a une racine pour l'équation $f(x) = 0$ sur cet intervalle.

On reprend maintenant le problème qui consiste à trouver la racine de $f(x) = x^3 - 4x - 2 = 0$ entre 2 et 3. Pour repérer la racine, on se concentre sur celle-ci en évaluant la fonction au point milieu de l'intervalle, soit $x = 2,5$. Puisque $f(2) = -2$, que $f(2,5) = 3,625$ et que $f(3) = 13$, la fonction change de signe entre $x = 2$ et $x = 2,5$, alors la racine se situe entre ces points. On analyse maintenant $x = 2,25$.

Puisque $f(2,25) = 0,39$, la fonction est négative en $x = 2$ et positive en $x = 2,25$, donc il y a une racine entre 2 et 2,25. On examine maintenant 2,125. On trouve $f(2,125) = -0,90$, donc il y a une racine entre 2,125 et 2,25, ..., et ainsi de suite. (On peut arrondir les décimales en travaillant.) [Voir la figure A.4, page suivante.] Les intervalles renfermant la racine figurent dans la liste du tableau A.1 (page suivante) et montrent que la racine est en $x = 2,21$ à deux décimales près.

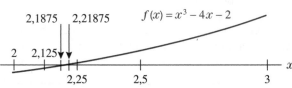

$f(x) = x^3 - 4x - 2$

Figure A.4 : Recherche d'une racine de $x^3 - 4x - 2 = 0$

TABLEAU A.1 *Intervalles renfermant la racine de $x^3 - 4x - 2 = 0$ (À noter que [2, 3] signifie $2 \le x \le 3$.)*

[2, 3]
[2, 2,5]
[2, 2,25]
[2,125, 2,25]
[2,1875, 2,25]   Alors $x = 2,2$, arrondi à une décimale près
[2,1875, 2,218 75]
[2,203 125, 2,218 75]
[2,210 937 5, 2,218 75]
[2,210 937 5, 2,214 843 8]   Alors $x = 2,21$, arrondi à deux décimales près

Cette méthode d'estimation des racines s'appelle la **méthode de la bissection** :

- Pour résoudre une équation $f(x) = 0$ en utilisant la méthode de la bissection, on a besoin de deux valeurs de départ pour x, par exemple $x = a$ et $x = b$, de sorte que $f(a)$ et $f(b)$ ont des signes opposés et que f est continue sur $[a, b]$.
- On évalue f au point milieu de l'intervalle $[a, b]$ et on décide sur quel demi-intervalle se trouve la racine.
- On répète en utilisant le nouveau demi-intervalle plutôt que $[a, b]$.

La méthode de la bissection pose certains problèmes :

- La fonction peut ne pas changer de signe lorsqu'elle est proche de la racine. Par exemple, $f(x) = x^2 - 2x + 1 = 0$ a une racine en $x = 1$, mais $f(x)$ n'est jamais négative parce que $f(x) = (x - 1)^2$ et un carré ne peut être négatif (voir la figure A.5).
- La fonction f doit être continue entre les valeurs de départ $x = a$ et $x = b$.
- S'il y a plus d'une racine entre les valeurs de départ $x = a$ et $x = b$, la méthode ne permettra de trouver qu'une seule des racines. Par exemple, si on essayait de résoudre $x^3 - 4x - 2 = 0$ en commençant en $x = -12$ et en $x = 10$, la méthode de la bissection permettrait de trouver la racine entre $x = -2$ et $x = -1$ et non entre $x = 2$ et $x = 3$ comme précédemment. (Il convient de l'essayer pour voir ce qui se produit si on utilise $x = -10$ plutôt que $x = -12$.)
- La méthode de la bissection est lente et pas très efficace. Si on applique la bissection trois fois de suite, on ne fera que coincer la racine sur un intervalle $\left(\frac{1}{2}\right)^3 = \frac{1}{8}$ aussi grand que l'intervalle de départ. Par conséquent, si on sait au départ qu'une racine se situe par exemple entre 2 et 3, alors il serait nécessaire d'appliquer la méthode de la bissection au moins quatre fois pour connaître le premier chiffre après la décimale.

Il existe de nombreuses méthodes plus efficaces pour trouver des racines, telle la méthode de Newton ; elles sont plus compliquées, mais permettent de contourner certaines de ces difficultés.

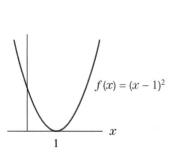

Figure A.5 : f ne change pas de signe à la racine.

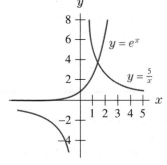

Figure A.6 : Intersection de $y = e^x$ et de $y = 5/x$

TABLEAU A.2 *Méthode de la bissection pour $f(x) = xe^x - 5 = 0$ (À noter que [1, 2] signifie l'intervalle $1 \le x \le 2$.)*

Intervalles contenant des racines
[1, 2]
[1, 1,5]
[1,25, 1,5]
[1,25, 1,375]
[1,3125, 1,375]
[1,3125, 1,343 75]

Exemple 6   Trouvez toutes les racines de $xe^x = 5$ à au moins une décimale près.

Solution   Si on réécrit l'équation sous la forme $e^x = 5/x$ et qu'on trace le graphe des deux côtés (voir la figure A.6, page précédente), il est évident qu'il y a exactement une racine et qu'elle se trouve quelque part entre 1 et 2. Le tableau A.2 (page précédente) montre les intervalles obtenus au moyen de la méthode de la bissection. Après cinq itérations, on obtient la racine qui se trouve entre 1,3125 et 1,343 75. Alors, on peut dire que la racine est en $x = 1,3$ à une décimale près.

L'itération

L'agrandissement et la méthode de la bissection qu'on vient d'examiner sont des exemples de méthodes *itératives,* dans lesquelles on répète une série d'étapes en utilisant les résultats d'une étape dans la suivante. On peut aussi avoir recours à de telles méthodes pour trouver une racine avec n'importe quel degré de précision. Avec la bissection, chaque itération coince la racine sur un intervalle qui a la moitié de la longueur de l'intervalle précédent. Chaque fois qu'on effectue un agrandissement à l'aide d'une calculatrice, on coince la racine sur un plus petit intervalle ; la taille de cet intervalle est fonction des réglages de la calculatrice.

La précision et l'erreur

Dans la discussion précédente, on a utilisé l'expression avec deux décimales exactes. Pour un processus itératif où on obtient une estimation de plus en plus proche d'une quantité donnée, on aborde la précision avec une approche logique : on observe attentivement les nombres et lorsqu'un chiffre demeure inchangé pendant plusieurs itérations, on suppose qu'il s'est stabilisé et qu'il est exact, particulièrement si les chiffres à la droite de ce nombre restent également inchangés. Par exemple, on suppose que 2,214 29 et 2,214 31 sont deux estimations successives pour un zéro de $f(x) = x^3 - 4x - 2$. Puisque ces deux estimations concordent jusqu'au troisième chiffre après la décimale, on peut dire que trois décimales sont sans doute exactes.

Cependant, cette situation pose un problème. On suppose qu'on estime une racine dont la valeur réelle est de 1 et que les estimations convergent vers cette valeur par en dessous, par exemple 0,985, 0,991, 0,997, et ainsi de suite. Dans ce cas, la première décimale n'est même pas exacte, bien que la différence entre les estimations et la réponse vraie soit très petite (bien inférieure à 0,1). Pour éviter ce problème, on dit qu'une estimation a pour une quantité r a p *décimales exactes* si l'erreur, qui est la valeur absolue de la différence entre a et r, ou $|r - a|$, se présente comme suit :

Approximation avec p décimales exactes	signifie	une erreur inférieure à
$p = 1$		0,05
2		0,005
3		0,0005
$\vdots$		$\vdots$
n		$0,000\ldots05$ $\underbrace{\qquad}_{n}$

Cela revient à dire que r doit se trouver sur un intervalle dont la longueur est deux fois plus grande que l'erreur maximale, centré en a. Par exemple, si a est précis avec une décimale exacte, r doit se trouver sur l'intervalle suivant :

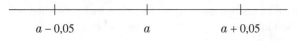

$a - 0,05 \qquad\qquad a \qquad\qquad a + 0,05$

Puisque la calculatrice graphique et la méthode de la bissection donnent un intervalle sur lequel se trouve la racine, cette définition de la précision des décimales est naturelle pour ces processus.

Exemple 7

Supposez que les nombres $\sqrt{10}$, 22/7 et 3,14 sont donnés pour les approximations de $\pi = 3,1415...$ Combien de décimales exactes chaque approximation possède-t-elle ?

Solution

En utilisant $\sqrt{10} = 3,1622...$,

$$|\sqrt{10} - \pi| = |3,1622... - 3,1415...| = 0,0206... < 0,05,$$

alors $\sqrt{10}$ est une approximation à une décimale exacte. De la même façon, en utilisant $22/7 = 3,1428$,

$$\left|\frac{22}{7} - \pi\right| = |3,1428... - 3,1415...| = 0,0013... < 0,005.$$

Par conséquent, 22/7 est une approximation avec deux décimales exactes. Finalement,

$$|3,14 - 3,1415...| = 0,0015... < 0,005,$$

alors 3,14 est une approximation avec deux décimales exactes.

Avertissement :

- Si on dit qu'une approximation a, par exemple, deux décimales exactes, ses deux premières décimales *ne seront pas* nécessairement *correctes,* et les deux chiffres de l'approximation ne seront pas nécessairement les mêmes que les deux chiffres correspondants dans la valeur réelle. Par exemple, une valeur approximative de 5,997 possède deux décimales exactes si la valeur réelle est 6,001, mais aucun des 9 dans l'approximation ne concorde avec les zéros de la valeur réelle (pas plus que le chiffre 5 ne concorde avec le chiffre 6).

- Lorsqu'on recherche une racine r d'une équation, le nombre de décimales exactes de précision fait référence au nombre de chiffres qui ont permis de stabiliser la racine. Il *ne fait pas* référence au nombre de chiffres de $f(r)$ qui sont zéro. Par exemple, le tableau A.1 montre que $x = 2,2$ est une racine de $f(x) = x^3 - 4x - 2 = 0$, avec une décimale exacte. Par ailleurs, $f(2,2) = -0,152$, donc $f(2,2)$ n'a pas un zéro après la décimale. De la même façon, $x = 2,21$ est la racine avec deux décimales exactes, mais $f(2,21) = -0,046$ ne comporte pas deux zéros après la décimale.

Exemple 8

$x = 2,2143$ est-il un zéro de $f(x) = x^3 - 4x - 2$ avec quatre décimales exactes ?

Solution

On veut savoir si r, la valeur exacte de la racine, se trouve sur l'intervalle

$$2,2143 - 0,000\ 05 < r < 2,2143 + 0,000\ 05,$$

ce qui est pareil à

$$2,214\ 25 < r < 2,214\ 35.$$

Puisque $f(2,214\ 25) < 0$ et que $f(2,214\ 35) > 0$, le zéro se trouve effectivement sur cet intervalle, et alors l'approximation $r = 2,2143$ a quatre décimales exactes.

Comment écrire une réponse décimale

La calculatrice graphique et la méthode de la bissection donnent naturellement un intervalle pour une racine ou un zéro. Cependant, d'autres techniques numériques ne donnent pas une paire de chiffres qui bornent la valeur réelle, mais plutôt un chiffre simple près de la valeur réelle. Que faudrait-il faire si on désirait obtenir un chiffre simple, plutôt qu'un intervalle, comme réponse ? En général, le calcul de la moyenne des extrémités de l'intervalle constitue la meilleure solution.

Quand on donne un chiffre simple comme réponse et qu'on l'interprète, il faut être prudent en arrondissant la réponse. Par exemple, on suppose qu'on sait qu'une racine se trouve sur l'intervalle 0,81 et 0,87. En faisant la moyenne, on obtient 0,84 comme chiffre simple pour estimer la racine. Mais il serait erroné d'arrondir 0,84 à 0,8 et de prétendre que la réponse est 0,8, avec une décimale exacte ; la valeur réelle pourrait être 0,86, laquelle ne se situe pas à une distance 0,05 de 0,8. La bonne réponse serait 0,84, avec une décimale exacte. De la même façon, pour donner une réponse, par exemple avec deux décimales exactes, on devrait peut-être donner trois décimales dans la réponse.

Les bornes d'une fonction

Le fait de savoir combien une fonction est petite ou grande peut parfois être utile, particulièrement quand on ne peut trouver les valeurs exactes de la fonction. On peut dire, par exemple, que $\sin x$ reste toujours entre -1 et 1 et que $2 \sin x + 10$ reste toujours entre 8 et 12. Mais 2^x n'est pas confiné entre deux chiffres, parce que 2^x dépassera n'importe quel chiffre qu'on peut nommer si x est suffisamment grand. On dit que $\sin x$ et $2 \sin x + 10$ sont des fonctions *bornées*, et que 2^x est une fonction *non bornée*.

Une fonction f est **bornée** sur un intervalle s'il y a des nombres L et U tels que

$$L \leq f(x) \leq U$$

pour tout x sur cet intervalle. Sinon, f est **non bornée** sur cet intervalle.

On dit que L est un **minorant** pour f sur cet intervalle et que U est un **majorant** pour f sur cet intervalle.

Exemple 9   Utilisez les figures A.7 et A.8 pour déterminer lesquelles des fonctions suivantes sont bornées.

a) x^3 sur $-\infty < x < \infty$; sur $0 \leq x \leq 100$.

b) $2/x$ sur $0 < x < \infty$; sur $1 \leq x < \infty$.

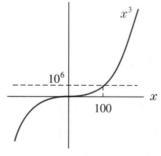

Figure A.7 : x^3 est-il borné ?

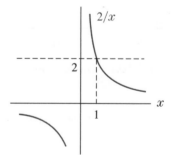

Figure A.8 : $2/x$ est-il borné ?

Solution   a)   Le graphe de x^3 à la figure A.7 montre que x^3 dépassera tout nombre, peu importe sa grandeur, si x est assez grand. Donc, x^3 n'a pas de majorant sur $-\infty < x < \infty$. Ainsi, x^3 n'est pas borné sur $-\infty < x < \infty$. Mais sur l'intervalle $0 \leq x \leq 100$, x^3 reste entre 0 (un minorant) et $100^3 = 1\ 000\ 000$ (un majorant). Par conséquent, x^3 est borné sur l'intervalle $0 \leq x \leq 100$. À noter que les majorants et les minorants, lorsqu'ils existent, ne sont pas uniques. Par exemple, −100 est un autre minorant et 2 000 000 un autre majorant pour x^3 sur $0 \leq x \leq 100$.

b) $2/x$ n'est pas borné sur $0 < x < \infty$, puisqu'il n'a pas de majorant sur cet intervalle. Toutefois, $0 \leq 2/x \leq 2$ pour $1 \leq x < \infty$. Donc, $2/x$ est borné, avec un minorant 0 et un majorant 2, sur $1 \leq x < \infty$ (voir la figure A.8, page précédente).

Les meilleures bornes possible

On considère un groupe de personnes dont la taille h (en mètres) varie entre 1,5 et 1,8 m. On suppose que 1,5 m est un minorant pour les personnes de ce groupe et que 1,8 m est un majorant :

$$1,5 \leq h \leq 1,8.$$

Toutefois, certaines personnes de ce groupe mesurent aussi entre 1,2 et 2,1 m. Donc, il est également vrai que

$$1,2 \leq h \leq 2,1.$$

Par conséquent, il y a plusieurs minorants et plusieurs majorants. Cependant, le 1,5 et le 1,8 sont considérés comme les meilleures bornes possible parce qu'elles sont le plus près de toutes les paires de bornes possibles.

> Les **meilleures bornes possible** d'une fonction f sur un intervalle sont les nombres A et B tels que pour tout x sur l'intervalle
>
> $$A \leq f(x) \leq B$$
>
> où A et B sont aussi près l'un de l'autre que possible. A est appelé l'**infimum** et B le **supremum**.

Que signifient les bornes du point de vue graphique ?

On peut représenter les majorants et les minorants sur un graphe au moyen de droites horizontales (voir la figure A.9).

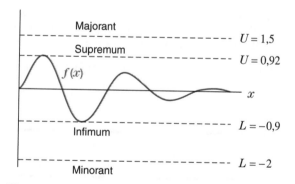

Figure A.9 : Majorants et minorants pour la fonction f

Problèmes de l'annexe A

1. Utilisez le graphe de $f(x) = 13 - 20x - x^2 - 3x^4$ tracé à l'aide d'une calculatrice ou d'un ordinateur graphique pour déterminer :

   a) l'image de cette fonction ;
   b) le nombre de zéros de cette fonction.

Pour les problèmes 2 à 12, déterminez les racines ou les points d'intersection à une précision de une décimale exacte.

2. a) La racine de $x^3 - 3x + 1 = 0$ entre 0 et 1.
    b) La racine de $x^3 - 3x + 1 = 0$ entre 1 et 2.
    c) La plus petite racine de $x^3 - 3x + 1 = 0$.

3. La racine de $x^4 - 5x^3 + 2x - 5 = 0$ entre -2 et -1.

4. La racine de $x^5 + x^2 - 9x - 3 = 0$ entre -2 et -1.

5. La plus grande racine réelle de $2x^3 - 4x^2 - 3x + 1 = 0$.

6. Toutes les racines réelles de $x^4 - x - 2 = 0$.

7. Toutes les racines réelles de $x^5 - 2x^2 + 4 = 0$.

8. La plus petite racine positive de $x \sin x - \cos x = 0$.

9. Le point d'intersection le plus à gauche entre $y = 2x$ et $y = \cos x$.

10. Le point d'intersection le plus à gauche entre $y = 1/2^x$ et $y = \sin x$.

11. Le point d'intersection entre $y = e^{-x}$ et $y = \ln x$.

12. Toutes les racines de $\cos t = t^2$.

13. Estimez tous les zéros réels des polynômes suivants, avec deux décimales exactes.

    a) $f(x) = x^3 - 2x^2 - x + 3$
    b) $f(x) = x^3 - x^2 - 2x + 2$

14. Trouvez le plus grand zéro de

    $$f(x) = 10xe^{-x} - 1$$

    à deux décimales près, en utilisant la méthode de la bissection. Assurez-vous de démontrer que votre approximation est bonne.

15. a) Trouvez la plus petite valeur positive de x, là où les graphes de $f(x) = \sin x$ et de $g(x) = 2^{-x}$ se croisent.
    b) Reprenez la partie a) avec $f(x) = \sin 2x$ et $g(x) = 2^{-x}$.

16. À l'aide d'une calculatrice graphique, tracez le graphe de $y = 2 \cos x$ et celui de $y = x^3 + x^2 + 1$ sur le même ensemble d'axes. Trouvez le zéro positif de $f(x) = 2 \cos x - x^3 - x^2 - 1$. Votre ami affirme qu'il y a un zéro réel de plus. Cet ami a-t-il raison ? Justifiez votre réponse.

17. Utilisez la table ci-dessous pour trouver les zéros de la fonction

    $$f(\theta) = (\sin 3\theta)(\cos 4\theta) + 0{,}8$$

    sur l'intervalle $0 \leq \theta \leq 1{,}8$.

θ	0	0,2	0,4	0,6	0,8	1,0	1,2	1,4	1,6	1,8
$f(\theta)$	0,80	1,19	0,77	0,08	0,13	0,71	0,76	0,12	−0,19	0,33

    a) Déterminez le nombre de zéros que contient la fonction sur l'intervalle $0 \leq \theta \leq 1{,}8$.
    b) Localisez chaque zéro ou un petit intervalle contenant chaque zéro.
    c) Êtes-vous sûr d'avoir trouvé tous les zéros sur l'intervalle $0 \leq \theta \leq 1{,}8$? Tracez le graphe de la fonction à l'aide d'une calculatrice ou d'un ordinateur pour vous en assurer.

18. a) Utilisez le tableau A.3 pour localiser la ou les solutions de

$$(\sin 3x)(\cos 4x) = \frac{x^3}{\pi^3}$$

sur l'intervalle $1{,}07 \le x \le 1{,}15$. Donnez un intervalle de longueur 0,01 sur lequel se trouve chaque solution.

b) Faites une estimation pour chaque solution avec deux décimales exactes.

TABLEAU A.3

x	x^3/π^3	$(\sin 3x)(\cos 4x)$
1,07	0,0395	0,0286
1,08	0,0406	0,0376
1,09	0,0418	0,0442
1,10	0,0429	0,0485
1,11	0,0441	0,0504
1,12	0,0453	0,0499
1,13	0,0465	0,0470
1,14	0,0478	0,0417
1,15	0,0491	0,0340

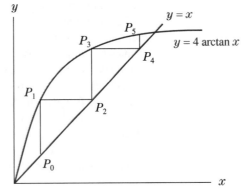

Figure A.10

19. a) À l'aide d'une calculatrice en mode radian, prenez l'arctangente de 1 et multipliez ce nombre par 4. Puis, prenez l'arctangente du résultat et multipliez-le par 4. Répétez ce processus environ 10 fois et notez chaque résultat dans le tableau suivant. À chaque étape, vous obtenez 4 fois l'arctangente du résultat de l'étape précédente.

$$
\begin{array}{c}
1 \\
3{,}141\ 59\ldots \\
5{,}050\ 50\ldots \\
5{,}501\ 29\ldots \\
\vdots
\end{array}
$$

b) Votre tableau permet de trouver une solution pour l'équation

$$4 \arctan x = x.$$

Pourquoi ? Quelle est cette solution ?

c) Quel lien existe-t-il entre le tableau de la partie a) et la figure A.10 ?
[Conseil : les coordonnées de P_0 sont (1, 1). Trouvez les coordonnées de $P_1, P_2, P_3, \ldots$]

d) À la partie a), que se produit-il si vous commencez avec un point de départ de 10 ? de -10 ? Quels types de comportement observez-vous ? (Pour quels points de départ la suite augmente-t-elle et pour lesquels diminue-t-elle ? La suite s'approche-t-elle d'une limite ?) Expliquez graphiquement vos réponses, comme à la partie c).

20. En utilisant des radians, appliquez la méthode d'itération du problème 19 à l'équation

$$\cos x = x.$$

Représentez graphiquement vos résultats, comme à la figure A.10.

Pour les problèmes 21 à 23, tracez un graphe pour déterminer si la fonction est bornée sur l'intervalle donné. Déterminez les meilleurs minorants et majorants possible pour toute fonction qui est bornée.

21. $f(x) = 4x - x^2$ sur $[-1, 4]$ 22. $h(\theta) = 5 + 3\sin\theta$ sur $[-2\pi, 2\pi]$

23. $f(t) = \dfrac{\sin t}{t^2}$ sur $[-10, 10]$

ANNEXE B   L'INTÉRÊT COMPOSÉ

Si on dispose d'une somme d'argent, on pourrait décider de l'investir pour toucher des intérêts. Ceux-ci pourraient être versés de différentes manières, par exemple une ou plusieurs fois par année. S'ils sont versés plus d'une fois par année et s'ils ne sont pas dépensés, l'investisseur en tire profit, car ces intérêts lui permettent d'accumuler des intérêts supplémentaires. C'est ce qu'on appelle la *capitalisation*. On a sans doute remarqué que des banques offrent des comptes qui diffèrent sur le plan des taux d'intérêt et des méthodes de capitalisation. Plusieurs proposent un intérêt composé annuellement, alors que d'autres proposent un taux d'intérêt composé trimestriellement et d'autres encore, un taux d'intérêt composé quotidiennement. Certaines banques offrent même la capitalisation continue.

Quelle est la différence entre un compte bancaire offrant 8 % d'intérêt composé annuellement (une fois par année) et un autre offrant 8 % d'intérêt composé trimestriellement (quatre fois par année) ? Dans les deux cas, 8 % est un taux d'intérêt annuel. L'expression 8 % d'intérêt *composé annuellement* signifie que, à la fin de chaque année, on ajoute 8 % au solde courant de votre compte, comme si on multipliait le solde courant par 1,08. Ainsi, si on dépose 100 $, le solde B (en dollars) s'élèvera à

$$B = 100(1,08) \qquad \text{après un an,}$$
$$B = 100(1,08)^2 \qquad \text{après deux ans,}$$
$$B = 100(1,08)^t \qquad \text{après } t \text{ années.}$$

L'expression 8 % d'intérêt *composé trimestriellement* signifie qu'on touche de l'intérêt quatre fois par année (tous les trois mois) à raison chaque fois de $\frac{8}{4}$ % = 2 % du solde courant. Ainsi, si on dépose 100 $, un an plus tard, quatre capitalisations seront calculées et le compte contiendra 100 $$(1,02)^4$. Par conséquent, le solde atteindra

$$B = 100(1,02)^4 \qquad \text{après un an,}$$
$$B = 100(1,02)^8 \qquad \text{après deux ans,}$$
$$B = 100(1,02)^{4t} \qquad \text{après } t \text{ années.}$$

À noter que 8 % *n'est pas* le taux utilisé pour chaque période de trois mois ; le taux annuel est divisé en quatre versements de 2 %. Le calcul du solde total un an plus tard au moyen de chaque méthode présentée montre que

$$\text{Capitalisation annuelle :} \quad B = 100(1,08) = 108,00,$$
$$\text{Capitalisation trimestrielle :} \quad B = 100(1,02)^4 = 108,24.$$

Ainsi, la capitalisation trimestrielle permet de gagner plus d'argent, car l'intérêt produit de l'intérêt durant l'année. En général, plus l'intérêt est composé souvent, plus vous ferez d'argent (bien que la différence puisse ne pas être très importante).

On peut mesurer l'effet de la capitalisation en présentant la notion de *rendement annuel réel*. Si on place 100 $ à 8 % d'intérêt composé trimestriellement, on possédera 108,24 $ un an plus tard. Dans ce cas, on dit que le *rendement annuel réel* correspond à 8,24 %. On dispose maintenant de deux taux d'intérêt pour décrire le même placement : le taux d'intérêt de 8 % composé annuellement et le rendement annuel réel de 8,24 %.

Les banques appellent le taux de 8 % le *taux de pourcentage annuel*. On peut également l'appeler le *taux nominal* (nominal signifie *qui se rapporte au nom*). Cependant, c'est le rendement réel qui indique exactement la somme en intérêt que les placements permettent réellement de gagner. Par conséquent, pour comparer deux comptes bancaires, il suffit de comparer simplement les rendements annuels réels. La prochaine fois que vous irez à la banque, consultez la publicité, qui doit, en vertu de la loi, comporter le taux de pourcentage annuel (ou taux nominal) et le rendement annuel réel. On abrège souvent le *taux de pourcentage annuel* par *taux annuel*.

L'emploi du rendement annuel réel

Exemple 1   Quelle situation est préférable : la banque X versant un taux annuel de 7 % composé mensuellement ou la banque Y offrant un taux annuel de 6,9 % composé quotidiennement ?

Solution   On trouve le rendement annuel réel pour chacune des banques.

Banque X : il y a 12 versements d'intérêt dans une année, chaque versement atteignant $0,07/12 = 0,005\ 833$ fois le solde courant. Si le dépôt initial s'élève à 100 $, alors le solde B sera de

$$B = 100(1,005\ 833) \quad \text{un mois plus tard,}$$

$$B = 100(1,005\ 833)^2 \quad \text{deux mois plus tard,}$$

$$B = 100(1,005\ 833)^t \quad t \text{ mois plus tard.}$$

Pour trouver le rendement annuel réel, on calcule pour une année (ou 12 mois), ce qui donne $B = 100(1,005\ 833)^{12} = 100(1,072\ 286)$. Donc, le rendement annuel réel $\approx 7,23$ %.

Banque Y : il y a 365 versements d'intérêt dans une année (en supposant qu'il ne s'agisse pas d'une année bissextile), chacun se chiffrant à $0,069/365 = 0,000\ 189$ fois le solde courant. Alors, le solde est de

$$B = 100(1,000\ 189) \quad \text{un jour plus tard,}$$

$$B = 100(1,000\ 189)^2 \quad \text{deux jours plus tard,}$$

$$B = 100(1,000\ 189)^t \quad t \text{ jours plus tard.}$$

Donc, à la fin d'une année, on multiplie le dépôt initial par

$$(1,000\ 189)^{365} = 1,071\ 413.$$

Ainsi, le rendement annuel réel pour la banque Y $\approx 7,14$ %.

En comparant les rendements annuels réels des banques, on constate que la banque X offre un rendement légèrement supérieur.

Exemple 2   Si vous investissez 1000 $ dans chaque banque de l'exemple 1, trouvez une expression pour le solde dans chaque banque après t années.

Solution   Pour la banque X, le rendement annuel réel $\approx 7,23$ %. Donc, après t années, le solde (en dollars) s'élèvera à

$$B = 1000(1,0723)^t.$$

Pour la banque Y, le rendement annuel réel $\approx 7,14$ %. Donc, après t années, le solde (en dollars) atteindra

$$B = 1000(1,0714)^t.$$

(De nouveau, on ne tient pas compte des années bissextiles.)

Si l'intérêt à un taux annuel de r est composé n fois par année, alors on ajoute r/n fois le solde courant n fois par année. Par conséquent, avec un dépôt initial de P $, le solde, t années plus tard, est

$$B = P\left(1 + \frac{r}{n}\right)^{nt}.$$

À noter que r est le taux nominal ; par exemple, $r = 0,05$ quand le taux annuel est de 5 %.

L'augmentation de la fréquence de la capitalisation : la capitalisation continue

Exemple 3   Trouvez le rendement annuel réel pour un taux d'intérêt annuel de 7 % composé

a)   1000 fois par année.   b)   10 000 fois par année.

Solution   a)

$$\left(1 + \frac{0,07}{1000}\right)^{1000} \approx 1,072\ 505\ 6,$$

ce qui donne un rendement annuel réel d'environ 7,250 56 %.

b)

$$\left(1 + \frac{0,07}{10,000}\right)^{10,000} \approx 1,072\ 507\ 9,$$

ce qui donne un rendement annuel réel d'environ 7,250 79 %.

On peut voir qu'il n'y a pas beaucoup de différence entre une capitalisation qui est effectuée 1000 fois par année (environ trois fois par jour) et celle qui l'est 10 000 fois par année (environ 30 fois par jour). Que se produit-il si on capitalise l'intérêt encore plus souvent ; toutes les minutes, par exemple ? On pourrait être surpris d'apprendre que le rendement annuel réel ne s'accroît pas indéfiniment, mais qu'il tend plutôt vers une valeur finie. Les avantages de l'augmentation de la fréquence de la capitalisation deviennent négligeables au-delà d'un certain point.

Par exemple, si on calcule le rendement annuel réel sur un placement de 7 % composé n fois par année pour des valeurs de n plus grandes que 100 000, on trouvera que

$$\left(1 + \frac{0,07}{n}\right)^n \approx 1,072\ 508\ 2.$$

Ainsi, le rendement annuel réel est d'environ 7,250 82 %. Même si on prend $n = 1\ 000\ 000$ ou $n = 10^{10}$, le rendement annuel réel ne variera pas de manière appréciable. La valeur 7,250 82 % est un majorant qu'on atteint quand la fréquence de la capitalisation augmente.

Lorsque le rendement annuel réel atteint ce majorant, on dit que l'intérêt est *composé continuellement.* (On utilise le terme *continuellement,* car le majorant est approché par une capitalisation de plus en plus fréquente.) Ainsi, lorsque la fréquence à laquelle un taux annuel nominal de 7 % est composé s'avère si importante que le rendement annuel réel atteint 7,250 82 %, on dit que le taux de 7 % est composé continuellement. Cela représente le pourcentage maximal qu'on peut obtenir d'un taux nominal de 7 %.

Où le nombre *e* s'insère-t-il ?

Il s'avère que le nombre *e* est intimement lié à une capitalisation continue. Pour comprendre, on utilise une calculatrice pour vérifier que $e^{0,07} \approx 1,072\ 508\ 2$, ce qui représente le rendement qu'on a obtenu lorsqu'on a composé le taux de 7 % un grand nombre de fois. On a donc découvert que pour un très grand n,

$$\left(1 + \frac{0,07}{n}\right)^n \approx e^{0,07}.$$

Quand n augmente, l'approximation devient de plus en plus précise et on écrit

$$\left(1 + \frac{0,07}{n}\right)^n \to e^{0,07},$$

ce qui signifie que quand n augmente, la valeur de $(1 + 0,07/n)^n$ tend vers $e^{0,07}$.

Si on dépose P \$ à un taux annuel de 7 % composé continuellement, le solde B \$ sera donné par

$$B = P(1{,}072\,508\,2) = Pe^{0{,}07} \qquad \text{un an plus tard,}$$

$$B = P(1{,}072\,508\,2)^2 = P\left(e^{0{,}07}\right)^2 = Pe^{(0{,}07)2} \qquad \text{deux ans plus tard,}$$

$$B = P(1{,}072\,508\,2)^t = P\left(e^{0{,}07}\right)^t = Pe^{0{,}07t} \qquad t \text{ années plus tard.}$$

Si l'intérêt sur un dépôt initial de P \$ est composé continuellement à un taux annuel r, on peut calculer le solde t années plus tard en utilisant la formule

$$B = Pe^{rt}.$$

Une fois de plus, r est le taux nominal et, par exemple, $r = 0{,}05$ quand le taux annuel est de 5 %.

En résolvant le problème du taux d'intérêt composé, il est important de bien préciser s'il s'agit de taux d'intérêt nominal ou de taux à rendement réel et s'il s'agit d'une capitalisation continue ou non.

Exemple 4   Trouvez le rendement annuel réel d'un taux annuel de 6 %, composé continuellement.

Solution   En une année, un placement P devient $Pe^{0{,}06}$. À l'aide d'une calculatrice, on apprend que

$$Pe^{0{,}06} = P(1{,}061\,836\,5).$$

Donc, le rendement annuel réel est d'environ 6,18 %.

Exemple 5   Supposez que vous voulez placer de l'argent dans un certificat de dépôt pour les études de votre enfant. Vous voulez que ce certificat vaille 120 000 \$ dans 10 ans. Combien devrez-vous placer d'argent si le certificat de dépôt produit de l'intérêt à un taux d'intérêt annuel de 9 % composé trimestriellement ? continuellement ?

Solution   On suppose qu'on place au départ P \$. Un taux d'intérêt annuel de 9 % composé trimestriellement a un rendement annuel réel donné par $(1 + 0{,}09/4)^4 = 1{,}093\,083\,3$ ou 9,308 33 %. Donc, après 10 années, on aura

$$P(1{,}093\,083\,3)^{10} = 120\,000.$$

Ainsi, vous devriez investir

$$P = \frac{120\,000}{(1{,}093\,083\,3)^{10}} = \frac{120\,000}{2{,}435\,188\,5} = 49\,277{,}50.$$

Par ailleurs, si le certificat de dépôt produit 9 % d'intérêt composé continuellement, après 10 années, on aura

$$Pe^{(0{,}09)10} = 120\,000.$$

Il faut donc placer

$$P = \frac{120\,000}{e^{(0{,}09)10}} = \frac{120\,000}{2{,}459\,603\,1} = 48\,788{,}36.$$

À noter que pour atteindre le même résultat, la capitalisation continue exige un placement initial plus petit que la capitalisation trimestrielle. Il fallait s'y attendre puisque le rendement annuel réel est plus élevé pour la capitalisation continue que pour la capitalisation trimestrielle.

Problèmes de l'annexe B

1. Utilisez un graphe de $y = (1 + 0{,}07/x)^x$ pour trouver la valeur de $(1 + 0{,}07/x)^x$ quand $x \to \infty$. Confirmez que la valeur obtenue est de $e^{0{,}07}$.

2. Si vous déposez 10 000 $ dans un compte produisant de l'intérêt à un taux annuel de 8 % composé continuellement, combien d'argent se trouve dans le compte après cinq ans ?

3. a) Trouvez le rendement annuel réel d'un taux d'intérêt annuel de 5 % composé
   i) 1000 fois/année. ii) 10 000 fois/année. iii) 100 000 fois/année.
   b) Observez les réponses à la partie a) et déduisez le rendement annuel réel pour un taux annuel de 5 % composé continuellement.
   c) Calculez $e^{0{,}05}$. Comment cela confirme-t-il votre réponse à la partie b) ?

4. a) Trouvez $(1 + 0{,}04/n)^n$ pour $n = 10\,000$, $100\,000$ et $1\,000\,000$. Utilisez les résultats pour déduire le rendement annuel réel d'un taux annuel de 4 % composé continuellement.
   b) Confirmez votre réponse en calculant $e^{0{,}04}$.

5. Utilisez le nombre e pour trouver le rendement annuel réel d'un taux annuel de 6 %, composé continuellement.

6. Un compte bancaire produit de l'intérêt à 6 % par année composé continuellement.

   a) De quel pourcentage le solde a-t-il augmenté sur une période d'un an ? (Il s'agit du rendement annuel réel.)
   b) Combien de temps sera nécessaire pour que le solde double ?
   c) En supposant maintenant que le taux d'intérêt est de r, trouvez une formule qui donne le temps de doublement en fonction du taux d'intérêt.

7. Supposez que vous investissez 1000 $ à un taux d'intérêt annuel de 6 % composé continuellement.

   a) Combien de temps sera nécessaire pour que le placement double ?
   b) Utilisez votre réponse à la partie a) pour exprimer la valeur du placement après t années en fonction d'une fonction exponentielle en base 2.

8. Quel est le rendement annuel réel d'un placement produisant un taux annuel de 12 %, composé continuellement ?

9. a) La Banque Commerciale Congolaise verse un taux d'intérêt nominal de 100 % sur les dépôts, composé mensuellement. Vous placez 1 million de zaïres (le zaïre est l'unité monétaire de la République démocratique du Congo). Combien d'argent aurez-vous un an plus tard ?
   b) Combien d'argent aurez-vous un an plus tard si vous placez 1 million de zaïres à un taux d'intérêt composé quotidiennement ? toutes les heures ? toutes les minutes ?
   c) Cette somme augmente-t-elle sans borne quand l'intérêt est composé de plus en plus souvent ou finit-elle par se stabiliser ? Si elle se stabilise, donnez une estimation précise à la hausse du total un an plus tard.

10. Expliquez la manière dont vous pouvez faire concorder les taux d'intérêt de a) à e) aux rendements annuels réels de I) à V) sans faire de calcul.

a) Taux annuel de 5,5 %, composé continuellement.	I)	5 %
b) Taux annuel de 5,5 %, composé trimestriellement.	II)	5,06 %
c) Taux annuel de 5,5 %, composé hebdomadairement.	III)	5,61 %
d) Taux annuel de 5 %, composé annuellement.	IV)	5,651 %
e) Taux annuel de 5 %, composé deux fois par année.	V)	5,654 %

11. Lorsque vous louez un logement, vous devez parfois remettre au propriétaire un dépôt de garantie qui vous est rendu si vous quittez le logement sans l'avoir endommagé. Au Massachusetts, le propriétaire doit verser au locataire un intérêt sur ce dépôt une fois par année, à un taux annuel de 5 %, composé annuellement. Le propriétaire, toutefois, peut placer cet argent à un taux d'intérêt plus élevé (ou plus bas). Supposez que le propriétaire place le dépôt de 1000 $ à un taux annuel de :

    a) 6 %, composé continuellement. b) 4 %, composé continuellement.

    Dans chaque cas, déterminez le gain ou la perte nette du propriétaire à la fin de la première année. (Donnez votre réponse au cent près.)

ANNEXE C   LES COORDONNÉES POLAIRES

On peut désigner un point P ayant les coordonnées cartésiennes (x, y) par ses *coordonnées polaires*, r et θ. Le nombre r correspond à la distance entre P et l'origine, et θ est l'angle entre la partie positive de l'axe des x et la droite reliant P à l'origine (la convention veut que le sens contraire des aiguilles d'une montre est positif). La figure C.11 montre le lien qui existe entre les coordonnées cartésiennes et polaires.

Relation entre les coordonnées cartésiennes et polaires

$$x = r \cos \theta \qquad r = \sqrt{x^2 + y^2}$$

$$y = r \sin \theta \qquad \tan \theta = \frac{y}{x}$$

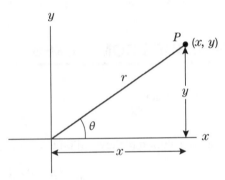

Figure C.11 : Coordonnées cartésiennes et polaires

Exemple 1   Convertissez le point $(x, y) = (-3, 4)$ en coordonnées polaires.

Solution   La formule pour r donne

$$r = \sqrt{x^2 + y^2} = \sqrt{(-3)^2 + 4^2} = 5.$$

La formule comprenant l'angle θ est

$$\tan \theta = \frac{y}{x} = -\frac{4}{3}.$$

Cela signifie que $\theta = \arctan(-4/3) \approx -0{,}927$ ou que $\theta = \arctan(-4/3) + \pi \approx 2{,}21$. Puisque le point se trouve dans le deuxième quadrant, on choisit $\theta \approx 2{,}21$.

Problèmes de l'annexe C

Pour les problèmes 1 à 7, donnez les coordonnées cartésiennes des points ayant les coordonnées polaires (r, θ) ci-après. Les angles sont mesurés en radians.

1. $(1, 0)$ 2. $(0, 1)$ 3. $(2, \pi)$ 4. $(\sqrt{2}, 5\pi/4)$

5. $(5, -\pi/6)$ 6. $(3, \pi/2)$ 7. $(1, 1)$

Pour les problèmes 8 à 15, donnez les coordonnées polaires des points ayant les coordonnées cartésiennes ci-après. Choisissez $0 \leq \theta < 2\pi$.

8. $(1, 0)$ 9. $(0, 2)$ 10. $(1, 1)$ 11. $(-1, 1)$

12. $(-3, -3)$ 13. $(0{,}2, -0{,}2)$ 14. $(3, 4)$ 15. $(-3, 1)$

Pour les problèmes 16 à 21, tracez le graphe de la fonction $r = g(\theta)$ dans le plan des xy en utilisant une calculatrice. Expliquez en quoi les équations sont reliées aux formes des graphes obtenus.

16. $r = 1$ 17. $\theta = \dfrac{\pi}{3}$ 18. $r = \dfrac{\theta}{10}$

19. $r = \dfrac{2}{\cos \theta}$ 20. $r = 2\cos \theta$ 21. $r = \dfrac{\sin \theta}{\cos^2 \theta}$

22. Vous pouvez représenter tous les points dans le plan par une paire donnée de coordonnées polaires, mais les coordonnées polaires (r, θ) sont-elles uniquement déterminées par les coordonnées cartésiennes (x, y) ? Autrement dit, pour chaque paire de coordonnées cartésiennes, y a-t-il uniquement une paire de coordonnées polaires pour ce point ? Justifiez votre réponse.

ANNEXE D   LES NOMBRES COMPLEXES

L'équation quadratique

$$x^2 - 2x + 2 = 0$$

n'admet pas de solution réelle x. Si on tente d'appliquer la formule quadratique, on obtient

$$x = \frac{2 \pm \sqrt{4 - 8}}{2} = 1 \pm \frac{\sqrt{-4}}{2}.$$

Apparemment, on doit prendre une racine carrée de -4. Cependant, -4 n'a pas de racine carrée, du moins pas une racine carrée qui est un nombre réel. On va donc y donner une racine carrée.

Soit le nombre imaginaire i, un nombre tel que

$$i^2 = -1.$$

En utilisant ce i, on voit que $(2i)^2 = -4$. Donc,

$$x = 1 \pm \frac{\sqrt{-4}}{2} = 1 \pm \frac{2i}{2} = 1 \pm i.$$

On peut ainsi résoudre l'équation quadratique. Les nombres $1 + i$ et $1 - i$ sont des exemples de nombres complexes.

> Un **nombre complexe** se définit comme tout nombre qu'on peut écrire sous la forme
> $$z = a + bi,$$
> où a et b sont des nombres réels et $i = \sqrt{-1}$.
> La *partie réelle* de z est le nombre a ; la *partie imaginaire* est le nombre b.

En qualifiant le nombre i d'imaginaire, on a l'impression que i n'existe pas de la même manière que les nombres réels. Dans certains cas, il est utile de faire de telles distinctions entre des nombres réels et imaginaires. Par exemple, si on mesure la masse ou la position, on veut que la réponse soit donnée avec des nombres réels. Cependant, les nombres imaginaires sont tout aussi légitimes sur le plan mathématique que les nombres réels.

Par analogie, on considère la distinction entre les nombres positifs et négatifs. Au départ, on considérait les nombres uniquement comme des outils avec lesquels on pouvait compter ; la manière de concevoir le 5 ou le 10 ne différait pas beaucoup de celle de percevoir 5 flèches ou 10 cailloux. On ne savait pas que les nombres négatifs existaient. Lorsqu'on a introduit les nombres négatifs, on les considérait uniquement comme des moyens pratiques pour résoudre les équations telles que $x + 2 = 1$. On les considérait comme des *non-nombres* ou, en latin, comme des *nombres négatifs*. Ainsi, même quand on a commencé à utiliser des nombres négatifs, on ne les considérait pas de la même manière que les nombres positifs. À l'époque, le mathématicien raisonnait ainsi : le nombre 5 existe, car je peux tenir 5 pièces de monnaie dans la main. Mais comment puis-je tenir -5 pièces de monnaie dans la main ? Aujourd'hui, on connaît la réponse : « j'ai -5 pièces de monnaie » signifie que je dois 5 pièces de monnaie à quelqu'un. On s'est rendu compte que les nombres négatifs sont tout aussi réels que les nombres positifs et que, dans certains cas, les nombres négatifs peuvent avoir une signification concrète, même s'ils ne permettent pas de mesurer des longueurs ou de rendre compte des résultats d'une partie de base-ball. Comme on le verra, les nombres complexes peuvent également avoir une signification physique. Par exemple, les nombres complexes sont utilisés pour étudier le mouvement des ondes dans les circuits électriques.

L'algèbre des nombres complexes

Les nombres tels que 0, 1, $\frac{1}{2}$, π et $\sqrt{2}$ s'appellent des nombres *purement réels,* car ils ne contiennent aucune composante imaginaire. Les nombres tels que i, $2i$ et $\sqrt{2}i$ s'appellent des nombres *purement imaginaires,* car ils ne contiennent que le nombre i multiplié par un coefficient réel non nul.

Deux nombres complexes s'appellent des *conjugués* si leurs parties réelles sont égales et si leurs parties imaginaires sont des opposés. Le conjugué complexe du nombre complexe $z = a + bi$ est noté $\overline{z}$ (prononcé « z barre »). Donc, on a

$$\overline{z} = a - bi.$$

(À noter que z est réel si et seulement si $z = \overline{z}$.) Des conjugués complexes ont la remarquable propriété suivante : si $f(x)$ est un quelconque polynôme ayant des coefficients réels ($x^3 + 1$, par exemple) et si $f(z) = 0$, alors $f(\overline{z}) = 0$. Cela signifie que si z est une solution à une équation polynomiale avec des coefficients réels, alors $\overline{z}$ l'est également.

- L'ajout de deux nombres complexes se fait en ajoutant des parties réelles et imaginaires séparément :

$$(a + bi) + (c + di) = (a + c) + (b + d)i.$$

- La soustraction est similaire :

$$(a + bi) - (c + di) = (a - c) + (b - d)i.$$

- La multiplication fonctionne tout comme pour les polynômes ; on utilise $i^2 = -1$:

$$(a + bi)(c + di) = a(c + di) + bi(c + di)$$
$$= ac + adi + bci + bdi^2$$
$$= ac + adi + bci - bd = (ac - bd) + (ad + bc)i.$$

- Les puissances de i : on sait que $i^2 = -1$; alors $i^3 = i \cdot i^2 = -i$ et $i^4 = (i^2)^2 = (-1)^2 = 1$. Alors $i^5 = i \cdot i^4 = i$, et ainsi de suite. Par conséquent, on a

$$(bi)^n = b^n i^n = \begin{cases} b^n i & \text{pour } n = 1, 5, 9, 13, \ldots \\ -b^n & \text{pour } n = 2, 6, 10, 14, \ldots \\ -b^n i & \text{pour } n = 3, 7, 11, 15, \ldots \\ b^n & \text{pour } n = 4, 8, 12, 16, \ldots \end{cases}$$

- Le produit d'un nombre et de son conjugué est toujours réel et non négatif :

$$z \cdot \overline{z} = (a + bi)(a - bi) = a^2 - abi + abi - b^2 i^2 = a^2 + b^2.$$

- La division s'effectue en multipliant le dénominateur par son conjugué, ce qui rend donc le dénominateur réel :

$$\frac{a + bi}{c + di} = \frac{a + bi}{c + di} \cdot \frac{c - di}{c - di} = \frac{ac - adi + bci - bdi^2}{c^2 + d^2} = \frac{ac + bd}{c^2 + d^2} + \frac{bc - ad}{c^2 + d^2} i.$$

Exemple 1   Calculez $(2 + 7i)(4 - 6i) - i$.

Solution   On a $(2 + 7i)(4 - 6i) - i = 8 + 28i - 12i - 42i^2 - i = 8 + 15i + 42 = 50 + 15i.$

Exemple 2   Calculez $\dfrac{2 + 7i}{4 - 6i}$.

Solution   On a $\dfrac{2 + 7i}{4 - 6i} = \dfrac{2 + 7i}{4 - 6i} \cdot \dfrac{4 + 6i}{4 + 6i} = \dfrac{8 + 12i + 28i + 42i^2}{4^2 + 6^2} = \dfrac{-34 + 40i}{52} = \dfrac{-17}{26} + \dfrac{10}{13} i.$

Le plan complexe et les coordonnées polaires

Souvent, il est utile de visualiser un nombre complexe $z = x + iy$ dans le plan, avec x le long de l'axe horizontal et y le long de l'axe vertical. Le plan des xy s'appelle alors le *plan complexe*. La figure D.12 montre les nombres complexes $-2i$, $1 + i$ et $-2 + 3i$.

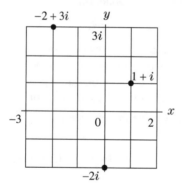

Figure D.12 : Points dans le plan complexe

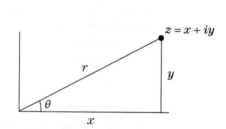

Figure D.13 : Le point $z = x + iy$ dans le plan complexe, qui montre les coordonnées polaires

Le triangle à la figure D.13 montre qu'un nombre complexe peut s'écrire en utilisant des coordonnées polaires comme suit :

$$z = x + iy = r \cos \theta + ir \sin \theta.$$

Exemple 3   Exprimez $z = -2i$ et $z = -2 + 3i$ en utilisant des coordonnées polaires (voir la figure D.12).

Solution   Pour $z = -2i$, la distance de z à partir de l'origine est de 2, donc $r = 2$. De plus, une valeur pour θ est $\theta = 3\pi/2$. À l'aide de coordonnées polaires, $-2i = 2 \cos(3\pi/2) + i2(\sin 3\pi/2)$.

Pour $z = -2 + 3i$, on a $x = -2$, $y = 3$. Donc, $r = \sqrt{(-2)^2 + 3^2} \approx 3,61$ et l'une des solutions de $\tan \theta = 3/(-2)$ est $\theta \approx 2,16$. Par conséquent, $-2 + 3i \approx 3,61 \cos(2,16) + i\,3,61 \sin(2,16)$.

Exemple 4   Considérez le point ayant les coordonnées polaires $r = 5$ et $\theta = 3\pi/4$. Quel nombre complexe ce point représente-t-il ?

Solution   Puisque $x = r \cos \theta$ et que $y = r \sin \theta$, on voit que $x = 5 \cos 3\pi/4 = -5/\sqrt{2}$ et que $y = 5 \sin 3\pi/4 = 5/\sqrt{2}$, donc $z = -5/\sqrt{2} + i5/\sqrt{2}$.

La formule d'Euler

On considère le nombre complexe z qui repose sur le cercle unité de la figure D.14. En écrivant z en coordonnées polaires et en se basant sur le fait que $r = 1$, on a

$$z = f(\theta) = \cos \theta + i \sin \theta.$$

Il existe une manière particulièrement jolie et compacte de réécrire $f(\theta)$ en utilisant des exponentielles complexes. On prend la dérivée de f, en traitant i comme toute autre constante mais en considérant le fait que $i^2 = -1$:

$$f'(\theta) = -\sin \theta + i \cos \theta = i \cos \theta + i^2 \sin \theta.$$

La factorisation de i donne

$$f'(\theta) = i(\cos \theta + i \sin \theta) = i \cdot f(\theta).$$

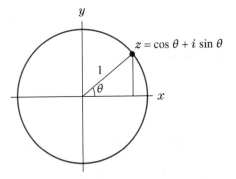

Figure D.14 : Nombre complexe représenté par un point sur le cercle unité

La seule fonction à valeur réelle dont la dérivée est proportionnelle à la fonction elle-même est la fonction exponentielle. En d'autres mots, on sait que si

$$g'(x) = k \cdot g(x), \quad \text{alors } g(x) = Ce^{kx}$$

pour une constante C. Si on suppose qu'un résultat semblable s'applique aux fonctions à valeurs complexes, alors on a

$$f'(\theta) = i \cdot f(\theta), \quad \text{alors } f(\theta) = Ce^{i\theta}$$

pour une constante C. Pour trouver C, on pose $\theta = 0$. À présent, $f(0) = Ce^{i \cdot 0} = C$, et puisque $f(0) = \cos 0 + i \sin 0 = 1$, on doit avoir $C = 1$. Par conséquent, $f(\theta) = e^{i\theta}$. Ainsi, on obtient la *formule d'Euler* :

$$\boxed{e^{i\theta} = \cos \theta + i \sin \theta}$$

Cette relation élégante et surprenante a été découverte par le mathématicien suisse Leonhard Euler au XVIIIe siècle. Elle est particulièrement utile lorsqu'il s'agit de résoudre les équations différentielles de second ordre. Le problème 16, à la fin du chapitre 9, présente une autre dérivation de la formule d'Euler (où sont utilisées les séries de Taylor). La formule d'Euler permet d'écrire le nombre complexe représenté par le point ayant des coordonnées polaires (r, θ) sous la forme suivante :

$$z = r(\cos\theta + i\sin\theta) = re^{i\theta}.$$

De même, puisque $\cos(-\theta) = \cos\theta$ et que $\sin(-\theta) = -\sin\theta$, on a

$$re^{-i\theta} = r\big(\cos(-\theta) + i\sin(-\theta)\big) = r\big(\cos\theta - i\sin\theta\big).$$

Exemple 5   Évaluez $e^{i\pi}$.

Solution   On utilise la formule d'Euler, $e^{i\pi} = \cos\pi + i\sin\pi = -1$.

Exemple 6   Exprimez le nombre complexe représenté par le point $r = 8$, $\theta = 3\pi/4$ sous forme cartésienne et sous forme polaire, $z = re^{i\theta}$.

Solution   On emploie des coordonnées cartésiennes ; le nombre complexe est alors

$$z = 8\left(\cos\left(\frac{3\pi}{4}\right) + i\sin\left(\frac{3\pi}{4}\right)\right) = \frac{-8}{\sqrt{2}} + i\frac{8}{\sqrt{2}}.$$

En utilisant les coordonnées polaires, on a

$$z = 8e^{i\,3\pi/4}.$$

Parmi ses multiples avantages, la forme polaire des nombres complexes rend la recherche des puissances et des racines des nombres complexes beaucoup plus facile. En utilisant la forme polaire $z = re^{i\theta}$ pour un nombre complexe, on peut trouver toute puissance de z comme suit :

$$z^p = (re^{i\theta})^p = r^p e^{ip\theta}.$$

Pour trouver les racines, si p est une fraction, on procède comme dans l'exemple 7.

Exemple 7   Trouvez une racine cubique du nombre complexe représenté par le point ayant les coordonnées polaires $(8, 3\pi/4)$.

Solution   À l'exemple 6, on a vu que ce nombre complexe pouvait s'écrire $z = 8e^{i\,3\pi/4}$. Donc,

$$\sqrt[3]{z} = \left(8e^{i\,3\pi/4}\right)^{1/3} = 8^{1/3}e^{i(3\pi/4)\cdot(1/3)} = 2e^{\pi i/4} = 2\big(\cos(\pi/4) + i\sin(\pi/4)\big)$$

$$= 2\left(1/\sqrt{2} + i/\sqrt{2}\right) = \sqrt{2}(1 + i).$$

Problèmes de l'annexe D

Pour les problèmes 1 à 8, exprimez le nombre complexe donné sous forme polaire, $z = re^{i\theta}$.

1. $2i$
2. -5
3. $1 + i$
4. $-3 - 4i$

5. 0
6. $-i$
7. $-1 + 3i$
8. $5 - 12i$

Pour les problèmes 9 à 18, effectuez les calculs indiqués. Donnez votre réponse sous forme cartésienne, $z = x + iy$.

9. $(2 + 3i) + (-5 - 7i)$
10. $(2 + 3i)(5 + 7i)$

11. $(2 + 3i)^2$
12. $(1 + i)^2 + (1 + i)$

13. $(0{,}5 - i)(1 - i/4)$
14. $(2i)^3 - (2i)^2 + 2i - 1$

15. $(e^{i\pi/3})^2$
16. $\sqrt{e^{i\pi/3}}$

17. $(5e^{i\pi 7/6})^3$
18. $\sqrt[4]{10e^{i\pi/2}}$

En écrivant les nombres complexes sous forme polaire, $z = re^{i\theta}$, trouvez une valeur pour les quantités des problèmes 19 à 28. Donnez votre réponse sous forme cartésienne, $z = x + iy$.

19. $\sqrt{i}$
20. $\sqrt{-i}$
21. $\sqrt[3]{i}$
22. $\sqrt{7i}$

23. $(1 + i)^{100}$
24. $(1 + i)^{2/3}$
25. $(-4 + 4i)^{2/3}$
26. $(\sqrt{3} + i)^{1/2}$

27. $(\sqrt{3} + i)^{-1/2}$
28. $(\sqrt{5} + 2i)^{\sqrt{2}}$

Résolvez les équations simultanées pour les problèmes 29 et 30 pour A_1 et A_2.

29. $A_1 + A_2 = 2$
$(1 - i)A_1 + (1 + i)A_2 = 3$

30. $A_1 + A_2 = 2$
$(i - 1)A_1 + (1 + i)A_2 = 0$

31. Soit $z_1 = -3 - i\sqrt{3}$ et $z_2 = -1 + i\sqrt{3}$.

a) Trouvez $z_1 z_2$ et z_1 / z_2. Donnez votre réponse sous forme cartésienne, $z = x + iy$.
b) Mettez z_1 et z_2 sous forme polaire, $z = re^{i\theta}$. Trouvez $z_1 z_2$ et z_1 / z_2 en utilisant la forme polaire et vérifiez si vous obtenez la même réponse que dans la partie a).

32. Si les racines de l'équation $x^2 + 2bx + c = 0$ sont des nombres complexes $p \pm iq$, trouvez les expressions pour p et q en fonction de b et de c.

Les énoncés des problèmes 33 à 38 sont-ils vrais ou faux ? Justifiez votre réponse.

33. Chaque nombre réel non négatif a une racine carrée réelle.

34. Pour tout nombre complexe z, le produit $z \cdot \overline{z}$ est un nombre réel.

35. Le carré de tout nombre complexe est un nombre réel.

36. Si f est un polynôme et si $f(z) = i$, alors $f(\overline{z}) = i$.

37. Tout nombre complexe non nul z peut s'écrire sous la forme $z = e^w$, où w est un autre nombre complexe.

38. Si $z = x + iy$, où x et y sont positifs, alors $z^2 = a + ib$ a un a et un b positifs.

Pour les problèmes 39 à 43, utilisez la formule d'Euler pour dériver les relations suivantes. (Notez que si a, b, c et d sont des nombres réels, $a + bi = c + di$ signifie que $a = c$ et $b = d$.)

39. $\sin^2\theta + \cos^2\theta = 1$
40. $\sin 2\theta = 2\sin\theta\cos\theta$
41. $\cos 2\theta = \cos^2\theta - \sin^2\theta$

42. $\dfrac{d}{d\theta}\sin\theta = \cos\theta$
43. $\dfrac{d^2}{d\theta^2}\cos\theta = -\cos\theta$

ANNEXE E   LA MÉTHODE DE NEWTON

Bon nombre de problèmes mathématiques consistent à rechercher la racine d'une équation. Par exemple, il pourrait être nécessaire de repérer les zéros d'un polynôme ou de déterminer le point d'intersection de deux courbes. Ici on analysera une méthode numérique qui permet de calculer l'approximation des solutions qu'on ne peut calculer avec exactitude.

L'une de ces méthodes, la bissection, est décrite à l'annexe A. Bien qu'elle soit très simple, la méthode de bissection présente deux gros désavantages. Tout d'abord, elle ne peut repérer une racine là où la courbe est tangente à l'axe des x mais ne le croise pas. Deuxièmement, elle est plutôt longue dans le sens qu'elle exige un nombre considérable d'itérations pour atteindre le niveau de précision souhaité. Bien que la vitesse puisse ne pas être importante pour résoudre une équation simple, un problème pratique peut exiger la résolution de milliers d'équations lorsqu'un paramètre varie. Dans un tel cas, toute réduction du nombre d'étapes peut être importante.

L'emploi de la méthode de Newton

On considère maintenant une méthode efficace de recherche de racine mise au point par Newton. On suppose qu'on a une fonction $y = f(x)$. L'équation $f(x) = 0$ a une racine en $x = r$, comme le montre la figure E.15. On commence par faire une estimation initiale x_0 pour cette racine. (Il peut s'agir d'une supposition.). Pour obtenir une meilleure estimation x_1, on construit la droite tangente au graphe de f au point $x = x_0$ et on la prolonge jusqu'à ce qu'elle croise l'axe des x (voir figure E.15). Le point où elle croise l'axe est normalement beaucoup plus près de r et on utilise ce point comme prochaine estimation x_1. Ayant trouvé x_1, on répète maintenant le processus en commençant par x_1 plutôt que par x_0. On construit la droite tangente à la courbe en $x = x_1$ et on la prolonge jusqu'à ce qu'elle croise l'axe des x. On utilise ensuite cette intersection avec l'axe des x comme approximation suivante, soit x_2, et ainsi de suite. Normalement, la suite résultante d'intersections avec l'axe des x converge rapidement vers la racine r.

On considère maintenant ce résultat de manière algébrique. On sait que la pente de la droite tangente, selon l'estimation initiale x_0, est $f'(x_0)$. Donc, l'équation de la droite tangente est

$$y - f(x_0) = f'(x_0)(x - x_0).$$

Au point où cette droite tangente croise l'axe des x, on a $y = 0$ et $x = x_1$, de telle sorte que

$$0 - f(x_0) = f'(x_0)(x_1 - x_0).$$

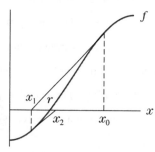

Figure E.15 : Méthode de Newton : approximations successives $x_0, x_1, x_2, \ldots$ de la racine r

En résolvant pour déterminer x_1, on obtient

$$x_1 = x_0 - \frac{f(x_0)}{f'(x_0)},$$

pourvu que $f'(x_0)$ ne soit pas zéro. On reprend maintenant ce raisonnement et on trouve que l'approximation suivante est

$$x_2 = x_1 - \frac{f(x_1)}{f'(x_1)}.$$

En bref, pour tout $n = 0, 1, 2, \ldots$, on obtient les résultats suivants.

Méthode de Newton pour résoudre l'équation $f(x) = 0$

On choisit x_0 près d'une solution et on calcule la suite $x_1, x_2, x_3, \ldots$ en utilisant la règle

$$x_{n+1} = x_n - \frac{f(x_n)}{f'(x_n)},$$

pourvu que $f'(x_n)$ ne soit pas zéro. Pour un grand n, la solution est approchée par x_n.

Exemple 1

Utilisez la méthode de Newton pour trouver la racine cinquième de 23. (Avec une calculatrice, la réponse est 1,872 171 231, avec neuf décimales exactes.)

Solution

Pour utiliser la méthode de Newton, on a besoin d'une équation de la forme $f(x) = 0$ ayant $23^{1/5}$ comme racine. Puisque $23^{1/5}$ est une racine de $x^5 = 23$ ou de $x^5 - 23 = 0$, on prend $f(x) = x^5 - 23$. Comme la racine de cette équation se situe entre 1 et 2 (puisque $1^5 = 1$ et que $2^5 = 32$), on choisit donc $x_0 = 2$ pour l'estimation initiale. Maintenant, $f'(x) = 5x^4$; on peut donc établir, selon la méthode de Newton :

$$x_{n+1} = x_n - \frac{x_n^5 - 23}{5x_n^4}.$$

Dans ce cas, on peut simplifier en utilisant un dénominateur commun pour obtenir

$$x_{n+1} = \frac{4x_n^5 + 23}{5x_n^4}.$$

Par conséquent, en commençant par $x_0 = 2$, on trouve que $x_1 = 1,8875$. Cela conduit à $x_2 = 1,872\ 418\ 193$ et à $x_3 = 1,872\ 171\ 296$. Ces valeurs se trouvent dans le tableau E.4. Puisque $f(1,872\ 171\ 231) > 0$ et que $f(1,872\ 171\ 230) < 0$, la racine se trouve entre 1,872 171 230 et 1,872 171 231. Ainsi, en seulement quatre itérations de la méthode de Newton, on atteint une précision de huit décimales.

TABLEAU E.4 *Méthode de Newton : $x_0 = 2$*

n	x_n	$f(x_n)$
0	2	9
1	1,8875	0,957 130 661
2	1,872 418 193	0,015 173 919
3	1,872 171 296	0,000 004 020
4	1,872 171 231	0,000 000 027

TABLEAU E.5 *Méthode de Newton : $x_0 = 10$*

n	x_n	n	x_n
0	10	6	2,679 422 313
1	8,000 460 000	7	2,232 784 753
2	6,401 419 079	8	1,971 312 452
3	5,123 931 891	9	1,881 654 220
4	4,105 818 871	10	1,872 266 333
5	3,300 841 811	11	1,872 171 240

Comme règle générale pour la méthode de Newton, une fois qu'on a trouvé la première décimale correcte, chaque itération successive double approximativement le nombre de chiffres exacts.

Que se produit-il si on sélectionne une estimation initiale très imprécise ? On reprend l'exemple précédent et on suppose que x_0 est 10 plutôt que 2. Les résultats se trouvent dans le tableau E.5 (page précédente). À noter que même avec $x_0 = 10$, la suite de valeurs se déplace raisonnablement vite vers la solution : on atteint une précision de six décimales dès la onzième itération.

Exemple 2

Trouvez le premier point d'intersection des courbes données par $f(x) = \sin x$ et $g(x) = e^{-x}$.

Solution

D'après les graphes de la figure E.16, il est clair qu'il existe un nombre infini de points d'intersection, tous avec $x > 0$. Pour trouver le premier numériquement, on considère la fonction

$$F(x) = f(x) - g(x) = \sin x - e^{-x},$$

dont la dérivée est $F'(x) = \cos x + e^{-x}$. En considérant le graphe, on constate que le point souhaité est relativement proche de $x = 0$, donc on commence par $x_0 = 0$. Les valeurs au tableau E.6 représentent des approximations de la racine. Puisque $F(0{,}588\,532\,744) > 0$ et que $F(0{,}588\,532\,743) < 0$, la racine se trouve entre $0{,}588\,532\,743$ et $0{,}588\,532\,744$. (Il ne faut pas oublier de régler la calculatrice en radians.)

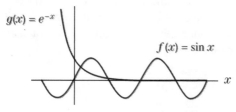

Figure E.16 : Racine de $\sin x = e^{-x}$

TABLEAU E.6 *Approximations successives de la racine de* $\sin x = e^{-x}$

n	x_n
0	0
1	0,5
2	0,585 643 817
3	0,588 529 413
4	0,588 532 744
5	0,588 532 744

Quand la méthode de Newton échoue-t-elle ?

Dans les situations les plus pratiques, la méthode de Newton fonctionne bien. Parfois, cependant, la suite $x_0, x_1, x_2, \ldots$ ne converge pas ou du moins pas vers la racine souhaitée. Parfois, la suite peut notamment sauter d'une racine à l'autre. Cela peut se produire tout particulièrement si l'ampleur de la dérivée $f'(x_n)$ est petite pour un x_n. Dans ce cas, la droite tangente est presque horizontale et x_{n+1} sera loin de x_n (voir la figure E.17).

Si l'équation $f(x) = 0$ *n'a pas* de racine, alors la suite ne convergera pas. De fait, la suite obtenue en appliquant la méthode de Newton à $f(x) = 1 + x^2$ constitue l'un des exemples les plus connus de *comportement chaotique* et a récemment suscité l'intérêt d'un grand nombre de chercheurs (voir la figure E.18).

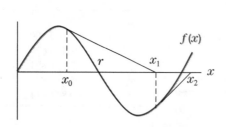

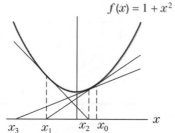

Figure E.17 : Problèmes avec la méthode de Newton : convergence vers la mauvaise racine

Figure E.18 : Problèmes avec la méthode de Newton : comportement chaotique

Problèmes de l'annexe E

1. Supposez que vous souhaitez trouver une solution à l'équation

$$x^3 + 3x^2 + 3x - 6 = 0.$$

Considérez $f(x) = x^3 + 3x^2 + 3x - 6$.

a) Trouvez $f'(x)$ et utilisez la réponse obtenue pour montrer que $f(x)$ est partout croissante.
b) Combien de racines l'équation originale a-t-elle ?
c) Pour chaque racine, trouvez un intervalle qui la contient.
d) Trouvez chaque racine avec deux décimales exactes à l'aide de la méthode de Newton.

Pour les problèmes 2 à 4, utilisez la méthode de Newton pour trouver les quantités données avec deux décimales exactes.

2. $\sqrt[3]{50}$ 3. $\sqrt[4]{100}$ 4. $10^{-1/3}$

Pour les problèmes 5 à 8, résolvez chaque équation et donnez chaque réponse avec deux décimales exactes.

5. $\sin x = 1 - x$ 6. $\cos x = x$

7. $e^{-x} = \ln x$ 8. $e^x \cos x = 1$ pour $0 < x < \pi$

9. Trouvez, avec deux décimales exactes, toutes les solutions de $\ln x = 1/x$.

10. Combien de zéros les fonctions suivantes comportent-elles ? Pour chaque zéro, trouvez un majorant et un minorant qui ne diffèrent pas de plus de 0,1.

a) $f(x) = x^3 + x - 1$ b) $f(x) = \sin x - \frac{2}{3}x$ c) $f(x) = 10xe^{-x} - 1$

11. Trouvez le plus grand zéro de

$$f(x) = x^3 + x - 1,$$

avec six décimales exactes, en utilisant la méthode de Newton. Comment pouvez-vous savoir que votre approximation est aussi précise que vous le soutenez ?

12. Pour tout nombre positif a, le problème qui consiste à calculer la racine carrée $\sqrt{a}$ se résout souvent en appliquant la méthode de Newton à la fonction $f(x) = x^2 - a$. Appliquez la méthode pour obtenir une expression pour x_{n+1} en fonction de x_n. Utilisez cette expression pour calculer l'approximation de $\sqrt{a}$ pour $a = 2, 10, 1000$ et π avec quatre décimales exactes, en commençant à $x_0 = a/2$ dans chaque cas.

ANNEXE F   LES ÉQUATIONS PARAMÉTRIQUES

Comment représente-t-on le mouvement ?

Pour représenter le mouvement d'une particule dans le plan des xy, on utilise deux équations, l'une pour la coordonnée x de la particule, $x = f(t)$ et l'autre pour la coordonnée y, soit $y = g(t)$. Ainsi, au temps t, la particule se trouve au point $(f(t), g(t))$. L'équation de x décrit le mouvement vers la droite et vers la gauche ; l'équation de y décrit le mouvement vers le haut et vers le bas. Les deux équations de x et y sont appelées des *équations paramétriques* de *paramètre t*.

Exemple 1   Décrivez le mouvement de la particule dont les coordonnées au temps t sont $x = \cos t$ et $y = \sin t$.

Solution Puisque $(\cos t)^2 + (\sin t)^2 = 1$, on a $x^2 + y^2 = 1$. Autrement dit, en tout temps t, la particule se trouve en un point (x, y) sur le cercle unité $x^2 + y^2 = 1$. On trace des points en différents temps pour voir comment la particule se déplace sur le cercle (voir la figure F.19 et le tableau F.7). La particule se déplace à une vitesse uniforme, exécutant un tour complet dans le sens inverse des aiguilles d'une montre autour du cercle chaque fois que 2π unités de temps s'écoulent. Il convient de noter la manière dont la coordonnée x passe continuellement de gauche à droite de -1 à 1 tandis que la coordonnée y passe continuellement du haut vers le bas entre -1 et 1. Les deux mouvements se combinent pour tracer un cercle.

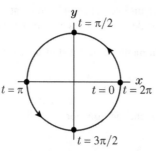

Figure F.19 : Cercle paramétré
par $x = \cos t$, $y = \sin t$

TABLEAU F.7 *Points sur le cercle avec* $x = \cos t$, $y = \sin t$

t	x	y
0	1	0
$\pi/2$	0	1
π	-1	0
$3\pi/2$	0	-1
2π	1	0

Exemple 2 La figure F.20 montre les graphes de deux fonctions, $f(t)$ et $g(t)$. Décrivez le mouvement de la particule dont les coordonnées au temps t sont $x = f(t)$ et $y = g(t)$.

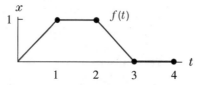 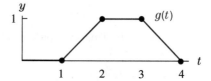

Figure F.20 : Graphes de $x = f(t)$ et de $y = g(t)$ utilisés pour tracer
le chemin $(f(t), g(t))$ à la figure F.21

Solution Entre les temps $t = 0$ et $t = 1$, la coordonnée x passe de 0 à 1, tandis que la coordonnée y demeure fixe en 0. Donc, la particule se déplace le long de l'axe des x de $(0, 0)$ à $(1, 0)$. Ensuite, entre les temps $t = 1$ et $t = 2$, les coordonnées x demeurent fixes en $x = 1$, tandis que les coordonnées y passent de 0 à 1. Ainsi, la particule se déplace le long de la droite verticale de $(1, 0)$ à $(1, 1)$. De même, entre les temps $t = 2$ et $t = 3$, elles reviennent horizontalement en $(0, 1)$ et entre les temps $t = 3$ et $t = 4$, elles se déplacent vers le bas sur l'axe des y jusqu'en $(0, 0)$. Ainsi, elles tracent le carré illustré à la figure F.21.

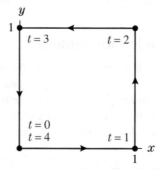

Figure F.21 : Carré paramétré par $(f(t), g(t))$

Les différents mouvements le long du même chemin

Exemple 3   Décrivez le mouvement de la particule dont les coordonnées x et y au temps t sont données par les équations

$$x = \cos(3t), \quad y = \sin(3t).$$

Solution   Puisque $(\cos(3t))^2 + (\sin(3t))^2 = 1$, on a $x^2 + y^2 = 1$, ce qui donne un mouvement autour du cercle unité. Cependant, si on trace des points en différents temps, on voit que dans ce cas, la particule se déplace trois fois plus vite que dans l'exemple 1 (voir la figure F.22 et le tableau F.8).

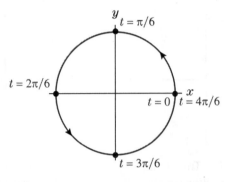

Figure F.22 : Cercle paramétré par
$x = \cos(3t), y = \sin(3t)$

TABLEAU F.8 *Points sur le cercle avec $x = \cos(3t), y = \sin(3t)$*

t	x	y
0	1	0
$\pi/6$	0	1
$2\pi/6$	−1	0
$3\pi/6$	0	−1
$4\pi/6$	1	0

L'exemple 3 est obtenu à partir de l'exemple 1 en remplaçant t par $3t$; c'est ce qu'on appelle une *variation de paramètre*. Si on change un paramètre, la particule trace le même cercle (ou une partie de celui-ci), mais à une vitesse différente ou dans une direction différente.

Exemple 4   Décrivez le mouvement de la particule dont les coordonnées x et y au temps t sont

$$x = \cos(e^{-t^2}), \quad y = \sin(e^{-t^2}).$$

Solution   Comme dans les exemples 1 et 3, on a $x^2 + y^2 = 1$. Donc, le mouvement s'effectue sur le cercle unité. Lorsque le temps t passe de $-\infty$ (très loin dans le passé) à 0 (le présent) à ∞ (très loin dans le futur), e^{-t^2} passe de près de 0 à 1 et retourne à près de 0. Ainsi, $(x, y) = (\cos(e^{-t^2}), \sin(e^{-t^2}))$ passe de près de $(1, 0)$ à $(\cos 1, \sin 1)$ et retourne à près de $(1, 0)$. La particule n'atteint jamais véritablement le point $(1, 0)$ [voir la figure F.23 et le tableau F.9].

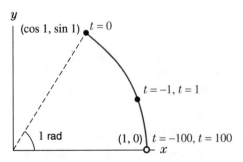

Figure F.23 : Cercle paramétré par
$x = \cos(e^{-t^2}), y = \sin(e^{-t^2})$

TABLEAU F.9 *Points sur le cercle avec $x = \cos(e^{-t^2}), y = \sin(e^{-t^2})$*

t	x	y
−100	~ 1	~ 0
−1	0,93	0,36
0	0,54	0,84
1	0,93	0,36
100	~ 1	~ 0

Les représentations paramétriques des courbes dans le plan

Parfois, on s'intéresse davantage à la courbe tracée par la particule qu'au mouvement en soi. Dans ce cas, on appelle les équations paramétriques la *paramétrisation* de la courbe. Comme on peut le constater en comparant les exemples 1 et 3, deux différentes paramétrisations peuvent décrire la même courbe dans le plan. Même si le paramètre (normalement noté t) peut ne pas avoir une signification concrète, il demeure utile de le considérer comme désignant le temps.

Exemple 5   Donnez une paramétrisation du demi-cercle de rayon 1 présenté à la figure F.24.

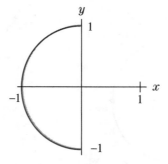

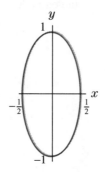

Figure F.24 : Trouvez une paramétrisation pour ce demi-cercle.

Figure F.25 : Trouvez une paramétrisation de l'ellipse $4x^2 + y^2 = 1$.

Solution   On peut utiliser les équations $x = \cos t$ et $y = \sin t$ pour représenter le déplacement circulaire dans le sens inverse des aiguilles d'une montre, à partir de l'exemple 1. La particule passe par (0, 1) en $t = \pi/2$, se déplace dans le sens contraire des aiguilles d'une montre le long du cercle et atteint (0, −1) en $t = 3\pi/2$. Donc, une paramétrisation est

$$x = \cos t, \, y = \sin t, \quad \frac{\pi}{2} \le t \le \frac{3\pi}{2}.$$

Exemple 6   Donnez une paramétrisation de l'ellipse $4x^2 + y^2 = 1$ présentée à la figure F.25.

Solution   Puisque $(2x)^2 + y^2 = 1$, on adapte la paramétrisation du cercle dans l'exemple 1. En remplaçant x par $2x$, on obtient l'équation $2x = \cos t$, $y = \sin t$. Une paramétrisation de l'ellipse est donc

$$x = \tfrac{1}{2}\cos t, \quad y = \sin t, \quad 0 \le t \le 2\pi.$$

En général, la paramétrisation d'une courbe doit passer d'une extrémité de la courbe à l'autre sans retracer une portion de la courbe. Cela diffère de la paramétrisation du mouvement d'une particule où, par exemple, une particule peut se déplacer le long du même cercle plusieurs fois.

La paramétrisation du graphe d'une fonction

Le graphe d'une fonction $y = f(x)$ peut être paramétré en laissant le paramètre t être x :

$$x = t, \quad y = f(t).$$

Exemple 7   Donnez des équations paramétriques pour la courbe $y = x^3 - x$. Dans quelle direction cette paramétrisation trace-t-elle la courbe ?

Solution Soit $x = t$, $y = t^3 - t$. Alors, $y = t^3 - t = x^3 - x$. Puisque $x = t$, à mesure que le temps augmente, la coordonnée x se déplace de gauche à droite. Donc, la particule trace la courbe $y = x^3 - x$ de gauche à droite.

Les courbes données paramétriquement

On peut tracer certaines courbes complexes plus facilement en utilisant des équations paramétriques ; l'exemple 8 illustre une telle courbe.

Exemple 8 Supposez que t est le temps (en secondes). Tracez le graphe de la courbe dessinée par la particule dont le mouvement est donné par

$$x = \cos(3t), \quad y = \sin(5t).$$

Solution La coordonnée x oscille vers l'avant et vers l'arrière entre 1 et −1, effectuant ainsi 3 oscillations toutes les 2π secondes. La coordonnée y oscille vers le haut et vers le bas entre 1 et −1, faisant ainsi 5 oscillations toutes les 2π secondes. Puisque les coordonnées x et y retournent vers leurs valeurs originales toutes les 2π secondes, la courbe est tracée de nouveau toutes les 2π secondes. Le résultat produit un modèle qu'on appelle la figure de Lissajous (voir la figure F.26). Les problèmes 23 à 26 concernent les figures de Lissajous $x = \cos(at)$, $y = \sin(bt)$ pour d'autres valeurs de a et de b.

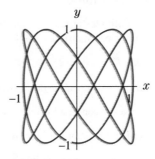

Figure F.26 : Figure de Lissajous : $x = \cos(3t)$, $y = \sin(5t)$

Problèmes de l'annexe F

Pour les problèmes 1 à 4, décrivez le mouvement d'une particule dont la position au temps t est $x = f(t)$, $y = g(t)$, où les graphes de f et g sont ceux qui sont présentés.

1.

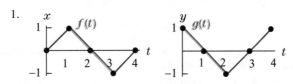

Figure F.27

2.

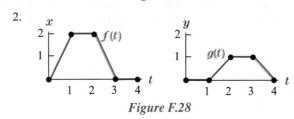

Figure F.28

3.

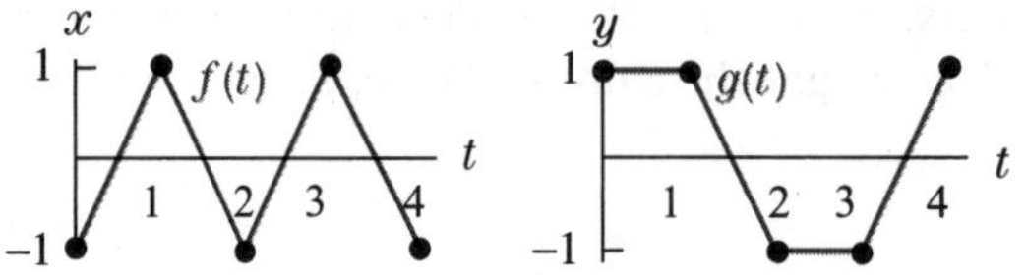

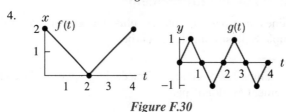

Figure F.29

4.

Figure F.30

Les problèmes 5 à 10 donnent les paramétrisations du cercle unité ou d'une partie de celui-ci. Dans chaque cas, décrivez en langage courant la manière dont le cercle est tracé, en incluant le moment et l'endroit où la particule se déplace dans le sens des aiguilles d'une montre et le moment et l'endroit où elle se déplace dans le sens inverse des aiguilles d'une montre.

5. $x = \cos t, \quad y = -\sin t$

6. $x = \sin t, \quad y = \cos t$

7. $x = \cos(t^2), \quad y = \sin(t^2)$

8. $x = \cos(t^3 - t), \quad y = \sin(t^3 - t)$

9. $x = \cos(\ln t), \quad y = \sin(\ln t)$

10. $x = \cos(\cos t), \quad y = \sin(\cos t)$

11. Décrivez les similitudes et les différences entre les mouvements dans le plan donnés par les trois paires d'équations paramétriques suivantes.

   a) $x = t, \quad y = t^2$ b) $x = t^2, \quad y = t^4$ c) $x = t^3, \quad y = t^6$

Écrivez la paramétrisation de chacune des courbes dans le plan des xy pour les problèmes 12 à 18.

12. Un cercle de rayon 3 centré à l'origine et tracé dans le sens des aiguilles d'une montre.

13. Une droite verticale passant par le point (−2, −3).

14. Un cercle de rayon 5 centré au point (2, 1) et tracé dans le sens inverse des aiguilles d'une montre.

15. Un cercle de rayon 2 centré à l'origine et tracé dans le sens des aiguilles d'une montre en partant de (−2, 0) quand $t = 0$.

16. La droite passant par les points (2, −1) et (1, 3).

17. Une ellipse centrée à l'origine et croisant l'axe des x en ±5 et l'axe des y en ±7.

18. Une ellipse centrée à l'origine et croisant l'axe des x en ±3 et l'axe des y en ±7. Commencez au point (−3, 0) et tracez l'ellipse dans le sens inverse des aiguilles d'une montre.

19. Quand t varie, les équations paramétriques suivantes tracent une droite dans le plan

$$x = 2 + 3t, \quad y = 4 + 7t.$$

a) Quelle portion de la droite s'obtient en limitant t à des nombres non négatifs ?
b) Quelle portion de la droite s'obtient si t est limité à $-1 \le t \le 0$?
c) Comment devriez-vous limiter t pour obtenir la portion de la droite à la gauche de l'axe des y ?

20. Supposez que $a, b, c, d, m, n, p, q > 0$. Faites correspondre chacune des paires d'équations paramétriques avec l'une des droites l_1, l_2, l_3, l_4 à la figure F.31 (page suivante).

   I. $\begin{cases} x = a + ct, \\ y = -b + dt. \end{cases}$ II. $\begin{cases} x = m + pt, \\ y = n - qt. \end{cases}$

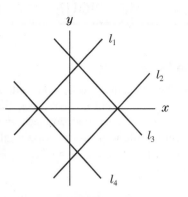

Figure F.31

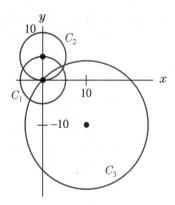

Figure F.32

21. Que pouvez-vous dire au sujet des valeurs de a, de b et de k si les équations

$$x = a + k \cos t, \quad y = b + k \sin t \quad \text{et} \quad 0 \leq t \leq 2\pi$$

tracent les cercles suivants de la figure F.32 ?

   a) C_1 b) C_2 c) C_3

22. Décrivez en langage courant la courbe représentée par les équations paramétriques

$$x = 3 + t^3, \quad y = 5 - t^3.$$

Tracez le graphe des figures de Lissajous des problèmes 23 à 26 en utilisant une calculatrice ou un ordinateur.

23. $x = \cos 2t, \quad y = \sin 5t$ 24. $x = \cos 3t, \quad y = \sin 7t$

25. $x = \cos 2t, \quad y = \sin 4t$ 26. $x = \cos 2t, \quad y = \sin \sqrt{3}\,t$

27. Le mouvement le long d'une droite est donné par une seule équation, par exemple $x = t^3 - t$, où x est la distance le long de la droite. Il est difficile de voir le mouvement à partir d'un graphe ; il ne fait que tracer la droite x, comme le montre la figure F.33. Pour visualiser le mouvement, on introduit une coordonnée y et on la laisse augmenter. Soit $y = t$; on obtient alors la figure F.34. Que révèle la figure F.34 au sujet du mouvement de la particule donné par $x = t^3 - t$, $y = t$?

Figure F.33

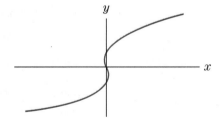

Figure F.34

Pour les problèmes 28 à 30, tracez le mouvement le long de la droite x avec la méthode utilisée au problème 27. Que vous indique le graphe au sujet du mouvement de la particule ?

28. $x = \cos t, \quad -10 \leq t \leq 10$ 29. $x = t^4 - 2t^2 + 3t - 7, \quad -3 \leq t \leq 2$

30. $x = \text{t} \ln t, \quad 0{,}01 \leq t \leq 10$

ANNEXE G   LES ÉQUATIONS PARAMÉTRIQUES ET LE CALCUL

Le mouvement sur une ligne droite

On considère un objet qui se déplace à une vitesse constante le long d'une droite passant par le point (x_0, y_0). Les coordonnées x et y ont un taux de variation constant. Soit $a = dx/dt$ et $b = dy/dt$. Puis, au temps t, l'objet a les coordonnées $x = x_0 + at$, $y = y_0 + bt$ (voir la figure G.35). À noter que a représente le parcours horizontal pendant une unité de temps et b, le parcours vertical. Ainsi, la droite a la pente $m = b/a$.

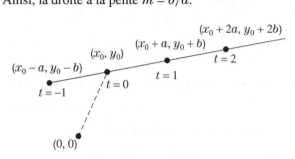

Figure G.35 : Droite $x = x_0 + at$, $y = y_0 + bt$

On obtient alors :

Équations paramétriques d'une droite

Un objet qui se déplace le long d'une droite passant par le point (x_0, y_0), avec $dx/dt = a$ et $dy/dt = b$, a les équations paramétriques

$$x = x_0 + at, \quad y = y_0 + bt.$$

La pente de la droite est $m = b/a$.

Exemple 1   Trouvez l'équation paramétrique

     a)   de la droite passant par les points $(2, -1)$ et $(-1, 5)$;

     b)   du segment de la droite de $(2, -1)$ à $(-1, 5)$.

Solution   a)   On imagine qu'un objet se déplace à une vitesse constante le long d'une droite de $(2, -1)$ à $(-1, 5)$, et que cet objet effectue le parcours du premier point au deuxième en une unité de temps. Ensuite, $dx/dt = ((-1) - 2)/1 = -3$ et $dy/dt = (5 - (-1))/1 = 6$. Ainsi, l'équation paramétrique est

$$x = 2 - 3t, \quad y = -1 + 6t.$$

     b)   Dans la paramétrisation de la partie a), $t = 0$ correspond au point $(2, -1)$ et $t = 1$ correspond au point $(-1, 5)$. Donc, la paramétrisation du segment est

$$x = 2 - 3t, \quad y = -1 + 6t, \quad 0 \le t \le 1.$$

La vitesse

On suppose qu'un objet se déplace le long d'une droite à une vitesse constante avec $dx/dt = a$ et $dy/dt = b$. En une unité de temps, l'objet se déplace de a unités horizontalement et de b

unités verticalement. Ainsi, selon le théorème de Pythagore, l'objet parcourt une distance $\sqrt{a^2 + b^2}$. Donc, sa vitesse est

$$\text{Vitesse} = \frac{\text{Distance parcourue}}{\text{Temps nécessaire}} = \frac{\sqrt{a^2 + b^2}}{1} = \sqrt{a^2 + b^2}.$$

Pour un mouvement général le long d'une courbe à des vitesses variables, on dit ce qui suit :

La *vitesse instantanée* d'un objet qui se déplace est définie par

$$v = \sqrt{\left(\frac{dx}{dt}\right)^2 + \left(\frac{dy}{dt}\right)^2}.$$

Exemple 2   Un enfant est assis dans une grande roue ayant un diamètre de 10 m et effectuant un tour toutes les 2 min. Trouvez la vitesse du siège de l'enfant.

    a) Utilisez la géométrie.
    b) Utilisez une paramétrisation du mouvement.

Solution   a) Le siège de l'enfant se déplace à une vitesse constante autour d'un cercle dont le rayon est de 5 m et effectue un tour toutes les 2 min. Le tour du cercle de rayon 5 équivaut à une distance de 10π, donc la vitesse du siège de l'enfant est de $10\pi/2 = 5\pi \approx 15{,}7$ m/min.

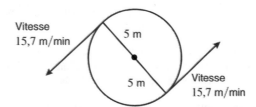

Figure G.36 : Vitesse du siège de l'enfant dans la grande roue

    b) La grande roue a un rayon de 5 m et effectue un tour dans le sens contraire des aiguilles d'une montre toutes les 2 min. Le mouvement est paramétré par une équation de la forme

$$x = 5\cos(\omega t), \quad y = 5\sin(\omega t),$$

où ω est choisi pour rendre la période égale à 2 min. Puisque la période de $\cos(\omega t)$ et de $\sin(\omega t)$ est de $2\pi/\omega$, on doit avoir

$$\frac{2\pi}{\omega} = 2. \quad \text{Ainsi, } \omega = \pi.$$

Par conséquent, le mouvement est décrit par l'équation

$$x = 5\cos(\pi t), \quad y = 5\sin(\pi t),$$

où t est en minutes. Donc, la vitesse est donnée par

$$v = \sqrt{\left(\frac{dx}{dt}\right)^2 + \left(\frac{dy}{dt}\right)^2}$$

$$= \sqrt{(-5\pi)^2 \sin^2(\pi t) + (5\pi)^2 \cos^2(\pi t)} = 5\pi\sqrt{\sin^2(\pi t) + \cos^2(\pi t)} = 5\pi \approx 15{,}7,$$

ce qui concorde avec la vitesse qu'on a calculée à la partie a).

Les droites tangentes

Pour trouver la droite tangente en un point (x_0, y_0) d'une courbe donnée paramétriquement, on trouve la droite passant par (x_0, y_0) et ayant la même vitesse dans les directions x et y.

Exemple 3

Trouvez la droite tangente au point $(1, 2)$ de la courbe définie par l'équation paramétrique

$$x = t^3, \quad y = 2t.$$

Solution

Au temps $t = 1$, la particule se trouve au point $(1, 2)$. La vitesse dans la direction x au temps t est $dx/dt = 3t^2$, et la vitesse dans la direction y est $dx/dt = 2$. Donc, en $t = 1$, la vitesse dans la direction x est 3 et la vitesse dans la direction y est 2. Ainsi, la droite tangente a les équations paramétriques

$$x = 1 + 3t, \quad y = 2 + 2t.$$

Problèmes de l'annexe G

1. a) Expliquez comment vous pouvez savoir que les deux paires d'équations suivantes, $x = 2 + t, y = 4 + 3t$ et $x = 1 - 2t, y = 1 - 6t$, paramètrent la même droite.
   b) Quelles sont les pentes et l'intersection avec l'axe des y de cette droite ?

2. Les équations $x = 10 + t$ et $y = 2t$ paramètrent une droite.

   a) Supposez qu'on se limite à $t < 0$. Quelle portion de la droite obtenez-vous ?
   b) Supposez qu'on se limite à $0 \le t \le 1$. Quelle portion de la droite obtenez-vous ?

3. a) Tracez la courbe paramétrée par $x = t \cos t, y = t \sin t$ pour $0 \le t \le 4\pi$.
   b) En calculant la position en $t = 2$ et en $t = 2{,}01$, estimez la vitesse en $t = 2$.
   c) Utilisez des dérivées pour calculer la vitesse en $t = 2$ et comparez votre réponse à la partie b).

Pour les problèmes 4 à 7, trouvez la vitesse pour le mouvement donné d'une particule. De plus, trouvez les temps où la particule s'arrête.

4. $x = t^2, \quad y = t^3$ 5. $x = \cos(t^2), \quad y = \sin(t^2)$

6. $x = \cos 2t, \quad y = \sin t$ 7. $x = t^2 - 2t, \quad y = t^3 - 3t$

8. Trouvez des équations paramétriques pour la droite tangente en $t = 2$ pour le problème 4.

Trouvez la longueur des courbes des problèmes 9 à 11.

9. $x = 3 + 5t, y = 1 + 4t$ pour $1 \le t \le 2$. Justifiez votre réponse.

10. $x = \cos(e^t), y = \sin(e^t)$ pour $0 \le t \le 1$. Expliquez la raison pour laquelle votre réponse est raisonnable.

11. $x = \cos(3t), y = \sin(5t)$ pour $0 \le t \le 2\pi$.

12. Considérez le mouvement de la particule donné par les équations paramétriques

$$x = t^3 - 3t, \quad y = t^2 - 2t,$$

où l'axe des y est vertical et l'axe des x est horizontal.

a) La particule finit-elle par s'arrêter ? le cas échéant, quand et où ?
b) La particule se déplace-t-elle parfois vers le haut ou vers le bas ? le cas échéant, quand et où ?
c) La particule se déplace-t-elle parfois tout droit en ligne horizontale vers la gauche ou vers la droite ? le cas échéant, quand et où ?

13. Émilie se tient sur la bordure extérieure d'un manège, à 10 m du centre. Le manège exécute un tour complet toutes les 20 s. Quand Émilie passe au-dessus d'un point P sur le sol, elle laisse tomber une balle à 3 m du sol.

   a) À quelle vitesse Émilie va-t-elle ?
   b) À quelle distance de P la balle frappe-t-elle le sol ? (L'accélération provoquée par la gravité est de 9,8 m/s^2.)
   c) À quelle distance d'Émilie la balle frappe-t-elle le sol ?

14. Une lune hypothétique gravite autour d'une planète qui, à son tour, gravite autour d'une étoile. Supposez que les orbites sont circulaires et que la lune gravite autour de la planète 12 fois pendant que la planète gravite autour de l'étoile 1 fois. Dans ce problème, on essaie de savoir si la lune peut s'arrêter temporairement à un moment donné (voir la figure G.37).

   a) Supposez que le rayon de l'orbite de la lune autour d'une planète soit de 1 unité et que le rayon de l'orbite de la planète autour de l'étoile soit de R unités. Expliquez la raison pour laquelle le mouvement de la lune par rapport à l'étoile peut être décrit par les équations paramétriques

   $$x = R \cos t + \cos(12t), \quad y = R \sin t + \sin(12t).$$

   b) Trouvez les valeurs de R et de t telles que la lune s'arrête par rapport à l'étoile au temps t.
   c) À l'aide d'une calculatrice graphique, tracez le chemin de la lune pour la valeur de R que vous avez obtenue à la partie b). Faites des essais avec d'autres valeurs de R.

Figure G.37

15. Supposez que $F(x, y) = 1/(x^2 + y^2 + 1)$ donne la température au point (x, y) dans le plan. Une coccinelle se déplace le long d'une parabole selon les équations paramétriques

   $$x = t, \quad y = t^2.$$

Trouvez le taux de variation de la température de la coccinelle au temps t.

ANNEXE H   RÉPONSES AUX PROBLÈMES IMPAIRS DES ANNEXES

Annexe A

1. a) $y \leq 30$
   b) Deux zéros

3. $-1,05$

5. 2,5

7. $x = 1,05$

9. 0,45

11. 1,3

13. a) $x = -1,15$
    b) $x = 1, x = 1,41$ et $x = -1,41$

15. a) $x \approx 0,7$
    b) $x \approx 0,4$

17. a) Quatre zéros
    b) $[0,65, 0,66], [0,72, 0,73],$
        $[1,43, 1,44], [1,7, 1,71]$

19. b) $x \approx 5,573$

21. Borné $-5 \leq f(x) \leq 4$

23. Non borné

Annexe B

3. a) i)   5,126 978... %
       ii) 5,127 096... %
       iii) 5,127 108... %
   b) 5,127 %
   c) $e^{0,05} = 1,051\ 271\ 09...$

5. $\approx 6,183\ 65$ %

7. a) 11,55 années
   b) $P = P_0(2)^{t/11,55}$

9. a) 2 613 035 zaïres

 b) i) 2 714 567 zaïres
  ii) 2 718 127 zaïres
  iii) 2 718 280 zaïres

 c) Se stabilise ; plus de 2 718 000 zaïres.

11. a) Gagne 11,83 $.

 b) Perd 9,19 $.

Annexe C

1. $(1, 0)$

3. $(-2, 0)$

5. $\left(\dfrac{5\sqrt{3}}{2}, -\dfrac{5}{2}\right)$

7. $(\cos 1, \sin 1)$

9. $(2, \pi/2)$

11. $(\sqrt{2}, 3\pi/4)$

13. $(0{,}28, 7\pi/4)$

15. $(3{,}16, 2{,}82)$

Annexe D

1. $2e^{i\pi/2}$

3. $\sqrt{2}\,e^{i\pi/4}$

5. $0e^{i\theta}$ pour tout θ.

7. $\sqrt{10}\,e^{i\,\arctan(-3)}$

9. $-3 - 4i$

11. $-5 + 12i$

13. $\dfrac{1}{4} - \dfrac{9i}{8}$

15. $-\dfrac{1}{2} + i\dfrac{\sqrt{3}}{2}$

17. $-125i$

19. $\dfrac{\sqrt{2}}{2} + i\dfrac{\sqrt{2}}{2}$

21. $\dfrac{\sqrt{3}}{2} + \dfrac{i}{2}$

23. -2^{50}

25. $8i\sqrt[3]{2}$

27. $\dfrac{1}{\sqrt{2}}\cos\left(\dfrac{-\pi}{12}\right) + i\dfrac{1}{\sqrt{2}}\sin\left(\dfrac{-\pi}{12}\right)$

29. $A_1 = 1 - i, A_2 = 1 + i$

31. a) $z_1 z_2 = 6 - i2\sqrt{3}$

 $\dfrac{z_1}{z_2} = i\sqrt{3}$

 b) Même que a)

33. Vrai

35. Faux

37. Vrai

Annexe E

1. a) $f'(x) = 3x^2 + 6x + 3$

 b) Un au plus

 c) $[0, 1]$

 d) $x \approx 0{,}913$

3. $\sqrt[4]{100} \approx 3{,}162$

5. $x \approx 0{,}511$

7. $x \approx 1{,}310$

9. $x \approx 1{,}763$

11. $x \approx 0{,}682\ 328$

Annexe F

1. La particule se déplace en ligne droite du point $(0, 1)$ au point $(1, 0)$, puis au point $(0, -1)$, ensuite au point $(-1, 0)$, et retourne enfin au point $(0, 1)$.

3. La particule se déplace en ligne droite du point $(-1, 1)$ jusqu'au point $(1, 1)$, descend en diagonale jusqu'au point $(-1, -1)$, traverse au point $(1, -1)$ et remonte en diagonale au point $(-1, 1)$.

5. La particule se déplace dans le sens des aiguilles d'une montre.

7. La particule se déplace dans le sens des aiguilles d'une montre lorsque $t < 0$ et dans le sens inverse lorsque $t > 0$.

9. La particule se déplace dans le sens inverse des aiguilles d'une montre lorsque $t > 0$. Sinon, quand $t \leq 0$, la position n'est pas définie.

11. Dans les trois cas le mouvement se produit sur la parabole $y = x^2$. Dans le cas a), les équations décrivent le mouvement d'une particule vers la droite, sur la parabole, à une vitesse horizontale constante. Dans le cas b), la particule descend d'abord la moitié droite de la parabole, atteind l'origine $(0, 0)$ au temps $t = 0$, et change alors de direction pour remonter la moitié droite de la parabole. Dans le cas c), comme dans le cas a), la particule décrit le mouvement de la parabole $y = x^2$ de gauche à droite. Par contre, la vitesse horizontale n'est pas constante.

13. Réponse possible : $x = -2, y = t$.

15. Réponse possible : $x = -2 \cos t$, $y = 2 \sin t, 0 \leq t \leq 2x$.

17. Réponse possible : $x = 5 \cos t$, $y = 7 \sin t, 0 \leq t \leq 2x$.

19. a) La portion de la droite à la droite et au-dessus du point $(2, 4)$.

 b) La portion de la droite entre les points $(2, 4)$ et $(-1, -3)$

 c) $t < -2/3$

21. a) $a = b = 0, k = 5$ ou -5.

 b) $a = 0, b = 5, k = 5$ ou -5.

 c) $a = 10, b = -10, k = \sqrt{200}$ ou $k = -\sqrt{200}$.

27. La particule se déplace d'abord de la gauche vers la droite, change ensuite de direction pour une courte période, puis reprend son mouvement de la gauche vers la droite.

29. La particule se déplace d'abord vers la gauche, change ensuite trois fois de direction, puis poursuit son mouvement vers la droite.

Annexe G

1. a) Tous les deux paramétrisent la droite $y = 3x - 2$.

 b) Pente = 3, intersection avec l'axe des y est -2

3. b) $v \approx 2{,}2$

 c) $v = 2{,}2363$

5. Vitesse $= 2|t|$, s'arrête en $t = 0$.

7. Vitesse $= ((2t - 2)^2 + (3t^2 - 3)^2)^{1/2}$, s'arrête en $t = 1$.

9. $\sqrt{42}$

11. $\approx 24{,}6$

13. a) π m/s

 b) 2,45 m

 c) 3,01 m

15. $-(2t + 4t^3)/(1 + t^2 + t^4)^2$

RÉPONSES AUX PROBLÈMES

Section 1.1

1. I) Aucun
   II) b
   III) c
   IV) a

2. a) II
   b) I
   c) IV

3. En 1985, 12 millions d'habitants

4. $K = cv^2$

5. $F = k/d^2$

6. $c = d/t$, où d est la distance

7. $V = kr^3$

13. a) La température au temps $t = 30$ min était de 10 °C.
    b) a est la valeur de $f(t)$ quand $t = 0$.
    c) b est la valeur de t quand $f(t) = 0$.

14. Première courbe : offre
    Deuxième courbe : demande

15. p_1 = prix maximal que le consommateur est prêt à payer
    q_1 = quantité donnée si l'article est gratuit

16. Domaine : $1 \leq x \leq 5$
    Image : $1 \leq y \leq 6$

17. Domaine : $0 \leq x \leq 5$
    Image : $0 \leq y \leq 4$

18. Domaine et image : $[-2, 2]$

19. Domaine : tout x
    Image : $y \geq 2$

20. Domaine : tout x sauf 2
    Image : tout nombre sauf 0

21. Domaine : tout x
    Image $0 < y \leq 1/2$

22. $t \geq 4$ ou $t \leq -4$
    $f(t) = 3$ pour $t = \pm 5$

23. Tout $x \neq 0, -1$
    $x = \pm 2$

24. Hypothèse incorrecte.
    La vitesse est proportionnelle au temps.

Section 1.2

1. Pente : $-12/7$
   Intersection avec l'axe vertical : $2/7$

2. Pente : $1/2$
   Intersection verticale : $-2/3$

3. Pente : 2
   Intersection avec l'axe vertical : $-2/3$

4. $y = x$

5. $y = (1/2)x + 2$

6. $y = x/2 + 2$

7. $y = -\frac{1}{5}x + \frac{7}{5}$

8. Parallèle : $y = -4x + 9$
   Perpendiculaire : $y = -x/4 + 19/4$

9. Parallèle : $y = m(x - a) + b$
   Perpendiculaire :
   $y = (-1/m)(x - a) + b$

10. a) V
    b) IV
    c) I
    d) VI
    e) II
    f) III

11. a) V
    b) VI
    c) I
    d) IV
    e) III
    f) II

12. 5

13. $W = (5/3)R + 10$

15. a) $0,60 \text{ \$/m}^3$
    b) $c = 66 + 0,6w$
       c = coût de l'eau
       w = m³ d'eau
    c) $w = 107$ m³

16. a) $b = 0$
    b) $a > 0$
    c) $c > a$

17. a) Pente = 1,8
    b) °F = $1,8(°C) + 32$
    c) 68° Fahrenheit
    d) $-40°$

18. a) $q = 1000 - 50p$
    b) $p = 20 - q/50$
    c) 10^6

19. $9 \cdot 10^9 \text{ N/m}^2$

21. a) $d = 8t$
    b) Non, au cours des 200 dernières années, la vitesse moyenne est $1100/200 = 5,5$ km/année.
    c) Peu probable

22. a) $l = al_0 t - al_0 t_0 + l_0$
    b) $l = 0,001t + 99,99$
    c) Pente positive ; la température augmente au fur et à mesure que la longueur de la barre augmente.

23. a) $R = k(350 - H)$
    $(k \geq 0)$

24. a) $F = mg - kv$
    b) $a = g - \dfrac{k}{mv}$

Section 1.3

1. Concave vers le haut

2. Concave vers le bas

3. Ni l'une ni l'autre

4. Concave vers le haut

5. Croissance exponentielle

6. Décroissance exponentielle

7. Croissance exponentielle $g(t) = 2^t$

8. Ni l'une ni l'autre

9. Décroissance exponentielle
   $h(t) = 16\,768(1/2)^t$

14. $y = 0$ est asymptote horizontale.

15. $P = 5$

16. Aucune asymptote horizontale

17. $Z = 3$

18. a) $a = 1,5$
    b) $r = 0,5 = 50\ \%$

19. a) 1,05
    b) 5 %

20. $y = 3(2^x)$

21. $y = 4(2^{-x})$

22. $y = 2(3^x)$

23. $y = 4(1 - 2^{-x})$

24. a) Fonction linéaire : $k(t)$
    b) $h(t)$
    c) $g(t)$

25. $f(s) = 2(1,1)^s$
    $g(s) = 3(1,05)^s$
    $h(s) = (1,03)^s$

26. En 35 ans

27. a) $Q = Q_0 \left(\dfrac{1}{2}\right)^{(t/1620)}$
    b) 80,7 %

28. 48,8 %

29. 25,5 %

30. a) 273,8 millions
    b) 0,9924 %

31. a) 47,3 %
    b) 11 199,4 %

32. a) $P = 2,5t + 50$
    b) $P = 50(1,035^t)$
    c) Exponentielle

Section 1.4

1. 16

2. 3

3. 100 000

4. 2

5. 1/3

6. 1/2

7. 1/4

8. 1/8

9. $10 \cdot 2^x$

10. $0,1x^2$

11. $0,25\sqrt{x}$

12. Quand $x \to \pm\infty$, $y \to \infty$

13. Quand $x \to \infty$, $y \to \infty$
    Quand $x \to -\infty$, $y \to -\infty$

14. Quand $x \to \infty$, $y \to \infty$,
    Quand $x \to -\infty$, $y \to 0$

17. $f(x) = x^3$

18. Quand $x \to \infty$, $f(x)$
    Quand $x \to -\infty$, $g(x)$

19. a) $1,3$ m^2
    b) $86,8$ kg
    c) $h = 112,6s^{4/3}$

20. a) $F > 0$
    b) $F < 0$
    c) $r = A/B$
    d) Asymptote verticale : $r = 0$
       Asymptote horizontale : $F = 0$

21. $13,5$ m et 216 m

22. a) $R = kr^4$
    b) $R = 4,938r^4$
    c) $3086,42$ cm^3/s

23. $h(t) = ab^t$
    $g(t) = kt^3$
    $f(t) = ct^2$

24. g est exponentielle, f et k sont des puissances
    $f(x) = 0,01x^3$, $g(x) = 9,01x^2$,

25. a) $0 \le x \le 5$,
       $0 \le y \le 9$
    b) $0 \le x \le 5$,
       $0 \le y \le 625$
    c) $0 \le x \le 10$,
       $0 \le y \le 50\,000$

Section 1.5

1. a) $f(25)$ = nombre d'articles vendus lorsque le prix est de 25.
   b) $f^{-1}(30)$ = prix auquel 30 articles sont vendus.

2. a) $f(1000)$ = coût de construction d'une boutique de 1000 m^2.
   b) $f^{-1}(20\,000)$ = surface en mètres carrés d'une boutique dont le coût de construction est de 20 000 \$.

3. Longueur de la colonne de mercure lorsque la température se situe à 75 °F

4. N'admet pas de réciproque

5. N'admet sans doute pas de réciproque

6. Admet une réciproque

7. N'admet pas de réciproque

8. N'admet pas de réciproque

9. N'admet pas de réciproque

10. Admet une réciproque

11. N'admet pas de réciproque

13. a) $q = \dfrac{C - 100}{2} = f^{-1}(C)$
    b) Nombre d'articles produits au coût donné

14. a) $k = p/2,2$
    b) $p = 2,2k$

16. Vrai

17. a) -1

18. a) Admet une réciproque
    b) $f^{-1}(400) \approx 1979$

Section 1.6

2. $x = (\log 11)/(\log 3) \approx 2,2$

3. $(\log 2)/(\log 17) \approx 0,24$

4. $x = (\log 10)/(\log 4)$
   $= 1/(\log 4) \approx 1,66$

5. $(\log(2/5))/(\log 1,04) \approx -23,4$

6. $x = (\log(25/2))/(\log(5)) \approx 1,57$

7. $(\log(2/11))/(\log(7/5)) \approx -5,07$

8. $x = (\log(4/7))/(\log(5/3)) \approx -1,1$

9. $(\log a)/(\log b)$

10. $t = \dfrac{\log P - \log P_0}{\log a}$

11. $(\log Q - \log Q_0)/(n \log a)$

12. $t = \dfrac{\log\left(\frac{Q_0}{P_0}\right)}{\log\left(\frac{a}{b}\right)}$

13. $(10/3) \log A + \log B$

14. -1

15. 2

16. AB

17. $(A/B)^2$

18. C'est la droite $y = x$.

19. Le graphe est une droite, de pente 1, à droite de l'origine.

20. $x^{1/3}$

21. $\log x$

22. $y = \dfrac{x}{\log 2} + 1 \approx 3,3219x + 1$

23. $14,21$ années

24. $P = 40\,000\,000(1,4)^{t/10}$

25. 1990

26. $6,58$ années

27. a) $A = 10,32e^{-0,057\,762t}$
    b) $40,41$ jours

28. a) Pour $r = 0,02$, $D = 35$ années

b) Pour $r = 0,03$, $D = 23,4$ années
c) Pour $r = 0,04$, $D = 17,7$ années
d) Pour $r = 0,05$, $D = 14,2$ années

29. $p^{-1}(t) \approx 58,708 \log t$

Section 1.7

2. $x \approx -3,26$

3. $-0,347$

4. $x \approx 0,26$

5. $0,515$

6. $x = 1$

7. $0,382$, $1,82$

8. $t = \ln(a/b)$

9. $\ln(P/P_0)/k$

10. $t = \dfrac{\ln a}{b - k}$

11. $1/2$

12. $5A^2$

13. $2AB$

14. $\sqrt{A}$

15. $-1 + \ln A + \ln B$

16. $2A + 3e\ln B$

17. $3 \ln A + \ln B$

18. $P = 15(1,28)^t$: croissance

19. $P = 2(0,61)^t$: décroissance

20. $P = 10(2,5)^t$: croissance

21. $P = 79(0,0821)^t$: décroissance

22. $P = P_0(1,2214)^t$: croissance

23. $P = 7(0,0432)^t$: décroissance

24. $P = 15e^{0,41t}$: croissance

25. $P = 10e^{0,5306t}$

26. $P = 174e^{-0,1054t}$

27. $P = 4e^{-0,6t}$

28. La quantité $\dfrac{\ln x}{\log x}$ demeure constante, à environ $\ln 10 \approx 2,30$.

29. $f^{-1}(t) = 10 \ln\left(\dfrac{t}{50}\right)$

30. $f^{-1}(t) = e^{t-1}$

31. a) Décroissante
    b) $g^{-1}(x) = \ln\left(\dfrac{2}{x} - 5\right)$

32. a) Croissante
    b) $f^{-1}(x) = \ln\left(\dfrac{x}{1-x}\right)$
    c) Domaine de $f^{-1} =]0, 1[$

33. a) $P = 10^6(e^{0,02t})$

34. a) 81% de la quantité initiale
    b) $32,9$ heures

35. a) $47,5\%$
    b) 24%

36. b) V_0 = vitesse limite de la goutte de pluie

37. 2010

38. $96,34$ années

39. $7,925$ h

40. 6,229 milliards
    Temps de doublement = 42 ans

41. a) 5 kg
    b) 38,2 années

42. 8,46 %

43. a) $P = 3,6(1,034)^t$
    b) $P = 3,6e^{0,0334t}$
    c) Annuel = 3,4 %
       Continu = 3,3 %

44. a) $P = P_0\left(\frac{1}{2}\right)^{t/(1,28 \cdot 10^9)}$
    b) $P = P_0 e^{-5,42 \cdot 10^{-10}t}$

45. Il s'agit d'un faux.

46. a) $T = k$

Section 1.8

2. a) $y = 2x^2 + 1$
   b) $y = 2(x^2 + 1)$
   c) Non

3. $2\ln(x + 3) + 1$

4. $\ln(2x + 4)$

5. $2e^{4x+7} + 1$

6. e^{8x+11}

7. $\ln(e^{4x+7} + 3)$

8. $e^7(x + 3)^4$

9. $4x + 7$

10. $2\ln(e^{4x+7} + 3) + 1$

11. $e^7(2x + 4)^4$

12. Paire

13. Paire

14. Impaire

15. Ni l'une ni l'autre

16. Ni l'une ni l'autre

17. Ni l'une ni l'autre

18. $f(x) = x^3, g(x) = x + 1$

19. $f(x) = x + 1$
    $g(x) = x^3$

20. $f(x) = \ln x, g(x) = x^3$
    (ou $f(x) = 3x$ et $g(x) = \ln x$)

21. $f(x) = x^3$
    $g(x) = \ln x$

22. $2z + 1$

23. $2zh + h^2$

24. $2zh - h^2$

25. $4hz$

26. $-3 < x < 3, -4 < y < 86$

27. $-60 < x < -40$
    $-25\,100 < y < -24\,000$

30. $f(g(1)) = f(2) \approx 0,4$

31. $g(f(2)) \approx 1,1$

32. $f(f(1)) \approx f(-0,4) \approx -0,9$

Section 1.9

1. Négatif
   0
   Indéfinie

2. 0
   Positif
   0

3. Positif
   Positif
   Positive

4. 0
   Négatif
   0

5. Positif
   Positif
   Positive

6. Négatif
   Négatif
   Positive

7. Positif
   Négatif
   Négative

8. Négatif
   Négatif
   Positive

9. Négatif
   Positif
   Négative

10. 0,809

11. 0,259

12. 0,588

13. 0,966

14. À 3 h : 1,51 m
    À 4 h : 0,76 m
    À 17 h : 0,21 m

15. 20,94 à 52,36 rad/s

16. 1/200 min ou 0,3 s

17. Si $f(x) = \sin x$ et $g(x) = x^2$,
    alors $\sin x^2 = f(g(x))$
    $\sin^2 x = g(f(x))$
    $\sin(\sin x) = f(f(x))$

18. a) 1
    b) $2\pi/3$

19. a) $h(t)$
    b) $f(t)$
    c) $g(t)$

20. $f(x) = 5\cos\left(\frac{x}{3}\right)$

21. $f(x) = 2\sin(x/4)$

22. $f(x) = -4\sin(2x)$

23. $f(x) = 2\sin(x/4) + 2$

24. $f(x) = -8\cos\left(\frac{x}{10}\right)$

25. $f(x) = \sin(2(\pi/5)x)$

26. $f(x) = 5\sin\left(\frac{\pi x}{3}\right)$

27. $f(x) = 3\sin(\pi x/9)$

28. $f(x) = 3 + 3\sin\left(\frac{\pi x}{4}\right)$

29. a) $\frac{1}{60}$ s
    b) V_0 représente l'amplitude de l'oscillation.

30. b) $P = 800 - 100\cos\left(\frac{\pi t}{6}\right)$

31. $f(t) = 24 - 7,5\cos\left(\frac{\pi t}{6}\right)$

32. a) D = profondeur moyenne de l'eau
    b) A = amplitude $\approx 15/2 = 7,5$
    c) Période $\approx 12,4$ h
       Donc $B \approx 0,507$
    d) C = heure d'une marée haute

33. b) Domaine : $-1 \leq x \leq 1$
       Image :
       $-\frac{\pi}{2} \leq x \leq \frac{\pi}{2}$

34. c) Domaine : $-1 \leq x \leq 1$
       Image : $0 \leq y \leq \pi$

35. $(0, 0), (1,31, 2,29), (-1,31, -2,29)$

36. a) 2π

37. $\theta = \pi/4 ; R = v_0^2/g$

38. a) Valeur maximale de y
    b) ω

Section 1.10

1. a) $f(x) \to \infty$ quand $x \to \infty$
      $f(x) \to -\infty$ quand $x \to -\infty$
   b) $f(x) \to -\infty$ quand $x \to \pm\infty$
   c) $f(x) \to 0$ quand $x \to \pm\infty$
   d) $f(x) \to 6$ quand $x \to \pm\infty$

2. I) Degré ≥ 3, coefficient dominant négatif
   II) Degré ≥ 4, coefficient dominant positif
   III) Degré ≥ 4, coefficient dominant négatif
   IV) Degré ≥ 5, coefficient dominant négatif
   V) Degré ≥ 5, coefficient dominant positif

7. a, c, f et h sont paires ; b, d et g sont impaires ; e et i ne sont ni l'une ni l'autre.

8. Un polynôme est pair s'il est la somme de puissances paires de x (dont les constantes). Il est impair s'il est la somme de puissances impaires de x.

9. $x = 2$: asymptote verticale
   Aucune asymptote horizontale
   $y \to -\infty$ quand $x \to +\infty$
   $y \to +\infty$ quand $x \to -\infty$
   $y \to -\infty$ quand $x \to 2^+$
   $y \to +\infty$ quand $x \to 2^-$

10. $x = -1$, asymptote verticale
    $y = -2$, asymptote horizontale
    $y \to -\infty$ quand $x \to -1^-$
    $y \to \infty$ quand $x \to -1^+$
    $y \to -2$ quand $x \to \pm\infty$

11. $x = \pm 2$: asymptotes verticales
    $y = 1$: asymptote horizontale
    $y \to +\infty$ quand $x \to 2^+$
    $y \to -\infty$ quand $x \to 2^-$
    $y \to -\infty$ quand $x \to -2^+$
    $y \to +\infty$ quand $x \to -2^-$

12. a) II et III
    b) I
    c) II et III
    d) Aucune
    e) III

13. a) 0
    b) $t = 2v_0/g$
    c) $t = v_0/g$
    d) $(v_0)^2/(2g)$

14. Touche le sol à $t = 4$ s
    Hauteur maximale = 20 m

15. a) $1 = a + b + c$
    b) $b = -2a$ et $c = 1 + a$
    c) $c = 6$
    d) $y = 5x^2 - 10x + 6$

16. $y = \frac{1}{5}(x+2)(x-1)(x-5)$

17. $y = -\frac{1}{2}(x+2)^2(x-2)$

18. a) $f(x) = k(x+3)(x-1)(x-4)$, où k est une constante négative.
    b) Semble croissante pour $-1,5 < x < 3$, décroissante pour $x < -1,5$ et > 3

19. a) $f(x) = kx(x+3)(x-4)$ $(k < 0)$
    b) Croissante : $-1,5 < x < 2,5$
    c) Décroissante : $x < -1,5$ et $x > 2,5$

20. a) $f(x) = k(x+2)(x-1)(x-3)(x-5)$, où k est une constante positive.
    b) Semble croissante pour $-1 < x < 2$ et $x > 4,3$
       Décroissante pour $x < -1$ et $2 < x < 4,3$

21. a) $f(x) = k(x+2)(x-2)^2(x-5)$ $(k < 0)$
    b) Croissante : $x < -1$ et $2 < x < 4$
       Décroissante : $-1 < x < 2$ et $4 < x$

22. $g(x) = 2x^2$, $h(x) = x^2 + k$ pour tout $k > 0$

23. a) III
    b) IV
    c) I
    d) II

24. a) $R(P) = kP(L - P)$, où $k > 0$

25. a) $a(v) = \frac{1}{m}(F_E - kv^2)$ $(k > 0)$

26. $V = 250s^2 - 4s^3$

27. a) $S = 2\pi r^2 + 2V/r$
    b) $S \to \infty$ quand $r \to \infty$

28. Temps total = $\frac{3}{x} + \frac{6}{x-2}$
    Asymptote horizontale : axe des x
    Asymptote verticale : $x = 0$ et $x = 2$

29. $y = x$

30. b) Si $v < 1,5 \cdot 10^8$ m/s, les graphes semblent rapprochés. On doit agrandir les fenêtres pour une analyse plus approfondie.

Section 1.11

1. Non
2. Oui
3. Oui
4. Oui
5. Non
6. Non
7. Oui
8. Non
9. Non continu

Chapitre 1 – Révision

1. a) $[0, 7]$
   b) $[-2, 5]$
   c) 5
   d) $(1, 7)$
   e) Concave vers le haut
   f) 1
   g) Non

2. b) 200
   c) 80
   d) $0 \le y \le 550$
   e) Décroissante
   f) Concave vers le bas

3. b) Concave vers le bas

6. a) $2x^5$
   b) e^x
   c) $1/x^2$
   d) $x^{1/2}$

7. $x = 3(1 - a^{-t})$, $a > 1$

8. $y = 2^{(5-x)/2} \approx 5{,}657(0{,}707)^x$

9. $y = (x+1)^3 + 1$

10. Temps de doublement = 2,3 années

11. a) $h(x) = 31 - 3x$
    b) $g(x) = 36(1{,}5^x)$

13. $Q(m) = T + L + Pm$
    T = carburant pour le décollage
    L = carburant pour l'atterrissage
    P = carburant par kilomètre dans les airs
    m = distance parcourue (en kilomètres)

14. $y = -\frac{950x}{7} + 950$

15. a) $h^2 + 6h + 11$
    b) 11
    c) $h^2 + 6h$

16. a) $t^2 + 2t + 2$
    b) $t^4 + 2t^2 + 2$
    c) 5
    d) $2t^2 + 2$
    e) $t^4 + 2t^2 + 2$

17. a) $f(n) + g(n) = 3n^2 + n - 1$
    b) $f(n)\,g(n) = 3n^3 + 3n^2 - 2n - 2$
    c) $n \neq -1$
    d) $f(g(n)) = 3n^2 + 6n + 1$
    e) $g(f(n)) = 3n^2 - 1$

18. Continue
19. Pas continue
20. Continue
21. Pas continue
22. $P = 2{,}9(1{,}733)^t$
23. $P = (5 \cdot 10^{-3})(0{,}9812)^t$
24. Plutonium 240 : ≈ 6301 années
    Plutonium 242 : $\approx 385\,000$ années
25. a) $Q = 25e^{0,5423t}$
    b) 1,3 mois
    c) 6,8 mois
26. $\approx 13\,500$ bactéries
27. 10 h
28. 16 kg
29. 38,87 h
30. Après 12 années, $\approx 70{,}71$ mg
    Environ 26,6 ans pour que 50 % de la quantité initiale disparaisse
31. a) 44 %
    b) Environ deux ans
32. $r = 21\,153$ %
33. Mercure : 87,8 jours
    Terre : 1 année
    Pluton : 253 années
34. a) $C = (-2, 4)$
    b) $C = (-b, b^2)$
35. $y = e^{0,4621x}$
36. $y = 2e^{-0,346\,57x}$
37. Le plus simple est $y = 1 - e^{-x}$.
38. $y = -k(x^2 + 5x)$ où $k > 0$
39. $y = k(x^3 + 2x^2 - x - 2)$ $(k > 0)$
40. $x = k(y^2 - 4y)$, où $k > 0$
41. $y = 5 \sin(\pi t/20)$
42. $y = -2(4^{-t})$
43. $z = 1 - \cos \theta$
44. La profondeur $d = 7 + 1{,}5 \sin\left(\frac{\pi t}{3}\right)$
45. b) Cela devient une asymptote verticale à $x = -4$.
46. a) $g(x)$, qui est linéaire
    b) $f(x)$, puisque la pente décroît
    c) $h(x)$, puisque la pente croît

47. a) $f(15) \approx 48$
   b) f admet une réciproque parce que le graphe de f est coupé par une droite horizontale au plus une fois.
   c) $f^{-1}(120) \approx 35$. À une profondeur de 120 m vers le bas, la roche a 35 millions d'années.

48. a) $R = 0,05P - Y$

49. a) $R = k_1 - k_2 G$

50. a) $r(p) = kp(A - p)$, où $k > 0$
   b) $p = A/2$

51. a) Domaine : $(0, 4000)$
   Image : $(0, 10^8)$
   b) Domaine : $(0, 3000)$
   Image : $(0, 10^7)$
   c) Domaine : $(0, 0,2)$
   Image : $(0, 0,04)$

Théorie : Théorème binomial

1. Doit être un entier

2. b) $C_k^n = C_{n-k}^n$

Section 2.1

4. La pente est positive en A et en D et négative en C et en F. La pente est le plus positive en A, le plus négative en F.

6. $0 <$ pente en $C <$ pente en $B <$ pente de $AB < 1 <$ pente en A

7. $F < B < E < 0 < D < A < C$

9. 27

10. 0

11. 1,9…

12. $\approx 2,7$ (réponse : e)

13. b) 1

14. b) -1

15. b) 0

16. b) 0

17. b) 2

18. b) 3

19. b) 1

20. b) 2

21. b) 0

22. b) 0

Section 2.2

1. Négative

2. b) 8,69
   c) $\approx 7,7$

4. a) Le taux moyen de variation entre 1 et 3 est supérieur à celui entre 3 et 5.

   b) $f(5)$
   c) $f'(1)$

8. a) $f(4) > f(3)$
   b) $f(2) - f(1)$
   c) $\dfrac{f(2) - f(1)}{2 - 1}$
   d) $f'(1)$

9. Du plus petit au plus grand :
   $0, f'(3), f(3) - f(2), f'(2), 1$

10. b) $f(3)/3$

11. a) $(f(b) - f(a))/(b - a)$
   b) Les pentes sont identiques.
   c) Oui

12. $f'(2) \approx 12$

13. -1

14. 100

15. 12

16. 3

17. $-1/4$

18. $-1/4$

19. $y = 12x + 16$

20. $y = 100x - 500$

21. $y = x$

22. $y = -2x + 3$

23. $f'(3) = 6,\ y = 6x - 8$

24. $y = 7x - 9$

25. a) $f'(0) \approx 0,017\,45$

26. $\approx 6,773$

27. $f'(0) \approx -1$
   $f'(1) \approx 3,5$

28. En $x = 1,\ \approx -1,558$
   En $x = \pi/4,\ \approx -1$

29. a) $\text{erf}'(0) \approx 1,12$
   b) $\text{erf}'(0) \approx 1,1283$

30. a) En $x = 0 : 1$
   En $x = 0,3 : 1,05$
   En $x = 0,7 : 1,26$
   En $x = 1 : 1,54$
   b) $\dfrac{d}{dx}(\sinh(x)) = \cosh(x)$

31. 16,0 millions de personnes par année
   16,4 millions de personnes par année

Section 2.3

11. $f'(x)$ est positive.
   $4 \leq x \leq 8$
   $f'(x)$ est négative.
   $0 \leq x \leq 3$
   $f'(x)$ est maximale
   à $x \approx 8$.

12. $x = 5,2$

13. $4x$

14. $-\dfrac{1}{x^2}$

15. $-2/x^3$

16. $-\dfrac{1}{(x+1)^2}$

29. a) x_3
   b) x_4
   c) x_5
   d) x_3

30. a) Graphe II
   b) Graphe I
   c) Graphe III

31. a) $t = 3$
   b) $t = 9$
   c) $t = 14$

32. a) Fonction périodique de période 1 année
   b) Maximum le 1er juillet, valeur de 4500
   Minimum le 1er janvier, valeur de 3500
   c) Taux de variation le plus positif : vers le 1er avril
   Taux de variation le plus négatif : vers le 1er octobre
   d) 0

Section 2.4

1. m/km ; négative

2. a) Positif, car la température du plat augmente pendant qu'il est dans le four
   b) °C/min. $f'(20) = 2$ signifie qu'au temps $t = 20$ minutes, la température augmente d'environ 2 °C pour chaque minute supplémentaire passée dans le four.

3. Dollars/année ; négative

4. $\dfrac{\$}{\%}$. $C'(r)$ est positif.

5. Dollars/année

6. a) Investir 1000 \$ à 5 % donnera 1649 \$ au bout de 10 ans.
   b) À un taux d'intérêt de 5 %, le solde augmente d'environ 165 \$ si l'on augmente le taux d'intérêt de 1 %. Les unités de $g'(5)$ sont des \$/%.

7. a) Litres ; dollars
   b) Litres ; dollars/litre

8. a) À un prix de 150 \$, on vend 2000 articles.
   b) Si le prix passe de 150 \$ à 151 \$, on vendra environ 25 articles de moins.

10. a) À 10 h, il est tombé 3,1 cm de pluie.
   b) À 16 h, il est tombé 10 cm de pluie.
   c) À 8 h, le taux auquel la pluie tombe est de 0,4 cm/h.
   d) Lorsqu'il est tombé 5 cm de pluie, il faut attendre environ 2 heures supplémentaires pour qu'il tombe 1 cm de plus.

11. a) Litres/minute
    b) i) 0
       ii) négative
       iii) 0

12. a) Négatif
    b) $\frac{dw}{dt} = 0$ pour un $t > t_0$ (t_0 étant le moment où le feu s'éteint).
    c) $\left|\frac{dw}{dt}\right|$ augmente, donc $\frac{dw}{dt}$ diminue puisqu'il est négatif.

13. km par litre/km à l'heure

14. b) Concave vers le bas
    c) L'accélération causée par la gravité

15. a) $f'(a)$ est toujours positive.
    c) $f'(100) = 2$; plus
       $f'(100) = 0,5$; moins

16. $P'(170) \approx 140$ millions de personnes/cm
    $P'(x)$ n'est jamais négatif.

Section 2.5

1. $f'(x) > 0$
   $f''(x) > 0$

2. $f'(x) = 0$
   $f''(x) = 0$

3. $f'(x) < 0$
   $f''(x) = 0$

4. $f'(x) < 0$
   $f''(x) > 0$

5. $f'(x) > 0$; $f''(x) < 0$

6. $f'(x) < 0$
   $f''(x) < 0$

7. $0 \leq t \leq 1$
   Accélération = 10 m/s^2
   $1 \leq t \leq 2$
   Accélération = 6 m/s^2

8. $\frac{dP}{dt} > 0$ et $\frac{d^2P}{dt^2} > 0$

9. b) $\frac{dN}{dt}$ est positive.

10. b) L'utilité est une fonction croissante de la quantité, mais à un taux décroissant.

11. $\frac{d^2N}{dt^2}$ est négative.

14. a) $f'(0,6) \approx 0,5$ et $f'(0,5) \approx 2$
    b) $f''(0,6) \approx -7,5$
    c) Valeur maximale près de $x = -0,8$; valeur minimale près de $x = 0,3$

16. a) x_6
    b) x_1
    c) x_3
    d) x_2
    e) x_6
    f) x_1

17. a) B et E
    b) A et D

18. $v(t) = 10t$ km/minute
    $a(t) = 10$ km/(minute)^2

Chapitre 2 – Révision

3. b) 0,24
   c) 0,22

4. $f'(1) \approx 0,434\ 27$. On s'attend à ce que $f'(1) > 0,434\ 27$.

5. $f'(1) = 1$
   $f'(2) = 0,5$
   $f'(5) = 0,2$
   $f'(10) = 0,1$
   $f'(x) = 1/x$

6. $J_0'(0,5) \approx -0,242$

13. $10x + 1$

14. $-\frac{1}{x^2}$

16. Concave vers le haut

17. a) Négative
    b) °C/min

18. À 10 \$, on en vend 240 000 et chaque augmentation de 1 \$ du prix entraîne une diminution des ventes de 29 000 articles.

19. b) Étudiant C
    c) $f'(x) \approx \frac{f(x + h) - f(x - h)}{2h}$

20. a) IV
    b) III
    c) II
    d) I
    e) IV
    f) II

22. b) Vers le 1er juin : 4500 chevreuils
    c) Vers le 1er février : 3500 chevreuils
    d) Grossit le plus vite vers 1er avril et diminue le plus vite vers le 15 juillet et vers le 15 décembre

23. a) 0,25
    b) $y = 0,25x + 1$
    c) $k = \frac{1}{8}$
    d) $(-2, 0,5)$ et $(4, 2)$

24. a) Zéro (horizontale)
    b) Non définie (verticale)
    c) $\approx 1/2$; $\approx -1/2$; $\approx -1/2$

25. b) Un
    c) Doit être compris entre $x = 1$ et $x = 5$
    d) $\lim_{x \to -\infty} f(x) = -\infty$
    e) Oui
    f) Non

26. b) Le mois de mars
    c) 0,04

27. a) Concave vers le bas
    b) 135°
    c) 138°
    d) $t = 48$ min

Théorie : Limites

1. 0,05

2. Posez $g(0) = 0$.

3. 2

4. 0

5. 0,017 45

6. 0,3333...

7. La limite semble être 1.

8. $f(x) = \frac{1}{|x - 2|}$

9. a) $x = 1/(n\pi)$, $n = 1, 2, 3, \ldots$
   b) $x = 2/(n\pi)$, $n = 1, 5, 9, \ldots$
   c) $x = 2/(n\pi)$, $n = 3, 7, 11, \ldots$

10. Pour tout $\epsilon > 0$, il existe un $\delta > 0$ tel que $|g(h) - k| < \epsilon$ dès que $0 < |h - a| < \delta$.

11. a) 4
    b) 6
    c) 0
    d) 0
    e) 2
    f) 1/2

12. a) -1
    b) 1/3
    c) $+\infty$
    d) 2/3
    e) 0
    f) 3/2

18. En fait, $\delta \leq \epsilon/2$ fait l'affaire.

19. 0,46, 0,21, 0,09

Théorie : Différentiabilité

1. a) i) $x = 1$
      ii) $x = 1, 2, 3$
   b) i) Aucun
      ii) $x = 2, 4$

2. La dérivée existe en $x = 0$ et vaut 0 (il n'y a pas d'angle !).

3. Oui

4. Non dérivable

5. Oui

6. a) Continue
   b) I est défini pour tout t sauf $t = 0$.

7. a) $B = B_0$ à $r = r_0$
      B_0 est maximal.
   b) Oui
   c) Non

8. a) E est continue en r_0.
   b) E n'est pas dérivable en r_0.

9. a) Oui
   b) Oui

10. a) Continue en $y = 0$
    b) Non dérivable en $y = 0$

11. a) $y = 2 + (x-4)/4$
    b) $2{,}024\,85\ldots, 2{,}025$
    c) Valeur véritable $= 4$; approximation $= 5$

13. $2x - 1$

14. $\delta = 1/10$ par exemple

Gros plan sur la pratique : le calcul algébrique de limites

1. 3
2. 2
3. 1/2
4. N'existe pas
5. 1/2
6. 1/3
7. $-2/5$
8. $-\infty$
9. $2\cos(1)$
10. 0
11. -1
12. 1
13. 15/2
14. 462
15. 0
16. $-1/54$
17. 0
18. 3
19. 4
20. 3
21. Asymptote horizontale en $y = 0$
    Asymptotes verticales en $x = -3$
    et $x = -4$
22. Pas d'asymptote horizontale, une asymptote verticale en $x = -3/2$
    Puisque $\dfrac{3x^2 + 2x + 5}{2x + 3} = \dfrac{35}{4(2x+3)}$
    $+ \dfrac{3}{2}x - \dfrac{5}{4}$, la droite oblique
    $y = 3x/2 - 5/4$ est une asymptote oblique.
23. Ici $y = 1/2$ est une asymptote horizontale. En observant que $x = 2$ est une racine du dénominateur, on peut la factoriser et ainsi trouver qu'il y a 3 asymptotes verticales :
    $x = 3$, $x = 2$ et $x = 3/2$.
24. Il n'y a pas d'asymptote verticale car les racines du dénominateur ne sont pas réelles.
    Puisque $\dfrac{2 - x^3}{x^2 + 1} = \dfrac{x + 2}{x^2 + 1} - x$, la droite
    $y = -x$ constitue une asymptote oblique.
25. Continue partout sur son domaine
26. Continue partout sur son domaine (i.e. sur **R**)

27. Non puisque la limite à gauche est différente de la limite à droite

Section 3.1

2. a) $k'(x) = -1$
   b) $j'(x) = -5$
3. a) -10
   b) $\dfrac{d}{dx}(f[g(x)]) = f'(x)\,g'(x)$
4. $11x^{10}$
5. $12x^{11}$
6. $11x^{-12}$
7. $3{,}2x^{2,2}$
8. $-12x^{-13}$
9. $4x^{1/3}/3$
10. $\dfrac{3}{4}x^{-1/4}$
11. $-3x^{-7/4}/4$
12. $-4x^{-5}$
13. $x^{-3/4}/4$
14. ex^{e-1}
15. $6x^{1/2} - \dfrac{5}{2}x^{-1/2}$
16. $18x^2 + 8x - 2$
17. $-12x^3 - 12x^2 - 6$
18. $5t^4 - \dfrac{5}{2}t^{-1/2} - \dfrac{7}{t^2}$
19. $6t - 6/t^{\frac{3}{2}} + 2/t^3$
20. $2z - \dfrac{1}{2z^2}$
21. $1 - x^{-2}$
22. $5z^4 + 20z^3 - 1$
23. $-2t^{-3} - t^{-2} + 4t^{-5}$
24. $\dfrac{1}{2\sqrt{\theta}} + \dfrac{1}{2\theta^{3/2}}$
25. Problèmes 8, 10, 11, 12, 13, 15
26. $\dfrac{1}{2}x^{-1/2}$ (règle de la puissance)
27. Sans objet
28. $6x$ (règles de la puissance et de la somme)
29. $-2/3z^3$
    (règle du produit et règle de la somme)
30. Sans objet
31. Sans objet
32. $-\dfrac{1}{6x^{3/2}}$ (règles de la puissance et de la somme)
33. $12/\sqrt[6]{x^5} - 18/(x^{5/3})$
34. $\pi x^{\pi-1} + \pi x^{-(\pi+1)}$ (règles de la puissance et de la somme)
35. $f'(t) = 6t^2 - 8t + 3$
    $f''(t) = 12t - 8$
36. $x \geq 1$ ou $x \leq -2$
37. Pour $x < 0$ ou $2 < x < 3$
38. $x > 1$
39. $r = 3\sqrt{2}$

40. a) 0
    b) $f^{(7)}(x) = 7! = 5040.$
41. $y = 2x - 1$
43. $n = 4$, $a = 3/32$
44. $n = \dfrac{1}{13}$
45. $y = 2x$ et $y = -6x$
46. a) $-10t$
    b) -10
    c) 8,72 s après avoir été lâchée. Sa vitesse est de $-313{,}84$ km/h.
47. $-2GMm/r^3$
48. a) $\dfrac{dT}{dl} = \dfrac{\pi}{\sqrt{gl}}$
    b) Positif. La période augmente avec l.
49. En $x = 1$:
    $y = -x + 2$
    (approximation par la droite tangente)
    $f(2) \approx 0$
    En $x = 2$:
    $y = -0{,}0001x + 0{,}02$
    (approximation par la droite tangente)
    $f(2) \approx 0{,}0198$
50. a) $\dfrac{dA}{dr} = 2\pi r$
    b) La circonférence d'un cercle
51. $V(r) = 4\pi r^3/3$
    $\dfrac{dV}{dr} = 4\pi r^2 = $ Aire de la surface de la sphère

Section 3.2

1. $2e^x + 2x$
2. $10t + 4e^t$
3. $(\ln 5)5^x$
4. $(\ln 2)2^x + 2(\ln 3)3^x$
5. $10x + (\ln 2)2^x$
6. $12e^x + (\ln 11)11^x$
7. $4(\ln 10)10^x - 3x^2$
8. $3 - 2(\ln 4)4^x$
9. $((\ln 3)3^x)/3 - (33x^{-3/2})/2$
10. ex^{e-1}
11. e^{1+x}
12. e^{t+2}
13. $e^{\theta-1}$
14. $(\ln 4)e^z$
15. $(\ln 4)^2 4^x$
16. $(2\ln 3)z + (\ln 4)e^z$
17. $(\ln(\ln 3))(\ln 3)^t$
18. $3x^2 + 3^x \ln 3$
19. $5 \cdot 5^t \ln 5 + 6 \cdot 6^t \ln 6$
20. $\pi^x \ln \pi$
21. $\pi^2 x^{(\pi^2 - 1)} + (\pi^2)^x \ln(\pi^2)$
22. $2x + (\ln 2)2^x$

23. $1/(2\sqrt{x}) + \ln 2(1/2)^x$

24. Les règles ne s'appliquent pas ici.

25. Les règles ne s'appliquent pas ici.

26. e^{x+5}

27. $5e^{5x}$

28. Les règles ne s'appliquent pas ici.

29. $(\ln 2)2^z$

30. Les règles ne s'appliquent pas ici.

31. $\approx -444,3 \dfrac{\text{personnes}}{\text{année}}$

32. 7,95 cents/année

33. $22,5\,(1,35)^t$

34. a) $V(4) = 13\,050$
    b) $V'(t) = -4,063(0,85)^t$ en milliers de \$ par année
    c) $V'(4) = -2,121$. Donc, à la fin de la 4e année, la valeur de l'automobile décroît de 2121 \$ par année.

35. a) $f'(0) = -1$
    b) $y = -x$
    c) $y = x$

36. $c = \dfrac{1}{\ln 2}$

37. $g(x) = x^2/2 + x + 1$

39. $x = 1$ et $x = 2$

Section 3.3

1. $5x^4 + 10x$

2. $(\ln 6)6^x$

3. $e^x(x + 1)$

4. $2^x(1 + x \ln 2)$

5. $2^x/(2\sqrt{x}) + \sqrt{x}\,(\ln 2)2^x$

6. $3^x\left[(\ln 3)(x^2 - x^{1/2}) + 2x - \dfrac{1}{2\sqrt{x}}\right]$

7. $4s^3 - 1$

8. $e^t(t^2 + 2t + 3)$

9. $(3t^2 + 5)(t^2 - 7t + 2)$ $+ (t^3 + 5t)(2t - 7)$

10. $(t^3 - 4t^2 - 14t + 1)e^t$

11. $(1 - x)/e^x$

12. $\dfrac{50x - 25x^2}{e^x}$

13. $(3,2w^{2,2} - (\ln 5)w^{3,2})/(5^w)$

14. $\dfrac{-8}{(t - 4)^2}$

15. $1/(5t + 2)^2$

16. $\dfrac{t^2 + 6t + 13}{(t + 3)^2}$

17. $(x^2 - 3)/x^2$

18. $2y - 6,\ y \neq 0$

19. $\dfrac{(t^2 + 1)/(2\sqrt{t}) - \sqrt{t}(2t)}{(t^2 + 1)^2}$

20. $\dfrac{21}{(5z + 7)^2},\ z \neq 0$

21. $17e^x(1 - \ln 2)/2^x$

22. $\dfrac{2p}{(3 + 2p^2)^2}$

23. $\dfrac{(-4x^2 - 8x - 1)}{(2 + 3x + 4x^2)^2}$

24. $f'(x) = 12x + 1$
    $f''(x) = 12$

25. $x < 2$

26. $\dfrac{-1}{\sqrt{3}} < x < \dfrac{1}{\sqrt{3}}$

27. $f'(t) = -e^{-t}$

28. $2e^{2x}$

29. $f'(x) = 3e^{3x}$

30. $4e^{4x}$

31. a) $\dfrac{d}{dx}\left(\dfrac{e^x}{x}\right) = \dfrac{e^x}{x} - \dfrac{e^x}{x^2}$

    $\dfrac{d}{dx}\left(\dfrac{e^x}{x^2}\right) = \dfrac{e^x}{x^2} - \dfrac{2e^x}{x^3}$

    $\dfrac{d}{dx}\left(\dfrac{e^x}{x^3}\right) = \dfrac{e^x}{x^3} - \dfrac{3e^x}{x^4}$

    b) $\dfrac{d}{dx}\left(\dfrac{e^x}{x^n}\right) = \dfrac{e^x}{x^n} - \dfrac{ne^x}{x^{n+1}}$

32. $3x^2$

34. a) 3
    b) 14
    c) 13/8

35. a) 19
    b) -11

36. $f(x) = x^{10}e^x$

37. a) $f(140) = 15\,000$: pour un coût de 140 \$ par planche, la vente sera de 15 000 unités. $f'(140) = -100$: pour chaque dollar de plus à partir de 140 \$, la vente décroîtra de 100 unités.

    b) $\dfrac{dR}{dp}\bigg|_{p\,=\,140} = 1000$

    c) Positif Accroissement de 1000 \$

38. $\dfrac{dR}{dr_1} = \dfrac{r_2}{(r_1 + r_2)^2}$

39. c) $-3776,63$

40. a) $g'(v) = \dfrac{1}{f'(v)}$; $g'(v) = \dfrac{-f'(v)}{f^2(v)}$;

    $g(80) = 20$ km/l ;
    $g'(80) = -1/5$ km/l pour chaque augmentation de 1 km/h de la vitesse

    b) $h(80) = 4$ l/h (litres/heure) ;
    $h'(80) = 0,09$ l/h pour chaque augmentation de 1 km/h de la vitesse

42. a) $(x - 2) + (x - 1) = 2x - 3$
    b) $(x - 2)(x - 3) + (x - 1)(x - 3)$ $+ (x - 1)(x - 2)$

    c) $(x - 2)(x - 3)(x - 4)$
    $+ (x - 1)(x - 3)(x - 4)$
    $+ (x - 1)(x - 2)(x - 4)$
    $+ (x - 1)(x - 2)(x - 3)$

43. $f'(x) = f(x)\left(\dfrac{1}{x - r_1} + \dfrac{1}{x - r_2} + \cdots\right.$ $\left. + \dfrac{1}{x - r_n}\right)$

44. a) $(FGH)' = F'GH + FG'H$ $+ FGH'$

    c) $(f_1 \cdot f_2 \cdot \cdots \cdot f_n)'$
    $= f_1' \cdot f_2 \cdot \cdots \cdot f_n$
    $+ f_1 \cdot f_2' \cdot \cdots \cdot f_n$
    $+ \cdots + f_1 \cdot f_2 \cdot \cdots \cdot f_n'$.

Section 3.4

1. $99(x + 1)^{98}$

2. $\dfrac{-x}{\sqrt{1 - x^2}}$

3. $200t(t^2 + 1)^{99}$

4. $300t^2(t^3 + 1)^{99}$

5. $50(\sqrt{t} + 1)^{99}/\sqrt{t}$

6. $3e^{3t}$

7. $(\ln 2)2^{(x+2)}$

8. $2(\ln 3)3^{2x+7}$

9. $4(x^3 + e^x)^3(3x^2 + e^x)$

10. $\dfrac{(\ln 2)2^x}{3\sqrt[3]{(2^x + 5)^2}}$

11. $(1 - 2z \ln 2)/(2^{z+1}\sqrt{z})$

12. $\dfrac{3}{2}x^2\sqrt{5^{3x}}\,(2 + x \ln 5)$

13. $\dfrac{3}{2}e^{3w/2}$

14. $-4e^{-4t}$

15. $3s^2/(2\sqrt{s^3 + 1})$

16. $\dfrac{1}{2\sqrt{s}}e^{\sqrt{s}}$

17. $e^{-t^2}(1 - 2t^2)$

18. $\dfrac{e^{-z}}{2\sqrt{z}} - \sqrt{z}\,e^{-z}$

19. $e^{-z}/(2\sqrt{z}) - \sqrt{z}\,e^{-z}$

20. $5(\ln 2)2^{5t-3}$

21. $e^{5-2t}(1 - 2t)$

22. $\dfrac{-2e^z}{(e^z + 1)^3}$

23. $e^{-\theta}/(1 + e^{-\theta})^2$

24. $30e^{5x} - 2xe^{-x^2}$

25. $2we^{w^2}(5w^2 + 8)$

26. $(2t + 3)(1 - e^{-2t}) + 2(t^2 + 3t)e^{-2t}$

27. $-(\ln 10)(10^{\frac{5}{2} - \frac{y}{2}})/2$

28. $-2e^{-(x-1)^2}(x - 1)$

29. $2ye^{[e^{(y^2)} + y^2]}$

30. $-8e^{-2e^{2t} + 2t}$

31. $y = 4451,66x - 3560,81$

32. $\dfrac{-1}{\sqrt{2}} < x < \dfrac{1}{\sqrt{2}}$

33. $f'(x) = [(2x+1)^9(3x-1)^6]$
$\times (102x+1)$
$f''(x) = [9(2x+1)^8(2)(3x-1)^6$
$+ (2x+1)^9(6)(3x-1)^5(3)] \times (102x$
$+ 1) + (2x+1)^9(3x-1)^6(102)$

34. a) 1
b) 30
c) 4
d) 56
e) -1

35. a) $\pi\sqrt{2}$
b) $7e$
c) πe

36. a) 4
b) 2
c) $1/2$

37. a) $g'(1) = 3/4$
b) $h'(1) = 3/2$

38. Oui

39. $e^{(x^6)}/6$

40. a) 13 394 moules zébrées
b) 8 037 moules zébrées/mois

41. a) $dQ/dt =$
$-0{,}000\,121e^{-0{,}000\,121t}$

42. a) $-32e^{-2t}$
b) Négatif, car la température diminue
c) À $t = 0$

43. a) $dB/dt =$
$P(1 + r/100)^t \ln(1 + r/100)$
b) $dB/dr =$
$Pt(1 + r/100)^{t-1}/100$

44. 400π cm^2/s

45. a) $\dfrac{dm}{dv} = \dfrac{m_0 v}{c^2\sqrt{(1 - v^2/c^2)^3}}$
b) Le taux de variation de la masse en fonction de v

46. a) Pour $t < 0$, $I = \dfrac{dQ}{dt} = 0$
Pour $t > 0$, $I = \dfrac{dQ}{dt}$
$= -\dfrac{Q_0}{RC}e^{-t/(RC)}$
b) Quand $t \to 0^+$, $I \to -\dfrac{Q_0}{RC}$
c) Non dérivable en $t = 0$

47. $T = RC$

Section 3.5

2. $\cos\theta - \sin\theta$

3. $\cos^2\theta - \sin^2\theta = \cos 2\theta$

4. $\dfrac{-1}{\sin^2\theta}$

5. $-4\sin(4\theta)$

6. $3\cos(3z)$

7. $e^t\cos(e^t)$

8. $2x\cos x - x^2\sin x$

9. $-(\sin x)e^{\cos x}$

10. $(\cos y)e^{\sin y}$

11. $\sin x/(2\sqrt{1 - \cos x})$

12. $-\sin(\sin x)(\cos x)$

13. $\cos x/\cos^2(\sin x)$

14. $3\cos(2x)\sqrt{\sin(2x)}$

15. $(\ln 2)2^{\sin x}\cos x$

16. $(\ln 2)(2^{2\sin x + e^x})(2\cos x + e^x)$

17. $e^{\cos\theta} - \theta(\sin\theta)e^{\cos\theta}$

18. $2\sin(3x) + 6x\cos(3x)$

19. $2\cos(2x)\sin(3x) + 3\sin(2x)\cos(3x)$

20. $e^\theta\sin(2\theta) + 2e^\theta\cos(2\theta)$

21. $e^{-2x}[\cos x - 2\sin x]$

22. $\dfrac{\cos t}{2\sqrt{\sin t}}$

23. $5\sin^4\theta\cos\theta$

24. $\dfrac{e^z}{\cos^2(e^z)}$

25. $-3e^{-3\theta}/\cos^2(e^{-3\theta})$

26. $(-\cos\theta)e^{-\sin\theta}$

27. $\cos t - t\sin t + 1/\cos^2 t$

28. $-\sin\alpha + 3\cos\alpha$

29. $\theta^2\cos\theta$

30. $-\cos x$

31. $e^x/\sin x$

32. a) $2\pi\cos(2\pi t)$

33. a) $dy/dt = -\dfrac{4{,}9\pi}{6}\sin\left(\dfrac{\pi}{6}t\right)$
Taux de variation du niveau de la mer
b) La situation se produit quand
$\sin\left(\dfrac{\pi}{6}t\right) = 0$ ou à $t = 6$ h, 12 h, 18 h et minuit.
$dy/dt = 0$ signifie que le niveau de la mer est soit en marée haute, soit en marée basse.

34. a) $-18\,720\pi\sin(120\pi t)$ (volts par seconde)
b) 58 810,6 V/s

35. a) $t = (\pi/2)(m/k)^{\frac{1}{2}}$;
$t = 0$;
$t = (3\pi/2)(m/k)^{\frac{1}{2}}$
b) $T = 2\pi(m/k)^{\frac{1}{2}}$
c) $dT/dm = \pi/\sqrt{km}$;
le signe positif signifie qu'un accroissement de la masse produit *un allongement de la période*.

36. En $x = 0$: $y = x$
En $x = \pi/3$: $y = \dfrac{x}{2} + \dfrac{3\sqrt{3} - \pi}{6}$

37. $2/\cos^2\theta$

38. a) $x = a\cos\theta + \sqrt{l^2 - a^2\sin^2\theta}$
b) i) $-2a$ cm/s
ii) $-a\sqrt{2} - \dfrac{a^2}{\sqrt{l^2 - a^2/2}}$ cm/s

Section 3.6

1. $\dfrac{2t}{(t^2 + 1)}$

2. $\dfrac{1}{1 - x}$

3. 2

4. $4xe^{2x^2 + 3}$

5. $-1/(z(\ln z)^2)$

6. $-\tan\theta$

7. $\dfrac{e^{-x}}{1 - e^{-x}}$

8. $\dfrac{\cos\alpha}{\sin\alpha}$

9. $\dfrac{e^x}{e^x + 1}$

10. $\dfrac{1}{t\ln t}$

11. 7

12. e

13. $-\tan(w - 1)$

14. $1/t$

15. $2y/\sqrt{1 - y^4}$

16. $\dfrac{3}{(3t - 4)^2 + 1}$

17. 1

18. $e^{\arctan(3t^2)}\dfrac{6t}{1 + 9t^4}$

19. $-\sin(\ln t)/t$

20. $(\ln 2)z^{\ln 2 - 1}$

21. $\arcsin w + \dfrac{w}{\sqrt{1 - w^2}}$

22. $\dfrac{-(x + 1)}{\sqrt{1 - (x - 1)^2}}$

23. $-1 < x < 1$

24. $\dfrac{1}{\sqrt{1 - x^2}}$

25. $\dfrac{d}{dx}(\log x) = \dfrac{1}{(\ln 10)x}$

26. $-43{,}4$

27. a) 10,59 millions
b) $-0{,}02$ million/année

28. Les fonctions suivantes ressemblent à la droite $y = x$ puisque $y' = 1$ en $x = 0$: x, $\sin x$, $\tan x$ et $\ln(x + 1)$. Les fonctions suivantes ressemblent à la droite $y = 0$ puisque $y' = 0$ en $x = 0$: x^2, $x\sin x$, x^3, $\frac{1}{2}\ln(x^2 + 1)$ et $1 - \cos x$. Les fonctions suivantes ressemblent à la droite $x = 0$ puisque $y' \to \infty$ si $x \to 0^+$: $\sqrt{x}$, $\sqrt{\dfrac{x}{x + 1}}$ et $\sqrt{2x - x^2}$.

29. a) $f'(x) = 0$
    b) f est une fonction constante.

30. a) $y = x - 1$
    b) 0,1 et 1

31. a) $y = -x^2/2 + 2x - 3/2$
    b) En observant le graphe à proximité de $x = 1$, on note que les valeurs de $\ln x$ et de son approximation sont très proches.
    c) En $x = 1,1$, $y \approx 0,095$
       En $x = 2$, $y = 0,5$

32. -4 N/s

33. a) $z = \sqrt{0,25 + x^2}$
    b) 0,693 km/min
    c) 0,4 rad/min

34. 2513,3 cm^3/s

35. a) $k = \ln\left(\frac{17}{16}\right) \approx 0,0606$
    b) $t \approx 11,93$ h
    c) Formule :
       $T(24) \approx 23,97\ °C$;
       règle empirique : 24,5 °C

36. a) $h(t) = 100 - 10t$ pour $0 \le t \le 10$
    b) $\theta = \arctan\left(\frac{70 - 10t}{50}\right)$;
       $\dfrac{d\theta}{dt} = -\dfrac{1}{5}\left(\dfrac{50^2}{50^2 + (70 - 10t)^2}\right)$
    c) 30 m (au niveau de l'observateur)

Section 3.7

1. $dy/dx = -x/y$

2. $\dfrac{dy}{dx} = \dfrac{y^2 - y - 2x}{x - 3y^2 - 2xy}$

3. $1/25$

4. $\dfrac{dy}{dx} = -\dfrac{\sqrt{y}}{\sqrt{x}}$

5. $-y/(2x)$

6. $\dfrac{dy}{dx} = -2xy e^{x^2}$

7. $\dfrac{y^2 + x^4 y^4 - 2xy}{x^2 - 2xy - 2x^5 y^3}$

8. $\dfrac{dy}{dx} = \dfrac{(1 - x \ln y)}{x}\cdot\dfrac{y}{(x + 3y^3)}$

9. $dy/dx = \dfrac{2 - y \cos(xy)}{x \cos(xy)}$

10. $\dfrac{dy}{dx} = \dfrac{-y^{1/3}}{x^{1/3}}$

11. $\dfrac{dy}{dx} = \dfrac{3x^2 \arctan y}{-e^{\cos y}\sin y - x^3(1 + y^2)^{-1}}$

12. $\dfrac{dy}{dx} = 0$

13. $y = x/2 - 3/2$

14. $y = e^2 x$

15. $y = 2$

16. $y = 0$

17. $dy/dx = (m/n)x^{m/n - 1}$

18. a) $y = -\dfrac{4x}{3} + \dfrac{25}{3}$ et $y = \dfrac{4x}{3} - \dfrac{25}{3}$
    b) $y = \dfrac{3x}{4}$ et $y = -\dfrac{3x}{4}$
    c) À l'origine

19. a) $dy/dx = -9x/(25y)$
    b) La pente est indéfinie partout le long de la droite $y = 0$.

20. a) $\dfrac{dy}{dx} = \dfrac{y^2 - 3x^2}{3y^2 - 2xy}$
    d) $(1,1609, 2,010\ 17)$ et $(-0,8857, 1,5341)$

21. La droite est $y = 2x - 1$; le cercle est $(x - 8)^2 + y^2 = 45$.

22. $\left(-\dfrac{1}{3}, \dfrac{2\sqrt{2}}{3}\right)$ et $\left(\dfrac{7}{3}, \dfrac{4\sqrt{2}}{3}\right)$

Section 3.8

1. $1/x \approx 2 - x$

5. b) Cette estimation est assez juste.
   c) Ci-dessous

6. Négative

7. Positive

8. Négative

9. Négative

10. 0

11. a) Indéfinie
    b) 0
    c) 0
    d) Indéfinie

12. a) 3
    b) 5
    c) 3/5

13. $0,1x^7$

14. $0,01x^3$

15. $x^{0,2}$

16. $e^{0,1x}$

17. -2

18. a) $\sin 2 \approx 0,909\ 297$
    b) N'existe pas
    c) N'existe pas

19. $y = 2/3$

21. c) 0

22. $e^x \sin x \approx x$. La dérivée de $e^x \sin x$ en $x = 0$ est 1.
    La dérivée de $\dfrac{e^x \sin x}{1 + x}$ en $x = 0$ est 1.

Chapitre 3 – Révision

1. $2/3$

2. 3

3. a) $h(4) = 1$
   b) $h'(4) = 2$
   c) $h(4) = 3$
   d) $h'(4) = 3$
   e) $h'(4) = -5/16$
   f) $h'(4) = 13$

4. a) 11
   b) $3r'(1)$, mais on ne connaît pas $r'(1)$
   c) $-1/4$
   d) -3

5. Ces fonctions ressemblent à la droite $y = 0$:
   $\sin x - \tan x$, $\dfrac{x^2}{x^2 + 1}$,
   $x - \sin x$, $\dfrac{1 - \cos x}{\cos x}$.
   Ces fonctions ressemblent à la droite $y = x$:
   $\arcsin x$, $\dfrac{\sin x}{1 + \sin x}$,
   $\arctan x$, $e^x - 1$,
   $\dfrac{x}{x + 1}$, $\dfrac{x}{x^2 + 1}$.
   Cette fonction est indéfinie à l'origine :
   $\dfrac{\sin x}{x} - 1$, $-x \ln x$.
   Ces fonctions sont définies à l'origine mais avec une tangente verticale :
   $x^{10} + \sqrt[10]{x}$.

6. 70,53° (ou 109,47°)

7. a) $dg/dr = -2GM/r^3$
   b) dg/dr est le taux de variation de l'accélération due à l'attraction de la gravité. Plus on se trouve loin du centre de la Terre, plus faible est l'attraction de la gravité.
   c) $-3,05 \cdot 10^{-6}$
   d) Raisonnable parce que l'amplitude de $\dfrac{dg}{dr}$ est si petite (comparativement à $g = 9,8$) que pour r proche de 6400 km, g ne varie pour ainsi dire pas

8. La population du Mexique

9. a) $v(t) = 10e^{t/2}$
   b) $v(t) = s(t)/2$

10. b) $y = (-8,06 \cdot 10^{-3})h + 76$
    c) $P = 76 - 0,008h$

11. a) Descendante, 0,38 m/h
    b) Montante, 3,76 m/h
    c) Montante, 0,75 m/h
    d) Descendante, 1,12 m/h

12. $a = 169,36$ et $b = 0,025$

13. a) $v = -2\pi\omega y_0 \sin(2\pi\omega t)$
       $a = -4\pi^2\omega^2 y_0 \cos(2\pi\omega t)$
    b) Amplitudes : différentes $(y_0, 2\pi\omega y_0, 4\pi^2\omega^2 y_0)$
       Périodes $= 1/\omega$

14. a) 1 million de personnes
    b) Le nombre maximal de personnes qui tombent malades en un jour est de 25 000.

15. $1/\pi \approx 0,32\mu$m/jour

16. $1/3$

17. 461,9 km/h

18. $\dfrac{dP}{dV} = -\dfrac{k}{V^2}$

19. a) Décroît
    b) $-0{,}25 \text{ cm}^3/\text{min}$

20. a) $y^{(n)} = (-1)^{n+1}(n-1)!\, x^{-n}$
    b) $y^{(n)} = e^x(x+n)$
    c) $y^{(n)} = 2^{n/2}e^x \cos\left(x + \dfrac{n\pi}{4}\right)$

Gros plan sur la pratique : *la dérivation*

1. $6t - 4$

2. $17 + 12x^{-1/2}$

3. $-(5x^4 + 2)/2$

4. $2t - \dfrac{k}{t^2}$

5. $20x^3 - 2/x^3$

6. $\dfrac{t^2 + 2t + 2}{(t+1)^2}$

7. $2e^{2x}(x^2 - x + 1)/(x^2 + 1)^2$

8. 1

9. $4x\,(x^2 + 2)/9$

10. $4\sin(2\theta)\cos(2\theta) - \pi$

11. $-3\cos(2 - 3x)$

12. $3\pi\sin(\pi x)$

13. $(z^2 - 1)/(3z^2)$

14. $\dfrac{6}{(5r+2)^2}$

15. $1/(\sqrt{\sin(2z)}\,\sqrt{\cos^3(2z)})$

16. $\ln x$

17. $ae^{ax}/(e^{ax} + b)$

18. $2\ln(2x)$

19. $\cos(\tan\theta)/\cos^2\theta$

20. $\dfrac{2x}{\cos^2(x^2)}$

21. $\cos(\cos x + \sin x)\cdot(\cos x - \sin x)$

22. $\dfrac{-x}{\sqrt{1 - x^2}}$

23. $5\sin^4\alpha\cos^4\alpha - 3\sin^6\alpha\cos^2\alpha$

24. $-2(\cos w\sin w + w\sin(w^2))$

25. $-2/(\sqrt{t}(3 + \sqrt{t})^2)$

26. $\dfrac{8}{(t+4)^2}$

27. $-(3e^{3x} + 2x)/(e^{3x} + x^2)^2$

28. $5(w^4 - 2w)^4(4w^3 - 2)$

29. $\dfrac{(4\theta - 2\sin(2\theta)\cos(2\theta))}{\sqrt{4\theta^2 - \sin^2(2\theta)}}$

30. $4(t\cos t + \tan^3(t^5))^3$
    $\left(\cos t - t\sin t + 3\tan^2(t^5)\left[\dfrac{5t^4}{\cos^2(t^5)}\right]\right)$

31. $3w^2\ln(10w) + w^2$

32. $\dfrac{\cos x - \sin x}{\sin x + \cos x}$

33. π

34. $\dfrac{2}{\sqrt{1 - 4t^2}}$

35. $2r^3/\sqrt{r^4 + 1}$

36. $6w^{-4} + \dfrac{3}{2}w^{-1/2}$

37. $\dfrac{\sqrt{x+3}(x^2 + 6x - 9)}{2(x+3)^2\sqrt{x^2 + 9}}$
    $= \dfrac{x^2 + 6x - 9}{2(x+3)^{3/2}\sqrt{x^2 + 9}}$

38. $\dfrac{1}{2}\sqrt{\dfrac{1 - \cos x}{1 - \sin x}}\left[\dfrac{1 - \cos x - \sin x}{(1 - \cos x)^2}\right]$

39. $1/(1 + 2u + 2u^2)$

40. $2^{-4z}(-4(\ln 2)\sin(\pi z) + \pi\cos(\pi z))$

41. $(2t - ct^2)e^{-ct}$

42. $(\ln\pi)\pi^x + \pi x^{\pi - 1}$

43. $\ln x/(1 + \ln x)^2$

44. $\dfrac{6\sin x\cos x}{(\cos^2 x + 1)^2}$

45. $8/\sin t$

46. k

47. $3\cos(3\theta)e^{\sin(3\theta)}$

48. $(\ln\pi)\pi^x$

49. $(\ln\pi)\pi^{(x+2)}$

50. $\pi e^{\pi x}$

51. $(\cos\theta)e^{\sin\theta}$

52. $(-\ln 2)2^{-\theta}$

53. $e^{2x}[2x^2 + 2x + (\ln 5 + 2)5^x]$

54. $3e^{3x}2^{e^{3x}}\ln 2$

55. $-8/(4 + t)^2$

56. $\dfrac{\cos y + a + y\sin y}{(\cos y + a)^2}$

57. $-8b^4 z/(a + z^2)^5$

58. $4e^{4t + 2}$

59. $(\ln(\ln 2))(\ln 2)^z$

60. $\dfrac{3x^2}{a} + \dfrac{2ax}{b} - c$

61. $-3\sin(\arctan 3x)/(1 + 9x^2)$

62. $6xe^x - 24x + 3x^2 e^x + \pi e^x$

63. $6(1 + 3t)e^{(1 + 3t)^2}$

64. $\dfrac{\sqrt{z}}{2}(3 - z^{-2})$

65. $2r(r+1)/(2r+1)^2$

66. $2 + \dfrac{1}{3x^{4/3}} + 3^x\ln 3$

67. $2e^t + 2te^t + 1/(2t^{3/2})$

68. $\dfrac{-30}{(5 + 3z)^2}$

69. $-\dfrac{2^w\ln 2 + e^w}{(2^w + e^w)^2}$

70. $\dfrac{3}{y\,\ln(2y^3)}$

71. $x^2\ln x$

72. $kx^{k-1} + k^x\ln k$

73. $6(3\theta - \pi)\cos[(3\theta - \pi)^2]$

74. $6\cos(3\theta - \pi)\sin(3\theta - \pi)$

75. $(-e^{-t} - 1)/(e^{-t} - t)$

76. $-\dfrac{\theta\cos(5 - \theta) + 2\sin(5 - \theta)}{\theta^3}$

77. $1/\sin^2\theta - 2\theta\cos\theta/\sin^3\theta$

78. $\dfrac{1}{2}x^{-1/2} - x^{-2} - \dfrac{3}{2}x^{-5/2}$

79. $-1/(1 + (2 - x)^2)$

80. $e^{(e^\theta + e^{-\theta})}(e^\theta - e^{-\theta})$

81. $e^n\cos(e^n)$

82. $e^{\tan(\sin\alpha)}\dfrac{\cos\alpha}{\cos^2(\sin\alpha)}$

83. $\cos(\sqrt{t}e^t) - t\sin(\sqrt{t}e^t)\cdot(\sqrt{t}e^t + e^t/(2\sqrt{t}))$

84. $\dfrac{e(\tan 2 + \tan r)^{e-1}}{\cos^2 r}$

85. 0

86. $6x(x^2 + 5)^2(3x^2 - 2)(6x^3 + 15x - 2)$

87. $e^{\tan x} + xe^{\tan x}/\cos^2 x$

88. $2e^{2x}\sin(3x)(\sin(3x) + 3\cos(3x))$

89. $6x/(9x^4 + 6x^2 + 2)$

90. $2^{\sin x}((\ln 2)\cos^2 x - \sin x)$

91. a

92. a

93. $ke^{k\theta}$

94. k

95. $e^{-4kt}(\cos t - 4k\sin t)$

96. $5(\ln a)a^{5x}$

97. $-4a^2 x/(a^2 + x^2)^2$

98. $\dfrac{2abr - ar^4}{(b + r^3)^2}$

99. $(-3a^2 s - s^3)/(a^2 + s^2)^{3/2}$

100. $ke^{kt}(\sin(at) + \cos(bt))$
     $+ e^{kt}(a\cos(at) - b\sin(bt))$

101. $(-cat^2 + 2at - bc)e^{-ct}$

102. $-\dfrac{\sin\theta\cos\theta}{\sqrt{a^2 - \sin^2\theta}}$

103. $-2/(x^2 + 4)$

104. $\dfrac{\cos(t/k)}{k\sin(t/k)}$

105. $ae^{au}/(a^2 + b^2)$

106. $\dfrac{20w}{(a^2 - w^2)^3}$

107. $4/(e^x + e^{-x})^2$

108. $\dfrac{4a}{(e^{ax} + e^{-ax})^2}$

109. $(-4 - 6x)(6x^e - 3\pi) + (2 - 4x - 3x^2)(6ex^{e-1})$

110. $4(\sin(2t) - \cos(3t))^3$
$\left[2\cos(2t) + 3\sin(3t)\right]$

111. 0

112. $-16 - 12x + 48x^2 - 32x^3 + 28x^6$
$\quad - 9x^8 + 20x^9$

113. $4x - 2 - 4x^{-2} + 8x^{-3}$

114. $\frac{5}{2}(5z)^{-1/2} + \frac{5}{2}z^{-1/2} - \frac{5}{2}z^{-3/2}$
$\quad + \frac{\sqrt{5}}{2}z^{-3/2}$

115. a) $f'(2) = 20$
 b) $f'(2) = 11/9$
 c) $f'(2) = -4$
 d) $f'(2) = -24$
 e) $f'(2) = \sin 3 - 8\cos 3$
 f) $f'(2) = 4\ln 3 - 16/3$

116. a) $y = 20x - 48$
 b) $y = \frac{11x}{9} - \frac{16}{9}$
 c) $y = -4x + 20$
 d) $y = -24x + 57$
 e) $y = 8,06x - 15,84$
 f) $y = -0,94x + 6,27$

117. $(1 - y)/(x - 3)$

118. $\frac{-3x}{2y}$

119. $ax/(by)$

120. $\frac{-2xy}{x^2 - 2}$

121. $\frac{8xy - 3x^2}{3y^2 - 4x^2}$

122. $\frac{y + b\sin(bx)}{a\cos(ay) - x}$

Section 4.1

3. a) $x \approx 2,5$
 (ou tout $2 < x < 3$)
 $x \approx 6,5$
 (ou tout $6 < x < 7$)
 $x \approx 9,5$
 (ou tout $9 < x < 10$)
 b) $x \approx 2,5$: maximum local
 $x \approx 6,5$: minimum local
 $x \approx 9,5$: maximum local

7. $x = -1, 1/2$

8. Croissant pour $x < -\sqrt{2}$ et
 $x > \sqrt{2}$ et décroissant pour
 $-\sqrt{2} < x < \sqrt{2}$
 Maximum local en $x = -\sqrt{2}$ et
 minimum local en $x = \sqrt{2}$

9. Croissante pour tout x ;
 pas de point critique

10. Croissant pour $x < -1$ et $x > 1$ et
 décroissant pour $-1 < x < 1$
 Maximum local en $x = -1$ et
 minimum local en $x = 1$

11. Alternativement croissante et
 décroissante

12. Décroissant pour $x < \ln 10 \approx 2,3$ et
 croissant pour $x > \ln 10$
 Minimum (absolu) en $x = \ln 10$

13. Oscillante : $x < 0$
 Croissante : $x > 0$

14. Minimum absolu en $x = -\sqrt{2}$ et
 maximum absolu en $x = \sqrt{2}$. L'axe
 des x est une asymptote horizontale.
 Le graphe est croissant pour
 $-\sqrt{2} < x < \sqrt{2}$ et décroissant ailleurs.

15. Minimum local : $(0,37, -0,37)$

16. (8) Point d'inflexion en $x = 0$
 Concave vers le haut pour
 $x > 0$ et concave vers le bas
 pour $x < 0$
 (9) Même réponse qu'en (8)
 (10) Il y a 3 points d'inflexion :
 en $x = 0$ et $\pm\sqrt{2}$.
 11) Infinité de points d'inflexion
 espacés d'environ 3 unités
 (12) Toujours concave vers le haut
 (13) Concave vers le haut pour tous
 les $x > 0$ et infinité de
 changements de concavité pour
 $x < 0$, de façon presque
 périodique
 (14) Il y a 3 points d'inflexion :
 en $x = 0$ et $\pm\frac{\sqrt{6}}{2}$.
 (15) Concave vers le haut pour tous
 les x $(x > 0)$

18. $a = -12$ et $b = 31$

19. $a = -1/3$

20. $a = 3^e$ et $b = -3$

21. a) Maximum local et maximum
 absolu
 b) Minimum local et minimum
 absolu
 c) Ni l'un ni l'autre
 d) Minimum local et minimum
 absolu

22. b) Au plus, 4 zéros
 c) 0 (f peut ne pas avoir de zéro)
 d) Au moins 2 points d'inflexion
 e) Degré $(f) \geq 4$
 f) Par exemple,
 $f(x) = -\frac{2}{15}(x + 1)$
 $(x - 1)(x - 3)(x - 5)$

26. b) Environ 13 années après 1774
 Il y avait environ 1000 lapins.
 c) Peut-être les prédateurs, la
 nourriture limitée…,

33. a) Décroissante
 b) Minimum local en x_1
 c) Concave vers le haut en x_2

34. a) Oui
 b) On ne peut rien conclure.
 c) Oui

Section 4.2

2. a) Maximum local en
 $\left(-\sqrt{\frac{a}{3}}, \frac{2a}{3}\sqrt{\frac{a}{3}}\right)$ et minimum
 local en $\left(\sqrt{\frac{a}{3}}, -\frac{2a}{3}\sqrt{\frac{a}{3}}\right)$
 b) En augmentant a, on éloigne
 les points critiques de l'axe
 des y et les valeurs critiques de
 l'axe des x, tout en distançant
 les zéros de p.

3. En augmentant $|a|$, on étire le graphe
 horizontalement.

4. $a = 200\,000$ et $k = -\ln(0,9) \approx 0,105$.

5. a) $b = 20\,°C$, $a = 180\,°C$
 b) $k = \frac{1}{90}\,\text{min}^{-1}$

7. a) $x = 0$ et $\pm\sqrt{-a/2}$
 b) Pour tout a ou b, $x = 0$ est un
 point critique. Un point est
 critique seulement si $a \geq 0$.
 Minimum local
 c) Si a est négatif :
 $x = 0$ est un maximum local
 $x = \pm\sqrt{-\frac{a}{2}}$ sont des minimums
 locaux
 d) Non

8. Le paramètre a contrôle l'amplitude
 des oscillations.

10. Si b est petit, le graphe monte plus
 longtemps et atteint un maximum
 plus haut.

11. $\left(1/b, 1/(be)\right)$

13. A détermine l'intersection avec l'axe
 des y, ce qui étire ou aplatit le graphe
 en forme de cloche.
 B modifie la largeur.

14. a) Maximum local en $x = 1/b$
 Pas de minimums locaux
 Point d'inflexion en $x = 2/b$
 b) En variant a, rien n'est affecté,
 sauf que le graphe est étiré ou
 aplani. Par contre, changer b
 affecte les points critiques et
 d'inflexion.

16. c) $k = 1$

17. a) $|A|$ plus grand, plus abrupt
 b) Fait la translation
 horizontalement par B ;
 à gauche pour $B > 0$ et
 à droite pour $B < 0$.
 Asymptote verticale $x = -B$

18. a) Intersection avec l'axe des x :
 $x = a$
 Asymptote verticale en $x = 0$
 Asymptote horizontale en $U = 0$
 b) $\left(2a, -\frac{b}{4}\right)$ est un minimum local.

20. a) $r = \frac{B}{A}$ est le zéro et $r = 0$ est
 une asymptote verticale.

b) $\left(\frac{3B}{2A}, -\frac{4A^2}{27B^2}\right)$ est un minimum local et $\left(\frac{2B}{A}, -\frac{A^3}{8B^2}\right)$ est un point d'inflexion.

Section 4.3

3. a) $f(1)$ minimum local
$f(0)$, $f(2)$ maximums locaux
   b) $f(1)$ minimum absolu
$f(2)$ maximum absolu

4. a) $(1, 1)$ est un minimum local.
$(0,1\ ;\ 2,4026)$ et $(2\ ;\ 1,3069)$ sont des maximums locaux.
   b) Minimum absolu en $x = 1$ et maximum absolu en $x = 0,1$

5. a) $f\left(\frac{2\pi}{3}\right)$ maximum local
$f(0)$ et $f(\pi)$ minimums locaux
   b) $f\left(\frac{2\pi}{3}\right)$ maximum absolu
$f(0)$ minimum absolu

7. b) Oui, en $x = 0$
   c) $5 > g(0) > g(2)$

9. 12 m

10. a) $D = C$
    b) $D = C/2$

11. $r = \frac{2}{3}R$

12. $\theta = -\mu\sqrt{\mu^2 + 1}$

13. $\theta = -\mu + \sqrt{\mu^2 + 1}$

14. Valeur maximale de $1,0\,mg$, atteinte en $\theta = 0$
Valeur minimale de $0,148\,mg$, atteinte en $\theta = 1,422$

15. Minimum : $x = -r_0/\sqrt{2}$
Maximum : $x = r_0/\sqrt{2}$

16. Valeur maximale de 2, atteinte en $wt = \frac{\pi}{3}$
Valeur minimale de -2, atteinte en $wt = \frac{4\pi}{3}$

17. c) Non

18. $e^{-0,09} \leq y \leq 1$

19. $0 \leq y$; pas de majorant

20. $0 \leq y \leq \ln 5 \approx 1,61$

21. $0 \leq y \leq 16$

22. $0 \leq y \leq 2\pi$

23. a) 10
    b) 9

24. b) $f(v) = v \cdot a(v)$
    c) Quand $a(v) = f'(v)$
    d) $a(v)$; on minimise l'énergie totale pour le vol.

25. b) 160 km/h ou 320 km/h ; non ; oui
    c) 220 km/h

26. a) $g(v) = \frac{f(v)}{v}$

---

b) ≈ 220 km/h
c) ≈ 300 km/h
d) Tout dépend du but du vol

Section 4.4

2. b) $C'(q_0) = R'(p_0) = p$

3. a) Coût fixe
   b) Diminue lentement, puis augmente

4. a) $q = a$ correspond à un minimum local de profit.
   b) $q = b$ correspond à un maximum absolu de profit.

5. a) 0 \$
   b) 96,56 \$
   c) Augmente le prix de 5 \$

6. $L = \left(\frac{\beta pcK^\alpha}{w}\right)^{\frac{1}{1-\beta}}$

7. b) i) $N'(x) = 20$
      ii) $\frac{N(x)}{x} = \frac{100}{x} + 20$

10. a) $C(q) = 0,01q^3 - 0,6q^2 + 13q$
    b) $CM(20) = 1$. Le coût marginal est minimum quand le coût additionnel par article est de 1 \$.
    c) $q = 30$ et $a(30) = 4$ \$/article
    d) $CM(30) = 4$, qui est identique au coût moyen. Puisque $a(30)$ est le minimum absolu, on doit avoir $C'(30) = a(30)$.

11. b) $q = [Fa/(K(1-a))]^a$

Section 4.5

1. $\frac{200(9 - \sqrt{3})}{3}$

2. À 13,13 km de la cheminée correspondant à k_1

3. Minimum $v = \sqrt{2}\,k$; pas de maximum

4. 1250 m²

5. a) $V = Ax/4 - x^3/2$
   c) $(A/6)^{3/2}$

6. ≈ 4347 \$

7. 14 m sur 21 m

8. $w = 20\sqrt{3} \approx 34,64$ cm et $h = 20\sqrt{6} \approx 48,99$ cm

9. $h = \sqrt{50}$ m

10. $h = r = \sqrt{\frac{2A}{4+\pi}}$

11. $(0,59\ ;\ 0,35)$

12. $(1, 1)$

13. Quand le rectangle est un carré

14. Revenu le plus élevé : 27 225 \$
Revenu le plus bas : 0 \$

15. 15 km/h

16. a) $e^{1/e}$
    b) $3^{1/3}$
    c) $3^{1/3} > \pi^{1/\pi}$

---

17. a) La moyenne arithmétique à moins que $a = b$, dans lequel cas les deux moyennes sont égales
    b) La moyenne arithmétique à moins que $a = b = c$, dans lequel cas les deux moyennes sont égales

18. $x = 4/5$

19. a) $E = 500e\left(\frac{200 - \cos\theta}{\sin\theta}\right) + 2000e$
$\left(\arctan\left(\frac{500}{2000}\right) \leq \theta \leq \frac{\pi}{2}\right)$
    b) $\theta = \pi/3$
    c) Indépendante de e, mais dépendante de $\overline{AB}/\overline{AL}$

20. $x = \sqrt{4232} \approx 65,1$

21. a) $T = \sqrt{a^2 + (c-x)^2}/v_1 + \sqrt{b^2 + x^2}/v_2$

Section 4.6

4. $\sinh(2x) = 2\sinh(x)\cosh(x)$

5. $\cosh(2x) = \cosh^2 x + \sinh^2 x$

7. $2\sinh(2x)$

8. $3\cosh(3z + 5)$

9. $2te^{t^2}\sinh(e^{t^2})$

10. $3\cosh(3y) - \cosh(\sinh(3y))$

11. $\tanh(1 + \theta)$

12. En augmentant a, le graphe s'aplanit et la valeur minimale augmente.

13. b) $A = 6,325$ (facteur d'étirement)
$c = 0,458$ (translation horizontale)

15. b) Forme en U
    c) Croissante $(A > 0)$ ou décroissante $(A < 0)$
    d) Maximum : $A < 0$, $B < 0$
Minimum : $A > 0$, $B > 0$

16. a) $\frac{I}{w}\left(\frac{e + e^{-1}}{2} - 1\right) \approx 0,54\frac{I}{w}$

17. $y \approx 217 - 30\cosh(x/30)$

Chapitre 4 – Révision

3. a) Croissante : $(0, \infty)$
Décroissante : $(-\infty, 0)$
   b) Minimum local et absolu : $f(0)$

4. a) Croissante pour tous les x
   b) Pas de maximum ni de minimum

5. a) Croissante : $(0, 4)$
Décroissante : $(-\infty, 0)$, $(4, \infty)$
   b) Maximum local : $f(4)$
Minimum local : $f(0)$

6. c) Croissante sur $]-1, 0[\cup]1, \infty[$ et décroissante sur $]-\infty, -1[\cup]0, 1[$
   d) Minimums locaux en ± 1, maximum local en 0

7. a) $f'(x) = 3x(x-2)$
   $f''(x) = 6(x-1)$
   b) $x = 0$
   $x = 2$
   c) Point d'inflexion : $x = 1$
   d) Aux extrémités :
   $f(-1) = -4$
   $f(3) = 0$
   Points critiques :
   $f(0) = 0$
   $f(2) = -4$
   Maximum absolu :
   $f(0) = 0$ et $f(3) = 0$
   Minimum absolu :
   $f(-1) = -4$ et
   $f(2) = -4$
   e) f croissante :
   pour $x < 0$ et $x > 2$
   f décroissante :
   pour $0 < x < 2$
   f concave vers le haut :
   pour $x > 1$
   f concave vers le bas :
   pour $x < 1$

8. a) $f'(x) = 1 + \cos x$ et
   $f''(x) = -\sin x$
   b) $x = \pi$
   c) Point d'inflexion : $x = \pi$
   d) Maximum absolu de 2π en
   $x = 2\pi$ et minimum absolu de 0
   en $x = 0$
   e) f est toujours croissante.
   Concave vers le bas si $x < \pi$ et
   concave vers le haut si $x > \pi$

9. a) $f'(x)$
   $= -e^{-x}\sin x + e^{-x}\cos x$
   $f''(x) = -2e^{-x}\cos x$
   b) Points critiques :
   $x = \frac{\pi}{4}$ et $\frac{5\pi}{4}$
   c) Points d'inflexion :
   $x = \frac{\pi}{2}$ et $\frac{3\pi}{2}$
   d) Extrémités :
   $f(0) = 0$
   $f(2\pi) = 0$
   Maximum absolu :
   $f\left(\frac{\pi}{4}\right) = \left(e^{-\frac{\pi}{4}}\right)\left(\frac{\sqrt{2}}{2}\right)$
   Minimum absolu :
   $f\left(\frac{5\pi}{4}\right) = -e^{-\frac{5\pi}{4}}\left(\frac{\sqrt{2}}{2}\right)$
   f croissante :
   $0 < x < \frac{\pi}{4}$ et
   $\frac{5\pi}{4} < x < 2\pi$
   f décroissante :
   $\frac{\pi}{4} < x < \frac{5\pi}{4}$
   f concave vers le bas :
   pour $0 \le x < \frac{\pi}{2}$
   et $\frac{3\pi}{2} < x \le 2\pi$
   f concave vers le haut :
   pour $\frac{\pi}{2} < x < \frac{3\pi}{2}$

10. a) $f'(x) = \frac{1}{3}x^{-5/3}(x-2)$ et

    $f''(x) - \frac{2}{9}x^{-8/3}(x-5)$
    b) $x = 2$
    c) Pas de point d'inflexion
    d) Maximum absolu de 1,952 09
    en $x = 3,5$ et minimum absolu
    de 1,889 88 en $x = 2$
    f) f est décroissante sur $]{-}1{,}2\,,\,2[$,
    croissante sur $]2\,,\,3{,}5[$ et
    toujours concave vers le haut.

11. $\lim_{x \to \infty} f(x) = \infty$
    $\lim_{x \to \infty} f(x) = -\infty$
    a) $f'(x) = 6(x-2)(x-1)$
    $f''(x) = 6(2x-3)$
    b) $x = 1$ et $x = 2$
    c) $x = \frac{3}{2}$
    d) Points critiques :
    $f(1) = 6, f(2) = 5$
    Maximum local : $f(1) = 6$
    Minimum local : $f(2) = 5$
    Maximum et minimum
    absolus : aucun
    e) f croissante : $x < 1$ et $x > 2$
    Décroissante : $1 < x < 2$
    f concave vers le haut : $x > \frac{3}{2}$
    f concave vers le bas : $x < \frac{3}{2}$

12. $\lim_{x \to \pm\infty} f(x) = 4$. Donc $y = 4$
    est asymptote horizontale.
    $f'(x) = \frac{8x}{(x^2+1)^2}$ et
    $f''(x) = \frac{8(1-3x^2)}{(x^2+1)^3}$
    Seul point critique : $x = 0$
    Il y a 2 points d'inflexion : $x = \pm\frac{\sqrt{3}}{3}$.
    Minimum absolu de 0 en $x = 0$ et
    aucun maximum absolu ou local
    La fonction est décroissante
    sur $]{-}\infty,0[$ et croissante sur $]0,\infty[$.
    Elle est concave vers le bas pour
    $x < -\frac{\sqrt{3}}{3}$ et $x > \frac{\sqrt{3}}{3}$ et concave
    vers le haut pour $-\frac{\sqrt{3}}{3} < x < \frac{\sqrt{3}}{3}$.

13. $\lim_{x \to -\infty} f(x) = -\infty$
    $\lim_{x \to \infty} f(x) = 0$
    a) $f'(x) = (1-x)e^{-x}$
    $f''(x) = (x-2)e^{-x}$
    b) Le seul point critique est
    en $x = 1$.
    c) Point d'inflexion : $f(2) = \frac{2}{e^2}$
    d) Maximum absolu : $f(1) = \frac{1}{e}$
    Minimum local et absolu : aucun
    e) f croissante : $x < 1$
    f décroissante : $x > 1$
    f concave vers le haut : $x > 2$
    f concave vers le bas : $x < 2$

14. Maximum local : $x = 0$ (en fait
    absolu) et $f(0) = 0$
    Inflexions en $x = \pm 1$

15. Maximum local : $f(-3) = 12$
    Minimum local : $f(1) = -20$

Point d'inflexion : $x = -1$
Maximum et minimum absolus :
aucun

16. Maximum local en $x = -3$ et
    minimum local en $x = 3$. Aucun
    extremum absolu
    Points d'inflexion en $0, \pm\frac{3\sqrt{2}}{2}$

17. Minimum local et absolu : $x = 2$
    Maximum local et absolu : aucun
    Points d'inflexion : aucun

18. $y = 0$ est asymptote horizontale
    ($f(x) \to 0$ si $x \to -\infty$).
    $x = -\frac{2}{5}$ est un maximum local et
    $x = 0$ est un minimum absolu.
    $x = \frac{2 \pm \sqrt{2}}{5}$ sont des points
    d'inflexion.

19. Maximum absolu et local :
    $f(0) = 1$
    Minimum local : aucun
    Points d'inflexion : $x = \pm\frac{1}{\sqrt{2}}$

20. $\lim_{x \to \pm\infty} f(x) = 1$, donc $y = 1$ est
    asymptote horizontale.
    Minimum absolu en $x = 0$ et points
    d'inflexion en $x = \pm\frac{\sqrt{3}}{3}$

24. Boîte en forme de cube,
    de côté $\sqrt[3]{V}$

25. $x = \sqrt[3]{2V}$
    $y = \sqrt[3]{V/4}$

26. $-0,014 \le e^{-x}\sin x \le 0,322$

27. $-4,81 \le f(x) \le 1,82$

29. a) $g(e)$ est un maximum absolu.
    Il n'y a pas de minimum.
    b) Il y a exactement deux solutions.
    c) $x = 5$ et $x \approx 1,75$

30. a) A est la valeur limite de la
    population.
    b) Les graphes sont ceux de
    2 fonctions miroir-image.
    c) Si C augmente, alors la pente
    près de $x = 0$ augmente.

31. a) Intersection avec l'axe
    des x : $(a, 0)$
    Intersection avec l'axe des y :
    $(0,1/(a^2+1))$
    b) Aire $= a/(2(a^2+1))$
    c) $a = 1$
    d) $A = 1/4$
    e) $a = 2$ et $a = \frac{1}{2}$

32. Les bateaux n'ont pas besoin de
    changer de cap. Une distance
    minimale de 331 m les séparera.

33. a) La concavité change en y_1 et
    en y_3.
    b) $f(t)$ augmente plus rapidement
    où le vase est le plus étroit et
    plus lentement où le vase est le
    plus large.

34. $a \approx 363,23$ et $b \approx 4,7665$

INDEX

AIDE-MÉMOIRE

LES FONCTIONS

Les fonctions linéaires

$$y = f(x) = b + mx.$$

- m est la **pente** ou le taux de variation de y par rapport à x.

- b est l'**intersection verticale** ou l'**ordonnée à l'origine.**

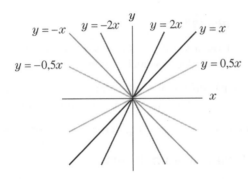

Figure AM.1 : Famille $y = mx$ (où $b = 0$)

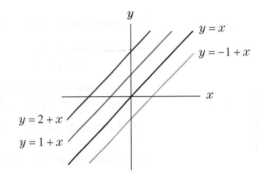

Figure AM.2 : Famille $y = b + x$ (où $m = 1$)

- La pente peut être calculée à partir des valeurs de la fonction en x_1 et en x_2, en utilisant la formule

$$m = \frac{\text{Variation en } y}{\text{Variation en } x} = \frac{\Delta y}{\Delta x} = \frac{f(x_2) - f(x_1)}{x_2 - x_1}.$$

- Pour trouver l'équation d'une droite passant par les points (x_1, y_1) et (x_2, y_2), on calculera la pente $m = \dfrac{y_2 - y_1}{x_2 - x_1}$ pour obtenir $y - y_1 = m(x - x_1)$ ou bien $y = b + mx$.

Les fonctions exponentielles

$$P = P_0 a^t \quad \text{ou} \quad P = P_0 e^{kt}.$$

- P_0 est la quantité initiale.
- a est le facteur par lequel P varie par unité de temps.

- $|k|$ est le taux de croissance continu.
- $r = a - 1$ est le taux de croissance annuel.

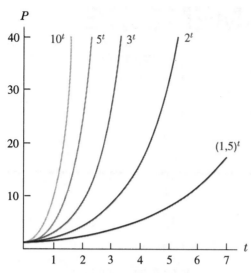

Figure AM.3 : Croissance exponentielle :
$P = a^t$ pour $a > 1$

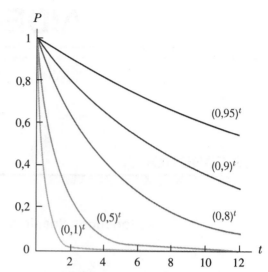

Figure AM.4 : Décroissance exponentielle :
$P = a^t$ pour $0 < a < 1$

Croissance (décroissance) exponentielle

- Supposons que $P_0 > 0$. Si $a > 1$ ou si $k > 0$, nous avons une croissance exponentielle. Si $0 < a < 1$ ou si $k < 0$, nous avons une décroissance exponentielle.

- Le **temps de doublement** (pour la croissance) est le temps requis afin que P double. La **demi-vie** (pour la décroissance) est le temps requis afin que P diminue de moitié.

- Le taux de croissance continu $k = \ln(1 + r)$ est légèrement inférieur à r si r est petit.

Logarithmes en base 10 et logarithmes naturels

- $\log_{10} x = \log x =$ puissance de 10 donnant x.
- $\log x = c$ signifie que $10^c = x$.
- $\log x$ et $\ln x$ ne sont pas définies pour $x \leq 0$.

- $\ln x =$ puissance de e donnant x.
- $\ln x = c$ signifie que $e^c = x$.

Les règles des exposants, par exemple

$$a^x a^t = a^{x+t}$$

$$\frac{a^x}{a^t} = a^{x-t}$$

$$(a^x)^t = a^{xt}$$

sont souvent utilisées pour démontrer les propriétés des logarithmes :

> ### Propriétés des logarithmes
>
> Pour $A, B, x > 0$, pour un p quelconque, on a :
>
> 1. $\log (AB) = \log A + \log B$
> 2. $\log \left(\frac{A}{B}\right) = \log A - \log B$
> 3. $\log (A^p) = p \log A$
> 4. $\log (10^x) = x$
> 5. $10^{\log x} = x$
>
> De plus, $\log 1 = 0$ parce que $10^0 = 1$.

- Le logarithme naturel satisfait aux propriétés 1, 2 et 3 et $\ln e^x = x$, $e^{\ln x} = x$, $\ln 1 = 0$.

Les fonctions trigonométriques

- On peut les définir à partir d'un triangle rectangle :

$$\sin \theta = \frac{y}{r} \qquad \tan \theta = \frac{\sin \theta}{\cos \theta}$$

$$\cos \theta = \frac{x}{r} \qquad \cos^2 \theta + \sin^2 \theta = 1$$

$$\tan \theta = \frac{y}{x}$$

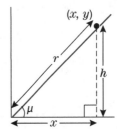

Figure AM.5 : Définition des fonctions trigonométriques dans le triangle rectangle

- On peut les définir à partir du cercle trigonométrique. Le sinus et le cosinus sont définis à la figure AM.5. Le cosinus est le sinus translaté de $\pi/2$ vers la gauche (figure AM.6).

$\tan t = \dfrac{\sin t}{\cos t}$ est la pente de la droite joignant $(0, 0)$ au point P si $\cos t \neq 0$.

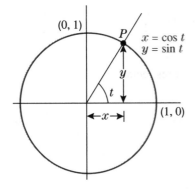

Figure AM.6 : Définitions de sin t et de cos t

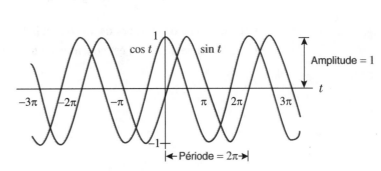

Figure AM.7 : Graphes de cos t et de sin t

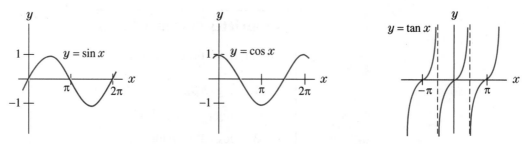

Figure AM.8 : Graphes de $\sin x$, de $\cos x$ et de $\tan x$

Fonctions sinusoïdales

$$y = C + A \sin(B(t + h)) \quad \text{ou} \quad y = C + A \cos(B(t + h)).$$

- Amplitude $= |A|$
- Période $= {}^{2\pi}/_{|B|}$
- La période de $\tan x$ est π.

Les identités trigonométriques

$$\cos^2 x + \sin^2 x = 1$$

$\sin(a \pm b) = \sin a \cos b \pm \cos a \sin b$ $\cos(a \pm b) = \cos a \cos b \mp \sin a \sin b$

$\sin 2x = 2 \sin x \cos x$ $\cos 2x = \cos^2 x - \sin^2 x = 1 - 2 \sin^2 x = 2 \cos^2 x - 1$

$\cos^2 x = \dfrac{1 + \cos 2x}{2}$ $\sin^2 x = \dfrac{1 - \cos 2x}{2}$

$\cos a \cos b = \dfrac{\cos(a + b) + \cos(a - b)}{2}$ $\sin a \sin b = \dfrac{\cos(a - b) - \cos(a + b)}{2}$

$$\sin a \cos b = \dfrac{\sin(a + b) + \sin(a - b)}{2}$$

Les fonctions trigonométriques réciproques

$$\arcsin y = x \text{ signifie que } \sin x = y \text{ avec } -\frac{\pi}{2} \le x \le \frac{\pi}{2}.$$

$$\arccos y = x \text{ signifie que } \cos x = y \text{ avec } 0 \le x \le \pi.$$

$$\arctan y = x \text{ signifie que } \tan x = y \text{ avec } -\frac{\pi}{2} < x < \frac{\pi}{2}.$$

- Le domaine de arcsin et de arccos est $[-1, 1]$.
- Le domaine de arctan est constitué de tous les nombres réels.

Les fonctions puissance

$$f(x) = kx^p$$

- Graphiques si p est positif

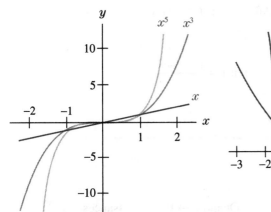

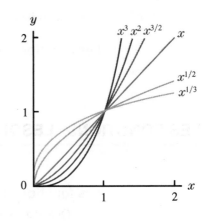

Figure AM.9 : Puissances impaires de x en forme de « siège » pour $n > 1$

Figure AM.10 : Puissances paires de x en forme de $\cup$

Figure AM.11 : Comparaison de certaines puissances fractionnaires de x

- Graphiques si p est zéro ou négatif

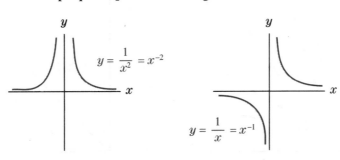

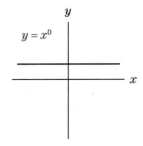

Figure AM.12 : Comparaison entre la puissance zéro et les puissances négatives de x

Les polynômes

$$f(x) = a_n x^n + a_{n-1} x^{n-1} + \cdots + a_1 x + a_0, \, a_n \neq 0.$$

- n est le *degré*.
- a_n est le *coefficient dominant*.
- Un nombre r est une racine (ou un zéro) du polynôme si et seulement si $(x - r)$ divise le polynôme.

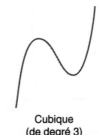

Quadratique
(de degré 2)
($n = 2$)

Cubique
(de degré 3)
($n = 3$)

Quartique
(de degré 4)
($n = 4$)

Quintique
(de degré 5)
($n = 5$)

Figure AM.13 : Graphes de polynômes typiques de degré n

Les fonctions rationnelles

$$f(x) = \frac{p(x)}{q(x)} \text{, où } p \text{ et } q \text{ sont des polynômes.}$$

- Il y aura des asymptotes verticales lorsque $q(x) = 0$ et lorsque $p(x) \neq 0$.

- La droite $y = L$ sera une asymptote horizontale si $\lim\limits_{x \to \infty} f(x) = L$ ou si $\lim\limits_{x \to -\infty} f(x) = L$.

Les fonctions hyperboliques

$$\cosh x = \frac{e^x + e^{-x}}{2} \qquad \sinh x = \frac{e^x + -e^{-x}}{2}$$

LES FONCTIONS : LESQUELLES DOMINENT ?

Les fonctions puissance

- Quand $x \to \infty$, les puissances plus élevées dominent.

- Quand $x \to 0$, les puissances plus petites dominent.

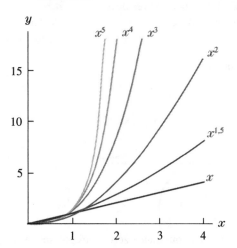

Figure AM.14 : Pour les grandes valeurs de x, les puissances plus élevées de x dominent.

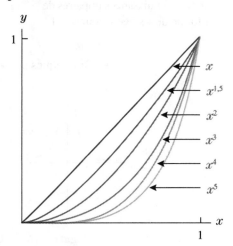

Figure AM.15 : Pour $0 \leq x \leq 1$, les puissances plus petites de x dominent.

Les fonctions puissance versus les fonctions exponentielles

- Toute fonction de croissance exponentielle finit par dominer toute fonction puissance.

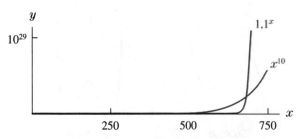

Figure AM.16 : La fonction exponentielle finit par dominer la fonction puissance.

TABLEAU AM.1 *Comparaison entre x^{100} et $1,01^x$*

x	x^{100}	$1,01^x$
10^4	10^{400}	$1,6 \cdot 10^{43}$
10^5	10^{500}	$1,4 \cdot 10^{432}$
10^6	10^{600}	$2,4 \cdot 10^{4321}$

Les fonctions puissance versus les fonctions logarithmiques

- La fonction puissance x^p domine $A \log x$ pour un grand x pour toutes les valeurs de $p > 0$ et de $A > 0$.

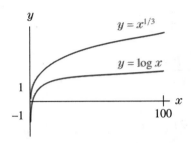

Figure AM.17 : Comparaison entre $y = \log x$ et $y = x^{1/3}$

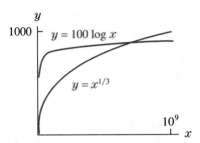

Figure AM.18 : Comparaison entre $y = x^{1/3}$ et $y = 100 \log x$

TABLEAU AM.2   *Comparaison entre $x^{0,001}$ et $1000 \log x$*

x	$x^{0,001}$	$1000 \log x$
10^{5000}	10^5	$5 \cdot 10^6$
10^{6000}	10^6	$6 \cdot 10^6$
10^{7000}	10^7	$7 \cdot 10^6$

OPÉRATIONS SUR LES FONCTIONS

Les translations, les dilatations et les compositions

- La multiplication d'une fonction par une constante c a pour effet d'allonger le graphe verticalement (si $c > 1$) ou de le rétrécir verticalement (si $0 < c < 1$). Un signe négatif (si $c < 0$) réfléchit le graphe par rapport à l'axe des x, outre qu'il le rétrécit ou l'allonge.

- La substitution de $(y - k)$ à y a pour effet de déplacer le graphe vers le haut de k unités si k est positif (vers le bas si k est négatif).

- La substitution de $(x - h)$ à x a pour effet de déplacer le graphe vers la droite de h unités si h est positif (vers la gauche si h est négatif).

- La composition de f et de g est la fonction $f(g(x))$.

La symétrie

- f est une fonction **paire** si $f(-x) = f(x)$ pour tout x.

- f est une fonction **impaire** si $f(-x) = -f(x)$ pour tout x.

Les fonctions réciproques

- Une fonction admet une réciproque si (et seulement si) toute droite horizontale croise son graphe une fois au plus.

- Si une fonction f admet une réciproque, cette dernière est notée f^{-1}, et

$$f^{-1}(x) = y \quad \text{signifie que} \quad f(y) = x.$$

- Lorsque les axes des x et des y ont les mêmes échelles, le graphe de f^{-1} est la réflexion du graphe de f par rapport à la droite $y = x$.

LE THÉORÈME BINOMIAL

Si n est un entier positif, alors

$$(x+y)^n = C_0^n x^n + C_1^n x^{n-1} y + C_2^n x^{n-2} y^2 + \cdots + C_{n-1}^n xy^{n-1} + C_n^n y^n,$$

où

$$C_k^n = \frac{n!}{k!(n-k)!} = \frac{n(n-1)\cdots(n-k+1)}{k!}.$$

On peut donc réécrire :

$$(x+y)^n = x^n + nx^{n-1}y + \frac{n(n-1)}{1\cdot 2}x^{n-2}y^2 + \frac{n(n-1)(n-2)}{1\cdot 2\cdot 3}x^{n-3}y^3 + \cdots + nxy^{n-1} + y^n.$$

LA COMPLÉTUDE DES NOMBRES RÉELS

- **L'axiome de complétude**   Un ensemble non vide de nombres réels qui a un majorant a un supremum.

- **Le théorème des intervalles emboîtés**   Étant donné une suite d'intervalles fermés $[a_n, b_n]$, chacun étant contenu dans le précédent, alors il y a au moins un nombre dans tous les intervalles.

LIMITES ET CONTINUITÉ

- **Limite**   S'il existe un nombre L tel que $f(x)$ peut être rendue aussi proche que possible de L chaque fois que x est suffisamment proche de c (mais $x \neq c$), alors

$$\lim_{x \to c} f(x) = L.$$

De façon plus précise :

on définit $\lim_{x \to c} f(x)$ comme étant le nombre L tel que (s'il existe), pour toute valeur de $\epsilon > 0$ (aussi petite qu'on le veut), il existe une valeur de $\delta > 0$ (suffisamment petite) telle que, si $|x - c| < \delta$ et si $x \neq c$, alors $|f(x) - L| < \epsilon$.

- **Les limites unilatérales**   Si $f(x)$ tend vers L lorsque x approche de c par des valeurs supérieures à c, alors

$$L = \lim_{x \to c^+} f(x).$$

Si $f(x)$ tend vers L lorsque x approche de c par des valeurs inférieures à c, alors

$$L = \lim_{x \to c^-} f(x).$$

- **Les limites à l'infini** Si $f(x)$ se rapproche d'un nombre L quand x devient suffisamment grand, alors

$$\lim_{x \to \infty} f(x) = L.$$

De la même façon, si $f(x)$ se rapproche d'un nombre L au fur et à mesure que x devient de plus en plus négatif, alors

$$\lim_{x \to -\infty} f(x) = L.$$

- **Théorème : propriétés des limites**

Théorème : propriétés des limites

Supposez que toutes les limites du membre de droite existent.

1. Si b est une constante, alors $\lim\limits_{x \to c} \big(bf(x)\big) = b\left(\lim\limits_{x \to c} f(x)\right)$.

2. $\lim\limits_{x \to c} \big(f(x) + g(x)\big) = \lim\limits_{x \to c} f(x) + \lim\limits_{x \to c} g(x)$.

3. $\lim\limits_{x \to c} \big(f(x)g(x)\big) = \left(\lim\limits_{x \to c} f(x)\right)\left(\lim\limits_{x \to c} g(x)\right)$.

4. $\lim\limits_{x \to c} \dfrac{f(x)}{g(x)} = \dfrac{\lim\limits_{x \to c} f(x)}{\lim\limits_{x \to c} g(x)}$ à la condition que $\lim\limits_{x \to c} g(x) \neq 0$.

5. Pour toute constante k, $\lim\limits_{x \to c} k = k$.

6. $\lim\limits_{x \to c} x = c$.

- **Continuité** Une fonction est **continue sur un intervalle** si son graphe n'a pas d'interruptions, de sauts ni de trous sur cet intervalle.

- **Définition de la continuité** Une fonction f est continue en $x = c$ si f est définie en $x = c$ et si

$$\lim_{x \to c} f(x) = f(c).$$

La fonction est continue sur un intervalle si elle est continue en chaque point de l'intervalle.

- **Théorèmes : continuité des sommes, des produits, des quotients et des compositions de fonctions**

On suppose que f et g sont continues sur un intervalle et que b est constante. Alors, sur le même intervalle,
1. $bf(x)$ est continue ;
2. $f(x) + g(x)$ est continue ;
3. $f(x)g(x)$ est continue ;
4. $f(x)/g(x)$ est continue en supposant que $g(x) \neq 0$ sur cet intervalle ;
5. si f et g sont continues et que $f(g(x))$ est définie sur un intervalle, alors, sur cet intervalle, $f(g(x))$ est continue.

- **Théorème de la valeur intermédiaire**   Soit une fonction f continue sur l'intervalle $[a, b]$. Si k est un nombre entre $f(a)$ et $f(b)$, alors il existe au moins un nombre c dans $[a, b]$ tel que $f(c) = k$.

- **Théorème de la valeur extrême**   Si f est continue sur l'intervalle $[a, b]$, alors f a un maximum absolu et un minimum absolu sur cet intervalle.

LA DÉRIVÉE

- La pente de la droite sécante à $f(x)$ sur un intervalle $[a, b]$ donne :

$$\textbf{le taux moyen de variation de } \boldsymbol{f} \textbf{ sur l'intervalle } \boldsymbol{[a, b]} = \frac{f(b) - f(a)}{b - a}.$$

- La **dérivée** de f en a est la pente de la droite tangente au graphe de f au point $(a, f(a))$:

$$f'(a) = \lim_{h \to 0} \frac{f(a + h) - f(a)}{h},$$

qui donne le **taux de variation instantané** de f en a.

- La **dérivée seconde** de f, notée f'', est la dérivée de f'.

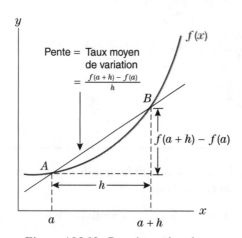

Figure AM.19 : Représentation du taux moyen de variation de f

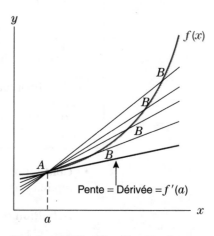

Figure AM.20 : Visualisation du taux de variation instantané de f

Interprétations

- Les unités de $f'(x)$ sont : $\dfrac{\text{Unités de } f(x)}{\text{Unités de } x}$.

- **Les informations données par les dérivées**
    - Si $f' > 0$ sur un intervalle, alors f est *croissante* sur cet intervalle.
    - Si $f' < 0$ sur un intervalle, alors f est *décroissante* sur cet intervalle.
    - Si $f'' > 0$ sur un intervalle, alors le graphe de f est *concave vers le haut* sur cet intervalle.
    - Si $f'' < 0$ sur un intervalle, alors le graphe de f est *concave vers le bas* sur cet intervalle.

Linéarité locale

- La **droite tangente** en $(a, f(a))$ est le graphe de $y = f(a) + f'(a)(x - a)$.

- **L'approximation par la droite tangente**   Pour des valeurs de x près de a,

$$f(x) \approx f(a) + f'(a)(x - a).$$

L'expression $f(a) + f'(a)(x - a)$ est appelée la *linéarisation locale* de f à proximité de $x = a$.

Formules et techniques de dérivation

Dérivées des fonctions élémentaires

$$\frac{d}{dx}\left(x^n\right) = nx^{n-1} \qquad \frac{d}{dx}\left(e^x\right) = e^x \qquad \frac{d}{dx}\left(a^x\right) = (\ln a)a^x$$

$$\frac{d}{dx}(\ln x) = \frac{1}{x} \qquad \frac{d}{dx}(\sin x) = \cos x \qquad \frac{d}{dx}(\cos x) = -\sin x$$

$$\frac{d}{dx}(\tan x) = \frac{1}{\cos^2 x} \qquad \frac{d}{dx}(\arcsin x) = \frac{1}{\sqrt{1 - x^2}} \qquad \frac{d}{dx}(\arctan x) = \frac{1}{1 + x^2}$$

Dérivées d'une somme, d'une différence et d'un multiple constant

$$\frac{d}{dx}(f(x) \pm g(x)) = f'(x) \pm g'(x) \qquad \frac{d}{dx}(cf(x)) = cf'(x)$$

Règles du produit et du quotient

$$(fg)' = f'g + fg' \qquad \left(\frac{f}{g}\right)' = \frac{f'g - fg'}{g^2}$$

Règle de dérivation en chaîne

$$\frac{d}{dx}(f(g(x)) = f'(g(x)) \cdot g'(x)$$

- **Dérivation implicite**   Si y est implicitement définie comme une fonction de x par une équation, alors, afin d'obtenir $\frac{dy}{dx}$, on différentie l'équation par rapport à x, en n'oubliant pas d'appliquer la règle de dérivation en chaîne (puisque y dépend de x).

Applications

- **Règle de L'Hospital**   Si f et g sont des fonctions dérivables en $x = a$, si $f(a) = g(a) = 0$ et si $g'(a) \neq 0$, alors

$$\lim_{x \to a} \frac{f(x)}{g(x)} = \frac{f'(a)}{g'(a)}.$$

- **Maximum local et minimum local**   On suppose que p est un point du domaine de f.

  - f a un maximum local en p si $f(p)$ est supérieure ou égale aux valeurs de f pour les points qui sont proches de p.
  - f a un minimum local en p si $f(p)$ est inférieure ou égale aux valeurs de f pour les points qui sont proches de p.

- **Maximum absolu et minimum absolu**

  - f a un maximum absolu en p si $f(p)$ est supérieure ou égale à toutes les valeurs de f.
  - f a un minimum absolu en p si $f(p)$ est inférieure ou égale à toutes les valeurs de f.

- **Valeur critique et point critique**   Pour toute fonction f, une valeur p appartenant au domaine de f telle que $f'(p) = 0$ ou telle que $f'(p)$ n'existe pas s'appelle une **valeur critique** de la fonction et le point $(p, f(p))$ sur le graphe de f s'appelle un **point critique**. Lorsqu'une fonction f a un minimum local ou un maximum local en p et que p n'est pas un point à la frontière du domaine, alors p est une valeur critique.

- **Le test de la dérivée première pour un maximum local et un minimum local**   On suppose que p est une valeur critique d'une fonction continue f.

  – Si f' passe du négatif au positif en p, alors f atteint un minimum local en p.
  – Si f' passe du positif au négatif en p, alors f atteint un maximum local en p.

- **Le test de la dérivée seconde pour un maximum local et un minimum local**

  – Si $f'(p) = 0$ et si $f''(p) > 0$, alors f a un minimum local en p.
  – Si $f'(p) = 0$ et si $f''(p) < 0$, alors f a un maximum local en p.
  – Si $f'(p) = 0$ et si $f''(p) = 0$ ou si $f''(p)$ n'existe pas, alors le test ne révèle rien.

- Afin de trouver **le maximum absolu et le minimum absolu d'une fonction continue sur un intervalle fermé,** on compare les valeurs de la fonction à toutes les valeurs critiques à l'intérieur de l'intervalle et aux extrémités de l'intervalle. Si l'intervalle n'est pas fermé et est non borné, on considère $\lim\limits_{x \to \pm\infty} f(x)$.

- Un **point d'inflexion** de f est un point du graphe où il y a changement de concavité. En un point d'inflexion, f'' est nulle ou n'existe pas.

Les théorèmes relatifs aux fonctions dérivables

- **Dérivation et linéarité locale**   On suppose que f est dérivable en $x = a$ et que $E(x)$ est l'erreur dans l'approximation par la droite tangente. Cela signifie que

$$E(x) = f(x) - f(a) - f'(a)(x - a).$$

  Alors,

$$\lim_{x \to a} \frac{E(x)}{x - a} = 0.$$

- **Une fonction dérivable est continue**   Si f est dérivable au point $x = a$, alors $f(x)$ est continue en $x = a$.

- **Extremums locaux et points critiques**   On suppose que f est définie sur un intervalle et qu'elle a un maximum ou un minimum local au point $x = a$, lequel n'est pas une extrémité de l'intervalle. Si f est différentiable en $x = a$, alors $f'(a) = 0$.

- **Le théorème de la valeur moyenne (ou théorème des accroissements finis)**   Si f est continue sur $[a, b]$ et différentiable sur $]a, b[$, alors il existe un nombre c où $a < c < b$ tel que

$$f'(c) = \frac{f(b) - f(a)}{b - a}.$$

- **Le théorème de la fonction croissante**   On suppose que f est continue sur $[a, b]$ et différentiable sur $]a, b[$.

  – Si $f'(x) > 0$ sur $]a, b[$, alors f est croissante sur $[a, b]$.
  – Si $f'(x) \geq 0$ sur $]a, b[$, alors f est non décroissante sur $[a, b]$.

- **Le théorème de la fonction constante**   On suppose que f est continue sur $[a, b]$ et différentiable sur $]a, b[$. Si $f'(x) = 0$ sur $]a, b[$, alors f est constante sur $[a, b]$.

- **Le principe de l'hippodrome**   On suppose que g et h sont continues sur $[a, b]$ et différentiables sur $]a, b[$, et que $g'(x) \le h'(x)$ pour $a < x < b$.

  - Si $g(a) = h(a)$, alors $g(x) \le h(x)$ pour $a \le x \le b$.
  - Si $g(b) = h(b)$, alors $g(x) \ge h(x)$ pour $a \le x \le b$.

QUELQUES RAPPELS DE GÉOMÉTRIE ET D'ALGÈBRE

Formules de la distance et du point milieu

Distance D entre (x_1, y_1) et (x_2, y_2) :

$$D = \sqrt{(x_2 - x_1)^2 + (y_2 - y_1)^2}.$$

Point milieu de (x_1, y_1) et (x_2, y_2) :

$$\left(\frac{x_1 + x_2}{2}, \frac{y_1 + y_2}{2} \right).$$

Formule quadratique

Si $ax^2 + bx + c = 0$, alors

$$x = \frac{-b \pm \sqrt{b^2 - 4ac}}{2a}.$$

Factorisation des polynômes particuliers

$x^2 - y^2 = (x + y)(x - y)$

$x^3 + y^3 = (x + y)(x^2 - xy + y^2)$

$x^3 - y^3 = (x - y)(x^2 + xy + y^2)$

Cercles

Centre (h, k) et rayon r :

$$(x - h)^2 + (y - k)^2 = r^2.$$

Ellipse

$$\frac{x^2}{a^2} + \frac{y^2}{b^2} = 1$$

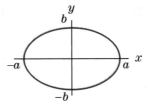

Figure AM.21 : Graphe

de l'ellipse $\dfrac{x^2}{a^2} + \dfrac{y^2}{b^2} = 1$

Hyperbole

$$\frac{x^2}{a^2} - \frac{y^2}{b^2} = 1$$

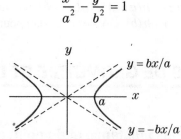

Figure AM.22 : Graphes de
l'hyperbole $\dfrac{x^2}{a^2} - \dfrac{y^2}{b^2} = 1$

Formules géométriques

Conversion entre les radians et les degrés : π radians $= 180°$

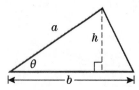

$A = \frac{1}{2} bh$
$\quad = \frac{1}{2} ab \sin\theta$

Figure AM.23 :
Triangle

$A = \pi r^2$
$C = 2\pi r$

Figure AM.24 :
Cercle

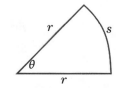

$A = \frac{1}{2} r^2 \theta \quad (\theta$ en radians$)$
$s = r\theta \quad (\theta$ en radians$)$

Figure AM.25 :
Secteur circulaire

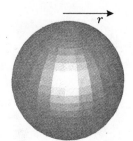

$V = \frac{4}{3} \pi r^3 \quad A = 4\pi r^2$

Figure AM.26 :
Sphère

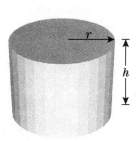

$V = \pi r^2 h$

Figure AM.27 :
Cylindre

$V = \frac{1}{3} \pi r^2 h$

Figure AM.28 :
Cône